【長城】

長城像一條神龍一樣，隨著山勢，蜿蜒盤旋，在峰頭嶺巔，奔騰飛馳，構成世界上蒼涼的壯觀。

【甘南麥地】

從萬里長城到淮河這個一望無際的華北大平原上，全部覆蓋著青青的小麥。這是收割後的麥地。

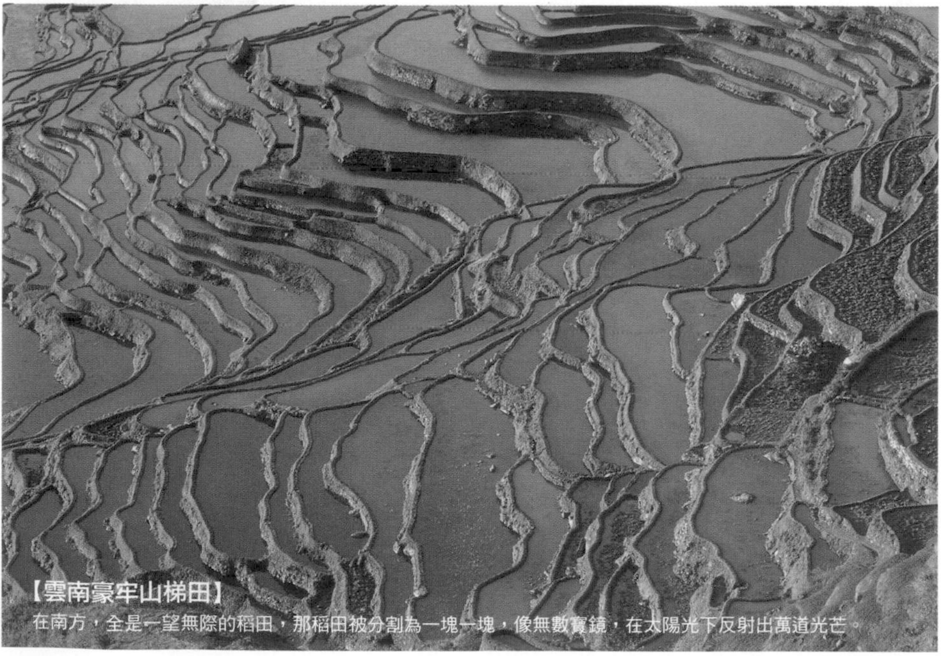

【雲南豪牢山梯田】

在南方，全是一望無際的稻田，那稻田被分割為一塊一塊，像無數寶鏡，在太陽光下反射出萬道光芒。

【草原牧群】

「天蒼蒼，地茫茫，風吹草低見牛羊」的動人場面，不是方塊稻田上生活的人們所能想像的氣魄。

【甘肅鳴沙山】

沙漠靜止時像一個死海，沙漠上的駱駝鈴聲是最有力的聲響。

【黃河壺口瀑布】

黃河像一條喜怒無常的巨龍，翻滾奔騰，專門製造可怕的災難。

【黃河】

黃河是中國歷史上最重要的河流，古中國文明就在這個流域上發生和成長，大部份歷史也都在這個流域上演出。

【長江三峽巫峽】

長江是中國第一大河，它的地理背景比黃河更適於產生文明，但它一旦在中國歷史上出現，就把中國疆土攔腰切斷。

【青海湖畔】
中國第一大鹹水湖青海湖。

【鄱陽湖】
中國第一大淡水湖鄱陽湖。

【江蘇無錫太湖】

豐富的農產和漁產，使太湖流域被稱為「魚米之鄉」。

【喜馬拉雅山】

喜馬拉雅山是終年都被積雪覆蓋著的巨山，跟北方的崑崙山和東方的大雪山，共同築成世界屋頂。

【崑崙山】

崑崙山是中國神話中最古老的仙山。

【華山】

西嶽華山的險峻使人卻步，九世紀時，韓愈於英勇登嶺之後，回顧來路，鳥道懸空，頭昏目炫，他發現他再也沒有膽量下來，不禁大哭。

【峨眉山】

峨眉山是佛教名山之一，但道教也把它當作聖地，稱為虛靈洞天。

【泰山】

東嶽泰山在中國前期歷史上佔有極重要的位置，古書上不斷提到它，而它也自始就擔任了皇家最大事件「封禪」的角色。

【黃山】

黃山擁有三十六峰，雲霧瀰漫，構成黃山雲海奇觀。

【北京天壇祈年殿】

北京是中國古城中的鑽石，自十三世紀起，一直都是中國大一統時代中央政府所在地。

【南京中山陵】

南京被形容為具有龍蟠虎踞的形勢。但它充當國都的時代，幾乎全是分裂時代。

【陝西臨潼華清池】

建都之久居第一位的西安，它擁有最多的古蹟，絕世美女楊玉環沐浴過的華清池溫泉即是其中之一。

【雨中布達拉宮】

拉薩是世界屋頂上最大的城市，古稱邏些城，是古吐蕃王國的國都，喇嘛教的聖地，它神秘的程度跟童話中巫婆住的魔宮一樣。

【四川成都杜甫草堂】

成都是中國分裂時代的寵兒，陸陸續續的充當割據狀態下的一些短命政權的國都，共歷時一百六十年。

【北京故宮】

北京的城市和宮殿雖然仍保留著，但都是十五世紀後的建築，而它的窄狹和陰暗，也使人失望。

【甘肅敦煌石窟】

河西走廊位於中國的中西部，如同一條匹練，把武威、張掖、酒泉、敦煌等大城，聯綴在一起，是古中國通往西方諸國唯一的國際道路。

柏楊精選集

柏楊精選集㉛

中國人史綱(上)〔全二冊〕

作　　者——柏　楊
責任編輯——游奇惠
發 行 人——王榮文
出版發行——遠流出版事業股份有限公司
臺北市 100 南昌路 2 段 81 號 6 樓
郵撥／0189456-1
電話／2392-6899　　傳真／2392-6658
法律顧問——董安丹律師
著作權顧問——蕭雄淋律師

2002 年 10 月　初版一刷
2014 年 3 月　初版二十刷

行政院新聞局局版臺業字第 1295 號
售價新台幣 350 元
(缺頁或破損的書，請寄回更換)

ISBN　957-32-4751-8(套號)
ISBN　957-32-4752-6(上冊)

YLib 遠流博識網
http://www.ylib.com　　E-mail:ylib@ylib.com

柏楊歷史研究叢書 第1部

中國人史綱

上册

謹將本書獻給

孫觀漢先生

柏楊歷史研究叢書總序

一

在九年零二十六天艱難而漫長的歲月裏，我埋頭整理中國歷史的史料，先後完成了三部書稿，第一部中國人史綱、第二部中國帝王皇后親王公主世系錄、第三部中國歷史年表（另外還有第四部中國歷代官制，一九七五年春，官員要我們「快快樂樂過一個端陽節」，把所有的參考書都搜去保管，規定每人不准持有三本以上的書，所以只寫了一半。）一九七七年四月，我回到台北，幾經轉折，三部書稿陸續的重回到身邊。面對着汗跡斑斑，顏色枯黃了的紙冊，我有無限的感恩和熱情。

但書稿似乎太多了，從地面幾乎直堆到腰際。想到它們在成書之後，每部勢將都在一千頁以上，我茫然的憂慮到出版的困難。幸而星光出版社經理林紫耀先生，毫不猶豫的慷慨承當，並爲它定名爲柏楊歷史研究叢書，使我由衷的感動。不過三部書稿並不是按照順序發排的，而是倒轉過來順序發排的。並非故意或願意如此，種種原因之下，只有如此。這只屬於小節，當三部書陸續出齊的時候，出版時間的先後，就不重要了。

二

中國歷史最使人困擾的是年號問題。年號本是中國在文明史上一大貢獻，現代的日本，和古代的越南、朝鮮、南詔、勃海，都是效法中國，使用年號的。但中國的年號卻走火入魔，除了表示紀年的主要功能外，另外還表示祈福、歌頌，和改朝換代。一個新政權興起，或一個新帝王登極，或發生一件自以爲很大的喜慶，以及什麼理由都沒有而只是興之所至，都會弄出來一個新的年號。當中國內亂時，列國林立，年號如雨後春筍，目不暇給，如三八六那一年，中國境內就先後出現了十六個年號。即令在統一時期，年號所造成的氣氛，也十分緊張。如唐王朝第三任皇帝李治，他在位只三十六年，卻改了十次年號。南周第一任皇帝武照在位的時間更短，只十六年，卻改了十四次年號。有些時候，甚至一年之中，一改再改，如五二八年，北魏王朝就一口氣改了三次。第一次改元的詔書剛出大門，就第二次改元。第二次改元的詔書剛出大門，接着就第三次改元，使當時的國人不勝其煩。同時也顯示出這種年號制度的嚴重缺點，那就是，在時間距離上，造成嚴重的混亂。我們可以試行作一次檢查：元王朝至元元年，到同是元王朝至元六年，相距幾年？一般的答案當然是相距五年。這答案是對的，但不是絕對的對，事實上它恰恰相距七十七年，因爲元王朝有兩個至元年號，一個始於一二六四，一個始於一三三五。再試行作第二次檢查：天授三年，跟如意元年，以及跟長壽元年，又相距幾年？答案是它們同是六九二年，相距只不過幾月。假如考古學家在地下掘出一件古物，上面刻着「建平元年製造」，恐怕世界上最權威的史學家和最權威的自然科學家，都不能確定它的正確年代，因爲它可能是紀元前六年，可能是紀元後三三〇年，可能是三八六年，可能是三九八年，可能是四〇〇年，可能是四一五年，可能是四五四年，也可能是五〇八年。所以一個現代的中國人，置身於瞬息萬變，分秒必爭的時代，實在沒有繼續埋葬在這種糾纏不清的年號迷魂陣裏的必要。我們大膽的繞過年號，採用耶穌紀元，希望能簡單迅速，而又正確無訛的立即明瞭歷史事件的時間位置。

中國歷史上的王朝號和國號，是第二個大的困擾。十九世紀時，外國人曾嘲笑中國不過是一個地理上的名詞，引起國人的憤怒。其實在薩丁尼亞王國以義大利作爲國號之前，義大利固然也是一個地理名詞。現在斯里蘭卡共和國建立，錫蘭也同樣成爲地理名詞。事實上，在二十世紀中華民國建立之前，中國所有的王朝，從來沒有一個以「中國」作爲法定的或正式的國名。每當一個新王朝興起，第一件事就是定一個國號，當這個王朝統一中國時，它的國號就遠壓在中國之上，如清王朝的正式國號就是大清帝國。當中國陷於分裂，像南北朝、五代……列國並存，就更誰也都不是中國了。這是一個很重要的景觀，即四千多年歷史中，從黃帝到傀儡政權滿洲國，中國境內出現了像樣的或不像樣的共計八十三個王朝——也就是八十三國，和五百五十九個帝王，卻沒有一個是用「中國」顯示他們的性質的。我們最熟悉的甲午「中日戰爭」，在正式官文書上卻是甲午「清日戰爭」。這種情形，使王朝號、國號，跟年號一樣，造成史籍的混亂。因爲誰也沒有標出中國的緣故，就發生了誰在中國歷史地位上是「正統」的爭執，這爭執由政治滲入學術，使從事歷史工作的史學家，頭上都好像懸着巨斧。司馬光在他的編年史資治通鑑中，曾爲此費盡唇舌，解釋他何以把一些篡位弒君、罪惡昭彰的政權，用它們的年號作爲正朔，用它們的王朝作爲正統。但他這部價值連城，被後世列爲「正史」之一的巨著，如果不是皇帝爲它寫了一篇序的緣故，恐怕早被查禁燬版。於是集叛徒、土匪、強盜、惡棍於一身的朱全忠之類，明明只是一小塊土地的割據局面，年號卻成正朔，王朝卻成爲了正統，因而使中國產生了一種可恥的「成則帝王，敗則盜寇」的史觀。歷史上的忠奸賢愚、是非黑白，遂大量的受到顚倒、破壞，甚至被惡毒的一筆抹殺。

我們現在對所有的王朝號、國號，以及年號——包括凡是有記載的草莽英雄們，以及他們所定的王朝號、國號、年號，作一個徹底而廣泛的整理，排列出來，由分類而歸納，提供出一個工具性質的參考資料，可以迅速而簡便的找出所需要的答案。同時，我們更作一個從無前例的大膽嘗試。即以「世紀」爲單元，以耶穌紀年爲紀年，而將王朝號、國號、年號，置於次要的地位。我們的國家只有一個，那就是中國。我們以當一個中國人爲榮，不以當一個王朝人爲榮。當中國強大如漢王朝、唐王朝、清王朝時，我們固以當一個中國人爲榮。當中國衰弱如南北朝、五代、宋王朝、明王朝以及清王朝末年時，我們仍以當一個中國人爲榮。中國——我們的母親，是我們的唯一的立足點。所有的王朝只是中國的王朝，所有的國，都是中國的另一種稱謂。我們以「世紀」爲單元敍述，是強調中國永遠存在，不受任何王朝影響，我們絕不認爲後梁帝國是正統，而前蜀帝國是僭僞；更不認爲清王朝是正統，而鄭成功是海盜。唐亡，不是中國亡，只是唐王朝和唐政府的覆滅。清亡，也不是中國亡，也只是清王朝和清政府的覆滅。中國固屹立如故。

中國科舉制度有它的功能和貢獻，但它的副產品之一是，培養出來一個中國所特有的「官場」社會階層，在這個社會階層中，阿諛帝王成爲一項主要的課題。表現最強型的莫過於媚態可掬的加到活帝王頭上的尊號，和加到死帝王頭上的諡號（爲了行文便利，我們用「尊號」包括「諡號」）。上古時候，這些尊號不過一個字兩個字，如紀元前十二世紀周王朝第一任王姬發，不過被尊爲「武王」。隨着阿諛技術的精益求精，到了紀元十五世紀之後，如清王朝第三任皇帝福臨，他的尊號是「禮天隆運定統建極英睿欽文顯武大德宏功至仁純孝章皇帝」，竟多到二十五個字，全都是從字典上挑選出來的最美麗的詞彙。有些人從沒有當過帝王，也會在他們頭上堆砌一大堆帝王尊號，當唐王朝大祭「玄元皇帝」的時候，沒有人知道他就是以老子一書聞名於世的哲學家李耳。在史籍引敍原文的時候，這種尊號更顯示出沒有原則的一面，像談到曹操，他一直到死只不過是東漢王朝的丞相，可是就在正史上，卻一會稱他是「太祖」，一會稱他是「武皇帝」，混淆的程度，使我們不知道所說何人，又置身何地。我們當然諒解並同情古史學家的可悲處境，但我們也不掩飾我們的失望。皇后也是如此，從最簡單的「王妃」到那拉蘭兒「孝欽慈禧端佑康頤昭豫莊誠壽恭仁獻崇熙顯皇后」。這個用全力摧毀自己所領導的清王朝女人，竟擁有這麼漫長肉麻當有趣的尊號，使我們忍不住失笑。但我們最大的苦難不因失望失笑而消除，所以我們所作的是對中國五百五十九位帝王，和若干雖沒有實質上當帝王，卻被加上帝王尊號的人，以及更多的皇后妃妾，和他們所生的數不清的親王、公主，作一個地毯式的搜索，將他們的頭銜、年齡、在位時間，以及他們在皇族中的關係位置，加以仔細的整理列出，使任何人都可以不必經過辛苦的尋覓，即可對他們的身世，有一個明確的了解。

最後，我只能用非常少的幾句話，說明我們的立場，我們立場是中國人的立場。不同於「奉旨修史」的官員立場，也不同於以王朝爲主，以帝王將相爲主，以統治階層自居的立場——他們把利益所從出的王朝放在第一位，而把中國放在第二位。我們反對「成則帝王，敗則盜寇」的史觀，在那種史觀上，很多醜惡被美化，很多可歌可泣、代表中國人磅礡剛強、澎湃活力的智慧和勇敢，卻被醜化。如三保太監下西洋，傳統歷史責備他勞民傷財，好大喜功，以致史料所存寥寥，我們則認爲他是中國第一位最偉大的海上英雄。我們堅持的標準是國家民族和人道人權，不掩飾汚點，猶如美國歷史不掩飾吊人樹一樣，同時也展示出中國對全世界全人類文明所作的尊嚴貢獻。

中國人了解中國歷史，應是天經地義的。可是，很多中國人對中國歷史只不過知道一個片段，而這片段還多半來自小說和戲劇。中國歷史書籍之多，佔世界第一位，但卻使人有一種雜蕪凌亂的感覺。即令把正史能倒背過來，對了解中國歷史發展的脈絡，仍沒有太大的幫助。何況我們沒有時間讀完正史，也沒有文言文的修養去讀正史。司馬遷創造了一種新形式的史籍，這形式在紀元前較簡單的社會，還可以應付。可是史學家卻被這種形式瞽住，一直沿用到二十世紀。更糟糕的是，它被改為斷代史。幸好中國的王朝不斷變換，如果像日本那樣萬世一系，根據「國（王朝）亡才修史」的慣例，中國可能成為一個沒有正式史籍的國家。這些國（王朝）亡了才編纂出來的正史，又不過是一大堆人物傳記的合訂本，而這些傳記，又多半取材於該人物的墓誌銘、行傳、家譜之類的一面之詞。以致數千年來，墓誌銘在中國文學史上，佔重要的地位。凡是善於阿諛死人的作家，如唐王朝的韓愈，都享有相當地位和相當財富。墨索里尼的兒子在紀念他父親的文章中，說他父親：「喜歡古典音樂，看見我開始彈鋼琴時，非常高興。他為人極為和藹，對人更是溫柔。」我們不認為墓誌銘、行傳、家譜之類所提供的資料，全都比墨索里尼的兒子所提供的，更為可信。所以，我們在採用正史資料時，都一一加以判斷。

三

意不盡而言不能不盡，最後，我願述及我對叢書處理的願望。我虔敬的把第一部中國人史綱，獻給孫觀漢先生。第二部中國帝王皇后親王公主世系錄，贈給梁上元女士。第三部中國歷史年表，贈給陳麗眞女士，用以表達我無窮的謝意。

我和孫觀漢先生——這位世界聞名的物理學家，中國原子科學之父，中國第一個原子爐的裝置人，迄今還沒有見過面；但我縱是集合全世界感恩的言語，都表達不盡我的內心。像我這樣渺小的人物和離奇的遭遇，不過是大時代中的一粒灰塵，隨風飄蕩，微不足道。但孫孫觀漢先生，亙古以來，卻只此一人。有人把孫觀漢先生比爲左拉，但孫觀漢先生比左拉更偉大更艱苦。他像大海中的一葉孤舟，爲營救一個從未見過面的朋友，付出他的眼淚、尊嚴、時間、金錢和健康，而且十年如一日。更主要的是，他的道德勇氣，不僅是爲我一個人，而是對祖國一片丹心，和對人類一片愛心。西方有句諺語說：「爲朋友死易，找到一個值得爲他死的朋友難。」而我找到了，這是我的幸運，也是我的光榮。蒼天可鑑，爲孫先生，我死而無恨。

我和梁上元女士相識時，她還是一個髮與耳齊的女學生。她第一次給我寫信，那麼流暢和那麼有深度，使我震驚。可是九年零二十六天之後，她到台北飛機場接我歸來的時候，已是大學教授了。年齡、知識、智慧和社會經驗的增長，使她更堅定對我的幫助——包括精神的和物質的，也更堅定她對國家的愛、對人道的愛，和對人權的尊敬。她的品格可以在一件事情上顯示出來，她是一位孝女。

陳麗眞女士是我的讀者之一，十五年前她第一次來探望我之後，她就成爲我的學生。在我的家庭破碎、妻離子散之際，她一直照顧我的生活，探望我，給我寄衣服食物，末了還爲我作保。她爲了幫助我，曾遭受到其他朋友所沒有遭受到的風暴打擊，幾乎使她精神失常；但經過無數次恐懼哭泣之後，她沒有放棄她的初衷，使我在孤寂中，仍享有人生的溫暖和友情的慰藉，那是使我活下去的最大支持。

四

叢書是我在火爐般的斗室之中，或蹲在牆角，或坐在地下，膝蓋上放着用紙糊成的紙版，和着汗珠，一字一字的寫成。參考書的貧乏使我自慚，但我別無他法。而且心情惶惑，不敢想像這些艱難寫出的書稿，會遭受到什麼命運。所以不可避免的會錯誤百出，唯有乞求方家指正。

現在，總算陸續的付梓，當叢書出齊之日，我覺得我對我的國家，和對我的朋友，已盡了我最大的責任，和獻出我最大的感恩。

一九七七年八月二十日於台北

《中國人史綱》目錄

第五章 信史時代

第六章 紀元前第八世紀

第七章 紀元前第七世紀

第八章 紀元前第六世紀

第九章　紀元前第五世紀

第十章　紀元前第四世紀

第十三章　紀元前第一世紀

第十四章　第一世紀

第十五章　第二世紀

第十六章　第三世紀

第十七章　第四世紀

第十八章　第五世紀

第十九章　第六世紀

■下册

第二十章 第七世紀

第二十一章　第八世紀

第二十四章　第十一世紀

第二十五章　第十二世紀

第二十六章　第十三世紀

第二十七章　第十四世紀

第二十八章　第十五世紀

第二十九章　第十六世紀

第三十章　第十七世紀

第三十一章　第十八世紀

第三十二章　第十九世紀

第三十三章　第二十世紀

第一章 歷史舞台

每一個民族都有他的生存空間——歷史舞台，中國人亦然。

中國人的歷史舞台是世界上最巨大、最古老的舞台之一，這舞台就是我們現在要介紹的中國疆土。它位於亞洲東部，介於驚濤萬里的太平洋和高聳天際的帕米爾高原之間。大約紀元前三十世紀前後，遙遠的埃及、美索不達米亞，和較近的印度，都在萌芽他們的古文明時，中國人在自己的土地上，也創造出屬於自己的中國文明。這文明一直延續，並於不斷揚棄後，發揚光大，直到今日。

當時的中國人自以爲恰恰的居於世界的中心，所以自稱中國，意義是位於全世界中心的國度。又因爲所居住的土地美麗可愛，所以自稱中華，華的意義正是美麗可愛。至於自稱和被稱爲漢民族或漢人，那是紀元前二世紀西漢王朝建立以後的事。在紀元前三世紀和紀元前二十二世紀時，也曾自稱和被稱爲秦人或夏人，前者謂秦王朝之人，後者謂夏王朝之人。

中國跟任何一個文明古國一樣，從小小的原始部落和小小的地區，不斷的聯合、融化，和擴張，而終於成爲一個龐大的帝國。截至二十世紀初葉，中國疆域面積達一千一百四十萬方公里。最西到帕米爾高原（東經七四），最東到烏蘇里江口（東經一三五），最北到黑龍江省的漠河縣漠河鎭（北緯五三），最南到南中國海南沙群島的曾母暗沙（北緯四）。

中國版圖像一片和平寧靜的海棠葉，台灣島和海南島，像鑲在葉柄下方的兩顆巨大珍珠。南中國海諸島，則是無數散落在碧綠海水中的小的珍珠群。

中華人就在這個空間上降生、成長，中國歷史也在這個舞台上演出。在正式敍述他的成長和演出之前，我們應該對他先有一個了解，包括舞台的各個重要角落，和全體演員。

一、空中・馬上

現在，讓我們搭乘可以跟光速相等速度的太空船，從廣闊的太平洋，向西飛航。

首先呈現出來的是一排日本列島，安靜的斜臥在巨濤之中，它上面幾乎全是山脈，而且我們還可能察覺到它不斷的在顫動，那裏是世界上聞名的火山地帶，日本列島正座落在上面。續向西飛，我們可以看到有日本列島一半大的一個雄偉半島，像一個驚嘆號形狀，插入日本海跟黃顏色的黃海之間。它的南端跟日本列島的南端，隔着對馬海峽，遙遙相望，這就是朝鮮半島。中國文化的繼承者之一，並由它轉輸給另一中國文化繼承者的日本。

朝鮮半島之北，是中國富庶的東北地區。朝鮮半島之南，是長達一萬四千公里，曲折而成爲半圓弧形的中國海岸。北方海岸有兩個小半島——遼東半島和山東半島，像蟹螯一樣箝住渤海的海灣。中部海岸向東方凸出，那正是海棠葉的葉柄所在。南方海岸向西南伸展，兩顆珍珠島嶼，台灣島和海南島，清晰在目。

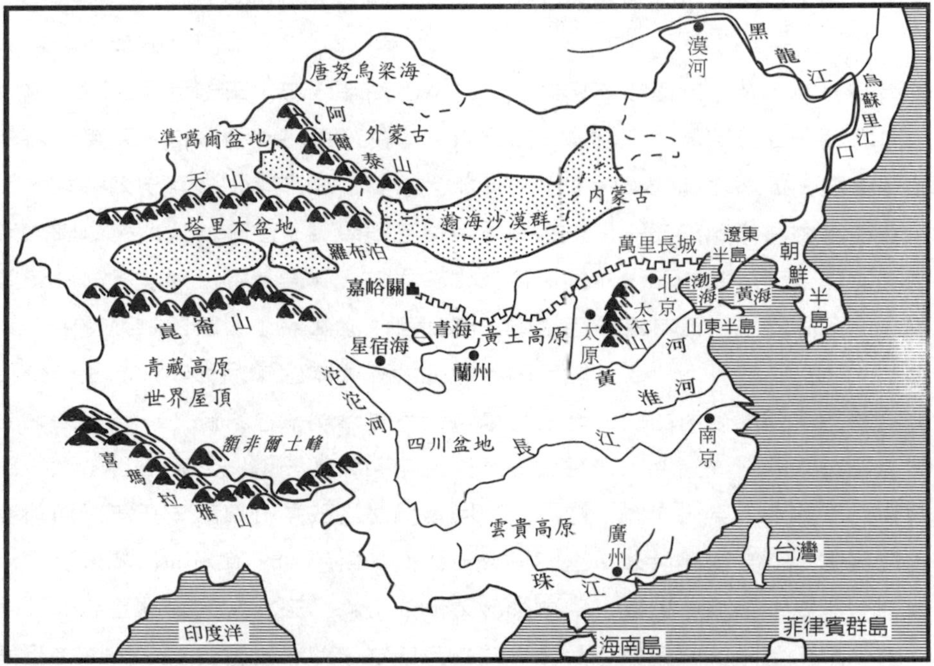

圖一　二十世紀初葉鳥瞰下的中國

越過海岸，太空船正式進入中國上空，巨大的舞台呈現在眼底。四條悠長的大河，在巨大的舞台上，均勻的並排着，從西向東流。最北一條跟俄國交界的是黑龍江，次北一條成「几」字形的是黃河，偏南一條白浪滾滾的是長江，最南一條像手指匯到手掌一樣的是珠江。

如果是二月天氣，我們在太空船上會眺望到，最北的黑龍江千里冰封，那裏的中國人還穿着皮衣皮靴，從口中吐出的熱氣會立刻在睫毛上凝結成冰。而最南的珠江這時卻仍滔滔奔流，那裏的中國人正額上淌着汗珠。兩地人們如果交互旅行，僅只衣服穿着一項，便需要經過專家指導，一個人如果穿着單衣服從廣州出發，當他在黑龍江畔的漠河縣下飛機時，他可能立刻凍死，這說明這個舞台南北距離遙遠的程度。

在渤海岸凹處，一條黑線，向西翻山越嶺的蜿蜒伸展，那就是聞名世界的萬里長城。長城以北是內外蒙古沙漠地區，這時仍一片隆冬景象，但長城之南卻針鋒相對的已大地春回，從萬里長城到淮河這個一望無際的華北大平原上，全部覆蓋着青青的小麥，像一座無涯的大海，城鎮只不過是一群孤島。溫和的春風吹動時，原野掀起麥浪，翻騰澎湃，密接的村落在麥浪中飄浮，更像海上的點點漁舟。在南方，也就是在淮河以南，跨越長江，直到海南島全是一望無際的稻田，爲了灌溉的緣故，那稻田被分割爲一塊一塊，像無數寶鏡，在太陽光下反射出萬道光芒。

——這就是中國本部的景觀，截至二十世紀初，六分之五的中國人居住在那裏。

再續向西飛，距山東半島約八百公里，太空船越過南北縱長的太行山，就看到地面突然隆起的山西高原。它的北方是瀚海沙漠群，靜止時像一個死海，連秋蟲的聲音都聽不見，一旦掀起風沙，人們的視線便全部模糊。山西高原不過是黃土高原的一部份，風沙怒吼時，它的威力僅次於眞正的沙漠。黃土高原的居民大多數住在窰洞之中，窰洞的外貌很拙陋，但內部冬暖夏涼。

就在山西高原的中央城市太原，向南到洞庭湖，南北一線的上空，我們必須把手錶撥慢一小時，假如太空船是八時進入中國，那麼在越過這一條線之後，時間卻是七時。因爲我們跨進格林威治時間的另一個地區，光陰正在回轉。

不久，我們就可眺望到黃河之濱的一座古城——蘭州，在它之北仍是向西延伸的瀚海沙漠群，在它之南是廣大的四川盆地和雲貴高原。華北大平原跟錦繡江南的廣大綠色世界，逐漸消失。我們看到的是另一種景象，除了青葱的四川盆地外，其他地區的農作物的生長，都十分困難。北方瀚海沙漠群上的駱駝鈴聲是最有力的響聲，南方雲貴高原全是驚人的山嶺和驚人的河谷，它地下豐富的礦產，要到二十世紀，才顯出它的重要。

中國第一大鹹水湖青海湖，在太空船下滑過去，我們看到了萬里長城盡頭的嘉峪關，也看到像天上繁星一樣的黃河發源地星宿海，和潺弱一線的長江發源地沱沱河。就在它們上空，必須再把手錶撥慢一小時，因爲自上次撥慢了一小時後，我們又直線前進了一千五百公里。而就在同時，我們會吃驚的發現，地面更突然間峻拔上升。假如我們以四千公尺的高度進入中國而一直保持這個高度不變，那麼此時太空船已經撞到地面，因爲我們已到了平均四千五百公尺以上的青藏高原——也就是世界上最高的高原，被稱爲世界屋頂，太空船必須升高。

在青藏高原上，看不到什麼，它在二十世紀前，是中國最寂寞的地區，眼睛所及的全是終年覆雪的山頭，和寒冷貧瘠的砂礫丘陵，只偶爾有長毛的犛牛在山谷中載着貨物，成一個伶仃的隊形，踽踽前進。農作物因氣候寒冷和土壤太壞的緣故，十分稀少，只有少量品質低劣的青稞；人口更是稀少，平均每方公里還不到一個人。在世界屋頂之北，是陡然陷下去的巨大的塔里木盆地。再北則是天山。越過天山，又是一個陡然陷下去的盆地，即準噶爾盆地。這兩個盆地上的稀少人口中——二十世紀初只有二百五十萬，包括了博覽會般的各種民族，是中國境內人種最複雜的地區；就在那沙漠跟巨山之間的千里草原上，不時興起詩人形容的「天蒼蒼，地茫茫，風吹草低見牛羊」的動人場面。比起東部中國，這裏顯示的不是在方塊稻田上生活的人們所能想像的氣魄。

世界第一高峰額非爾士峰和它所屬的巨大山脈喜馬拉雅山，都在我們眼下消失。太空船現在又前進了約一千五百公里，正位置在塔里木盆地的中央上空，必須再把手錶撥慢一次，把六時撥爲五時。使人興起一種青春倒流的驚奇和喜悅。

——不斷的時間變換，會擾亂正常的生活程序，這是疆土過於廣袤的煩惱。從極東的烏蘇里江口，到極西的帕米爾，時距相差四個小時。當烏蘇里江口的漁夫在晨光曦微中泛舟捕魚時，帕米爾的農人還在酣睡。一個人從烏蘇里江口，於黎明時乘超光速飛行器向西飛航，他會發現天色越走越黑，當他完成五千公里的旅行，敲他住在帕米爾山下朋友的家門時，卻正是午夜。世界上只有少數國家有這種奇特的景觀，這少數國家是：俄國、中國、加拿大、美國、巴西、澳大利亞。

撥過手錶，於是我們到了群山之母的帕米爾高原，它是中國最西的邊界，塔吉克、阿富汗、巴基斯坦，三個國家環繞在他的另一面，成爲中國西陲盡頭的三大鄰邦。

空中鳥瞰之後，讓我們走下太空船，跨上馬背，對這個巨大舞台，再作一次了解。

下面表格，顯示出十八世紀之前，我們如果騎馬對若干重要城市作一次訪問的話，所需的時日。那是十八世紀清王朝，從當時的首都北京到各地驛站的官定行程（最後一項從包頭到喀什，是普通的商旅行程），它說明中國人對這個龐大國度的長久凝結力量的韌度。那雖然是十八世紀清政府時的規定，但這種情況可以追溯到紀元前三世紀跟匈奴人作戰時代，在交通方面，兩千年間只有稍稍的改進，很少突破性的變化。

古稱	起訖	經過城市	華里距離	限期	加急
奉天官路	北京—齊齊哈爾	山海關·瀋陽	一·六〇〇	四〇日	一八日
蘭州官路	北京—蘭州	石家莊·太原·西安·平涼	二·〇〇〇	四一日	
四川官路	北京—成都	西安		四八日	二四日

雲南官路	北京—昆明	石家莊・南陽・常德・貴陽	三・〇〇〇	六〇日	四〇日
桂林官路	北京—桂林	許昌・武漢・長沙・衡陽	二・三〇〇	五五日	二五日
蒙古官路	北京—烏蘭巴托	張家口		三五日	一六日
廣東官路	北京—廣州	衡陽・韶關	二・八〇〇	五六日	三二日
福建官路	北京—福州	天津・德州・南京・鎭江・杭州・仙霞嶺	二・四〇〇	四八日	二七日
新疆官路	北京—伊寧			一〇五日	
西藏官路	北京—拉薩			九一日	
西北商路	包頭—喀什		三・八〇〇	一二五日	

「限期」是驛站傳遞公文書時，以馬匹普通速度作爲標準，也就是以騎馬的正常速度作爲標準。「加急」多半用於軍事行動，凡加急的驛站遞送，本身的動作就是一場驚心動魄的電影鏡頭。驛馬以四足離地的速度狂奔，鈴聲可傳到一公里以外。下一驛站聽到後，日夜都在待命的驛卒，立即上馬飛馳。當後馬追及前馬，兩馬相並時，馬足不停，即在馬上將公文書交遞。驛馬往往因狂奔過度而倒斃，如果五年內幸運的不死，牠就成爲寶馬退休，由政府飼養，不再作工，以酬庸牠對國家的貢獻。

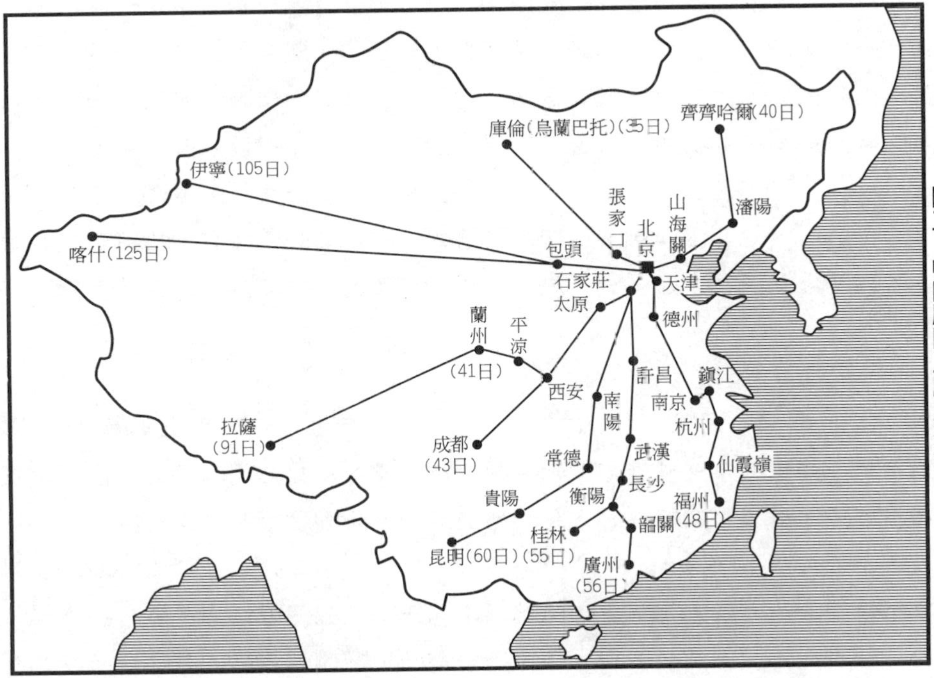

圖二　中國版圖上驛馬日程

這種速度當然不適合普通的商人和旅客，但它正是龐大國土的動人標幟。東西兩洋歷史上只有少數帝國，如波斯帝國，亞歷山大帝國，羅馬帝國，阿拉伯帝國，和稍後的蒙古帝國，帖木兒帝國，可以跟中國這種馬行一百零五日的情況相比。但他們都已被時間抹滅，只中國迄今巍峨獨存。

——注意兩地之間的距離。里數相等，並不是說行程、日數，也會相等。像山徑崎嶇之類的障礙，能使速度銳減。表格上的日數，是以馬匹爲主。如果我們從馬背上跳下來，改爲步行，日數恐怕要增加三倍到四倍。

二、河流・湖泊

在對中國全部疆域有一個概括的印象之後，讓我們分門別類的介紹他各方面的形態，這些形態構成舞台的全部地貌，是中國歷史發展的重要基礎。

首先介紹中國歷史上幾條重要的河流。

黑龍江　全長四千三百五十公里，但在中國境內和流經中國跟俄國邊境的只有三千四百二十公里。它是中國最北的水道，流域面積達一百六十二萬方公里（包括國境以外面積），一年中有六個月的結冰期，河面像鋼鐵一樣，重型坦克車可以任意在上面馳騁。不過在古代中國史上卻沒有特別重要的地位，直到十四世紀才跟中國接觸，十七世紀才隨着滿洲人建立的清王朝的入主中國，像嫁妝一樣併入中國版圖。它的最大支流松花江，全長一千九百二十七公里，十世紀時稱混同江，爲契丹人和契丹人建立的遼帝國的主要漁獵河道，名震一時。

黃河　全長五千四百六十四公里，流域面積七十五萬方公里，是中國歷史上最重要的河流。古中國文明就在這個流域上發生和成長，大部份歷史也都在這個流域上演出。這條中國第二大河，發源於青海省的巴顏喀拉山，成一個「几」字形狀，向東注入渤海。凡是河流，幾乎都具備若干利益，如航行、漁產、灌溉。只有黃河，對它兩岸的居民，幫助很少而傷害很大。它在歷史上扮演的角色，像一條喜怒無常的巨龍，翻滾奔騰，專門製造可怕的災難。從紀元前二十三世紀到紀元後二十世紀初葉，四千餘年間，便有過一千五百餘次的小決口，和左表所列的七次大決口，和八次大改道（包括一次人爲改道）。

次序	改道年代	決口地	河身流經	保持年數	相當世紀
古道	前二二七八		由洛河入黃河處，傍太行山東麓，經天津入渤海。	一六七四	前廿三—前七
一次改道	前六〇二	黎陽（河南浚縣）	由滑縣東北流，經天津入渤海。	六一三	前七—後一
二次改道	後一一	濮陽（河南濮陽）	東流到清河（河北清河）各郡。	九七九	

三次改道	六九	(人爲改道工程，非決堤)	東郡(河南濮陽)以下大幅改道，於千乘(山東高青)入渤海。		
四次改道	一〇四八	商胡埽(河南濮陽東北)	分二支：北支經大名、恩州(河北清河)、冀州、深州、瀛州(河北河間)至天津入渤海，南支經博州(山東聊城)、德州至無棣入渤海。	一四六	十一—十二
五次改道	一一九四	陽武(河南原陽)	東流到鄆城、曹州(山東荷澤)之間，分二支：北支注入北清河，入渤海，南支經徐州、邳州(江蘇睢寧北)注入淮河，入黃海。	七八	十二—十三
六次改道	一二七二	新鄉(河南新鄉)	一二八九，北支始斷絕，黃河全部入淮河，轉入黃海。	五六七	十三—十九
七次改道	一八五五	銅瓦廂(河南蘭考西北)	再注入大清河入渤海。	八九	十九—二十
八次改道	一九三八	花園口(河南鄭州北)	由賈魯河注入淮河，再經運河轉入長江。	九	二十

黃河每一次改道，都是一場恐怖的屠殺。而僅次於改道災難的小型氾濫，也每次都造成

人畜的可怕傷亡。所以黃河也是世界上吞沒生命財產最多的一條河流。它一半以上經過黃土高原，沖刷下來的黃土，和來自北方瀚海沙漠群的塵沙，使它在上游時就非常渾濁。到了三門峽（河南三門峽）以下，突然從兩山夾岸中進入坡度極小的平原，河面放寬，水流速度減慢，所挾帶的超過百分之六十的大量泥沙，開始沉澱。從洛陽到渤海間八百餘公里長的河床，逐漸升高，最後終於超過地面，全靠人工修築的堤防對它約束。一個住在開封二十層樓上的居民，如果開窗向北眺望，他會大吃一驚，發現黃河正在他頭上數百公尺的高處滾滾東流。每年春冰融解，和夏秋之交雨量充沛時，都是決口的危險季節。冬天僅只數百公尺的河面，會陡的擴張，從南岸看不見北岸，只看見一望無際的洶湧黃濤。堤防如承受不住急劇的衝擊，即行潰決，一場大悲劇便告發生。黃河是居高臨下的，它的決口像是巨壩突然崩裂，十公里外都聽得到萬馬奔騰的巨響。決口處的新河道上的無數人民，從夢中驚醒，除非特別幸運，很少不像灌穴的螞蟻一樣的被洪水吞沒。歷史上幾個主要的王朝，都設有專人和專門機構，負責堤防保護和修建工作。可是政治如不修明，這種專門機構，反而成爲最大浪費和最大貪汚的場所。對於黃河，一直到二十世紀，中國人除了嘆息命運不濟外，別無他策。尼羅河氾濫後留下的是沃土，黃河決口後留下的卻是一片黃沙。然而就在這種艱苦的環境中，產生了燦爛的古中國文明。

長江　中國第一大河，也是世界第二大河，全長六千三百公里，流域面積一百八十萬方公里。跟黃河相反，長江是一條歡愉的和慈悲的河，凡河流應有的利益，它無不具備。但在歷史上卻出現較遲，當黃河流域已達到相當高的文明水準時，長江流域還是一片蠻荒。長江的地理背景比黃河更適於產生文明，而兩條巨河又相距甚近，我們不知道什麼契機使中國文明發生在黃河，而不發生在長江，這恐怕是人類進化史上最大的困惑之一。但長江一旦在中國歷史上出現，就把中國疆土攔腰切斷。三世紀時一位身兼文學家的皇帝曹丕曾說過：「上天創造長江，就是要把中國分割為南北。」習慣上長江以北稱北方、華北，或北中國；長江以南稱南方、江南、華南，或南中國。很多建都在北方的王朝，一旦受到更北方沙漠地帶游牧民族的攻擊，抵抗失敗時，往往逃到南方，在長江的保護下苟延殘喘。游牧民族雖然精於馬上功夫，但對船隻卻一籌莫展，在他們無法渡過廣闊長江的情勢之下，只好承認南北對峙之局。而逃到江南的殘餘政權，卻從沒有一個能夠奮發反擊的，也只好接受半壁河山的事實。有名的三百年大分裂時代，和一百餘年宋金兩大帝國對抗，就是由長江的洶湧波濤，僵持而成。

珠江　事實上它本身只有八十公里，但它擁有西江、東江、北江三大支流，而以西江作為主幹，全長二千一百九十七公里，流域面積四十五萬方公里。它在中國歷史上出現的最晚，流經的又多半是不能發生政治經濟影響的蠻荒地區。它的重要性在十九世紀鴉片戰爭之後，才開始顯現。

四大河流之外，還有一些在歷史上佔有重要地位的其他較小河流。諸如：

汾水　全長六百九十五公里，發源於山西省寧武縣西南充滿了神話的管涔山。縱穿山西

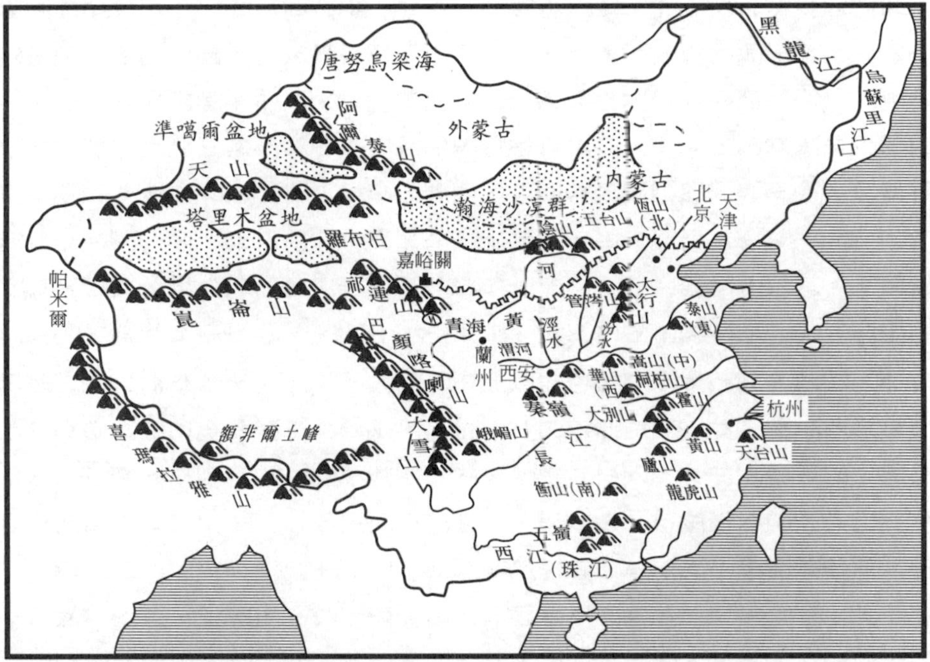
唐努烏梁海
阿爾泰山
外蒙古
準噶爾盆地
天山
塔里木盆地
羅布泊
內蒙古
瀚海沙漠群
陰山
五台山
恆山(北)
北京
天津
黑龍江
烏蘇里江口
帕米爾
崑崙山
祁連山
嘉峪關
河
管涔山
太行山
泰山(東)
青海
黃
涇水
汾水
巴顏喀喇山
蘭州
渭河
西安
華山(西)
嵩山(中)
桐柏山
霍山
杭州
秦嶺
大別山
大雪山
峨嵋山
江
長
黃山
天台山
廬山
龍虎山
衡山(南)
五嶺
西江
(珠江)
喜瑪拉雅山
額非爾士峰

圖三 中國地貌

高原，向西南注入黃河，它的下游是中國古代文明的重要發祥地之一，紀元前的若干古都，林立兩岸。被儒家學派歌頌爲至聖至賢的堯帝伊祁放勳，和舜帝姚重華的國都，就建立在汾水之畔。直到十九世紀，它一直保持高度的歷史地位。

桑乾河　全長六百五十公里，也發源於管涔山，不過它是向東而流。中游之後，它的含沙量高達百分之三十八，河床高出地面二十三公尺，於是跟黃河一樣的不斷的決口和不斷的改道，中國人傷心的稱它爲小黃河，也稱它爲無定河。八世紀時，這一帶接近邊疆，不斷的發生戰爭，唐王朝詩人曾有悲愴的詩句：「可憐無定河邊骨，猶是春閨夢裏人。」哀悼那些爲國捐軀的英勇戰士。十八世紀時清王朝皇帝玄燁下令改稱爲永定河，希望它不再生事。當它流經古都北京南方時，因河中滿生蘆草，所以也稱它爲蘆溝。十二世紀時，金帝國在上面築橋，即有名的八百年後在上面爆發對日本帝國八年血戰的蘆溝橋。再流到天津，滙合了其他若干河流之後，稱爲海河，從天津經大沽口，注入渤海。

渭河　全長八百一十八公里，發源於甘肅省渭源縣西南鳥鼠山，向東注入黃河，它的下游就是肥沃的關中盆地，中國古文明重要的成長地之一。中國最光輝的四個王朝——周、秦、西漢、唐，約兩千年之久，都建都在渭河河畔的長安（陝西西安），在大一統的形勢下，使中國的聲望遠播。渭河的支流之一的涇河，發源於寧夏省隆德縣北六盤山，它的含沙量最高達百分之五十，黃河有這種一半水一半沙的支流，無怪它本身怎麼也無法擺脫人們的詛咒。涇渭二河在西安的東北合流，合流之後，產生一種奇異的現象，即河水中分，涇河的速度較急，它的水沿着北岸奔馳而下，驟然進入平原，反而較爲清澈；而含沙量同樣多的渭河，河水沿着南岸，因速度較緩，卻較爲渾濁。中國有 句諺語說：「涇渭分明」，即藉此比喻兩個截然不同的事物，雖混雜在一起，而仍各保持特質。

淮河　全長一千公里，發源於河南省桐柏縣西北桐柏山，向東注入東海。十二世紀時，黃河第五次改道，分爲南北兩支，其中南支注入淮河。十三世紀時，黃河第六次改道，南北兩支全部注入淮河，當然它的泥沙也同時而至。十九世紀時，黃河第七次改道，棄淮河而向北注入渤海，但淮河下游的河床已被泥沙淤塞，無力沖刷，只好從大運河再轉入長江。這條屢被強鄰蹂躪的獨立河流，遂跟一條憤怒的蟒蛇一樣，一遇上游降雨稍多，它就翻滾跳躍，淹沒四野。二十世紀初黃河第八次改道，再度連同泥沙注入淮河，水患更加倍嚴重。與黃河、永定河，在中國歷史上共稱三大自然災害。淮河跟它西方的秦嶺山脈，連成一條中國經濟上的南北分界線，而長江的分界線則是政治性的。淮河以北以小麥和雜糧爲主食，淮河以南以稻米爲主食。有一個寓言曾說明這種分界：淮河以南生長的橘樹，移到淮河以北後，結出的果實會變成苦澀的枳子。

錢塘江　全長四百九十四公里，它的入海處呈現一個龐大的喇叭口形狀，以「錢塘潮」聞名於世。江水和因潮汐而倒灌入江口的海水，互相搏擊，加上其他迄今仍弄不清楚的奇異原因，使江潮浪頭高聳天際，發出天崩地裂的巨聲。尤以陰曆八月十五日月圓時節，最爲壯觀，常吸引數十萬觀潮的群眾，在岸上驚心動魄。

南北大運河　全長一千七百九十四公里，是世界上最長的運河。從杭州錢塘江開始，直到北京，縱貫中國本部心臟地帶。其中長江到淮河一段，開鑿的時間最早，紀元前五世紀時，由中國歷史上美女之一西施的國王丈夫吳夫差開鑿，當時稱爲邗溝。長江到杭州錢塘江一段，七世紀時由患有大頭症的隋王朝皇帝楊廣開鑿。淮河到北京一段，十三世紀時由蒙古人開鑿。它是中國唯一的貫穿南北的河道，江南食糧主要靠此輸往北京。

河流之外，我們再介紹幾個中國歷史上的重要湖泊。

青海湖　面積四千五百八十三方公里，中國第一大鹹水湖，在歷史上，因爲長期處於西部邊疆之外的緣故，成爲一個荒涼而神祕的境域，它於七世紀時就一度併入中國，湖中小島海心山，是佛教聖地之一。從前，因爲喇嘛教僧侶宣稱青海湖的水是弱水，船入即沉，所以沒有船隻敢航行這個茫茫無際的弱水之上。只有等到冬天結冰時，島上廟宇裏的高僧，才踏冰而出，採購一年所需的食糧和日用品。

——青海湖以一個鹹水湖而結冰，也是奇蹟。它本是一個淡水湖，布哈河穿過它而注入南方的黃河。後來在一次我們不知道年代的強烈地震中，日月山隆起在黃河跟青海湖之間，這個湖遂被封閉。大概還需要相當久的年代，鹽份才能增加到無法結冰的程度。

洞庭湖　面積二千八百二十方公里，不過這只是一個約數。長江水位上升時，它廣如大海。冬天水枯時，僅殘存數條河道。但它的重要也正在此，它具有調節長江水量的功能。

鄱陽湖　面積三千五百八十三公里，是中國的第一大淡水湖，歷史上若干著名的水上戰役，都在洞庭湖和鄱陽湖發生。兩湖所擁的廣大流域，是農產品的寶庫，被認爲豐收時可供全國人口之需，所以有「兩湖熟，天下足」的諺語。

太湖　面積二千四百二十五方公里，像一個小型的青海湖，但太湖是淡水湖，座落在長江下游肥沃的三角洲中心。豐富的農產和漁產，使太湖流域被稱爲「魚米之鄉」。中國歷史上最富有的農家，就在此區。他們富有的程度，能使北方山區的農人或沙漠上的牧人目瞪口呆。

最奇異的湖是位於新疆白龍堆沙漠中的羅布泊，偉大的探險家張騫於紀元前二世紀進入西域時，第一眼就看見了它，稱它爲「鹽澤」，這個名稱說明它是一個濃度極高的鹹水湖。羅布泊面積大約二千五百七十方公里——沒有人知道它的確切數字，因爲它時大時小。流沙的滾動和太陽的蒸發，以及塔里木河的淤塞改道，都會使舊湖乾涸，而在另一地區出現新湖。於是它遂成爲世界上少數會搬家的湖泊之一。

居延海湖（嘎順諾爾湖）　面積大約一千八百方公里，也沒有人知道它的確切數字。位於河西走廊之北瀚海沙漠群的西端。它分爲兩個湖，像沙漠中兩隻寂寞的眼睛。紀元前二世紀起，中國便在這裏設立要塞（亭障）監視匈奴的行動。它也是會搬家的湖，但跟絕無人跡的羅布泊湖不同，居延海的四周都是肥沃的耕地，從祁連山流下的雪水溶化而匯成的河流，在沙漠中艱苦的造成一個狹長的綠洲之後，注入居延海湖。

三、山

中國極西邊界上的帕米爾高原，是亞洲的群山之母，她向四方繁衍出她的兒孫。這些兒孫，每一個都具有無比的雄姿。在中國境內部份，我們分爲兩項介紹，一是山脈，一是山嶽。

山脈，指連續起伏，顯而可見的峰巒系統。

中國歷史上最早出現的山脈是太行山脈，起自北京的西北，止於南方的黃河北岸。地質學家說，太行山之東，太古時候原是大海，北京、天津一些城市，都在海底。大概紀元前四十世紀或三十世紀，才沖積成爲海拔僅二十餘公尺的廣大原野，稱爲大陸澤或河北平原，構成華北大平原的一部份。主峰小五台山，海拔二千八百八十二公尺。太行山之西，是平均高度一千公尺以上的高原，稱山西高原，構成黃土高原的一部份。太行山脈的平均高度一千五百公尺，適足以隔斷河北平原上的戰爭不能西進，也成爲戰亂時代難民們的避難所在。太行山南北長八百餘公里，只有八個僅可容身的峽谷，以溝通河北平原跟山西高原，世人稱之爲「太行八陘」，形勢險要，被形容爲「一夫當關，萬夫莫前」。一直到二十世紀初，太行山仍在國防上作過偉大貢獻。

秦嶺　橫亙在古都西安之南，跟渭河平行，主脈東西七百公里，主峰太白山高度三千七百六十七公尺。主脈平均高度二千五百公尺，比太行山要高一千公尺。它的峻峭而驚險的嶺谷，有效的把中國中部隔斷。它的尾巴跟淮河的頭部遙遙相接，連成一條我們所稱的「秦嶺淮河線」，作爲中國本部南北的分界。秦嶺以北跟淮河以北，屬於華北地理的和人文的系統。秦嶺以南跟淮河以南，屬於江南地理的和人文的系統。秦嶺擁有古中國最著名的「棧道」工程，在懸崖絕壁上，鑿洞插桿，上鋪木板，作爲穿越山脈的道路。若干使歷史扭轉方向的戰役，就是由於戰勝的一方能控制棧道的緣故。

桐柏山和大別山　它們事實上是秦嶺山脈的尾巴，錯綜相連，橫臥在淮河跟長江之間，成爲北方蠻族侵入華北大平原時，中華人的最後防線，過此便直抵長江。它們是長江的前衛，大分裂時代和金、宋二帝國對抗時代，退縮到長江之南的殘餘王朝，即靠此二山作爲緩衝。此二山如果落入敵人之手，長江之北的重鎮如襄陽（湖北襄樊）、漢口（湖北武漢長江北岸），便無法拒守。長江天險，即喪失一半。

祁連山　橫亙在新疆的天山跟中國地理中心蘭州之間，綿延一千公里，平均高度在四千公尺以上。紀元前後，北方是匈奴人，南方是羌人，所以它在中國早期歷史上，擔任隔絕這兩大蠻族結合的任務。匈奴所居的山北一帶，水草茂盛，被稱爲河西走廊，是匈奴汗國唯一可從事農業的富饒地區。位於甘肅省永昌縣的胭脂山，是祁連山群峰之一，出產高級化妝品胭脂。紀元前二世紀時，河西走廊歸附中國，匈奴人悲歌說：「奪我胭脂山，使我婦女無顏色。奪我祁連山，使我六畜不養息。」匈奴汗國從此轉衰。

陰山　主脈橫亙在黃河「几」字形的北岸，即河套之北，綿延六百公里，高度在一千至二千公尺之間。是從前以農業爲主的中華民族，跟以游牧爲主的一些游牧民族的最北分界線。陰山之北，因雨量稀少和風沙的侵襲——幾乎山脚下就是瀚海沙漠群，古代那種簡陋的農業生產技術，無法生根。以致中華人的屯墾只限於陰山山脈之南，唯一的希望就是游牧民族到此止步。所以唐王朝詩人所說的「不教胡馬度陰山」，遂成爲歌頌將軍們偉大功績的標準。

崑崙山　長達二千公里，帕米爾母親的長子，以五千公尺至七千公尺高度的無比雄姿，從母親懷抱中，向東方奔馳，北側是僅海拔一千公尺的塔里木盆地，南側則跟喜馬拉雅山共同築成世界屋頂。崑崙山於十八世紀才永遠的納入中國版圖，但它是中國神話中最古老的仙山。據說，山上有一位法術高強的美貌仙女，名王母娘娘。紀元前二十二世紀時，她曾把一包長生不死的仙藥，贈送給當時夏王朝第六任君王后羿。紀元前十世紀時，周王朝第五任國王姬滿，也曾駕着有神性的馬車，從當時的首都鎬京（陝西西安）出發，一夜間奔馳三千公里，到達崑崙山，跟她相會。神話學家爲了使人確信不疑，還肯定的說，那一年是紀元前九八六年，正是西方世界希伯來國王大衛王在位的年代。

喜馬拉雅山　它是全世界無人不知的終年都被積雪覆蓋着的巨山，跟北方的崑崙山和東方的大雪山，共同築成世界屋頂，包括古吐蕃王國的全部疆土，廣達二百三十萬方公里，不僅面積廣袤，而且海拔極高，平均六千公尺。假如把世界縮小爲一個普通城市，這個高原就像唯一的一座五十層高的巨樓，矗立在最高只有三十層，而絕大多數只有一層二層的矮小的群屋之間。從巨樓向下眺望，可以俯視世界每一個角落。喜馬拉雅山的主峰額非爾士峰是世界第一高峰，位於中國跟尼泊爾王國之間，海拔八千八百四十八公尺——恰如在五十層高樓上再矗起一個三十八層高的鐵塔。喜馬拉雅山隔斷了中國跟印度的交通，蒙古帝國的創造者鐵木眞，就因恐懼它的高度，而不敢穿越。十八世紀英國征服印度後，雖野心勃勃的企圖北進，也因喜馬拉雅山的危險山道和稀薄空氣，使積極的軍事行動發生困難。現在雖然已是核子武器時代，但它仍是中國西南邊疆的保護神。

五嶺　事實上它不是一個整體的和完整的大山脈，只是如其名稱所示的五個獨立的山脈。從西到東，斷續連綿約一千餘公里，像一彎上弦的新月，排列在江南地區的腰部，因之也被稱爲南嶺山脈。最西是廣西省全州縣的越城嶺，次西是湖南省道縣的都龐嶺，中間是湖南省江華縣的萌渚嶺，第四是湖南省郴縣的騎田嶺，最東是江西省大余縣的大庾嶺。它們連成一個亂山系統，作爲長江流域跟珠江流域的界碑，也作爲中國極南疆土與長江流域交通的最大障礙。紀元前三世紀時，秦王朝嬴政大帝的遠征兵團在大庾嶺上鑿出一條山道，中國勢力才開始到達珠江流域以及越南北部。

山嶽，指山脈中特殊的峰巒。

中國歷史上有五個重要的山嶽，稱爲五嶽。在神話中，它由巨神盤古的頭部和四肢變化而成。

一、中嶽嵩山　位於河南省登封市，高一千四百四十公尺，再分爲三峰：中峰峻極峰、東峰太室山、西峰少室山。少室山下有一個龐大無比的寺院，名少林寺。六世紀時，印度王子出身的高僧達摩曾經在此面對着一塊石壁，靜坐九年之久。以致他雖然逝世，而他的影子據說仍映在石壁之上。不過嵩山和少林寺所以聞名全國，還是由於武俠小說的宣揚，在武俠小說中，少林寺和尚們的拳擊技術——中國功夫，已到了出神入化之境，稱為少林派，它常代表正義的力量，跟邪惡作對。

二、東嶽泰山　位於山東省泰安市，高一千五百二十四公尺。這種高度根本算不了什麼，但因為四周全是平原的緣故，遂使它顯得特別突出，以致被形容為「登泰山而小天下」。最高的峰是丈人峰，而最著名的峰是梁父山。它在中國前期歷史上佔有極重要的位置，古書上不斷提到它，而它也自始就擔任了皇家最大事件「封禪」的角色。封，祭天。禪，祭地。儒家學派的學者認為，祭祀天地必須到泰山之上，才能蒙受悅納。於是古代帝王最高興和最光榮的一件事，就莫過於爬上泰山，舉行這個使自己飄飄然的儀式了（帝王們當然不會用御腿親自往上爬，自有舒適的轎子把他抬上去）。這種封禪，具有極端嚴肅而複雜的外貌，但主要的目的只不過使帝王藉此展示一下他的威風。所以僅只隨從御駕前往湊熱鬧的人群，每次至少總有二十萬人，包括政府全體高級官員、外國使節，和擔任警戒的武裝部隊。祭祀之後，還要大批的擢升，大量的賞賜，也要赦免全國囚犯，免除所經過州縣的田賦。事實上每一次封禪都是一次蝗蟲行動，對人民所造成的災害比其他任何皇家典禮都大。

三、西嶽華山　位於陝西省華陰市，高一千九百九十七公尺。中峰蓮花峰、東峰仙人掌峰、西峰落雁峰。另有無數小峰，如雲台峰、公主峰、毛女峰等，環繞着中峰，成爲詩人所形容的：「諸峰羅列似兒孫」。它的險峻使人卻步，九世紀時，一位以儒家學派巨子自居的古文作家韓愈，於英勇的爬上了諸峰之一的蒼龍嶺之後，回顧來路，鳥道懸空，頭昏目眩，他發現他再沒有膽量下來，只有死在山上了，不禁大哭。後來還是由地方官員派人把他灌醉，用繩子從嶺上層層吊下。

四、北嶽恆山　位於山西省渾源縣，高二千零一十七公尺。主峰天峰嶺，像一隻振翅欲飛的蒼鷹。俯眺二十公里外的渾源縣城，小如一個火柴盒，行人車馬，跟螞蟻沒有分別。山中廟宇羅佈，而以建於大分裂時代的懸空寺爲最有名，高大的連棟巨廈，被好像具有魔力的漿糊貼在萬丈絕壁之上。據說道教八仙之一的呂洞賓，曾在此彈過琴下過棋。八仙之另一仙的張果老，也曾在此隱居修煉。

——這個北嶽恆山，是十五世紀之後才有此銜頭。在此之前，「恆山」一詞，是指今河北省曲陽縣西北的太行山脈其中一峰。直至明王朝十任帝朱祐樘，才把「北嶽」之名轉到舊恆山西北一百公里的元嶽，一四九三年還舉行祭祀大典，正式認同元嶽爲北嶽。

五、南嶽衡山　位於湖南省衡陽市，高僅一千二百九十公尺，是五嶽中最低的一嶽。但山勢綿延，盤根錯節，擁有七十二個巨峰。主峰是以古代火神命名的祝融峰，另有紫蓋峰、雲密峰、石廩峰、天柱峰，共稱南嶽五峰。七十二峰中，最南的一峰名迴雁峰，據說秋天時節，北雁南飛，到此爲止，不再繼續向南，因之成爲詩人最好的詩材。衡山寺院最多，祝融峰下最古老的上封寺，是道教聖地之一。

——這個南嶽衡山是七世紀之後的產物。七世紀之前的南嶽衡山，不在這裏，而在北方六百公里外的安徽省霍山縣，即現在的霍山。主峰天柱峰，高一千七百七十四公尺，屬於大別山脈。因中國疆域向南大幅開拓的緣故，霍山很久以來就從邊疆退縮到腹地，不能算作「南」嶽。七世紀時，隋王朝把它的名稱向南搬家六百公里，搬到現在的位置。所以中國前期歷史上的南嶽和衡山，都是指霍山而言。

五嶽之外，我們再介紹其他幾座歷史上著名的山嶽：

天台山　位於浙江省天台縣，高一千零九十八公尺，蜿蜒在東海之濱，形勢雄偉。六世紀時，佛教高僧智顗在這裏創下了佛教的重要支派之一的天台宗派。但使天台山名垂不朽的卻是一件愛情故事，傳說中紀元前一世紀西漢王朝時，有兩位名劉晨、阮肇的青年，到五台山採集草藥，遇到兩位美麗的仙女，遂結成夫婦。半年之後，他們思念故鄉，仙女送他們回去。當他們回到自己的村子時，發現這世界已過了三百餘年，已是紀元後三世紀晉王朝時代，子孫也傳了七輩，世上再沒有人認識他們了。神話學家言之確鑿的說，就在二八七年（羅馬帝國皇帝戴克里先在位），二人悵然的再離開鄉里，重返天台山，從此再沒有聽到他們的消息。顯然的，仙女們會預料到他們的歸來，而在等待他們。

五台山　位於山西省五台縣，高三千零五十八公尺。距北面的北嶽恆山，只七十公里，但被滹沱河從中隔開。五台山由五個巨峰組成，中峰稱中台，向東南西北作放射狀的分出四峰，稱東南西北四台，而以北台最高。廟院多集中在中台之下，僧侶分爲兩種，一種穿青衣，即佛教普通和尙。一種穿黃衣，則是西藏喇嘛教的喇嘛。據說十七世紀時，淸王朝第三任皇帝福臨，因他最寵愛的一位妃子死了，傷心欲絕，曾在此出家爲僧。可惜這個美麗的故事一聽就知道出於不懂政治的文化人的揑造。世界上沒有一個帝王，受得了僧侶的淸規。

龍虎山　位於江西省貴溪縣，高二百五十三公尺。兩峰對峙，一峰像龍，一峰像虎。一世紀時，道教的重要領袖之一的張道陵，在這山上修煉成功，據說他家裏的僕人都由鬼神服役，張道陵只要念動咒語，就能呼風喚雨，因之成爲道教符籙派的始祖。十四世紀時，入主中國的蒙古皇帝册封張道陵的後裔張宗演爲「天師」，從此天師遂成爲世襲的職位，跟儒家學派始祖孔丘的後裔被册封爲衍聖公世襲的職位一樣，成爲中國歷史上兩大奇異的，長久浪費國民納稅錢的世襲系統。

峨眉山　位於四川省峨眉山市，高三千零九十九公尺，是中國雨量最多的地方，有時每年高達七千五百公厘。擁有最多的岩洞，都用古時的神祇或偉人的名字命名：如伏羲洞、女媧洞、鬼谷洞、雷洞。是佛教名山之一，但道教也把它當作聖地，稱爲虛靈洞天。寺院的雄偉和滿山數不淸的馴順的猴群，構成峨眉山的特色。有趣的是，大概這個名稱比較美麗的緣故——它使人想到美女的蛾眉，所以中國境內稱爲峨眉的山，不只此一山，至少還有下列五處：一、在福建省明溪縣北，它的主峰正對着明溪縣城的北門。二、在福建省泰寧縣西北，形狀跟四川省的峨眉山相似，只沒有那麼多猴子。三、在河南省郟縣西北，因形態較小，所以被稱爲小峨眉。四、在廣西省崇左縣東，山勢高峻。五、在安徽省當塗縣西南，跟東梁山隔着長江相對，紀元前六世紀時，吳楚兩個王國在此大戰，吳王國最大的戰艦餘皇號就在山下被俘而又被奪回。

黃山　位於安徽省黃山市北，高一千八百四十一公尺。道教人士說，紀元前二十七世紀時，五帝之一的黃帝姬軒轅，曾在此燒煉過仙丹。黃山擁有三十六峰，雲霧瀰漫，構成黃山雲海奇觀。神話學家說，這雲海便是姬軒轅煉丹時火爐裏冒出的煙霧，所以跟別的地方不同。

武當山　位於湖北省丹江口市西南，高一千六百一十二公尺。道教重要神祇之一的玄元大帝，就在此山修煉成仙，他手下有兩員大將，一是烏龜，一是蛇，都具有廣大的法術，代表主人執行賞善罰惡的任務。武當山也是中國武俠小說產生劍俠的地方，在行俠仗義，搭救苦難的場合，常跟嵩山少林寺的劍俠，並肩作戰。

廬山　位於江西省九江市南，高一千四百七十四公尺，下臨碧波萬頃的鄱陽湖，千巖萬壑，籠罩在雲煙如幕之中，被詩人歌詠爲：「不識廬山眞面目，只緣身在此山中。」儒家學派主流的理學學派，於十二世紀在五老峰下建立白鹿洞大學（白鹿洞書院），成爲理學的大本營，爲理學培養出大批門徒。廬山西北的牯嶺，十九世紀之後，成爲中國最有名的避暑勝地。

四、沙漠‧萬里長城

五塊巨大無朋的大沙漠，覆蓋着中國百分之六的疆土，這些被覆蓋的疆土，全部變成毫無價值，有百害而無一益的死寂荒野。幸而它們只分佈在北中國的萬里長城之北和之西，集中於下列四個地區：

一、古爾班通古特沙漠——集中準噶爾盆地

二、塔克拉瑪干沙漠和庫姆塔格沙漠（白龍堆沙漠）——集中塔里木盆地

三、鄂爾多斯沙漠——集中黃河河套

四、瀚海沙漠群——集中內外蒙古

準噶爾盆地位於中國西北邊陲新疆的北部，在阿爾泰山跟天山之間，成一個三角形地帶，面積約二十萬方公里。它跟它上面的四萬五千方公里的古爾班通古特沙漠，在中國歷史上，一直默默無聞。紀元前二世紀跟紀元後二世紀的英雄人物張騫、班超的偉大勳業，都限於天山以南的塔里木盆地，跟本區的關係很少。但到了十八世紀，一個大悲劇卻在此發生，立國數百年之久的準噶爾汗國覆亡，遭受到清王朝滿洲兵團滅種型的殘忍屠殺。從此中國境內再沒有準噶爾人，只留下這個仍保持準噶爾名稱的盆地，和位於中國跟哈薩克交界處一個名「準噶爾門」的要隘，供後人憑弔。

塔里木盆地位於新疆南部天山與崑崙山之間，面積約五十三萬方公里，百分之八十被三

十二萬方公里的塔克拉瑪干沙漠，和十萬方公里的庫姆塔格沙漠所掩蓋。這是一個標準的閉鎖形態的內陸盆地，四周全是高達四千公尺以上的大山，僅東北一隙跟河西走廊相通。氣候乾燥，婼羌城全年雨量只五公厘，居民一輩子都不了解什麼是「大雨傾盆」和「陰雨連綿」。塔克拉瑪干沙漠的面積等於一個日本，屬於流沙類型，橫亙在盆地中央，是最可怕的一種沙漠，維吾爾語「塔克拉瑪干」，就是「進去就出不來」之意。狂風捲起的沙丘有時高達二百二十公尺，像巨魔一樣的翻騰滾動，旅人和駱駝商隊，都會像螞蟻般的被它吞食。庫姆塔格沙漠面積則有英國的一半大。兩大沙漠隱約相連，從東到西，長約一千三百公里，南北最廣處有五百公里。當張騫到西域時，所遇到的最大威脅就是這個使人色變的障礙，但他總算繞過了它。當第七世紀，佛教高僧玄奘曾九死一生的沿着它的邊緣前往印度，西遊記一書中所描述的那些充滿妖怪的魔山，和充滿奇異事物的王國，大部份都在這兩個大沙漠的四周。像其中的火焰山，就是指吐魯番市附近的山群，吐魯番曾被命名爲火州，氣溫曾高達攝氏七十五度。

——可能比紀元前五世紀更早，沿着這兩大沙漠的南北兩側，開闢有兩條艱險的道路，像兩條細絲一樣，中國就靠它跟西方世界作微弱的聯繫。這兩條道路，史學家稱爲絲路，並不是對此細絲一樣的通道作詩意的稱呼，而是商人們利用它把只有中國才有的生絲和絲製品，歷經千山萬沙，運到歐洲出售。

河套的鄂爾多斯沙漠，位於鄂爾多斯高原之上，是黃河以南唯一的沙漠。當中國古代最北的疆域以陰山山脈爲界時，這塊沙漠曾阻撓着遠征軍的出擊行動，和邊防軍的後勤補給。大黑暗時代時，中國北界退縮到萬里長城之內，這塊被遺棄在邊疆之外的沙漠上的綠洲，遂成爲北方強大的蒙古人和瓦拉人的牧場，不時沿着長城抄掠。明王朝那些昏庸低能的帝王將相，除了怒詈他們是「套寇」外，別無他法。十七世紀後，內外蒙古相繼併入中國，中國北界推進到西伯利亞的貝加爾湖畔，這塊沙漠的國防意義，才歸消失。

對中國影響最大的是散佈在內外蒙古高原上的瀚海沙漠群，這個大而無當的沙漠，座落在萬里長城和陰山之北，東起大興安嶺南端，西止於天山東麓，北到外蒙古中部，東西約二千公里，南北約一千公里或四百公里不等，面積大約有一百五十萬方公里，恰可容納四個日本或四十個台灣島。它事實上由無數獨立的各有自己名稱的小沙漠組成，主要包括戈壁沙漠（蒙古南部）、騰格里沙漠、巴丹吉林沙漠（皆在內蒙西部）、渾善達克沙漠（內蒙錫林郭勒盟）。間隔地帶往往是平坦的岩石原野，而且生有水草。沙漠之上是寧靜的，商旅們在其中只能看到魔鬼一樣引誘迷途者奔馳到死的沙蜃。

沿着瀚海沙漠群南部的邊緣，排列着一系列的商業城市，如赤峰、張家口、包頭、集寧、呼和浩特。我們如果把瀚海沙漠群當作一個眞正的大海的話，這些城市就是陸地的港口。以張家口爲例，它是萬里長城最大的關隘之一，有一條穿過沙漠的小道，像航線一樣，北通外蒙古的首府烏蘭巴托。商旅必須在張家口治辦行裝，才能從事這個需時四十五日的商業性的沙海航程。而從烏蘭巴托南來的商旅，也到張家口爲止，把貨物從駱駝上卸下後，交給代理店處理，即另行載貨返航。塞北跟中國本部的劃分，在此可看出顯明的色彩。長城以南，農田相接，青蔥千里。而出了張家口後，便景物全異，沙漠、駱駝、蒙古包、牛馬羊群，完全是另一種天地。我們可借用詩人形容繁華和荒涼之界的詩句，說明旅人的心情：「馬後桃花馬前雪，教人怎能不回頭。」

瀚海沙漠群和它以北地區，因氣候寒冷和求生艱難，促使游牧民族無休止的企圖擺脫它，渴望進入遍地桃花的長城以南世界。從上古時代起，就發生數不清次數的南下侵略戰爭。中國人常大惑不解的責備他們不安於自己的鄉土，但如果把位置調換一下的話，恐怕也免不了會有同樣的行動。所以中國的外患，百分之九十五來自北方。

沙漠本身的不斷南移，也帶給中國很大的災害。一世紀時，聞名西域的樓蘭王國，還是一個水草茂盛的樂土。可是不知道什麼時候，竟被庫姆塔格沙漠吞沒。充滿鹹質的羅布泊畔，只剩下它的故國殘址。河西走廊在十九世紀末期，沙漠的威脅還很小。但二十世紀初葉，沙漠幾乎抵達酒泉城下。酒泉古城西門上題有「西被流沙」的匾額，正是在沙漠侵蝕下人們心情沉重的呼喊。

來自北方無休止的長期侵略，迫使中國建築萬里長城。

萬里長城是中華人抵抗沙漠游牧民族最艱苦和最偉大的軍事防禦工程。紀元前八世紀起，瀚海沙漠群上，陸續崛起山戎、北狄、東胡等強大部落，他們的武士騎在馬背上，來去如風，使周王朝一些位於北疆，使用拙笨車輛作戰鬥工具的封國，大爲狼狽。只好分別沿着各自的國界，修築長城。從燕山山脈西端到遼東半島，有燕王國長城。從燕山山脈西端到河套，有趙王國長城。從河套到隴西高原，有秦王國長城。紀元前三世紀時，匈奴汗國統一了瀚海沙漠群，秦王朝也統一了中國，爲了抵禦新興的匈奴南侵，秦王朝把各封國的長城連接起來，成爲中國第一個完整的防線。

這個長城矗立在中國北疆一千餘年。十世紀時，遼帝國乘中國小分裂時代，取得包括今北京在內的十六個州，進入長城之內，長城遂喪失作用。接着金帝國和蒙古帝國興起，塞北是他們的本土，萬里長城正位於他們的腹地，六百年間沒有人關心它，甚至還嫌惡它妨礙交通，遂終於墮廢。

一直到十五世紀，中華人建立的明王朝把蒙古人逐回他們的老家瀚海沙漠群，他們在沙漠上幾乎立刻就恢復祖先遺留下來的傳統習慣，再度不斷的向他們曾經控制過的中國抄掠。明王朝沒有力量把他們逐向更北，只好再度乞靈於長城，重加修築，東起渤海灣的山海關，西到河西走廊西端的嘉峪關，也就是現代我們所看到的萬里長城。萬里，是增強性的形容詞，事實上只有二千三百公里，但仍然是有史以來人類建築的最長的巨城。從前人們曾經臆測，在月球上回望地球，人造工程中，只能看到萬里長城。二十世紀人類眞的登陸月球，發現並看不到它，但這並不影響它的偉大。它像一條神龍一樣，隨着山勢，蜿蜒盤旋，在峰頭嶺巓，奔騰飛馳，構成世界上蒼涼的壯觀。每隔一段距離，即有一個碉堡，上面設立烽火台。遇到軍事情況，白天燃起狼煙（古中華人認爲用狼糞燃燒的煙有凝聚力，可作直線上升，其他的煙，遇風即散），夜間則燃起火光。像無線電一樣，能把警報迅速的傳到邊防軍司令部。

十七世紀中葉，明王朝覆亡，代替他的是來自北方的滿洲人建立的清王朝，將內外蒙古併入版圖，這是中國疆域最大的一次擴張。萬里長城再度位於腹地，也再度喪失它的國防價值。但它的歷史意義和文化意義，仍然如昔，它象徵中國人忍辱負重，永不屈服的精神。

五、城市

中國的城市，跟其他任何一個具有悠久歷史國家的城市一樣，價值不斷的在改變。現代的重要城市，往往在歷史上沒有地位。像東部第一大港上海，十七世紀時尚是一個荒涼的漁村。西部邊疆的伊寧，遲到十八世紀併入中國版圖後，才成爲重鎭。以大霧聞名世界的重慶，二十世紀第二次世界大戰時作爲中國的戰時首都，才突然重要，之前不過是一個閉塞的崎嶇山城。而在歷史上曾充當過非常重要角色的城市，現代卻大都凋零。雲南省的大理市，曾作爲大理帝國的首都五百一十六年之久。黑龍江省的阿城市，十二世紀時是金帝國的首都，宋王朝皇帝趙佶父子就匐匍在它那簡陋的宮闕之下。

我們先介紹古都部份：

從紀元前二十七世紀，中國第一位國家元首、黃帝王朝一任帝姬軒轅開始，到二十世紀中國境內清王朝末任帝溥儀被逐下金鑾寶殿爲止，四千六百四十三年間，中國共出現了八十三個大小不同和壽命不同的政權，跟五百五十九個男女帝王——其中三百九十七個是皇帝，一百六十二個是國王。八十三個政權共建立了九十六個國都，那就是說，有九十六個城市之多，曾充當過發號施令的場所。我們用下表列出建都時間最久的最前十名：

順序	古都今地	建都年數	昔日地名	建都王朝	時間（世紀）
一	西安（陝西省）	一〇三八	鎬京、長安、常安、大興、京兆、大安、晉昌、永興、安西	周、西漢、新、玄漢、東漢、晉、漢趙、前秦、後秦、西燕、北魏、北周、隋、唐	紀元前十二、十一、十、九、八、三、二、一、紀元後一、二、四、五、六、七、八、九、十
二	洛陽（河南省）	八六〇	東都、王城、洛邑、成周、河南、雒陽、西京	周、西漢、玄漢、東漢、曹魏、晉、北魏、隋、南周、唐、後梁、後唐、後晉	紀元前七、六、五、四、三、紀元後一、二、三、四、五、六、七、八、十
三	北京	七七五	薊城、幽州、幽都府、燕京、燕山府、析津府、大都、北平、廣陽、順天府	燕、前燕、桀燕、金、元、明、清	紀元前四、三、紀元後四、十、十二、十三、十四、十五、十六、十七、十八、十九、二十
四	夏縣（山西省）	四四〇	安邑	夏	紀元前二十三、二十二、二十一、二十、十九、十八

五	南京（江蘇省）	四二九	江寧、建業、建康、丹陽、金陵、昇州、集慶、應天	東吳、晉、南宋、南齊、南梁、陳、南唐、明、太平天國	紀元後三、四、五、六、十、十四、十五、十七、十九
六	江陵（湖北省）	四一九	郢都、南郡、荆州	楚、南梁、南平	紀元前七、六、五、四、三、紀元後六、十
七	開封（河南省）	三四九	大梁、汴州、汴京、東京、南京、北京	魏、後梁、後晉、後漢、後周、宋、劉齊、金、韓宋	紀元前四、三、紀元後十、十一、十二、十三、十四
八	商丘（河南省）	二七一	梁郡、應天、宋州、亳邑、睢陽、南京、歸德	商、桀宋	紀元前十八、十七、十六、四、三
九	杭州（浙江省）	二三〇	錢塘、臨安、餘杭	吳越、宋	紀元後十、十二、十三
十	新鄭（河南省）	二〇五	有熊	黃帝、韓	紀元前二十七、二十六、四、三

中國最早、最古老的國都，是居第十位的新鄭，築城時間在紀元前二十七世紀，僅比西

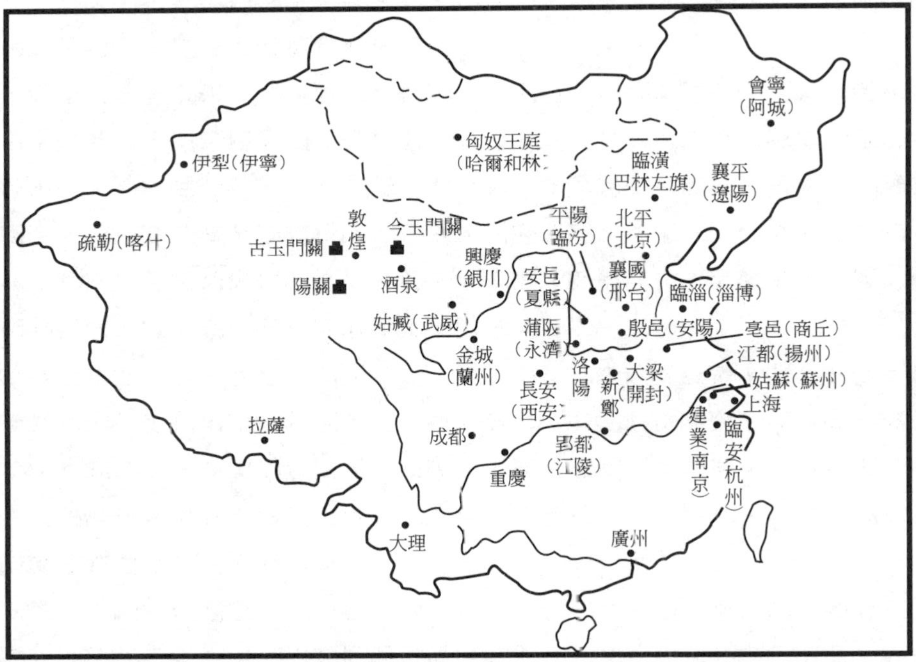

圖四　中國歷史上重要的城市

方世界薩爾恭帝國的阿迦德城，稍晚一百年。居第四位的夏縣，築城時間在紀元前二十三世紀。居第八位的商丘，築城時間在紀元前十八世紀。居第六位的江陵，築城時間在紀元前七世紀。但這一系列的在古中國烜赫一時的權力中心，現在雖然仍有名稱相同的城市存在，卻很難再找到昔日光榮的殘跡。

建都之久居第一位的西安，它所在位置的渭河流域和關中地區，是古中國的精華所在。八、九世紀時，受到吐蕃王國和叛軍的攻擊，灌溉系統破壞，人民逃散，不能再維持一個經濟單元，才喪失繼續作爲國都的資格。但二十世紀使它復興，成爲重工業中心之一。它擁有最多的古蹟，從紀元前二世紀西漢王朝所建立的長樂宮遺跡，到絕世美女楊玉環沐浴過的華清池溫泉，無一處不使人興起懷古的幽情。

居第二位的洛陽亦然，紀元前十一世紀，周王朝在此興築兩個相距二十公里的雙子城：西城稱爲王城，東城稱爲成周——成周也稱洛邑、洛陽，不久就成爲全國政治文化的中心，以美女和牡丹聞名於世。但它恰位於華北大平原的西方邊緣，跟關中地區相接，成爲內戰中必爭之地，再三再四的被大火焚燬，以致十世紀之後，終於沒落爲一個窄狹而又粗陋的小城，直到二十世紀末，才逐漸恢復它過去的光輝。它擁有跟西安同樣多的古蹟，洛陽城跟黃河之間的邙山，就隱藏着無數歷史故事。

居第三位的北京，是中國古城中的鑽石，自十三世紀起，一直都是中國大一統時代中央政府所在地。北京語在二十世紀初被定爲標準中國語，北京居民的謙遜態度和文化素質的深厚，爲全國所稱道。它所擁有的古蹟都是近代的，沒有西安、洛陽那麼古老，因之保存的也比較完整。北京在中國近代史上顯示出它重要性的原因有二：一是它的位置，不但可照顧多災多難的北疆，還有充份的熱力，輻射到遙遠的東北地區黑龍江流域和西北地區的新疆。在來自北方的侵略威脅消失前，國都設在北京，是一種倔強的面對挑戰的態度。二是國民的心理狀態，北京一連數百年都是全國政治文化中心，人們有一種嚮往的向心力，增加全國團結和統一的力量。

居第五位的南京，於三世紀東漢王朝末期築城，被形容爲具有龍蟠虎踞的形勢。但它充當國都的時代，幾乎全是分裂時代。而且每一個王朝，都在短短的期間內，發生變化，包括令後人惋惜的悲劇。從前中國人口，集中在長江以北中原地區，不像現在，江南的人口密度反而較高，所以把南京作爲首都，在過去那些時代，有它的困難。

居第七位的開封，是地理條件最差的古都，它四周連一個較爲險要，可作初步抵抗外來軍隊，以待援軍的關隘都沒有。敵人從東西南三方任何一方進攻，都能長驅直入，逕抵城下。北方雖然有黃河，但黃河是會結冰的，反而更有利於敵人的行軍。而在不結冰時期，敵人又隨時可以決堤灌城。所以凡是以開封作國都的政權，幾乎全都以被屠殺作爲結局。

居第九位的杭州，是中國最美麗的城市之一，但它比南京更偏東南，在交通不便的往昔，情形跟成都相同，只能充當分裂時代一個地區的重心。它近郊的西湖，是中國最美麗的勝景之一，湖畔全是引人入迷的古蹟名勝，幾乎每一個墳墓，每一條小橋，都是一部史詩。

除此之外，依照順序，還有下列九個古城，充當國都的時間，都在百年之上。

十一、內蒙古巴林左旗，古稱臨潢，遼帝國的國都。跟新鄭相同，歷時二百零五年。

十二、河南省安陽市，古稱殷邑。充當商王朝國都二百零四年。十九世紀時，附近的小屯村農民在耕田時掘出很多刻有奇怪古文字的甲殼和骨骼，才發現是三千年前的古都廢墟。考古學家爲研究那些以及之後不斷出土的甲骨上的古文字，特別建立了一門專門學問，稱爲「甲骨學」，對紀元前十二世紀商王朝的社會形態，作深入的探討。

十三、寧夏省銀川市，古稱興慶。充當西夏帝國國都一百九十六年。但西夏的文化程度太低，在亡於蒙古人時，又遭到徹底的毀滅，我們現在已很難尋覓到留下來的屬於興慶古城的遺蹟。

十四、四川省成都市。它是中國分裂時代的寵兒，陸陸續續的充當割據狀態下的一些短命政權的國都，共歷時一百六十年，但卻是保留古蹟最多的城市之一，尤其是三國時代的古蹟。成都以芙蓉花聞名，所以也稱錦城，或稱蓉城。

十五、山東省淄博市，充當戰國時代齊王國國都一百三十九年。是紀元前四世紀時中國兩大超級巨城之一（另一是秦王國國都咸陽）。史籍上對它人口的稠密形容爲：「吐氣成雲，揮汗如雨。」

十六、河北省邢台市，古稱襄國。充當商王朝跟後趙帝國的國都共一百三十五年。

十七、陝西省咸陽市，充當戰國時代秦王國、以至秦王朝首都，共一百三十三年。咸陽位於另一名都西安西北二十五公里，它是中國第一個皇帝嬴政的國都。但當秦王朝覆亡時，推翻她的強人項羽，把當時最宏偉的阿房宮燒成一片焦土，咸陽遂永遠喪失充當首都的資格。

十八、山西省臨汾市，古稱平陽。充當黃帝王朝第六任堯帝伊祁放勳，跟大分裂時代漢趙帝國的國都，共一百一十年。另外還有黃帝王朝第七任舜帝姚重華作爲國都的山西省永濟市（臨汾西南一百七十公里），同是儒家學派所歌頌的伊甸園。

十九、甘肅省武威市，古稱姑臧。也是中國分裂時代的寵兒，河西走廊的政治和經濟中心，大分裂時代作爲四個短命政權的國都共一百零八年。

除了這些古都，我們再介紹一些其他城市。事實上這些城市大半也都是古都，任何一個國家如果有中國這種擁有九十五個古都的話，都會發現，略具規模的城市，都有過這份光榮。

甘肅省蘭州市　最早的名字是金城，古都之一，大分裂時代西秦王國曾在此建都十三年。蘭州是現代中國地理上的幾何中心，但在二十世紀之前，全國開發地區僅限於東南，所以包括西安在內，都一直被當作荒涼的西北邊城。西安曾一度被定爲西京，蘭州更在西京五百公里之外。二十世紀之後，它才顯出它所具有的全國中心的重要價值。

廣東省廣州市　同樣也是古都之一，小分裂時代南漢帝國曾在此建都五十五年。是中國跟外國人接觸最早的通商海港之一，擁有巨大的財富，和從貿易中產生的繁榮，直到十四世紀大黑暗時代來臨，才告萎縮。十九世紀時，西洋的巨艦巨砲，首先在此敲開中國關閉緊緊的大門，以後即成爲僅次於上海的中國第二大港。

江蘇省揚州市　古稱廣陵、江都，是一個純商業城市，位置於南北大運河注入長江的地方，雖然不斷受到戰爭的傷害，但始終保持它特有的繁榮。自命不凡的七世紀隋王朝皇帝楊廣，對揚州就有一種強烈的感情，他選擇了揚州作爲他被絞死的刑場。

江蘇省蘇州市　古稱姑蘇，充當春秋時代吳王國國都八十八年。紀元前五世紀吳王國國王吳夫差，在此築城，從此即以美女聞名全國。有諺語說：「上有天堂，下有蘇杭。」即指蘇州的美女和杭州的美景而言。

西藏拉薩市　這是世界屋頂上最大的城市，古稱邏些城，是古吐蕃王國的國都，喇嘛教的聖地，它神祕的程度跟童話中巫婆住的魔宮一樣。中國古代所採取的「公主和親」政策，在此收到意想不到的效果。強悍的吐蕃人，最後終於被嫁過去的中國公主所信仰的佛教馴服，現在拉薩還存有吐蕃國王爲中國公主所建的宮殿。

遼寧省遼陽市　是東北地區最古老的城市，古稱襄平，也稱遼東。它至遲在紀元前四世紀便已築城，當時燕王國長達八百公里的長城，西起上谷（河北懷來），東端便經過此城之北。它在燕王國覆亡前夕，曾充當首都五年。大分裂時代曾一度被朝鮮半島上的高句麗王國佔領，引起以後楊廣三次失敗的征討。後來遼、金、蒙古三個大帝國，都把它定爲陪都，稱爲東京。十七世紀清王朝初興起時——那時尚稱後金汗國，也曾在此建都四年。東北所有的其他城市，都是它的晚輩。

甘肅省敦煌市　也屬於古都之群，大分裂時代充當西涼王國國都八年。在十八世紀前，始終是中國西部邊界上的重鎮，現在敦煌西距邊界線帕米爾高原一千七百公里。而從前敦煌西距邊界線只不過一百公里。就在敦煌西北七十公里處，築有要塞玉門關，探險家兼西域萬王之王的班超，老年時思念故鄉，渴望返國。當時的東漢政府依靠他安撫西域，拒絕他退休，他曾哀告說：「我並不敢盼望回到酒泉郡，只願生時進入玉門關。」後來庫姆塔格沙漠和羅布泊南移，玉門關西去的道路斷絕。於是在敦煌西南五十公里處，築起另一個要塞陽關，代替玉門關成爲西陲門戶，唐王朝詩人曾形容說：「勸君更進一盃酒，西出陽關無故人。」顯示出敦煌歷史上的形勢。

在結束本節之時，我們發現，中國文明體系中，建築文明似是最貧乏的一環。除了萬里長城純軍事工程外，古中國缺少雄偉的城市，雄偉的宮殿，更缺少雄偉的民間房舍。宗教的寺院廟宇固然具有規模，但陰暗窒塞，只適合鬼神擠在一起，不適合人類正常生活。所謂飛簷琉瓦，雕樑畫棟，以及亭台樓榭巧妙的庭院佈置，跟中國這麼一個龐大帝國應有的磅礴心胸，和氣吞山河的氣魄相較，好像巨人戴着其小如豆的禮帽，非常的不相稱。事實上，一直到二十世紀初葉，我們還可以看到，幾乎所有的民間建築，都非常矮小簡陋，跟沒有文明的野蠻民族相去無幾。比中國最早的古都新鄭還要早一千年的克里特島邁諾斯王國的國都諾薩斯城，就比中國十九世紀時的任何一個城市，都壯觀百倍。歐洲那種哥德式、希臘式、羅馬式各型建築，像雅典的萬神殿，羅馬的聖彼得教堂，古中國從沒有產生過。

爲什麼會如此？

原因在於絕對君權思想下的政治形態，因為堅持尊君的緣故，不允許人民的房舍高過或好過政府官員們的房舍，也不允許政府官員們的房舍高過或好過帝王的皇宮。至少從第一個黃金時代——即大黃金時代結束時起，將近兩千年的漫長歲月裏，政府一直禁止人民在建築上作任何改變和追求任何進步。歷代王朝都有一種建築法規，規定人民房舍的最高限度和最廣限度，也規定只准使用什麼質料，什麼顏色，和什麼圖案。如果有人不遵守這個規定，或拒絕傳統的矮小簡陋的形式，發揮他的想像力和創造力，建造一棟高大寬敞、空氣流通的巨廈，他就犯了「違制」的條款，會受到跟叛逆一樣同等懲罰，最嚴厲時可能全家老幼一律處斬。這種畸形的抑制，直到十九世紀還是如此。鴉片戰爭爆發的前一年，當時的清政府還下令禁止人民仿效西洋興建兩層以上的樓房。

另一種現象也使我們驚異，那就是中國歷史上的新興政權，對於焚燒舊政權的建築物，懷有濃厚的興趣。叛變成功的武裝部隊一旦攻陷大一點的城市（尤其是國都），第一件事幾乎就是縱火。像紀元前三世紀，西楚王國國王項羽，焚燒秦王朝國都咸陽（陝西咸陽），大火三月不絕。縱火的目的在於表示自己是愛民的，所以對暴政下的產品必須徹底掃除。可是新貴們當然不願露天而居，燒掉後不久，他們就振振有詞的再建築屬於自己的更豪華的宮殿。等到下一個叛變成功時，再被付之一炬。

結果是，中國的古城和古建築，幾乎全部毀滅，留下來的寥寥無幾。諾薩斯城仍在，而新鄭已數度化為廢墟。羅馬城仍在，而西安、洛陽，除了一些被挖掘過的帝王墳墓外，很少屬於建築物上的古蹟。開封十世紀宋王朝的宮殿，二十世紀初只剩下一個磚砌的高台。南京十四世紀明王朝的宮殿，二十世紀初成爲一個命名爲「明故宮」的飛機場。只有北京的城市和宮殿仍保留着，但都是十五世紀後的建築，而它的窄狹和陰暗，也使人失望。

——這些人爲的禁忌符咒，在鴉片戰爭後終於被撕毀，西方發源的新興文化的衝擊，使中國人的靈性復甦。在現代中國巨廈林立的街頭，我們無法思議古城窄狹擁擠的景象。

六、地理區域

每個國家對自己的國土，都有歷史累積下來的識別，也就是習慣上的稱謂。原則上依據自然山川和人文狀況，但主要的還是依據歷史發展的軌跡。所以地區的區分，並不一定完全合理，更沒有明確的界限。中國亦然。我們必須把它一一介紹明白，然後在敍述歷史活動時，才不致被這種不規則的地理區域所混淆。

中國主要的有左列九個地理區域：

一、河西走廊（甘肅中西部）

二、西域（新疆）

三、河套（內蒙古伊克昭盟）

四、塞北（內蒙古中部）

五、漠北（外蒙古）

六、東北（遼寧、吉林、黑龍江三省，及內蒙古東二盟）

七、雲貴高原（雲南、貴州）

八、青藏高原（世界屋頂）

九、中國本部

分別予以說明：

河西走廊　位於中國的中西部，北面是瀚海沙漠群西端的諸小沙漠，和一連串較小的被稱爲「北山」的山系，南面是我們所介紹過的祁連山脈，也被稱爲「南山」。這個走廊從天山東端起，斜向東南，直到中國西部城市蘭州，長達一千一百公里，但最窄狹的腰部寬度只一百公里。如同一條匹練，把一連串寶石——武威、張掖、酒泉、敦煌等大城，聯綴在一起，是古中國通往西方諸國唯一的國際道路。第七第八世紀時，沃野相接，被形容爲「塞外江南」。可是後來淪入吐蕃王國和回紇汗國潰散後的零星部落之手，遂變成一個荒涼貧苦地帶。直到二十世紀，交通道路和水利工程復建，這個殘破的匹練才再度發出亮光。

西域　指現在的新疆和中亞的東部，以及克什米爾地區。但大多數情形下，只指新疆。阿爾泰山、天山、崑崙山，三條高入雲霄的巨大山脈，成一個「三」字形，夾着兩塊巨大的準噶爾盆地跟塔里木盆地。紀元前二世紀張騫進入這個陌生的世界時，僅塔里木盆地塔克拉瑪干沙漠四周，就有三十六個獨立王國。七世紀一度被中國併入版圖，設立一百多個州。但到了八世紀，卻被吐蕃王國奪去。一千年之後的十八世紀，才再回到中國版圖，命名爲新疆

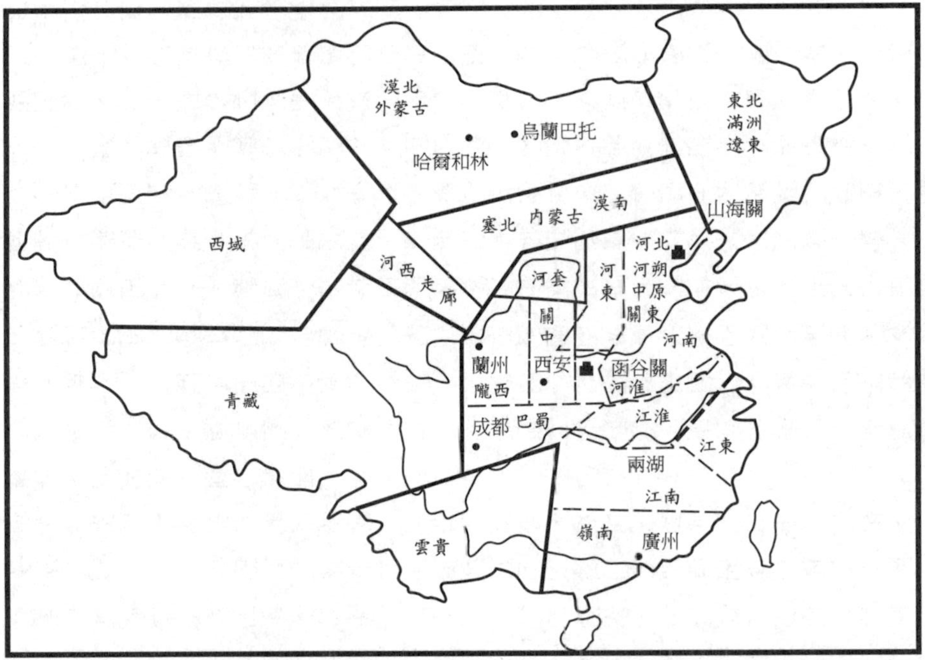

圖五　中國歷史上地理區域

，成爲中國最大的一省。

河套　即黃河「几」字地區。黃河穿過全國中心蘭州後折向北流，流到陰山山脈之下，一連作兩個九十度的劇烈轉彎，好像天神抛的繩索，恰恰套住鄂爾多斯高原跟它上面的鄂爾多斯沙漠。這一帶應該是貧瘠的，但因黃河跟陰山之間有完備的灌溉系統，所以人煙稠密，農產豐富。一個古老的諺語說：「黃河百害，唯利一套。」二十世紀後，工業發達，使本區達到連夢都夢不到的繁榮。

塞北　塞，指要塞，萬里長城當然是最大的要塞。所以「塞北」即指萬里長城以北，也稱「塞外」（歷史上卻沒有「塞南」「塞內」的相對稱謂）。廣義的塞北包括「漠北」，即包括從萬里長城直到貝加爾湖的內外蒙古全部地區。狹義的塞北則只到外蒙古邊境，所以也稱爲「漠南」——瀚海沙漠群南部之意，也就是十七世紀之後的內蒙古中部的範圍。本區跟中國本部雖只隔一線萬里長城，但氣候和地理環境，以及人文反應，都大不相同。塞北比較寒冷，缺雨而多風沙，只有少數沙漠的間隙地帶，才有辛苦開闢的農田，和作爲沙漠港口的城市。塞北是中國歷史上產生外患最多的地區，除八世紀吐蕃王國和十九世紀之後西洋海上諸國外，中國百分之九十五以上的對外戰爭，都是抵禦來自塞北的侵略。數不勝數的游牧民族，從塞北沙漠排山倒海般的湧出鐵蹄。這跟羅馬帝國的命運一樣，但羅馬人缺少中華人的數量和中華人所具有的彈性。

漠北　指瀚海沙漠群的北部，也就是狹義的塞北之北，包括外蒙古跟貝加爾湖，是北方游牧民族向中國發動侵略的根據地。哈爾和林就是匈奴汗國的王庭所在，回紇汗國曾修築城垣，後來成爲蒙古帝國早期的首都。中國對侵略者反擊時，遠征軍必須作艱苦的深入，穿越瀚海沙漠群，才能打擊到侵略者的心臟。如果僅只在塞北地區取得勝利，只不過是一種假象。遠征軍一旦撤退，游牧民族的力量就會立刻再度集結。這是中國所感受的最大的威脅。漠北跟中國合而爲一時，中華人才有安全。跟中國分離時，中華人不能安枕。

東北　也稱遼東、滿洲。因位於萬里長城起點山海關之北，所以也稱關外，而稱山海關以南的中國本部爲關內。是中國最寒冷的地區，大興安嶺下的兔渡河，曾出現過使人失色的攝氏零下五〇·二度的氣溫。本區擁有兩個大的水系跟兩個大的平原，即松花江平原和遼河平原。土壤肥沃，僅把泥土運到關內，就是上等肥料。紀元前十二世紀時，松花江畔有一個肅愼部落，曾派人千里迢迢前來中國朝貢。以後在這個古部落故土上，出現過很多獨立王國。朝鮮半島上的高句麗王國，也曾侵佔過遼東半島。七世紀末期崛起的勃海王國，更一度成爲東北地區的強權。後來成爲女眞人的根據地，先後建立了強大的金帝國，和加倍強大的清帝國。二十世紀初，日本還在此製造一個傀儡政權滿洲帝國。說明這個地區跟巴蜀地區一樣，是一個完整的經濟和軍事單元，具有獨立防禦和獨立進攻的能力。

雲貴高原　包括雲南和貴州二省，是由無數大山，無數急湍河流，和無數險峻深谷所構成的廣大高原。雲南地區的山脈，大都由北向南的密密排列，像一道又一道的巨牆，緊夾着翻騰而下的咆哮河川。貴州地區則萬山交錯，難得看見稍大一點的平坦地面，有三句諺語可說明貴州在古中國微不足道的可憐地位：「天無三日晴，地無三里平，人無三兩銀。」雲南的氣候較爲適宜，但交通之不便，比貴州的「地無三里平」更爲嚴重，直線距離只一日的路程，因必須翻山涉谷的緣故，常要三日四日才能到達。如昆明距大理二百五十公里，步行要走十四日。大理距騰衝一百九十公里，步行要走十五日。這種困難的交通情況和阻塞的地勢，是雲貴高原重大的特徵。另一個特徵是人種複雜，貴州叢山是苗民族的根據地，其他地區則星棋羅佈着傣人、水人、侗人、布依人、土家人、仡佬人等等。中華人對這些少數民族十分陌生，對被稱爲「瘴氣」的空氣污染，和各種蠻荒地區所有的傳染病，又深懷恐懼，所以在十九世紀之前，一直把本區當作遍地都是毒蟲的穴窟，堅信每一位漂亮的苗族女郎，都會一種神祕的「下蠱」邪術（沒有人知道「蠱」是什麼，據說可藉飲食鑽到肚子裏，定時發作），能使欺騙她愛情的中華族薄倖男子毒發不治。於是大家認爲十人到此，至少有九人會不幸死亡。連被派到這裏充當官員的中華人，也都像綁赴刑場一樣的悲哀。二十世紀後，鐵路公路和重工業，以雷霆萬鈞的力量進入本區，一切都發生奇異的改變，成爲一個嶄新的現代化世界。

青藏高原　即吐蕃王國故地，亦即我們前面所介紹的世界屋頂，藏民族古老的生存空間。吐蕃於十四世紀稱烏斯藏，十七世紀稱圖伯特，又稱西藏。我們不知道它爲什麼如此不斷改變稱謂，也不知道這些稱謂的意義。因爲它是世界屋頂的緣故，所以空氣稀薄而寒冷，夏天仍需穿着棉衣。山上遍是千年以上的積雪，地面遍是無法流到海洋裏的短促河流所造成的內陸湖沼。藏民族七世紀時，曾在這裏建立強大的吐蕃王國，征服西域，重創中國，跟向東擴張的阿拉伯帝國不斷戰爭而且獲勝。可是喇嘛教——佛教的一支，腐蝕了他們。王國因內戰瓦解後，再不能復興，人口也急劇減少。到了十九世紀，二百三十萬方公里廣大的吐蕃王國故地上，藏人只剩下二百萬人，而且繼續減少，目標直指滅絕。我們不能不震驚喇嘛教竟有如此巨大的破壞力量，把一個具有悠久光榮歷史的偉大民族，帶入死谷。二十世紀後，藏人的覺醒和中華人大量的移民，本區才獲得新生力量。

中國本部　即中國最初的疆土，猶如英國最初的英格蘭，美國最初的十三州。中國第一個王朝——黃帝王朝在紀元前二十七世紀建立時，位於黃河中游跟支流的汾水下游，面積大概只有二萬或三萬方公里。經過不斷的開拓，到了紀元前三世紀，秦王朝嬴政大帝征服了林立的獨立王國，又向北向南，作劇烈的擴張，國土遂膨脹到三百萬方公里，北到萬里長城，南到南中國海，西到黃河南岸的蘭州，東到東中國海（包括渤海、黃海、東海）。此即我們所稱的中國本部，不過有時候也包括河套和河西走廊，有時候也包括雲貴兩省和海南島，有時候也包括十七世紀才併入版圖的台灣島。

中國本部復分爲左列七個小區：

一、中原

二、河東

三、關中

四、隴西
五、江淮
六、巴蜀
七、江南

中原　就是現代所稱的華北大平原，北到長城，南到淮河，西到函谷關，東到東中國海。其中黃河以北稱爲「河北」「河朔」；黃河以南稱爲「河南」「河淮」（河北、河南是地理區域，不同於行政區域的河北省和河南省）。全區因位於函谷關以東，所以四世紀時稱爲「關東」。又因位於崤山之東，所以紀元前四世紀到紀元後三世紀之間，也稱爲「山東」（不同於行政區域的山東省）。因爲是中華民族的發源地和發展核心，所以也是中國歷史的心臟地帶，最大的特徵是一望無際的肥沃平野。中國本部是中國歷史舞台的重心，中原則又是中國本部的重心，中國的歷史絕大部份在此演出。

河東　位於太行山脈跟黃河之間，因在黃河之東，所以稱爲「河東」。但它同時也在太行山脈之西，所以十四世紀後，改稱爲「山西」。它自成一個戰鬥單元，構成對河北、關中最大的威脅，中國古代很多王朝都建都於此，或在此崛起。

關中　指秦嶺山脈以北和萬里長城以南地區，因古都西安位於群關之中而得名。東有函谷關，西有蕭關，南有大散關、武關，北有金鎖關、秦關。紀元前三世紀之前，已相當富庶，建都在咸陽（陝西咸陽）的秦王國，向外不斷侵略。身爲東方緊鄰，建都在最古老的古都新鄭的韓王國，無法抵抗，於是想出一個任何有大腦的人都想不出的奇異辦法，派遣了一位卓越的水利工程師，去教秦王國開築灌溉系統。認爲如此就使秦王國民疲財盡，和專心內部事務，不再向外擴張。這跟現在幫助敵人製造原子彈，以期他國庫空虛，不再向外擴張同樣的駭人聽聞。在工程進行途中，秦王國發現了這個陰謀，但也立刻領悟到，這個陰謀太可愛了，對韓王國不過延長數年壽命；而對秦王國，卻可享萬世利益。從此關中更加繁榮，甲於全國達一千年之久，九世紀時才毀於吐蕃王國的入侵。直到二十世紀，大量的水利工程和大量的工業建設投入，關中才恢復它昔日的重要地位。

——世界上竟然有韓王國那種政治家，用增強敵人戰力的手段，來換取暫時的苟安，而自己卻沒有把握時間，振作圖強。歷史上很多重大決定，似乎不能以正常的理智去了解，此不過一例。

隴西　指河西走廊跟關中之間地區，東是隴山，西是黃河南岸的蘭州，也就是現在甘肅省的東部和寧夏省。萬山起伏，跟關中、河東（山西），共同組成黃土高原。這裏是歷史上羌民族和氐民族主要根據地之一，也是關中的屏障，一旦被西方蠻族攻陷，關中便會一夕數驚。

江淮　指長江跟淮河之間的狹長地帶，是一個小小的和最平坦的原野，事實上屬於華北大平原的延伸。統一時代它是糧食倉庫，分裂時代它是拉鋸戰的戰場，若干決定性的戰役和著名的戰役，都在本區發生。

巴蜀　即現在的四川省所在的四川盆地。巴，巴國，今重慶。蜀，蜀國，今成都。本區四面都是高山，當中是一塊廣達二十萬方公里的巨大盆地，只有長江一線跟東方相連，但長江在本區跟東方地區交界之處，擁有二百零四公里長的三峽——三個險惡萬狀，窄狹如線的峽谷，山高水急，航行極度危險。全區面積有三十萬方公里，跟日本大小略等。所以命名為四川省的緣故，因它擁有四條注入長江的重要河川：嘉陵江、沱江、岷江、烏江。巴蜀本是一個蠻荒窮苦的地區，紀元前三世紀時，秦王國所任命的蜀郡郡長（郡守）李冰，跟他的兒子李二郎，是兩位創造奇蹟的偉大水利專家，他們修築河渠，築壩引水，本區遂二千餘年沒有水患，成為沃野千里的「天府之國」。李冰父子逝世後，巴蜀人民堅信他們已升天成神，所以為他們建立廟宇，世世焚香膜拜。李冰父子所建的工程中，最有名的是都江堰——位於都江堰市的巨大水壩，保持到二十世紀的今天，仍完整無缺。使巴蜀在經濟上和軍事上，以及地理形勢上，都成為具有雄厚實力的獨立單元。諺語說：「天下未亂蜀先亂，天下已治蜀未治。」每當改朝換代或分裂時代，巴蜀即成為野心家的樂園。從紀元開始之後計算，在這裏已產生過七個短命帝國，和更多的半獨立性的政治割據局面。二十世紀後，工業興起，礦山開發，更使本區如虎添翼，成為現代中國的鑽石地區。

江南　指長江以南和越南北部地區，也稱「華南」或「南中國」。三世紀之前，這裏還是一片蠻荒。四世紀大分裂時代，中華民族從中原南遷，定居在五嶺山脈周圍，因為是僑居身份，所以稱為「客家人」，他們的後裔仍操着三世紀中原的古中國言語，可能是中華民族中血統最純的一支。九世紀時，軍閥混戰，中華民族第二次南遷。十二世紀時，金帝國席捲中原，中華民族第三次南遷。江南遂逐漸開發，成為中國水利最完善的稻米區，和最富庶的農業社會。以致中華人在習慣上，對任何富庶地區，都稱之為第二江南。本區的東北角落，即太湖附近，因位於長江東南，在三世紀之前，稱為「江東」。本區最南沿海地帶，因位於五嶺山脈之南，所以一向也稱為「嶺南」，當然包括海南島在內。

七、演員

我們已經介紹了中國歷史舞台的外貌，現在再介紹在這個舞台上出現的演員。

有一個故事可以幫助我們了解中華人的種族成份，二十世紀一〇年代中華民國初建立時，曾使用五色旗作為國旗，國旗上橫列着紅黃藍白黑五種顏色，代表中華、滿、蒙、回、藏五大民族。這個國旗維持了十七年的壽命，才被取消，原因之一是，還有同樣重要一支的苗民族，未曾列入，同時也忽略了其他少數民族。

不過事實上，中華民族居絕對多數，其他民族居絕對少數。二十世紀三〇年代時，中國的人口，估計有四億五千萬，而中華民族四億二千萬，佔百分之九十四。其他各民族的總和只不過三千萬，佔百分之六。我們用左表說明（括弧裏的名稱，指曾在歷史上出現過，但現在至低在名稱上已經消失了的民族）。

種別	族別	異稱或支派	分佈地區	百分比
黃種	中華民族	漢人	全國	九四％
	滿民族	(烏桓人)、(鮮卑人)、(女眞人)、(契丹人)、滿洲人、錫伯人、索倫人、鄂倫春人	東北、新疆	六％
	蒙古民族	(匈奴人)、(羯人)、(氐人)、蒙古人	內蒙古、外蒙古、青海	
	回民族	(突厥人)、(回紇人)、(沙陀人)、(韃靼人)、維吾爾人、哈薩克人	新疆、甘肅、寧夏	
	藏民族	(吐蕃人)、(羌人)、藏人、麼些人、倮倮人	青藏高原	
	苗民族	苗人、壯人、畲人	雲南、貴州、湖南、五嶺地區	
	其他民族	白人、土家人、朝鮮人、傣人、黎人、馬來人、彝人、布依人、侗人、瑤人		

很顯然的，中華民族以絕對優勢成爲中國人的主幹。

中華人是黃種人的一支，白種人和黑種人有一目了然的區別。中國人具有黃種人的共同特徵，也具有唯有中國人才有的特徵。最初到中國的西洋人，往往發現中華人的相貌竟然完全相同，不禁擔心中國人自己之間如何辨識。這說明中華人自成一個血緣系統，雖經過無數混血，但中華民族單一的元素仍然十分強烈。最顯著的是體格方面，中華人比較矮小，平均高度一六五公分左右（北方人比較高，平均一七〇公分，南方人平均只一六〇公分），這個平均高度遠低於白種人，以致跟白種人談話時，不得不把頭上仰，中華人對這種現象當然非常的不高興，在諸如籃球之類的競賽上，中華人可以說無力跟旗桿一樣高的白種人對抗，但靈活的跳躍使中華人在戰場上得到相對的補償。其次，中華人的眼珠是黑色的（假如他有一雙白種人的藍眼珠或灰眼珠，他一定是一個瞎子）。頭髮也是黑色的，又直又硬，以致中華人對黑種人卷曲的頭髮大惑不解。最顯著的另一件事是，中華人的鼻子比較低而體毛比較稀少，因之對白種人的高而大的鼻子，和身上亂草般的體毛最爲驚訝。

中華人是什麼時候在黃河流域出現的，以及他們爲什麼不在尼羅河出現，也不在密西西比河出現，而恰恰的在黃河出現，原因如何，我們一點都不知道。只知道當紀元前六世紀時，古中華文明已有高度成就，中華人已建立了強大的政府組織達一千餘年，而遍地仍佈滿了使中華人狼狽不堪的野蠻民族。那些被稱爲「戎」「狄」的野蠻民族的若干部落，距當時周王朝的首都洛陽，最近不過三十公里。周王朝的國王有時還得跟他們結盟，有時還被他們趕出洛陽。

然而，大概就在那時候，中華人形成他們特有的生活方式和特有性格。第一是確定了農業生活，世界上再沒有第二個民族像中華人這麼喜愛耕種。中華人足跡所到之處，必然的會出現青蔥的農田。一個中華人就是一棵樹，離不開泥土，而且緊抓着泥土，根深柢固。第二是中華人喜愛和平，這是由泥土的芳香而來。游牧民族和商人先天的具有侵略的衝動，農民則根本不喜歡侵略，因爲侵略行爲和侵略結果都對他沒有直接利益。只有長久的安定，才可以保障田中的莊稼收穫。第三是中華人日增的保守性，農村是世界上最少變化的社會，缺少刺激和競爭，不容易產生冒險的和開創的精神。從這種社會孕育出來的儒家思想在政治上和教育上取得控制權之後，更使保守的傾向加強。

中華人是世界上最善良的民族之一，雖然在歷史上不斷出現戰爭，不斷出現殺戮，但任何一個民族的歷史都是如此，不同的是這都不是中華人主動的追求。只有在受到外來異民族過度的侵略，或受到貪暴官員過度的迫害時，才會發出壯烈的反擊。中華人眞正的英雄氣概和高貴的精神價値，在反擊中全部顯露，也在這種反擊中，滾雪球般的不斷壯大。

信史時代之後不久，中華人即創造出中國第一個黃金時代——大黃金時代，自紀元前五世紀到紀元前一世紀，這正是中華人的青春年齡，有無窮的澎湃活力去追求進步和勝利，他們使古中華文明光芒四射。

中華人最早的勁敵是瀚海沙漠上的匈奴人，經過三百年的戰鬥而終於把它擊潰，匈奴一支向西逃亡，引起歐洲民族的大遷移和西羅馬帝國的滅亡。一支於一世紀時向中國投降。四世紀時，匈奴人，和散居在中國北部中部各地的鮮卑人、羯人、氐人、羌人，五種少數民族，被稱爲「五胡」，乘當時的晉王朝因殘酷、愚蠢，和長期的自相殘殺而失去控制力之際，紛紛叛變，跟若干中華民族的野心家，先後建立了十九個獨立王國，造成歷時三百年的大分裂時代。

大分裂時代於六世紀結束，五胡全部被中華人同化。一個含着五胡血液的新生的中華人，昂然興起，在七世紀時再度發揮他們強大的能力，創造出中國第二個黃金時代。但在匈奴人遺留下的眞空地帶上，又出現不知道是什麼時候侵入的突厥人，他們先後建立了很多汗國，最著名的是突厥汗國和回紇汗國。

中華人跟突厥人戰鬥，也歷時三百年，突厥人的最後一個汗國回紇，於九世紀時瓦解。中國北方第一次沒有外患，可是西南方位於世界屋頂的藏民族，居高臨下的開始入侵。中國用盡了渾身解數，包括美女攻勢，才把他們擋住。而北方轉眼間又恢復原狀，契丹民族崛起，統一了突厥故土上的零星小部落，建立遼帝國。

這時已是十世紀了，中國開始衰微。在短暫的小分裂時代，人數不過十數萬的突厥人的一支沙陀人，就在中國建立了三個短命帝國，並且把以北京爲中心的十六個州，出賣給契丹人，使萬里長城的功能全失。

小分裂時代匆匆結束後，中華人再度統一中國，而且混合着突厥的血液。但是已不再像大分裂時代結束後那麼蓬勃振作的立即復興。這至少由於兩個原因：

一、佛教的傳入，使人認爲痛苦是命中注定，無法避免的，但它卻是來世歡樂的種子。反抗暴政、反抗侵略，和追求幸福眞理的意志，普遍消沉，有時候且被認爲毫無意義。

二、儒家學派的主流理學興起，士大夫階層的結構更爲堅固，他們運用政府的和禮教的力量，阻止任何改革。使公孫鞅於紀元前四世紀時造成的因改革而突飛猛進的奇蹟，不能再現。中華文化已進入老境。

到了十二世紀，鮮卑一支的女眞人，在東北松花江流域建立金帝國，以雷霆萬鈞的力量，把契丹人擊潰，把中華民族建立的宋帝國從華北大平原驅逐到長江以南。十三世紀，匈奴後裔的蒙古人在女眞人的背後漠北崛起，如法炮製的把女眞人擊潰，再把偈促在江南一隅的宋帝國消滅，將整個中國置於控制之下。

於是中華人第一次嚐到亡國滋味，一向以天之驕子自命的中華人，在蒙古帝國中，被列爲次於蒙古人和西域人的第三等人和第四等人（淮河以北中華人屬於第三等，淮河以南中華人屬第四等）。這種遭遇是難堪的，和西羅馬帝國滅亡的情形一樣，野蠻人征服文明人，反而把文明人當作劣等民族看待。

蒙古人統治中國不到一百年，於十四世紀時，被逐出萬里長城。蒙古人跟一個深入寶山空手而回的粗漢一樣，吸收中華民族的文化太少了，所以在回到他們荒涼的故土之後，仍過着他們原始的游牧生活。

然而，混合着女眞人和蒙古人血液的中華人，仍不能精神飽滿的一躍而起，因爲他太過於衰邁。接替蒙古人統治的是中華人建立的明王朝，這是中國有史以來最使人倒胃的一個政權，它採取一系列的窒息民族靈性，傷害人性尊嚴的措施，諸如：

一、嚴格的閉關自守，減少或根本斷絕跟外國的貿易和交往，竭力拒絕吸收新的事物和新的文化。

二、建立八股文的科舉制度，士大夫階層範圍擴大，定理學爲官定思想，知識份子的頭腦一天比一天僵化。

三、再加上，明王朝的皇帝，幾乎全是低能、墮落，而又凶暴顢頇的無賴，他們依靠宦官和酷刑治理國家，政治制度和人性尊嚴被嚴重破壞。

於是，大黑暗時代來臨，中華人進入前所未有的悲慘境地，內部陷於長期混亂，疆域萎縮到紀元前三世紀秦王朝所奠定的範圍。這樣一直苟延殘喘到十七世紀，女眞人後裔的滿洲人，在東北女眞人故土上建立淸帝國，擊潰明王朝，入主中國。

這是中華人第二次當亡國奴，然而奇妙的是，中國卻因禍得福。滿洲人帶來了秩序與和平，而且以生龍活虎的衝擊力，爲中國創造了第三個黃金時代，使疆土洶湧的膨脹，除了像嫁妝一樣，把東北地區和內蒙古併入中國版圖外，十七世紀合併外蒙古，十八世紀合併世界屋頂靑藏高原，和古西域的新疆，共開拓八百九十萬方公里的國土，幾乎超過明王朝三百五十萬方公里的三倍，使當時中國的疆域達一千二百四十萬方公里。六大民族以及其他少數民族，共聚一堂。

——中華人必須永遠感謝這個一度被詈爲侵略者「韃子」的滿洲人，沒有他們，中國只是一個明王朝時那種中等的農業國家。

滿洲人不久就全部中華化，同時因他們的固有文化太低，以致除了全盤接受明王朝的政治形態和儒家理學思想外，別無選擇。接受的結果，使它無力撥開大黑暗時代殘留下來沉重的壓力，第三個黃金時代終被腐蝕。十九世紀時，西方嶄新的現代文明東來，中華人遂成爲世界上被戲弄、被宰割、被作爲笑料的丑角。在外國人眼目中，十九世紀時的中華人，就是「辮子」「苦力」「寬衣大袖」「吸食鴉片」「自私貪汚」「馬虎敷衍」「得過且過」，而女人又都是纏足的殘廢。這是一個使人汗顏的圖畫，但事實卻眞是如此。中國面臨瓜分，中華人面臨淘汰滅絕。

中華人終於覺醒，二十世紀初，佔中國人口百分之九十四的中華人，從滿洲人手中奪回政權，建立中華民國。滿洲這個偉大的民族，在完成爲中國擴張領土的艱難任務後，消失於中華民族同化熔爐之中。

中國像一個巨大的立方體，在排水倒海的浪潮中，它會傾倒。但在浪潮退去後，昂然的仍矗立在那裏，以另一面正視世界，永不消失，永不沉沒。就二十世紀，使人沮喪的大黑暗時代結束，五千年專制帝王制度結束，悠久的但已不能適應時代的生活方式和意識形態，也被逐漸拋棄。奄奄一息的中華人返老還童，英姿煥發，創造出中國第四個黃金時代，在全世界萬邦之中，充當忠實的跟強大光榮的角色，而且成爲最重要的主角之一。

第二章　神話時代

中國歷史從什麼時候開始，以及如何開始，我們不敢確定。這是一個大而嚴肅的課題，將迫使我們不得不談到我們了解很少的宇宙起源、人類起源，和中華人起源等問題。歷史學家對這些問題至少分別的各有十種以上引經據典的偉大學說，但不能獲得定論。普通情形是，從地下掘出了一點古董或骨骼，用以推斷這些古董或骨骼的主人的生活情形。結果只能提供出一幅靜態的說明：每一個民族的發展幾乎都一模一樣。好比說，他們都是先用石頭，再用青銅。

所以我們決定採取另一種方式來處理歷史資料。而把中華人的活動歷史，分爲左列的四個時代：

一、神話時代

二、傳說時代

三、半信史時代

四、信史時代

每一個古老的民族都有他們的神話，作爲上述的宇宙起源，和民族起源的答案。中華人不能例外。這些神話有它實質上代表的意義，至少可使我們的印象比較深刻。

現在，我們且看中國這個龐大的舞台如何揭幕。

一、開天闢地

不知道多少億萬年之前，太古時候，太空中飄浮着一個巨星，形狀非常像一個雞蛋，在無際的黑暗雲霧中運行，萬籟無聲，一切死一樣的沉寂。就在那巨星的內部，有一個名叫盤古的巨人，一直在用他的斧頭不停的開鑿，企圖把自己從圍困中解救出來。經過一萬八千年艱苦的努力，到了紀元前二百七十六萬零四百八十年（注意這一年，這是神話學家用奇異法術計算出來的），盤古揮出最後一斧，只聽一聲巨響，巨星被他從當中闢開，分爲兩半。

盤古就是人類的祖先，至少是中華人的祖先。

盤古頭上的一半巨星，化爲氣體，不斷上升。腳下的一半巨星，則變爲大地，不斷加厚，宇宙開始有了天和地。天每日上升三公尺，地每日加厚三公尺，盤古每日也高三公尺。天越上升，地越加厚，盤古也越高大（看情形，盤古是唯一的一位可以被稱讚爲「頂天立地」的英雄）。可是四周卻黑暗如故，伸手不見五指，大地寂寞而寒冷。盤古十分憂傷，他說：「這世界太可怕了，沒有光、沒有熱、沒有山、沒有水，什麼都沒有。後代無法生存下去，我必須犧牲自己。」於是他死了。

盤古的死引起一連串新生命的誕生，世界在他死後大大的改變。他的右眼變成太陽，左眼變成月亮，血液變成江河海洋，毛髮變成樹木花草。呼吸變成風，聲音變成雷。歡喜時的笑容變成晴天，煩惱時的愁容變成陰天。而他的四肢，則變成我們在第一章第三節中所介紹的五嶽：頭部變成東嶽泰山，腹部變成中嶽嵩山，左臂變成南嶽衡山，右臂變成北嶽恆山，雙足變成西嶽華山。盤古爲人類創造了一個美好的世界。

——不過，中華人心目中的天上主宰，卻不是盤古。這跟猶太人不同，猶太人認爲創造世界的耶和華，即主宰世界的耶和華。中華人的盤古，他的任務只在創造世界，而主宰世界的卻是另一位被稱爲玉皇大帝的神祇。玉皇大帝是道教發明出來的，民間稱他爲「天老爺」或「老天爺」，他在天上擁有一個龐大的政府組織，由道教佛教中各種奇形怪狀的神靈擔任文武百官。因爲他的形象是人間大多數帝王的投射，所以他永遠是一個低能的膿包。

從紀元前二百七十六萬零四百八十年起，即從開天闢地那一年起，到紀元前四百八十年止（這一年，一個小封國——當時的魯國，發現一頭麒麟，我們以後會談到它），共二百七十六萬年，神話學家把它分爲十紀。每一紀二十七萬六千年，各有特定的名稱：

一、九龍紀
二、五龍紀
三、攝提紀
四、合洛紀
五、連通紀

六、序命紀

七、循飛紀

八、因提紀

九、禪通紀

十、流訖紀

十紀的劃分，我們看不出有什麼意義，但它說明了歲月是漫長的。盤古的子孫綿延繁殖，大地一天比一天熱鬧。神話學家說，就在第三紀攝提紀時，距盤古已五十五萬年，陸續出現了左列的三位偉大的神祇，稱爲「三皇」。「皇」的原始意義就是神祇，但神祇稍次於盤古和玉皇大帝，我們可稱之爲第二級的神祇。

一、天皇

二、地皇

三、人皇

天皇是盤古後裔中第一位最有卓越成就的領袖，壽命一萬八千歲，有十二個兒子，幫助他治理日益增多的人民。這些人民雖都是盤古的後裔，但年代太久遠了，分散四方，佈滿五嶽，互相間早已生疏，有的還因利害的衝突，而成爲仇敵，糾紛爭執，層出不窮。天皇就把他們分爲若干部落，每個部落推選或指定一位能幹的人擔任酋長。中華人自此成爲一個有組織的民族，具備國家的雛形。

天皇死後，經過若干萬年，地皇在龍耳山（神話中的仙山）誕生，壽命也是一萬八千歲，有十一個兒子。那時由盤古眼睛變成的太陽和月亮，以及由睫毛變成的星辰，運轉的秩序忽然混亂。有時一連數天都是白晝，有時一連數天都是黑夜。而有些星辰又懸掛的很低，人們走路時，一不小心，頭部就會撞傷。地皇用他無比的神力，逐項改善。他首先把太陽和月亮出現的時間加以固定，使他們作有規律的起落，晝夜才算分明。又規定三十天爲一個月，十二個月爲一年，使人們知道時間和年齡的計算方法。地皇又命所有的星辰上升，升到遙遠的天空。星辰在那裏當然非常無聊，地皇就特別允許他們白晝可以在家睡覺，而在晚上再出來探視他們留在地面上的老友。這就是我們白晝看不見星辰，必須晚上才看得見的原因。

人皇，誕生於刑馬山（也是神話中的仙山），壽命一萬五千六百歲。有九個弟弟，都神通廣大，法術高強。人皇把中國分爲九個州，命他的弟弟們各當一州的州長。他自己則住在九州的中央，時常出巡。出巡時坐着像雲一樣可以在空中奔跑的車輛，駕車的人有六個翅膀，行動閃電般的迅速。

二、五氏

經過三皇的努力，世界已有長足的進步，但人們的生活仍很困難。最初只會爬到樹上摘吃果實，後來從摘食階段進步到漁獵階段（他們不能不進步，因爲樹上的果實會被摘完，而冬天又沒有果實），但對於捉到的魚蝦和小動物，也只能生呑活剝，跟野獸沒有分別。大家本都住在山洞裏，後來人多洞少，實在擠不下而終於被擠出山洞的人，只好向平原發展。平原無法抵禦突然而來的野獸和風雨的襲擊，而且包括山洞裏的人在內，大家又都無法抵禦因寒冷和生食所引起的疾病，結果引起大量死亡。

偉大的各種神祇人物，應運而生。就在三皇之後，出現左列五氏，可惜我們無法知道他們出現的時代是第幾紀和什麼紀。

一、有巢氏
二、燧人氏
三、伏羲氏
四、女媧氏
五、神農氏

「氏」的原始意義也是神祇，不過神性比「皇」似乎更少，可把他們列入第三個等級。

最先出現的有巢氏，教導人民不要住在地面上。他在樹上用樹枝樹葉建造出簡陋的篷蓋，作爲示範，這就是原始的房屋了，至少可以躲避野獸和洪水。人們都學習他，並且在建築的技能上一天天進步，後來即令把它移到地面，也有同樣的效能。

其次出現的是燧人氏，他把天上最大的一個祕密洩漏給人類，那就是「火」。火無所不在，但沒有人知道如何才能得到它。燧人氏教人從木頭裏把它鑽出來。人類有了火，就跟其他所有的動物，永遠分道揚鑣。其他動物始終不會用火，而人們卻因之改吃熟的東西，生活方式呈現劃時代的突破。

伏羲氏是第三位出現的神祇，他似乎比他前面的兩位老前輩，還要法力無邊。他教人如何用火烹飪，從此人們享受到香噴噴的飲食，這是藝術的萌芽。他又進一步制作八卦，八卦是中國最早的計數文字，後來被星象家用來占卜。又設立官員，管理人民。官員身上都畫着一條龍，表示他們的高貴身份。又發明樂器，又教導男女固定他們的配偶。又制定夫婦制度，必須經過結婚儀式才可以生孩子，以使下一代得到父母很好的教養。又製造漁網，教導水濱的居民們捕魚。又教導人們挖掘陷阱，捕捉活的動物，訓練牠們作爲家畜。又教導人們種植桑樹養蠶，抽絲紡織。

可是，使這個由盤古辛苦締造，由玉皇大帝天老爺主宰的世界，免於被毀滅，而迄今仍然存在，我們必需感謝第四位神祇女媧氏。她是一位美麗的女神，身材像蛇一樣的苗條，以致有些神話學家堅稱她根本就是蛇身。當時有兩位英雄人物：共工氏和祝融氏，在不周山（神話中的仙山）決鬥——我們無法確定是不是爲了爭奪她的愛情。結果共工氏失敗，他憤怒的發狂，用他的頭猛烈的撞向不周山，一聲可怕的響亮之後，不周山被從中撞斷。不周山是天和地之間的主要支柱，支柱折斷，天庭立刻裂開一條巨縫。大地失去平衡，向東南急劇傾斜。一霎時狂風暴雨，日月無光，人類奔走呼號，眼看着就要像碎石子一樣的滾落到地極的黑暗深淵裏去了。女媧氏不忍心這個浩劫，她採取山上的五色石頭燒煉，煉好之後，用它把天上的裂縫補住。現在天際那些燦爛耀眼的紅霞，就是女媧氏補上去的那些五色巨石。她又殺死一隻倒楣的神龜，用牠的四隻腳，當作四隻支柱，重把大地支起。因天裂而漏下來的大水，女媧氏用蘆草燒灰，把它吸乾，這就是中原地區——華北大平原的成因，它們正是由蘆草灰鋪成，所以平坦而又肥沃。

當人類不再擔心天塌地陷時，卻又被另外兩件事苦惱，一是不知道什麼東西可以吃和什麼東西不可以吃，一是對疾病不知道該如何治療。於是第五位神祇神農氏出現，他採集各種花草果實，一一的放到口中咀嚼並一一吃下，藉以確定它們的性質功能。這種胡亂的什麼東西都往肚子裏塞的結果，即令他是一位神靈，有時候一天之內也會中毒七十餘次。幸而他異於普通人類，總算沒有被毒死。最後他終於分別出那些可以吃和那些不可以吃，以及那些可以作為藥物。他撰寫了一本巨書，定名本草，在這部人類最早的著作上，他詳細記載各種藥物的性能。此書一直流傳到二十世紀，是中國醫學上最崇高最權威的經典。神農氏把一些可作為食用的若干植物，分別定名為「小麥」「稻米」「高粱」「玉蜀黍」等，教人種植。又教人把若干性情馴順的野獸，豢養到家裏，就是我們現在所稱的「狗」「馬」「牛」「豬」的始祖。中國農業社會，在這位偉大的神祇領導下完成。

三、東西方世界

——神話時代到此為止。

——有一些歷史學家非常瞧不起神話在歷史中的實質地位，但神話是一個民族的靈魂，一個民族的歷史如果沒有神話部份，這個民族不過是一群木偶而已。從神話的內容，我們可據以了解初民的生活背景和人文反應。所有的神話都是矛盾百出，有時候簡直不知所云。中國的神話也是如此，但這更證實它是初民的產物。如果由近代小說家編造的話，包管無懈可擊。

——當盤古為中國人開天闢地，創造出美麗世界之時，其他地區和其他民族的神祇，也都忙着為他們的民族，作同樣的貢獻。諸如：

——日本人，太古時候，天上的眾神決心要創造世界。他們命伊弉諾跟伊弉冉兄妹二神，負責這個工作。兄妹受命之後，站在天庭的浮橋之上，把一支寶矛投進大海，再把它撿起來，高舉空中。寶矛上滴下的水珠，立刻就變成神聖的島嶼。水珠共四千二百二十三滴，所以日本也就恰恰有四千二百二十三個島。兄妹二神就在島上定居，然後從妹妹伊弉冉的左眼生出天照大神，他就是太陽之神，日本人的祖先。

——猶太人，太古時候，宇宙一片混沌。上帝耶和華寂寞的在水面上行走，考慮如何創造一個世界。於是，第一日，他創造了白晝和黑夜。第二日，他創造了空氣和天空。第三日，他創造了大地和海洋，以及各種植物。第四日，他創造了日月和星辰。第五日，他創造了魚類和飛鳥。第六日，他創造了其他動物，又創造了一位模樣跟耶和華相同的男人，命名亞當。第七日，也就是最後一日，耶和華感覺到疲倦，他就休息。亞當一個人在世界上太孤單了，耶和華就用亞當的肋骨創造一個女人，命名夏娃，作為亞當的伴侶。這對夫婦，就是猶太人的祖先。

第三章　傳說時代

神話時代結束後，傳說時代開始。

神話的虛構是一目了然的，用不着作任何考證就可以如此確定。傳說則包含有事實成份，即令這成份很少，或這成份已經被歪曲而與原樣不符，但總算多少有點事實存在。至少我們可以說，即令傳說全屬虛構，它也比神話的組織嚴謹。

中國的傳說時代，就是中國第一個王朝——黃帝王朝時代。在這個王朝中，出現五位有名的領袖人物，史學家稱之爲「五帝」，所以也可稱之爲五帝時代。

本時代起自紀元前二十七世紀，終於紀元前二十三世紀，約五百年。

一、黃帝王朝

紀元前二十七世紀時，僅黃河中游跟汾水下游一帶，就有一萬個以上的大小部落。其中以三個部落最爲強大，一個是正在沒落中的神農部落，根據地在陳丘（河南淮陽），酋長姜榆罔，是五氏之一的神農氏的後裔。一個是強悍善戰的九黎部落，根據地在涿鹿（山西運城），酋長蚩尤；他有九個兒子，都是萬夫莫當的勇士，附近部落都臣服在他的控制之下。另

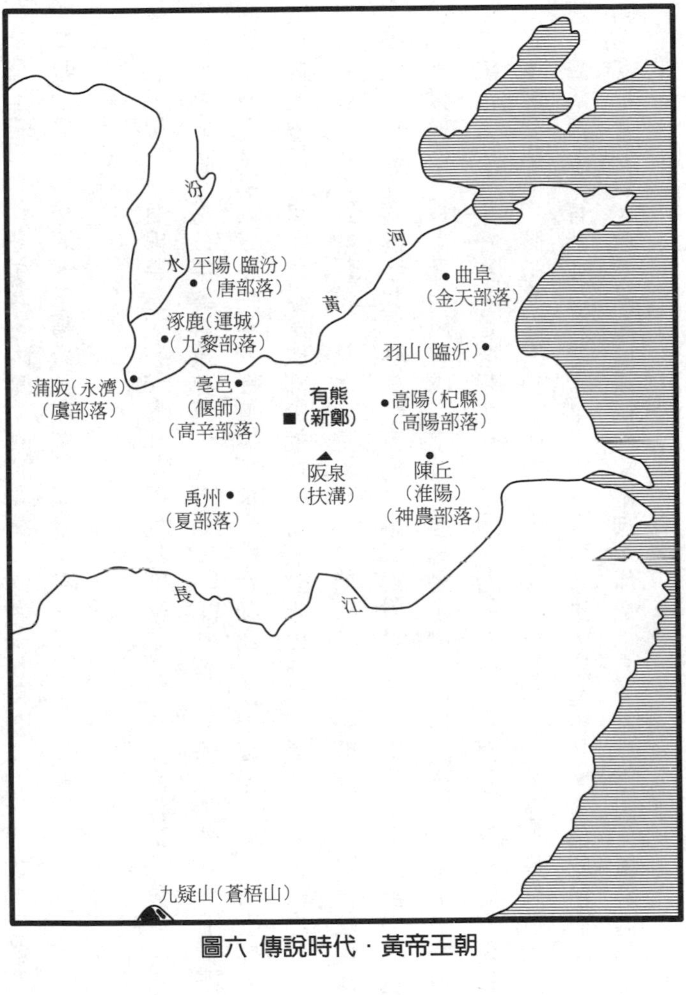
汾
水
平陽（臨汾）
（唐部落）
河
黃
曲阜
（金天部落）
涿鹿（運城）
（九黎部落）
羽山（臨沂）
蒲阪（永濟）
（虞部落）
亳邑
（偃師）
（高辛部落）
有熊
（新鄭）
高陽（杞縣）
（高陽部落）
阪泉
（扶溝）
陳丘
（淮陽）
（神農部落）
禹州
（夏部落）
長
江
九疑山（蒼梧山）

圖六 傳說時代·黃帝王朝

一個是文化水準似乎較高的新興起的有熊部落（這個部落顯然的用熊作爲圖騰，再不然他們一定養有熊羆），根據地在有熊（河南新鄭），酋長姬軒轅，他有很大的智慧和很大的能力，集政治家、科學家、軍事家，和魔法家於一身。

三個部落爭霸。

在形勢上，有熊部落夾在神農部落跟九黎部落之間，有兩面作戰的危險。所以姬軒轅決定先發制人，他首先突襲神農部落，在阪泉（河南扶溝）郊野的戰役中，把神農部落擊潰，俘擄了敵人全部人口和牛羊。接着姬軒轅乘戰勝餘威，揮軍渡過黃河，一直挺進到九黎部落的根據地涿鹿。會戰就在涿鹿郊野進行，這是歷史上最早和最有名的大戰之一，兩軍膠着，不分勝負。蚩尤跟姬軒轅一樣，也是具有神性的人物。他張開大口，噴出滾滾濃霧，三日三夜不散，有熊部落的士兵都迷失了方向。姬軒轅就發明指南車，使他的部隊雖在濃霧之中，仍能辨識道路。蚩尤又向風神雨神求援，立刻颳起倒山拔樹的狂風，降下瀑布般大雨，大地上波浪滔天，一片汪洋。姬軒轅也施展法力，召喚女神旱魃助陣。旱魃的相貌猙獰可怕，據說是殭屍變成的，眼睛生在頭頂上，秀髮全是一條一條的小蛇，身上長滿白毛，所到之處，連一滴雨都不會有，往往一連大旱三年，赤地千里，所有生物，全部乾渴而死。人們聽到她的名字都會發抖，但請她出面對抗風神雨神，卻最恰當。她一出現，風神雨神就狼狽逃走，霎時間風停雨住，大水消失，泥濘乾涸。

姬軒轅乘機反攻，九黎部落大敗，蚩尤戰死，殘餘的民眾向南逃竄，定住在現在貴州省的萬山之中，據說就是苗民族的祖先。

這一場大戰展示了有熊部落所向無敵的兵力，使姬軒轅名震當時的世界。於是各部落那些心驚膽怕的酋長們，戰戰兢兢的擁護他當「天子」，尊稱他爲「黃帝」。天子的意義是天老爺的愛子，當然至高至上。「帝」的原始意義跟「皇」「氏」的原始意義一樣，同是神祇，不過神性再次減少，可以說屬於第四等級。黃帝者，即黃顏色的神祇。這正是姬軒轅所盼望的地位，他把首都設在他部落的根據地有熊（河南新鄭），建立黃帝王朝。他下令各部落間的爭執，不准效法他那樣用武力解決，改爲向他控訴，由他以天子的身份爲大家判斷是非。

黃帝王朝建立的日期，古史學家說是紀元前二六九八年。這是一個重要的日子，中華人很多次想用這一年作爲紀年開始，像西洋諸國用耶穌誕生之年作爲紀年開始一樣，以代替中國特有的以帝王個人爲基礎混亂不堪的年號制度。這主張屈服於專制政體的壓力，沒有成功。但它值得紀念的價值，至爲顯然。

我們將傳說中黃帝王朝的世系，列爲左表：

第一代	前二六九八	前二五九八
第二代	前二五九八	前二五一五
第三代	前二五一五	前二四三七
第四代	前二四三七	前二三六七
第五代	前二三六七	前二二五八
六 第七代 八		
第九代	前二二五五	前二二○八

①黃帝 姬軒轅（五帝之一）			
玄囂		昌意	②己摯
蟜極		③玄帝 姬顓頊（五帝之二）	
④俈帝 姬夋（五帝之三）		窮蟬	
⑤姬摯	⑥堯帝 伊祁放勳（五帝之四）	敬康	
		句望 橋牛 瞽叟	
		⑦舜帝 姚重華（五帝之五）	

二、姬軒轅

姬軒轅在中國歷史上受到無比的尊敬，他已代替了那位開天闢地的英雄盤古，成爲所有中華人的祖先。稍後的一些帝王，甚至包括匈奴人鮮卑人，也都自稱或被稱爲姬軒轅的後裔。一直到二十世紀，中華人仍以「黃帝的子孫」自傲。主要原因，在於中國古文明被認爲完成於他一人之手。他發明了人們希望是他發明的一切東西，大至社會制度，小至日常使用的零星物件。這些使世界大大突飛猛進的偉大發明，有下列數項：

一、房屋　姬軒轅教人建築房屋，人們遂捨棄樹枝樹葉，改用泥土或石頭，使自己的住所更為堅固實用，而且逐漸聚集成為村莊，再由村莊擴大成為城市。

二、衣裳　人們一向赤身露體，容易受到外界的傷害和感染疾病。姬軒轅教他們把獸皮剝下來做成衣裳。後來綢緞出現，尊貴的人又改穿綢緞。

三、車船　姬軒轅把木頭插在圓輪子中央，使它運轉，因而造成車輛。又把樹木當中剖空，造成可以浮在水面上的小舟。從此人們能夠走向較遠的地方。

四、兵器　從前作戰，只靠用手投擲石塊。姬軒轅發明弓箭，遂成為最銳利的一種武器。人們一直使用它，直到十九世紀，才完全被火藥代替。

五、陣法　從前作戰，戰士們一哄而上，雜亂無章。姬軒轅教給他的軍隊陣戰方法，用各種不同的隊形和兵力，應付各種戰場情況。

六、音樂　姬軒轅同時還是一位偉大的音樂家，他發明了「笛」「簫」「琴」「瑟」等樂器。把人類聲音分為五個主音階，每個主音階各有專名。再分為十二個副音階，使它們配合發聲。

七、器具　姬軒轅又教他的人民用泥土塑成盆罐之類的用具，放在火上烘烤一個適當的時間，即成為陶器，可以使食物長久儲藏。人們遂突破農業範圍，向工業發展。

八、井田　姬軒轅制定聞名世界的井田制度，把全國土地重新劃分，劃成「井」字形狀。周圍八家都是私田，當中一塊是政府財產，由八家合作耕種，收割的糧食歸政府所有。

這些都是姬軒轅的偉大發明和偉大創舉，如果他是一個普通的人，我們一定不會相信。

但他既然是一個神祇，我們就不得不承認他有如此偉大的能力。黃帝王朝大概是一個發明狂的時代，幾乎人人都會隨時發明一些什麼。如姬軒轅的妻子嫘祖，和姬軒轅的大臣倉頡、隸首、容成，都有同樣偉大的貢獻：

一、嫘祖　發明養蠶抽絲。蠶看起來是一種醜陋的昆蟲，經過嫘祖細心的觀察，終於發現牠們吐出來的東西可以織成綢緞。中國以絲織品獨霸世界四千餘年，完全是她開創的功績。

二、倉頡　發明文字，即中國特有的直到二十世紀仍在使用，而且日本、韓國也在使用的方塊字，也稱漢字。倉頡看到鳥獸走過後留下來的爪印和蹄印而產生靈感。因爲文字的出現將把人類帶進一個更複雜和更難生存的世界，所以當他造字的那一天，天上就像落雨般的落下糧食。入夜之後，還聽到鬼神痛哭。

——鬼神所以痛哭，大概是眼看着人類從此將日增自尋的煩惱而悲從中來。但我們不知道天上爲什麼要落下糧食。

三、隸首　發明算術。

四、容成　發明曆法。

姬軒轅在位一百年，史籍上說，在此一百年中，中國沒有盜賊，沒有毆鬥，人際之間謙讓和睦。適時的雨量和適時的風，使每一年都大大豐收。最使人驚奇的是，連虎豹都不胡亂吞噬其他動物，蒼鷹飛鷂都拒絕捕捉地上的雞鴨。總而言之，中國歷史一開始就是一個樂園。

紀元前二十六世紀的前二五九八年，姬軒轅一百五十二歲，但他仍僕僕風塵，離開他的首都，四出巡查。這一年他到了橋山（陝西黃陵），在山下鑄了一個大鼎。鼎是一種巨大的鍋，可能他想用以請各部落酋長大吃一頓，但大鼎鑄成的時候，天忽然開了，降下一條黃龍迎接他。姬軒轅跟他的隨從人員和宮女，共七十人，一齊跨了上去，然後，黃龍冉冉起飛。一些沒有福氣的人，趕來的太遲，只能抓住已經飛離地面的黃龍的鬍鬚，鬍鬚脫落，他們也掉下來。所以姬軒轅的結局不是死亡，而是白日昇天，成仙而去。那些掉下來的人，懊喪而悲痛的把姬軒轅遺留下來的衣服，埋葬在橋山之下，即現在位置於陝西黃陵的黃帝衣冠塚。

——姬軒轅不但是中國第一位君主，到了道家和道教創立之後，更把他推崇為道家的和道教的領袖人物之一，賦給他種種道家的思想和道教的法術，這位政治上的元首遂兼任偉大的哲學家和魔術師。在第一章我們介紹黃山時，姬軒轅所以忽然跑到那裏去煉仙丹，原因在此。

姬軒轅昇天，不但使他自己在人間消失，也使他所具有的神性在他後裔身上消失。自此之後，他的後裔再不能呼喚旱魃，再沒有飛昇成仙的機會。這些後裔雖然仍保持「帝」的稱號，但意義已不再是神祇，而只是君主。

姬軒轅的兒子金天部落（山東曲阜）酋長己摯，繼承了老爹的寶座。在位八十四年，默默無聞，史學家不把他列入五帝，紀元前二五一五年，己摯逝世，他的侄兒高陽部落（河南杞縣）酋長姬顓頊繼位，他是五帝中的第二帝，號稱玄帝，即黑顏色的君主。他也默默無聞，但在位七十九年中，卻作了一件使天下所有男人都大為撫掌稱快的事，就是他下令女人在路上遇到男人時，必須恭恭敬敬站在路旁，讓男人先走，否則就流竄蠻荒。

紀元前二四三七年，姬顓頊逝世，他的侄兒高辛部落（河南偃師）酋長姬夋繼位。姬夋是五帝中的第三帝，號稱佶帝，即美酒樣的君主。但他比他的叔叔姬顓頊還平庸，在位七十一年，連類似教女人避路的荒唐政績都沒有做過。紀元前二三六七年，姬夋逝世，他的兒子姬摯繼位。姬摯也不在五帝之列，而且荒淫昏虐——他應該是中國歷史上第一個暴君。到了紀元前二三五八年，在一場政變中被殺。

——我們無論如何也想不通，爲什麼史學家煞有介事的從黃帝王朝七個君主中，特別挑出五個，稱之爲五帝。姬顓頊、姬夋，他們既不突出，也無影響。而史學家既沒有把他們神化，也沒有多給他們塗抹一點脂粉，卻硬着頭皮說他們非常了不起。

三、伊祁放勳與姚重華

姬摯死後，他的弟弟唐部落（山西臨汾）酋長伊祁放勳繼位。伊祁放勳是五帝中的第四帝，號稱堯帝，即好心腸的君主。大概除了被稱爲好心腸外，沒有可取的才幹。但他曾經派人測定過日月的位置。然後制定太陰曆法，計算出一年三百六十五天的差數，創立閏月制度。

他在位的一百年期間，發生了空前可怕的大災難。紀元前二二九七年，天不停的落雨，河流氾濫，山洪暴發，房屋家畜和田畝都被漂沒，中國成了一片汪洋，人們大批溺死餓死，殘存下來的人逃到高山上嗷嗷待哺，這是中國第一次的大悲慘時代。伊祁放勳命夏部落（河南禹州）酋長姒鯀治水，姒鯀是一個很有名的水利工程專家，可是他使用治理小河流的方法來治理大河流，集中力量修築堤防，以期約束水勢。堤防不能阻遏洪水的衝擊，仍不斷的潰決，用了九年時間，洪水如故。

另一位雄心勃勃的虞部落（山西永濟）酋長姚重華，他抨擊姒鯀治水的無功，唐堯帝伊祁放勳在姚重華堅持下，宣佈姒鯀應負起治水失敗的責任，派人到羽山（山東臨沭南），把仍在孜孜不息辛苦工作的姒鯀處決。姚重華是伊祁放勳的女婿，此時老岳父已不能抵抗女婿的壓力，於是接着一連串殺掉另外三位大臣：三苗、共工、讙兜，加上姒鯀，宣稱他們是罪大惡極的「四凶」。但夏部落是當時唯一擁有水利工程技術的部落，沒有人能夠代替。姚重華不得已，只好同意伊祁放勳任命姒鯀的兒子姒文命繼續他父親未完成的工作。

姒文命檢討他父親失敗的原因，決定以疏導方法爲主，使水勢向低窪的地方渲洩。他除了築堤外，還同時開山，最著名的開山工程中，是鑿通龍門——山西省河津市跟陝西省韓城市之間的黃河峽谷，使黃河暢通。

自紀元前二二八六年，到紀元前二二七四年，共用了十三年時間，洪水才算平息。據傳說，經過姒文命治理的，有左列九條河流：

一、弱水　發源於祁連山，注入居延海（內蒙額濟納旗嘎順諾爾）。

二、黑水　疏勒河，位於河西走廊的西端。

三、黃河
四、渭水
五、洛水
六、濟水　發源於太行山，與黃河平行，注入渤海灣。
七、淮河
八、漢水
九、長江

九條河流中，八條河流直到二十世紀仍然存在，只有濟水在若干年後被黃河併吞，成爲黃河的下游，只剩下一個尾巴，改稱小清河，還微留痕跡。

——僅從這九條河流的數目上，就使人大大的震驚。從黑水到長江口，航空距離有二千六百公里之遙，僅僅徒步遊覽一周，恐怕都需要幾年時間。而且此時還沒有鐵器出現，完全依靠燒石澆水的原始方法去開山鑿洞，姒文命不可能在如此短的十三年之內，完成這麼多艱難工程。大概是，姒文命是姬軒轅的後裔，仍有殘留的神靈附體，所以他能夠順利的成功，並受到中華人長久的尊敬。

紀元前二二八五年，伊祁放勳放棄政權，姚重華正式攝政。二十七年後的紀元前二二五八年，伊祁放勳逝世，壽命一百一十九歲，姚重華順理成章的坐上寶座。

——這是儒家學派所津津樂道的第一次「禪讓」，堅稱伊祁放勳是自動自發，非常愉快的把帝位傳給姚重華。

姚重華的一生比伊祁放勳多采多姿，他自稱是姬軒轅的九世子孫。他的虞部落在蒲阪（山西永濟），跟伊祁放勳的唐部落（山西臨汾），相距只二百公里，兩個部落一向通婚，伊祁放勳的兩個女兒：伊娥皇和伊女英，同時嫁給姚重華。姚重華應該是中國早期歷史上最成功的謀略家之一，他最使人精神恍惚的事蹟是，據儒家學派說，他有一個可怕的，充滿陰謀和殺機的醜惡家庭，他的父母兄弟全都比蛇蠍還要惡毒，只姚重華恰恰相反，仁慈而且善良，集字典上所有的美德於一身。他母親早死，老爹瞎老頭（瞽叟）續娶了一位妻子，生子名姚象。有一天，老爹命姚重華把倉房茅草蓋好，可是等姚重華爬到屋頂上之後，父母和弟弟三個人卻在下面把梯子搬走，放起火來，企圖把姚重華燒死。姚重華聰明的料到會有這種變化，早就準備了兩個斗笠，就把這兩個斗笠綁到手臂上當作翅膀，飄然而下。老爹又命他挖濬舊井，姚重華知道情形不妙，挖井時悄悄的在一旁鑿出一條通到地面的坑道。果然，父母和弟弟一齊下手，把井填平，然後興高采烈的把姚重華的財產瓜分，老爹和繼母得到他全部牛羊糧食，姚象則得到他日夜思之的兩位漂亮嫂嫂，而且馬上搬過去居住，得意忘形的彈着姚重華的琴。就在這時候，姚重華在門口出現，姚象反而大吃一驚。

那位當天子的岳父伊祁放勳聽到作父母的種種奇怪惡行，和作兒子的種種奇怪孝行後，大爲感動，就把他召到中央政府，幫助自己處理事務，於是姚重華踏入政壇。

姚重華是五帝中的第五帝，號稱舜帝，即孝順友愛的君主。他把政府改組，設立左列九位高階層官員：

一、司空（工程部長）
二、后稷（農業部長）
三、司徒（國防部長）
四、共工（礦業部長）
五、士（司法部長）
六、朕虞（水利部長）
七、秩宗（祭祀部長）
八、典樂（音樂部長）
九、納言（監察部長）

姚重華鑑於領土的遼闊，把全國分為十二個「方」（州），每一個「方」設立一個最高行政首長，稱為「方伯」（州長），為各部落解決糾紛，並徵收賦稅。又制定統一的法律，用銅鑄成各種犯罪的模樣，和各種懲罰的動作，公開展覽，使人知道警戒。

姚重華在位四十八年，就在第三十三年時，歷史重演，姒文命挾着治水成功的威望，達到了當年姚重華達到的地位。紀元前二二〇八年，姚重華恰一百歲，不知道什麼緣故，他孤獨的深入蠻荒，跑到南方一千公里外的險惡的九疑山（湖南寧遠蒼梧山），並且死在那裏，埋葬在那裏。天子的寶座落到姒文命之手，黃帝王朝滅亡。

——這是儒家學派所津津樂道的第二次「禪讓」，堅稱姚重華跟他的前任伊祁放勳一樣，也是自動自發，非常愉快的把政權移交給姒文命。

四、東西方世界

黃帝王朝建立前：

——紀元前三十八世紀，前三七〇〇年（黃帝王朝前一千年），印度河下游摩罕達約地方，印度人建立王國，已使用文字，是世界上最古老的國家（不過這些印度人早已滅絕，和現代的印度人無關）。

——紀元前三十七世紀，前三六〇〇年（黃帝王朝前九百年），美索不達米亞蘇馬連人建立帝國，已使用文字和銅器。

——紀元前三十六世紀，前三五〇〇年（黃帝王朝前八百年），尼羅河三角洲埃及人建立舊王國，定都孟非斯城，已使用文字和太陽曆（埃及人跟古印度人的命運一樣，早已滅絕，和現代的埃及人無關）。

——紀元前三十五世紀，前三四〇〇年（黃帝王朝前七百年），克里特島邁諾王國建立，築諾薩斯城。

——紀元前三十二世紀，前三一〇〇年（黃帝王朝前四百年），埃及舊王國第四王朝開始，諸王紛紛建造金字塔。

——紀元前二十九世紀，前二八七二年（黃帝王朝前一百年），閃民族酋長薩爾恭入侵美索不達米亞，滅蘇馬連帝國，築阿迦德城。

黃帝王朝建立後：

——紀元前二十六世紀，前二五〇〇年（玄帝姬顓頊在位），埃及內亂，舊王國亡，立國約一千年。

——紀元前二十六世紀，前二五〇〇年（玄帝姬顓頊在位），印歐民族自裏海北岸大草原，四散謀生。東行的一支進入波斯、印度，稱雅利安人。西行的一支進入歐洲，成爲希臘人、拉丁人。

——紀元前二十四世紀，前二三七五年（俈帝姬夋在位）。埃及底比斯王統一全境，建立中王國。

第四章　半信史時代

傳說時代結束後，半信史時代開始。

半信史時代中，事實成份大大的增多，而且一部份已得到考古學家發掘物的支持。但屬於神話傳說的史蹟，仍然不少，有時很容易分辨，有時混淆過度，無法澄清。

半信史時代是一個鬆懈的時代，往往一連數百年一片空白。在此漫長的歲月中，黃河中游和渭河下游地區，順序的興起左列的三個王朝：

一、夏王朝　紀元前二十三世紀建立

二、商王朝　紀元前十八世紀建立

三、周王朝　紀元前十二世紀建立

——中國歷史上有一個現象，即每一個政權建立時，都要宣佈一個專屬於自己政權的國號，當這個政權統治全國的時候，國號就成了王朝號。所以，分裂時代和混亂時代，國家林立，我們只好使用國號。全國統一時代，我們則使用王朝號。但必須了解，在中國歷史上國號跟王朝號沒有分別。

夏、商、周三個王朝是啣接的，所以史學家稱爲「三代」，我們也可以稱半信史時代爲三代時代。

半信史時代起自紀元前二十三世紀，終於紀元前八世紀，約一千五百年。

一、紀元前二十三世紀

姒文命繼承了姚重華的位置，於紀元前二二〇五年建立夏王朝，稱爲禹帝，即天神般的君主。把首都設在安邑（山西夏縣）。

姒文命決心使自己成爲一個強有力的元首，不久他就召集全國各部落酋長到塗山（陝西潼關）開會，稍後又在會稽（河南伊川）舉行第二次大會，霉運當頭的防風部落（太湖流域）酋長到的太遲，姒文命就把他殺掉。但姒文命並不是一個殘暴的人，他具有洞察入微的智慧。有一天，有人呈獻給他一罈美酒，他喝的酩酊大醉，醒來後對大臣們說：「酒太好了，正因爲如此，後世一定有人爲了它家破國亡。」他下令禁酒。但酒是世界上誰都無法禁絕的東西之一，於是姒文命的話在歷史上不斷應驗，多少王朝帝國，包括他的夏王朝在內，最後都因君主沉醉在酒中而亡。

姒文命把全國分爲五個「服」（區域），以首都安邑（山西夏縣）爲中心，二百五十公里以內是「甸服」，由君主直接治理，人民直接向君主納稅。五百公里以內是「候服」，君主不直接治理，而僅控制酋長，由各酋長定期向君主進貢。七百五十公里以內是「綏服」，在這個區域裏，君主已沒有力量，但求天老爺保佑蠻族不要作亂，就心滿意足了。一千公里以內是「要服」，這地區的人民根本不知道有中國。一千公里以外是「荒服」，完全是陌生的蠻族和化外之民。除了以統治力量的強弱，作爲標準的「服」（區域）外，另有行政區域的劃分。姒文命把中國分爲左列九州：

一、冀州　河北平原與山西高原

二、兗州　黃河與濟水之間

三、青州　山東半島

四、徐州　河淮平原

五、豫州　中原

六、雍州　關中與隴西

七、梁州　秦嶺以南與四川盆地

八、揚州　長江下游

九、荊州　長江中游

這是中國把行政區域正式稱爲「州」的開始，九個州的州名，以後一直沿用，部份到二十世紀仍在，只是所轄的區域卻越來越小，最後小到只不過一個城市。

二、紀元前二十二世紀

姒文命在位只八年，〇〇年代紀元前二一九八年，他一百歲時，出巡到會稽（河南伊川），死在那裏。兒子姒啓繼位。有扈部落（渭河流域中下游）首先不服，宣佈獨立，姒啓就向它進攻，並在甘邑（河南洛陽南）會戰，有扈部落失敗。姒啓的勝利穩固了自己的地位，也確定了另一件事：疑雲重重的禪讓方式取消，恢復了黃帝王朝初期父子相傳的古老制度。

姒啓死後，兒子姒太康繼位。姒太康愛好打獵超過愛好政治，他最後一次打獵時，大概興致太高，打昏了頭，一直打到黃河以南。有窮部落（河南洛陽南）酋長后羿，乘着軍民的憤怒，發兵切斷了他的歸路。姒太康在他的軍隊潰散後，逃到斟鄩（河南登封）。后羿立姒太康的弟弟姒仲康繼位，大權當然握在后羿之手。

后羿是一位傳奇人物，也是中國最早的神射手，百發百中。他的妻子嫦娥，是歷史上最早的美女之一。我們在第一章介紹崑崙山時，曾述及女神王母娘娘贈給后羿一服長生不死藥的故事。事情因此發生，嫦娥乘着丈夫不備，偷偷的把它吃掉。吃下去後，果然脫胎換骨，身體變輕，能夠飛翔起來。她一則害怕丈夫發覺後向她追究，二則對這個人人都必然死亡的世界，也無所留戀，於是她飛到月球上去居住。據說，她現在仍住在那裏，陪伴她的只有她帶上去的一隻她最喜歡的小白兔。

——二十世紀時，美國太空人登陸月球，把這個美麗的神話畫面，破壞無餘。因之神話學家只好說每當太空人登陸月球時，嫦娥就把她跟她的小白兔所住的廣寒宮，用法術暫時隱蔽起來。

姒仲康死後，兒子姒相繼位。后羿不再高興總在幕後，就把姒相驅逐下台，自己坐上寶

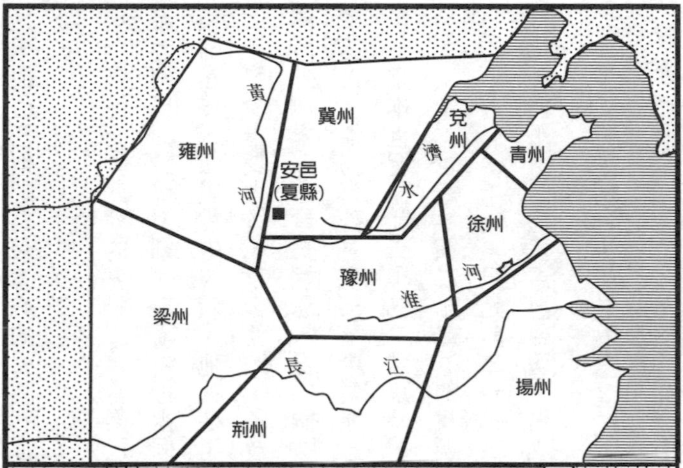

圖七 夏王朝九州

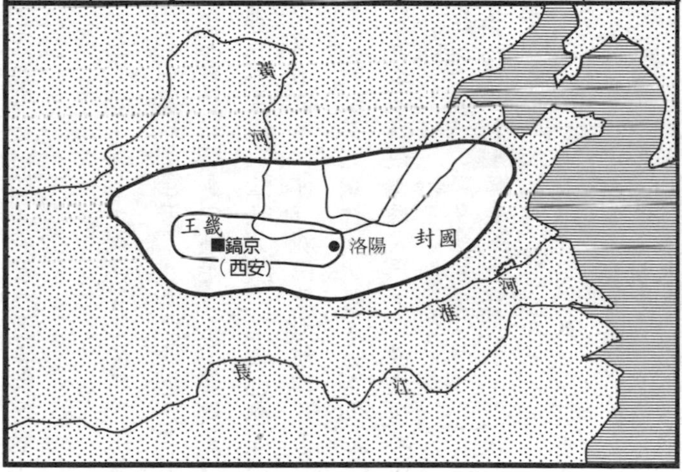

圖八 周王朝王畿和封國

座。姒相向東逃亡，投奔遙遠的斟灌部落（河南清豐）。不過后羿並不是一個十分有機心的人，他信任他認為最忠心的大將寒浞，把兵權交給他。結果寒浞發動兵變，殺死后羿，寒浞即位。

寒浞娶了后羿的妻子——當然已不是嫦娥了，生下兩個兒子。等到這兩個兒子長大，他派他們出兵討伐斟鄩、斟灌，把兩個部落滅掉。逃到斟鄩的姒太康早已逝世，逃到斟灌的姒相則在這一次戰役中被殺，他那懷了孕的妻子從牆洞中逃走，生下遺腹子姒少康。

姒少康長大後，東奔西跑，最後他投奔蒲阪（山西永濟）的虞部落（就是姚重華所屬的部落）。虞部落酋長姚思，把兩個女兒嫁給他，給他一塊田使他耕種。姒少康不甘心當一輩子農夫，他祕密號召夏部落中仍懷念他父親祖父的遺民，集結了五百餘人。

當本世紀（前二十二）結束時，姒少康正日夜操練人馬，準備恢復河山。

——本世紀（前二十二）的東西方世界：

——七〇年代・紀元前二一二三年（夏王朝七任帝寒浞在位），閃民族另一位酋長漢漠拉比，征服阿迦德蘇馬連帝國，建立巴比倫帝國。

三、紀元前二十一世紀

本世紀（前二十一）唯一的一件大事，是姒少康反攻復國，大功告成。

二〇年代・紀元前二〇七九年，姒少康準備成熟。蒲阪（山西永濟）跟安邑（山西夏縣），相距不過一百公里，那時還沒有城寨溝壕之類的防禦工事，所以當姒少康從他的根據地向首都發動奇襲時，很快的就衝進皇宮把寒浞殺掉。成功的奪回他父親、祖父所失去的寶座。

——姒少康的故事，在中國流傳不衰。尤其當一個政府受到嚴重打擊，失去大量疆土，岌岌可危時，一定會強調這個故事，用以鼓勵士氣和增加信心。

——本世紀（前二十一）的東西方世界：

——〇〇年代・紀元前二一〇〇年（仍是寒浞在位），漢漠拉比大帝頒佈漢漠拉比法典二百八十五條，刻在巴比倫城綠玉圓柱上，是人類第一部成文法典。

四、紀元前十九世紀

歷史寂寞了二百餘年。

本世紀（前十九）末葉前一八一九年，夏王朝最後一位君主姒履癸即位。姒履癸文武全才，赤手空拳可以搏鬥虎豹，又能把彎曲的鐵鉤用手拉直，看起來他是一位英明的君主。

——有一點是可以確定的，中國那時候還沒有鐵，更沒有鐵鉤。鐵鉤不簡單，它需要高級的冶金技術。

五、紀元前十八世紀

本世紀（前十八）一開始，商部落（山東曹縣）酋長子天乙的力量，已經強大，他覬覦姒履癸的高位。

姒履癸把所有的聰明才智都用到暴虐和享樂上，他把皇宮改建的更豪華，用黃金鑄成的柱子，就有九個。他又發明一種酷刑，稱爲「炮烙」，在銅柱上塗抹膏油，下面燃燒炭火，教犯人赤足在銅柱上走過。那是一定要滑下去的，滑下去便恰恰跌到火炭上燒死，姒履癸最喜歡看別人受這種酷刑時掙扎悲號的慘狀。有一天，他一面看，一面問他的大臣關龍逢是不是快樂，關龍逢說：「這種作法，好像春天走在薄冰上，危在眼前。」姒履癸冷冷的說：「你只知道別人危在眼前，卻不知道自己危在眼前。」下令把關龍逢炮烙處死，關龍逢是中國歷史上第一個因進忠言而被殺的高級知識份子。

姒履癸最寵愛他的妻子施妹喜，施妹喜高興聽綢緞撕裂時發出的聲音，姒履癸就命宮女在她身旁日夜撕裂綢緞。皇宮之內，肉堆積的跟山一樣，在一個足有五方公里的巨大池塘裏，盛滿美酒，酒波浩蕩，可以行駛船隻。每次宴會時，都有三千餘人，像牛群飲水一樣，在鼓聲中一齊從岸上伸下脖子狂飲（姒文命對酒所作的那一段評論，仍在我們耳際，但他的子孫卻忘了個淨光）。有莘部落（山東曹縣西北莘冢集）酋長伊尹警告姒履癸：「你再不接受規勸，恐怕會亡國。」姒履癸大怒說：「你又妖言惑眾了，人民有君主，猶如天空有太陽。

太陽亡，我才亡。」於是全國人民喊叫說：「太陽，你快亡吧，我們跟你一塊亡。」

姒履癸後來發現了商部落酋長子天乙有點不可靠，他用迅雷不及掩耳的手段，把子天乙逮捕，囚在夏台（河南禹州）。可是不知道什麼原因，又把他釋放。三〇年代紀元前一七六六年，子天乙發動攻擊，一直攻到首都安邑（山西夏縣），在鳴條（河南封丘）把夏軍擊潰。姒履癸被俘，被放逐到荒遠的南巢（安徽桐城）。夏王朝建立四百四十年，到此覆滅。

姒履癸消失了，但子天乙加到他頭上的稱號「桀帝」，卻流傳下來。桀帝，即凶暴的君主之意。

夏王朝既亡，子天乙稱他的政權爲商王朝，把首都建在他部落的根據地亳邑（山東曹縣）。他之所以成功，有三個重要原因。一是他跟當時最強大的有莘部落酋長伊尹，締結聯盟。伊尹本是忠於夏王朝的，但姒履癸把他逼反，他便轉過來跟子天乙合作。如果沒有伊尹的合作，子天乙不敢單獨行動。二是子天乙的卓見使他一直掌握主動。當聯軍總攻時，正逢夏王朝大旱，這雖然是一個好機會，但商部落地區同時也在大旱，他的人民反對冒險，子天乙因已經跟有莘部落約定會師日期的緣故，堅持出兵。三是子天乙宣傳戰的成功。以上所敍述的姒履癸的暴政，使人民產生憤怒的力量。同時子天乙又強調種種美德，如他曾禁止四面下網捕鳥之類，形容他的仁慈，不僅及於人類，而且及於其他生物。所以子天乙當了天子後，號稱成湯帝，即救苦救難的君主。

——我們當然並不認爲姒履癸是一個善良能幹之輩，任何一個亡國之君，除非年齡太幼，僅只王朝的政權在他手中滅亡這一點，就足夠證明他的無能和罪惡。

子天乙逝世後，兩個兒子先後繼位。五〇年代紀元前一七四八年，三任帝子仲王逝世，元老政治家伊尹把法定繼承人子天乙的孫兒子太甲，放逐到桐邑（河南虞城），而自己坐上寶座。但子太甲不像姒相那麼軟弱，他在桐邑祕密準備了七年，於紀元前一七四一年，奇襲亳邑（山東曹縣），把伊尹殺掉。因爲有莘部落的力量太大，子太甲不得不仍任用伊尹的兩個兒子，分別繼承伊尹遺留下來的酋長和大臣的職位。

六、商王朝社會形態

子太甲之後，商王朝在政治上沒有再發生波瀾。

商王朝社會最初以游牧爲主，後來逐漸也從事農業。他們有一個日益擴大的中央政府，政府中設有負責多方面複雜事務的各種官員，諸如：

一、御史（交通部長）

二、太宰（內政兼外交部長）

三、太史（天文兼祭祀部長）

中央政府之下，那時還沒有地方政府的設置，而由君主直轄各個部落。軍事行動，只有君主一個人可以決定。商王朝擁有一支強大的武裝部隊，操作弓箭戈矛之類的新式武器，使以拋棄石頭爲主要戰事工具的夏王朝，無法抵抗。鳴條會戰時，子天乙率領的遠征軍，達五千人之多，這是當時所能集結的最龐大的兵團。

天子是國家的最高元首，商王朝在初期時，帝位是傳給弟弟的，最後由最幼的弟弟再傳給長兄的長子，或逕行傳給自己的兒子。無論貴族或平民，大多數實行一夫一妻制，這是中國歷史上唯一的一夫一妻制時代，所以商王朝的宮廷比較簡單，家庭生活也比較融洽。一直到後期，大概紀元前十五世紀之後，多妻現象才開始普遍。

商王朝人民崇拜祖先，因爲崇拜祖先，所以也崇拜鬼魂和管理鬼魂的神靈，並連帶崇拜鬼魂所居住的山嶽河流。無論大事小事，從戰爭征討到疾病婚嫁，都要徵求祖先的意見，即向鬼神請示。請示的方法依靠占卜，占卜必須在隆重的祭祀典禮中舉行，才能得到祖先的喜悅和賜福。於是祭祀遂成爲國家的第一級要政，比軍事政治都重要。

商王朝已能夠使用文字，他們把占卜的結果，也就是祖先鬼神的重要指示，刻在烏龜甲殼上或其他獸類骨骼上，作爲記錄保存。十九世紀末葉，這些甲骨被人從商王朝故都之一的殷邑（河南安陽），挖掘出來，考古學家稱之爲「甲骨文」，它的內容則稱之爲「卜辭」，成爲最珍貴的中國原始社會的史料。

商王朝的命運似乎一直坎坷，主要的是黃河不斷氾濫，使他們不得不常常搬家，在立國的六百六十二年期間，遷都即達六次之多，成爲王朝中最大的事件：

自從五遷到殷邑（河南安陽）之後，商王朝也同時稱爲殷王朝，或合併稱爲殷商王朝。當十九世紀在此挖掘出甲骨文時，遂稱之爲殷墟，即殷王朝故都的廢墟。

次數	當時地	今地	起訖	年數	君主
原都	亳邑	山東曹縣	(前十八・十七・十六世紀) 前一七八三—前一五五七	二二七	一任帝子天乙
一遷	囂邑	河南滎陽	(前十六世紀) 前一五五七—前一五三四	二四	十一任帝子仲丁
二遷	相邑	河南內黃	(前十六世紀) 前一五三四—前一五二五	一〇	十三任帝子河亶甲
三遷	耿邑	河南溫縣東	(前十六世紀) 前一五二五—前一五一七	九	十四任帝子祖乙
四遷	邢邑	河北邢台	(前十六・十五世紀) 前一五一七—前一四〇一	一一七	
五遷	殷邑	河南安陽	(前十五・十四・十三・十二世紀) 前一四〇一—前一一九八	二〇四	二十任帝子盤庚
六遷	朝歌(行都)	河南淇縣	(前十二世紀) 前一一九八—前一一二二	七七	二十八任帝子武乙

——商王朝那種崇拜祖先和祭祀各種鬼神的意識形態，它的後繼王朝全盤接受，並一直留傳下來，成爲中華人不可破的風俗習慣之一。

七、紀元前十七世紀

本世紀（前十七）的中國，沒有重要的歷史記載。

——本世紀（前十七）的東西方世界：

——五〇年代・紀元前一六五〇年（商王朝八任帝子小甲逝世，九任帝子雍己繼位），希伯來部落酋長亞伯拉罕，率領他那疲憊飢餓的部落，從阿拉伯半島，進入埃及，在埃及定居。

八、紀元前十三世紀

——八〇年代・紀元前一二二〇年（商王朝二十六任帝子廩辛逝世，二十七任帝子庚丁繼位），希伯來部落酋長摩西，率領他的人民，從已居住了四百三十年的埃及出走，進入流奶與蜜的迦南地（巴勒斯坦）。在西奈山上，上帝耶和華親自授給摩西刻着十誡的金牌，信奉一神的猶太教自此誕生。

九、紀元前十二世紀

一連五百年都很平靜，到本世紀（前十二），發生了傳奇的史蹟。西方和中國，同時出現了兩位絕色美女，也同時引起兩場流血和覆國的戰爭。

——西方美女海倫，是希臘斯巴達王國的皇后，但她卻跟土耳其半島上特類王國的國王私奔。這對希臘人民是一種絕大的恥辱，於是各城邦組織希臘聯軍，進攻特類。自〇〇年代紀元前一一九四年開始，歷時十一年，雖然希臘神話時代的神祇，幾乎全部出動助戰，卻不能取勝。最後，到了一〇年代紀元前一一八四年，希臘聯軍乞靈於詭計，他們僞裝撤退，留下一個巨大的木馬，裏面滿裝着希臘突擊隊。特類人貪心的把這個木馬當作戰利品運到城中，特類城遂告陷落，海倫被搶回去。當戰爭進行到第十年時，海倫親自出來勞軍，戰士們震驚於她的美貌，失聲說：「我們爲她再打十年也值得。」

東方美女蘇妲己。事實上她姓己，名妲，蘇部落酋長的女兒。她的遭遇沒有海倫那麼富於詩意，她是商王朝最後一位君主子受辛的妻子。

商王朝到了後期，一個純農業的周部落，在渭河流域的關中地區，悄悄強大，並逐漸向東發展。兩百年前的紀元前十四世紀時，已進抵岐山（陝西岐山），本世紀（前十二）更進抵豐邑（陝西長安西南）。跟當初商部落對夏王朝虎視眈眈的情形一樣，現在周部落也對商王朝虎視眈眈。

身爲末代君主的子受辛，見多識廣而力大無窮，不用武器，僅憑雙手就可以格殺猛獸，又能把九條牛倒拉着走。他的聰明足夠使他拒絕規勸，他的智慧也足夠使他掩飾錯誤。蘇妲己在他寵愛下，共同掌握政權。宮廷建築一日不停，僅只「瑤宮」「瑤台」，就興建了七年。皇宮中的肉像山林一樣堆着，酒不是盛在瓶子裏，而是盛在池子裏。每次宴會，都七晝七夜大吃大喝，沉醉不醒，以致大家都忘掉是什麼日子。

子受辛跟蘇妲己同時還是一對有虐待狂的夫婦，有人赤腳走過結冰的小溪，子受辛夫婦命人敲碎他的腳骨，研究他爲什麼不怕冷。女人懷孕，子受辛夫婦又下令剖開她的肚子，看看胎兒是什麼模樣。最後，子受辛也發明了「炮烙」酷刑，鎭壓日益增加的逃亡和反抗情緒。子受辛有三個忠心的大臣：九侯、鄂侯、姬昌。九侯的女兒是子受辛的妃子之一，但是她不善於承仰顏色，子受辛就把她們父女剁成肉醬。鄂侯據理力爭，也被剁成肉醬。姬昌聽到消息，嘆了一口氣，於是把姬昌逮捕，囚禁在羑里（河南湯陰）。

姬昌就是周部落酋長，他的部落因他有很高的才幹而尊稱他是聖人。他被囚禁三年，子受辛還把他的兒子姬考處決，做成肉羹給姬昌吃，姬昌只好吃掉。子受辛得意的宣稱：「誰說姬昌是聖人，連自己的兒子都吃。」等到周部落獻上大批名馬、美女、珠寶，子受辛才把姬昌釋放。姬昌回去後不久逝世，他的兒子姬發即位，積極備戰。

商王朝大臣祖伊向子受辛提出警告，子受辛說：「我應天命而生，不同於普通人，有什麼可怕的。」他的叔叔子干，也進言規諫，子受辛大怒說：「我聽說聖人的心有七竅，你好像是聖人，不知道有幾竅。」下令把子干的心挖出來察看。

最後的日子終於來到，七〇年代紀元前一一二二年，周部落跟它的聯盟部落，在盟津（河南孟津）會師，渡過黃河，向行都朝歌（河南淇縣）進攻。子受辛也集結他的軍隊迎擊，兩方的主力在朝歌西南二十公里的牧野（河南衛輝）決戰，這時周兵團只四萬五千人，商兵團卻有七十萬人，但商兵團人心離散，結果大敗。子受辛逃到滿堆着金銀財寶的鹿台，縱火自焚而死。

姬發以征服者姿態，進入朝歌。首先向已燒焦了的子受辛的屍首射了三箭，再用劍砍作數段，斬下頭顱，懸掛到大白旗上示眾。蘇妲己聽到兵敗的消息，即時自殺。姬發也向她的屍首射了三箭，把頭斬下，懸掛到小白旗上示眾。

——關於蘇妲己，民間卻有另外一種傳說：她並沒有自殺，她自信她的魅力能夠拯救自己。想不到她遇到的對頭是已經九十歲而又鐵石心腸的周兵團總司令姜子牙，終於下令把她綁赴刑場處斬。可是，她太美麗了，劊子手們無不失魂落魄，不忍下手。姜子牙就親自執行，他自己也遇到同樣困難。最後他下令把蘇妲己美麗的面容用布蒙起來，才把她殺掉。

——海倫的故事，到了紀元前九世紀，產生荷馬的史詩亞里亞特和奧德賽。蘇妲己的故事，直到紀元後十五世紀，才產生許仲琳寫的文學價值很低的小說封神榜。

——子受辛的叔父子胥餘，於朝歌陷落時，逃到朝鮮半島，建立朝鮮的第一個王朝，稱箕子王朝，也稱箕子朝鮮。

隨着子受辛之死，商王朝滅亡，立國六百六十二年。子受辛被稱爲紂帝，即殘害忠良的君主。他的罪狀跟夏王朝亡國之君姒履癸的罪狀，像是從一個模子澆出來的，當然也可能眞是如此。不過，炮烙酷刑是姒履癸發明的，已登記有案，宣傳家大概一時情急，忘了六百年前的往事，又教子受辛再發明一次。

一〇、周王朝封建制度

姬發建立周王朝，定都鎬京（陝西西安西），拋棄「帝」的稱謂，改稱爲「國王」，被人們尊稱爲「天王」，這顯示一個迥異於前代的新時代的開始。——姬發是中國歷史上第一位國王。

周王朝初期的文化程度很低，所以對商王朝大多數的意識形態，尤其是祖先崇拜，在相當尊崇的態度下，都承襲下來。但對商王朝的遺民，卻是一副猙獰的面目。只有一小部份，即居留朝歌（河南淇縣）的那個貴族支派，命子受辛的兒子子武庚繼續擔任首領，遷回他們祖先的老根據地商丘（河南商丘）。其他散居各地的商王朝的遺民，卻沒有這種好運，他們的財產被沒收，男女老幼全部淪爲頸子上繫着繩索的奴隸。

周王朝的社會結構，分爲四個階層，如同左表：

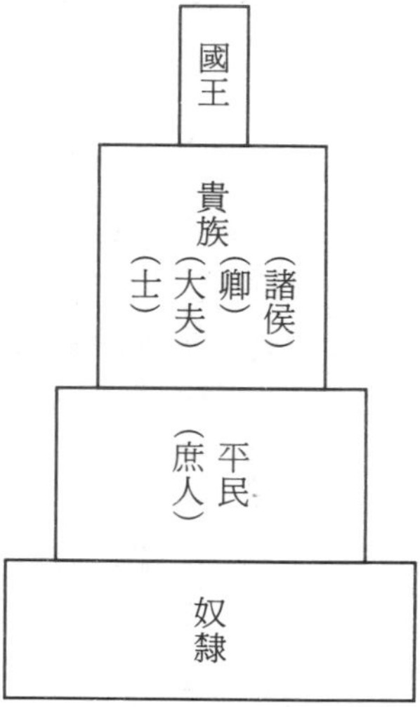

國王高高在上，當然最爲尊貴。其次是貴族，包括諸侯（封國君主）、卿（政府最高級官員）、大夫（政府次高級官員）、士（武官）。再其次是平民，即自由民，被稱爲「庶人」。最低一級是奴隸，即商王朝遺民跟其他被征服的部落或俘虜。

任何國家的奴隸都是悲慘的，中國的奴隸亦然。他們是人類中最不像人類的動物，身體和生命，都沒有保障。階層間的界限，不但是絕對的，也是莊嚴的，不允許逾越。這是周王朝從商王朝繼承下來的事物之一，周政府除了用法律控制這種形態外，還特別制作禮教——若干世紀後，又稱爲名教，用教育的方法，以分別貴賤，使貴族永遠是貴族，平民永遠是平民，奴隸永遠是奴隸。使奴隸們以及平民們了解，如果不安份守己，企圖逾越已定的界限，不但違犯了法律，要受嚴厲的制裁；同時也違反了禮教，要被人所不齒。

在這種社會基礎上，周王朝創立了它的封建政治制度。

封建政治制度的形態是，由元首分封貴族到各地建立封國，統治平民和鎮壓奴隸。周王朝的國王先以首都鎬京（陝西西安西）爲中心，沿着渭水下游和黃河中游，劃出一塊廣大的土地，稱爲「王畿」，由國王直接統治。而把王畿以外的所有土地，全部分封。封國的面積很小，二十個或三十個封國聯合在一起，也沒有王畿大，所以中央政府對封國可以完全控制。諸封國像群星捧月一樣，環繞拱衛着王畿。封國君主對封國內的平民奴隸，具有絕對的權力，對國王則每年到首都覲見（入朝），用進貢代替賦稅。當中央政府徵兵從事戰爭時，封國君主有率領部隊，聽候調遣的義務。

封國君主，絕大多數是國王的親屬，第一任國王姬發征服了商王朝後，迫不及待的就大肆分封起來，凡是姓姬的親族，只要不是瘋了和白癡，每人都分到一塊土地和一群奴隸，如姬昌的兒子姬奭，封到燕國（河南郾城，後遷至北京）。少數是建立功勳的官員，如周兵團總司令姜子牙，封到齊國（河南南陽西，後遷至山東淄博東）。第三類是由於政治上的原因，對不能征服或不能消滅的部落，就封他們酋長一個不費一文錢的爵位，安撫他不要搗亂，如夏王朝的後裔封爲杞國（河南杞縣），姬軒轅的後裔封爲黃國（河南潢川），伊祁放勳的後裔封爲唐國（山西翼城），姚重華的後裔封爲陳國（河南淮陽）。

——從此，部落一詞逐漸消失，都變成了封國。但我們必須記住，在十二世紀周王朝初期，封國跟部落沒有區別，一個簡陋的土屋土牆的小院子，就是封國君主的皇宮。

封國的地位平等，直屬於中央，誰也管不了誰。但封國的面積並不一樣大小，國君的爵位也有高低。爵位，是周王朝新生事物之一，共分爲五級：「公」「侯」「伯」「子」「男」。當時總稱所有的封國君主爲諸侯，即很多侯爵之意，大概封侯爵的人特別多的緣故。五級之下，又有第六級「附庸」，附庸的土地更小，不屬於中央政府，而屬於附近較大的封國。我們用左表說明這種形勢：

等級	爵別	法定面積	舉例
第一級	公國	五十方公里	宋國・陳國・杞國・齊國
第二級	侯國	三十五方公里	晉國・燕國
第三級	伯國		鄭國・申國・衛國・曹國
第四級	子國	二十五方公里	莒國・楚國・祝國・溫國・滑國
第五級	男國		許國・蔣國
第六級	附庸國	不滿二十五方公里	極國・鄣國

封建制度最重要的問題是權力的繼承，中國大概至晚從紀元前十二世紀起，就實行諸子均分制度。父親遺留下的財產，每一個兒子都有一份。但父親遺留下來的如果是一個不能均

分的寶座，或是一個不能均分的世襲爵位，只能由一個兒子繼承時，問題就發生了。必須有適當的方法解決，才可以保持國家和家族的完整。否則的話，每一個國王或每一個有爵位的貴族死亡，都可能爆發一次骨肉殘殺，因而導致國家和家族的崩潰。

周王朝的解決方法是宗法制度。這是一個非常複雜的制度，儒家學派的學者往往窮一輩子的精力，都弄不清楚它的細節。但如果一定要用一句話表達的話，我們可以說，即「嫡子繼承制度」，也可以稱爲「親屬等差遞減制度」。那就是以母親的身份和出生的先後，把所有的兒子劃分爲「嫡」「庶」。劃分的標準，用左表舉例說明：

妻妾	普通稱謂	宗法稱謂	繼承
妻(正配)	四哥(十四歲)	嫡長子	嫡子
	六哥(十歲)	嫡次子	庶子
妾一(側室)	二哥(十八歲)	庶次子	
	五哥(十二歲)	庶四子	
妾二(側室)	大哥(二十歲)	庶長子	
	三哥(十六歲)	庶三子	

諸子的「嫡」「庶」既然分明，宗法制度規定：只有嫡長子才是唯一有權繼承國王或爵位的人。庶子即令比嫡長子年齡大，比嫡長子有才能，都不能繼承。嫡長子即令是一個白癡或神經病，寶座也只有他的屁股才能坐。這個繼承法案，可歸納爲兩句話：「傳嫡不傳庶，傳長不傳賢。」假使嫡長子死亡，則由嫡長子的嫡長子（即嫡長孫）繼承。所有庶子固然不能問津，即令同母的胞弟嫡次子也不能問津，除非嫡長子無後。

嫡長子繼承之後，庶子並不是全被逐出家門。他們僅只不能坐到金鑾殿上稱孤道寡而已，但他們可以得到次於寶座的爵位。在術語上，嫡子是「大宗」，庶子是「小宗」。再用左表顯示它們的全部關係位置：

第一代	大宗（嫡子）國王		
第二代	大宗（嫡子）國王	小宗（庶子）公爵	
第三代	大宗（嫡子）國王	大宗（嫡子）公爵	小宗（庶子）侯爵
第四代	大宗（嫡子）國王	大宗（嫡子）公爵	大宗（嫡子）侯爵
第五代	大宗（嫡子）國王	大宗（嫡子）公爵	大宗（嫡子）侯爵
第六代	大宗（嫡子）國王	大宗（嫡子）公爵	大宗（嫡子）侯爵
第七代	大宗（嫡子）國王	大宗（嫡子）公爵	大宗（嫡子）侯爵

小宗（庶子）伯爵			
大宗（嫡子）伯爵	小宗（庶子）子爵		
大宗（嫡子）伯爵	大宗（嫡子）子爵	小宗（庶子）男爵	
大宗（嫡子）伯爵	大宗（嫡子）子爵	大宗（嫡子）男爵	小宗（庶子）平民

宗法制度最大的功能是，爲繼承順序，提出一個可行的標準。它雖然不能根絕陰謀、流血和戰爭，但它至少已成功的阻止或避免更多次的陰謀、流血和戰爭。

——這個宗法制度，被此後歷代王朝所接受，一直到二十世紀清王朝覆亡，才跟着消滅。它的力量控制中國社會達三千年之久。

二、瓶頸危機

夏王朝和商王朝建立的初期，都曾爆發過致命的政治災難。

夏王朝第五任君主，和商王朝第三任君主時；也就是，當夏王朝開國後六十年左右，和商王朝開國後四十年左右時。夏王朝政權接連被后羿和寒浞奪取，商王朝政權也落到伊尹之手。結果雖然傳統的當權人的後裔取得勝利，但已經殺人千萬，血流成河，而且這些後裔並不一定十拿九穩的可以得到勝利。

中國歷史上每一個王朝政權，都有這種類型的場面。這使我們發現一項歷史定律，即任何王朝政權，當它建立後四五十年左右，或當它傳位到第二第三代時，就到了瓶頸時期。——所謂若干年和若干代，只是爲了加強印象而設，當然不會有人機械的去解釋。在進入瓶頸的狹道時，除非統治階層有高度的智慧和能力，他們無法避免遭受到足以使他們前功盡棄，也就是足以使他們國破家亡的瓶頸危機。歷史顯示，能夠通過這個瓶頸，即可獲得一個較長期的穩定；不能夠通過或一直膠着在這個瓶頸之中，它必然瓦解。

發生瓶頸危機，原因很多，主要的是，王朝建立伊始，人民還沒有養成效忠的心理慣性作用。新政權就好像一個剛剛砌好的新磚牆，水泥還沒有凝固，任何稍大的震動都會使它倒塌。一旦統治者不孚眾望，或貪汚腐敗，或發生其他事故，如外患內訌之類，都是引發震動的炸藥。不孚眾望往往促使掌握軍權的將領們興起取而代之的欲望。貪汚腐敗則完全背叛了建國時的政治號召，跟當初賴以成功的群眾脫節。外患內訌之類的傷害，更爲明顯。

周王朝的瓶頸危機於第二任國王姬誦即位後出現。

紀元前十二世紀八〇年代的紀元前一一一六年，第一任國王姬發逝世，兒子姬誦繼位，只有十二歲，還不能主持政府，由他的叔父姬旦攝政。姬旦是一個非常有才能的政治家，周王朝一切禮教和政治制度，包括前節所敍述的那些宗法制度之類的各種事項，據說都是他一手制定。他攝政後，把十二歲的侄兒擠到一旁，而自己以國王自居，這自然引起貴族的猜疑，認爲姬旦終於會把侄兒殺掉。遠在東方新被征服的土地上，有四個最強大的封國，聯合起來反對他。這四個封國是：

一、管國（河南鄭州）國君姬鮮（姬發之弟）

二、蔡國（河南上蔡）國君姬度（姬發之弟）

三、霍國（山西霍州）國君姬處（姬發之弟）

四、殷國（河南安陽）國君子武庚（子受辛之子）

姬鮮等三人是姬發特別分封的三個封國的國君，擁有強大兵力，組成一條互相呼應的防線，防範並監視商王朝的殘餘子武庚，稱爲「三監」。可是現在三個監視殘餘敵人的封國反而跟殘餘敵人結盟，子武庚當然非常高興周王朝發生內戰，他希望打的越厲害越好。三監把武器發給子武庚，又聯絡附近一些始終未被周王朝征服的奄夷部落（河淮平原）、淮夷部落（江淮平原），起兵討伐姬旦。他們聲勢浩大，以致周王朝的東方疆土全部陷落，人心恐慌，中央政府動搖。姬旦只好作孤注一擲的親征，天老爺保佑他，自紀元前一一一五年，到紀元前一一一三年，經三年苦戰，終算把「三監」聯軍打垮。子武庚跟姬鮮被殺，姬度被貶謫到蠻荒地區，姬處被廢爲平民。

——這是中國歷史上第一次出現「被廢爲平民」的懲罰，即從貴族階層開除，剝奪掉一切只有貴族才有的特權。降爲平民，在宗法制度中的嚴重性，僅次於砍頭。

瓶頸危機結束，姬旦乘勝加強在東方的統治力量。紀元前十二世紀九〇年代的紀元前一一〇九年，姬旦把他所得到的新奴隸——再度失敗的商王朝遺民和奄夷、淮夷俘虜，全部遷到黃河以南，洛水以北地區，興築兩個相距二十公里的東西雙子城，東稱王城，西稱成周——也稱洛陽，城築好後，即用這批奴隸開墾荒地，他們被稱爲「殷國頑劣的奴隸」，頸子上的繩索恐怕要繫一個很長時間。

然而，就在洛陽築城時，十九歲的國王姬誦，向他那勞苦功高的叔父姬旦下手，剝奪姬旦的一切權力。兩年後的紀元前一一〇七年，姬誦又將有所行動，姬旦星夜向東逃走，投奔他兒子魯國（山東曲阜）國君姬伯禽，又是兩年後，紀元前一一〇五年逝世。

一二、紀元前十一世紀

本世紀（前十一）是周王朝最富強的時代，史籍上說，全國社會安定，經濟繁榮。四十年間，民間連普通輕微的訴訟糾紛，都沒有發生。不過，在對外戰爭上卻倒了大楣。就在本世紀（前十一）中葉，遠在南方長江流域的蠻族之一，被封爲子爵的楚部落，日益膨脹，周王朝的四任王姬瑕，於六〇年代紀元前一〇三四年御駕親征，結果所率領的六軍全部覆沒，大敗而還。他不甘心這種結局，於九〇年代紀元前一〇〇二年，就是本世紀（前十一）結束的前兩年，再度南征，楚部落吃了敗仗，可是卻用極易溶解的一種膠質材料，做了一條大船，泊在漢水上恭送國王，姬瑕坐了上去，行到中流，膠解舟沉，活活淹死。

——本世紀（前十一）的東西方世界：

——進入迦南地（巴勒斯坦）的希伯來部落，政治跟宗教終於分家。七〇年代紀元前一〇二五年（周王朝四任王姬瑕在位），掃羅被推舉爲國王，建立希伯來王國。九〇年代紀元前一〇一〇年（姬瑕溺死漢水的前八年），掃羅戰死，大衛繼位國王，四出侵略，領土大大的擴張。

一三、紀元前十世紀

中國在本世紀（前十）發生一件大事，周王朝五任王姬滿，命他的大臣呂侯，制定刑法。這是中國第一部成文法典，史學家稱爲呂刑。比漢摸拉比法典晚一千二百年。

——在西亞洲。希伯來國王大衛，於二〇年代紀元前九七四年逝世（周王朝五任王姬滿在位），兒子所羅門繼位。這位以所羅門箴言聞名於世的偉大君主，把希伯來王國帶入黃金時代三十餘年。六〇年代紀元前九三七年（周王朝六任王姬伊扈仍在位），所羅門逝世，王國分裂爲二：北部稱以色列王國，南部稱猶太王國，互相攻擊，戰鬥不止。

——仍在西亞洲。腓尼基人發明字母。字母的重要性，越到近代越是增加，打字機和電腦發明後（二者是只有拼音文字才能夠靈活使用的工具），整個人類文明，都爲之改觀。

本世紀（前十）結束時，半信史時代還沒有結束，要延到下世紀（前九）中葉才結束，然後緊接着開始信史時代。

第五章　信史時代

在紀元前九世紀五〇年代，半信史時代結束，信史時代開始。

周王朝經二百餘年安定後，第十任國王姬胡，在紀元前九世紀五〇年代激起政變。半信史時代隨着他逃命的慌亂足跡而終止。此後因文字記載獲得妥善的保存，中國歷史遂進入信史時代。

我們從信史時代開始，以世紀爲敍述單元，目的在於了解歷史事件時間上的距離位置。爲了更明確起見，我們再把一個世紀劃分爲十個年代，自〇〇年代至九〇年代。每一年代，包括十年。因紀元前的年份都是倒着數的數字，不易計算，這種年代的劃分，似更有必要。我們特地在左面列一個簡表，作爲說明，以後各章都依此類推。

〇〇年代	前九〇〇——前八九一
一〇年代	前八九〇——前八八一
二〇年代	前八八〇——前八七一
三〇年代	前八七〇——前八六一
四〇年代	前八六〇——前八五一

五〇年代　前八五〇——前八四一
六〇年代　前八四〇——前八三一
七〇年代　前八三〇——前八二一
八〇年代　前八二〇——前八一一
九〇年代　前八一〇——前八〇一

一、紀元前九世紀

周王朝第十任國王姬胡所以闖下大禍，主要的是他任用一位財政專家榮夷公主持政府。榮夷公採取專賣政策，把貴族賴以謀生的大大小小的各種行業，全部改由政府經營，這當然引起貴族們的怨恨，他們用各種方式反抗。

姬胡採取的是高壓手段，他派人去衛國（河南淇縣）聘請很多巫師，在首都鎬京（陝西西安西）建立祕密警察。據說衛國巫師有特殊的法術，只要看人一眼，就可立即判斷對方心裏所想的是什麼事。這些巫師川流不息的巡迴大街小巷，凡經他們指認為反叛或誹謗的人，即行下獄處決。

不久，鎬京（陝西西安西）一片昇平，再沒有人反對國王了，也再聽不到批評政府的聲音。後來貴族們索性連話都不說，親戚朋友見面時也只敢用眼睛示意。姬胡大喜說：「怎麼樣，我終於使反叛和誹謗停止。」他的大臣召公說：「這只是堵別人的嘴而已，僅只堵嘴，不能解決問題。」但姬胡卻認爲已經解決了問題。五〇年代紀元前八四二年，政變發生，貴族們攻進皇宮，巫師全部喪生，姬胡只好出奔，逃到西方彘邑（山西霍州），在那個以養豬出名的地方，養他的晚年。

姬胡逃走後，貴族們還要殺他的兒子姬靖。幸而召公和另一位大臣周公保護，才免一死，但形勢已不允許姬靖立即繼承王位。就由召公、周公二人，共同攝政，主持沒有元首的中央政府，史學家稱爲「共和政治」。

五〇年代紀元前八四一年，即共和政治第一年，中國歷史的文字記載，開始獲得保存。一直到二十世紀，沒有間斷，這是中華人對人類文明最偉大的貢獻之一。因爲同時代的其他所有的文明古國，或者根本沒有記載，或者雖有記載而記載已經湮沒，全靠考古學家辛苦的發掘，才能得到片段。

共和政治歷時十四年，到七〇年代紀元前八二八年結束。那一年，姬胡在流亡中逝世，姬靖乘機即位，恢復君主政治。

——半信史的史蹟，因爲是史學家的回憶和追溯，無法避免不眞實的成份，有待於專家考證。進入信史時代之後，史蹟都出於當世的記錄，所以可信的程度很高。不過記錄不一定忠實，也不一定完整，反而常常發生故意曲解和故意掩飾的事情，也常常發生同一史蹟卻有種種不同甚至相反的說法，那就要靠我們的分析判斷和選擇。

——信史時代自本世紀（前九）起，到二十世紀，僅二千九百年，但卻佔我們百分之九十的篇幅。這是無可奈何的事，只怪我們對以前的史蹟知道的太少。我們在敍述信史時代時，雖然越到近代史料越多，但我們仍力求保持各世紀的篇幅不要太過懸殊。希望藉此顯示史蹟跟時間的座標圖面。

二、東西方世界

—〇〇年代・紀元前九〇〇年（周王朝八任王姬辟方在位），希臘詩人荷馬誕生。

—五〇年代・紀元前八五〇年（周王朝十任王姬胡在位，共和政治前九年），腓尼基人在北非洲建立迦太基帝國。

第六章　紀元前第八世紀

本世紀是中國信史時代的第二個世紀。

周王朝在本世紀受到野蠻民族的攻擊，幾乎滅亡。第十二任王姬宮涅被殺，首都從鎬京（陝西西安西）東遷洛陽（河南洛陽）。國王的尊嚴和中央政府的權威，迅速衰退。封國逐漸脫離中央掌握，各行其是。

七〇年代，中國歷史進入歷時二百餘年的「春秋時代」，也就是中國式城邦時代，直到紀元前五世紀末葉。

一、周政府的東遷

姬宮涅是好不容易才爬上寶座的十一任王姬靖的兒子，他把他的王朝巨船駛進多災多難、滿是礁石的淺灘。

二〇年代紀元前七八〇年，發生兩件大事，一是岐山（陝西岐山）崩裂，一是三川乾涸。三川：涇水、渭水、洛水。民間堅信，這是大旱災將要發生的前奏，趙國（山西洪洞北）國君姬帶提醒姬宮涅說：「山崩川竭，顯示人的血液枯乾，肌膚消失。岐山又是周王朝創業之地，一旦塌陷，更非同小可。大王如果求賢輔政，還可能消除天怒。如果仍然只一味的找美女、覓艷婦，恐怕要生變亂。」這些話不是任何一個暴君聽得進耳朵的，於是姬宮湼大怒，把姬帶逐回他的封國。褒國（陝西漢中西北）國君褒珦進諫說：「大王既不畏懼上天的警告，又捨棄忠良，國家如何能夠治理。」姬宮湼更大怒，把褒珦囚入監獄。

褒珦的兒子褒洪德用盡方法，都不能把父親營救出來，最後他想起在四百年前周王朝開山老祖姬昌被子受辛囚禁在羑里的故事，於是訓練一批以褒姒為首的美女，獻給姬宮湼。這個謀略果然成功，皇宮裏成了褒國女子的天下，姬宮湼不久就對褒姒言聽計從。不但釋放了褒珦，還採取步驟要立褒姒當王后。二〇年代紀元前七七三年，姬宮湼把原配妻子申后廢掉，又把申后所生的太子姬宜臼貶為平民，發配到三百七十公里外的申國（河南南陽），命他的外祖父申國國君管教。遂即宣佈褒姒為正式王后。不過褒姒性情嚴肅（也可能是她對硬把她困在宮廷的國王丈夫懷恨至深），很少露出笑容，於是就發生以下高度戲劇化的故事。

姬宮湼千方百計引逗褒姒發笑，她總是不笑，使他既生氣又焦急。於是一位忠心耿耿的大臣獻計說：「如果燃起烽火，包管王后會笑。」連小孩子都知道絕不可以亂燃烽火，但姬宮湼認為偶爾玩一次沒有關係。他就帶着褒姒，前往鎬京東方四十五公里的驪山，舉行盛大宴會。歡宴到深夜時，姬宮湼下令燃起烽火。剎那間火焰直沖霄漢，像一條逃命的巨鯨一樣，不斷的一股一股噴出火柱，向黑暗的遠處奔騰而去。王畿附近的封國國君們，從夢中驚醒，以為鎬京已被蠻族包圍，國王老命危在旦夕，立即集合軍隊，率領馳援。姬宮湼和褒姒居高臨下，準備欣賞這場自以爲使人出醜的偉大節目。黎明時分，那些身披重甲，汗出如雨，啣枚疾進的勤王之師，果然進入視界。不久就抵達驪山腳下，封國的部隊雖經過一夜急行軍，仍精神抖擻，面上呈現着即將獻身國王，爲國戰死的忠義顏色。姬宮涅大爲滿意，派人宣佈聖旨說：「謝謝各位，沒有什麼外寇，我只不過用烽火消遣解悶一下罷了。請你們原路回去，另候犒賞。」那些封國國君好不容易才相信自己的耳朵後，紛紛偃旗息鼓，狼狽而去。褒姒一一看到眼裏，不禁嫣然一笑，這一笑使她更加美如天仙。姬宮涅大喜說：「王后一笑，百媚俱生。」

就在褒姒百媚俱生的時候，姬宮涅又下令申國殺掉姬宜臼，申國國君寫了一個奏章，提出嚴厲的抗議。姬宮涅的反應十分迅速而強烈，他頒下聖旨，撤銷申國國君的封國，並集結軍隊，準備出兵討伐。申國國君知道單獨不能抵抗，就跟位於鎬京（陝西西安西）附近的蠻族犬戎部落聯盟，要求犬戎採取行動。犬戎部落早就對鎬京的財富和美女垂涎三尺，乘着周王朝內鬨，申國派人在鎬京埋伏內應的機會，立即進攻。姬宮涅急燃烽火向諸封國求救，但這正符合伊索寓言狼來了的故事，牧童第一次喊「狼來了」，大家飛奔來救，他笑大家傻瓜，等到狼眞的來了，牧童再喊時，他自己就成傻瓜了。姬宮涅雖然年老，但年齡不一定帶來智慧，他做出的竟是只有寓言裏牧童才做出的事。烽火狼煙，日夜燃燒，封國國君們都拒絕再被戲弄。鎬京於是陷落，宰相姬友戰死，姬宮涅被殺，褒姒被蠻族擄去，不知道下落。

申國國君得到姬宮涅死亡的消息，就聯合若干重要封國，擁立他的外孫姬宜臼登位。但鎬京經犬戎部落一場焚燒和劫掠，人民流離，一片斷瓦殘垣，無法居住。姬宜臼只好將首都遷到東方三百二十公里外的洛陽（河南洛陽）。因洛陽在鎬京之東，史學家遂稱之爲「東周」，追稱鎬京時代爲「西周」。

這是一個重大的轉捩點，巨變已經開始，舊秩序結束，出現的是一個混亂、不安、分裂，內戰頻仍的另一個局面。

周王朝的版圖現在只剩下中原地區，王畿也跟着縮小，只剩下洛陽周圍不過二萬方公里的彈丸之地。而在此彈丸之地中，又要安置在西方不能立足，而隨着東遷的一些殘破封國。各封國當然一如往昔的直屬於國王，但王畿縮小之後，國王的財源兵源都大大的減少，而且一天一天的趨於枯竭，再沒有力量支持原有的威風和尊嚴，各封國遂產生自行擴張領土的野心。

第一個發難的是位於黃帝姬軒轅故都（河南新鄭）的鄭國國君姬掘突，他不滿意自己狹小的疆域，在陰謀詭計之下，他把女兒嫁給鄰近只一百公里的胡國（河南漯河）國君。三〇年代紀元前七六三年，姬掘突召集會議，討論應該先向誰用兵，霉運當頭的大臣關其思說：「胡國最近，是最好的目標。」姬掘突義憤塡膺，大吼說：「鄭、胡兩國有長期的友誼，胡國國君又是我的女婿，你竟有這種不仁不義的想法，天理不容。」立即把關其思斬首。胡國國君大爲感動，不再在邊界設防。於是，姬掘突發動奇襲，把胡國滅掉。

周王朝中央政府對這種封國兼併封國的震天大事，毫無反應，鄭國呑併胡國遂成爲周王朝土崩瓦解的信號，從此封國與封國間，詐欺火併，層出不窮，形成一種險惡的國際社會。各封國都了解，國王的光榮和權力已經成爲過去，永不復返，再不能保護自己，封國唯有憑藉本身的力量，才能生存。

二、春秋時代

七〇年代，中國進入春秋時代。

——周王朝所屬的每一個封國，都有自己完整的本國史，但只有魯國史留傳下來。魯國史稱爲春秋。留傳下來的部份，起於本世紀（前八）紀元前七二二年。史學家就從這時候起，直到紀元前五世紀前四八一年，共二百四十二年間，稱爲「春秋時代」。這是一個人工的劃分——猶如「世紀」也是一個人工的劃分一樣。事實上整個社會劇烈的變動，應起自周政府東遷。但中國歷史學者在二十世紀前，全部屬於儒家學派，他們一直使用這個稱謂，在沒有發現這種劃分有重大害處之前，我們仍順應這個習慣。

春秋時代的前二十年，正是本世紀（前八）的最後二十年。由鄭、胡兩國事件爲主要精神的國際社會，顯示出這個時代的特色。

八〇年代紀元前七一九年，衛國（河南淇縣）政變，這是有文字記載的第一次封國內部發生的政變。衛國國君衛完，要到洛陽覲見國王，他的弟弟衛州吁跟智囊石厚，在餞行宴會上，把衛完殺掉，衛州吁即位。石厚的父親石碏，也是大臣之一，決心消滅叛逆。他利用兒子的關係，向衛州吁提出轉彎抹角的建議。他說：「你雖然當了國君，但沒有國王的認可，恐怕人心不服。」如果想得到國王的認可，石碏說：「莫過於你親自去洛陽朝拜，國王接見了你，就等於認可你的繼承是合法的，傳播天下皆知，你的地位就穩固了。問題是萬一國王拒絕接見，反而弄巧反拙。」石碏接着提出使國王非接見不可的方法。他說：「陳國（河南淮陽）國君媯鮑，對國王十分恭順，國王也十分尊重他。衛陳二國，一向敦睦。你最好去陳國訪問，請媯鮑先向國王疏通，一切都會迎刃而解。」因爲石碏是石厚父親的緣故，所以他的意見，衛州吁完全相信。沒有想到石碏跟媯鮑已祕密安排陷阱，等衛州吁一到陳國，連同石厚一齊被陳國逮捕處死。

衛國政變雖然失敗，但政變卻像瘟疫一樣傳染開來，在各封國接二連三發生，不可遏止。

七年之後，八〇年代紀元前七一二年，以禮教傳統自傲的魯國（山東曲阜），也發生政變。國君姬息姑的父親老國君姬弗湟逝世時，嫡子姬允還是一個嬰兒。姬息姑雖是庶子，但年齡已長，又有賢能的名譽，貴族們就擁立他繼位。姬息姑很忠厚，所以常常自言自語說：「這寶座是我弟弟的，等他長大，就讓給他。」姬息姑在位十二年，姬允已十多歲了，姬息姑在郊外建築別墅，準備退休後在那裏隱居。不料就在他決定退休的那一年，大臣姬翬向姬息姑要求當宰相。姬息姑回答說：「我弟弟馬上要上台了，你不妨直接求他。」姬翬誤會了他的意思，於是獻計說：「古人有句名言：『利器在手，不可給人。』你弟弟年齡漸大，恐怕對你不利，不如把他殺掉，以除心腹之患。」姬息姑大驚說：「這是什麼話，你一定瘋啦。別墅完工，我就退休。國君的位置是我弟弟的，我豈可有非份之想。」姬翬立刻發現自己已經坐到火爐口上，一旦姬允即位，聽到他有這種陰謀，他就要掉到火爐裏了。於是他乞助於惡計，乘夜告訴姬允說：「主上見你長大，今天特地喚我進宮，教我殺你。」但他保證說：「我當然不會做出這種骯髒齷齪的事，不過你如果打算自救，只有先下手爲強。」姬允感激涕零說：「我幸而不死，一定請你當宰相。」姬翬大喜若狂，率軍突襲皇宮，殺掉姬息姑。

兩年後，九〇年代紀元前七一〇年，宋國（河南商丘）政變。宋國國君子與夷跟他的國防軍總司令（司馬）孔父嘉是好朋友，而孔父嘉的妻子非常美麗。有一天，大臣華督看見了她，立刻神魂顚倒，可是她具有高貴身份，使華督不能像對待平民和對待奴隸一樣，直接搶奪而去。那時子與夷的堂弟子馮正流亡鄭國，華督派人跟他聯絡。恰好孔父嘉積極訓練軍隊，準備出獵。華督散佈謠言說：「孔父嘉跟鄭國作戰，每次都被打敗。現在又要前往報仇。這只是他私人的怨恨，宋國人民何罪，受這種苦難。」在有計畫的煽動下，士兵們祈求華督伸出援手，華督就率領他們攻殺孔父嘉，並順便把子與夷一齊殺死。然後子馮得到國君的位置，華督得到孔父嘉的妻子。

——因妻子過於漂亮而引起丈夫殺身之禍的，孔父嘉是歷史上的第一人。但因美女而引起政權轉移、王朝瓦解，和國家覆亡，卻不是第一次，以後更經常出現。我們應注意到這種漂亮的女子在歷史上衝擊性的力量所造成的悲劇景觀，和它所含的意義，以及啓示。

三、周鄭交戰

宋國政變後第三年，衰退中的周政府，又受到致命的一擊。

鄭國國君姬掘突是驪山之役殉難宰相姬友的兒子，他繼承了父親封國國君和父親在中央政府宰相的雙重位置。他日夜不停的東征西討，擴張領土，把鄭國造成本世紀（前八）最強大最光輝的一個封國。也正因爲如此，他很少去洛陽中央政府辦公，偶爾去一次，也飛揚跋扈，不可一世。姬掘突逝世後，兒子姬寤生的作風更加惡劣。老國王姬宜臼念及姬友的壯烈犧牲，也念及中央政府力量薄弱，勉強忍耐。姬宜臼逝世後，他的孫兒姬林繼位，年輕氣盛，不管三七二十一，解除了姬寤生中央政府的職務。這對姬寤生的聲望是一個打擊，他立即向國王報復，派遣軍隊進入王畿，把邊界麥田裏的小麥刈割而去。稻米熟時，再把稻米刈割而去。姬林除了七竅生煙外，別無他法。

鄭國跟宋國連年戰爭，一直不分勝負。姬寤生打算利用國王的剩餘價值幫助自己，這才到洛陽朝覲。姬林問他：「鄭國糧食收成如何？」姬寤生說：「託大王洪福，五穀豐登。」姬林做出如釋重負的模樣說：「那就好了，王畿的糧食，我可以留下自己吃了。」然後送給姬寤生十車黍米——雜糧之一，色黃粒小，北方人稱爲「小米」，而對色白粒大的稻米稱爲「大米」。告訴姬寤生說：「請你收下，鄭國如果有荒年時，請不要再搶。」

姬寤生是一個有謀略的人，能夠化羞辱爲榮耀。他發了一陣脾氣後，立刻冷靜下來，用綢緞把十車黍米密密包住，招搖過市，宣傳說：「宋國久不朝貢，國王賜下十車綢緞，命我們討伐宋國。」結果魯國、齊國（山東淄博東）都派出軍隊，會同鄭國作戰。宋軍在總司令孔父嘉率領下，屢次戰敗，而且埋下孔父嘉被殺的種子。

在假傳聖旨引起血流成河的戰禍之後，姬寤生拒絕再跟國王姬林見面。依周王朝規定，封國國君三年不入朝進貢，即被視為叛逆。姬林終於大大的光火，以致忘掉了他的政府已不是當年的政府。九〇年代紀元前七〇七年，他親自率領直屬部隊，又徵調蔡國（河南上蔡）、衛國、陳國，三國封國的軍隊，討伐鄭國。如果在鎬京時代，鄭國只有投降認罪，聽候處分。可是現在是春秋時代，一切都大大的不同，鄭國不但不投降認罪，反而出兵應戰。一經接觸，中央聯軍（王師）大敗特敗，姬林在逃命中被鄭國大將祝聃一箭射中左肩，眼看就要被俘，幸而姬寤生有政治頭腦，急急鳴金收軍。祝聃抱怨說：「我差一點就把他捉住。」姬寤生說：「笨蛋，他是國王，我是諸侯，捉到手怎麼發落？」當天晚上，姬寤生派人送大群牛羊到姬林御營之中，一面謝罪，一面請求赦免。姬林損兵折將，身負箭傷。沒有別的選擇，只好發佈赦書，狼狽而回。

鄭國這一箭，摧毀了四百餘年周王朝國王的最高權力和威望。周王朝中央政府已降低到跟各封國政府同等的地位。高不可攀的國王，經過這一次以及稍後不斷貶值後，逐漸從人們腦海中消失，只有在野心家企圖利用他時，才想到他。周王朝本是一個組織鬆懈的王朝，現在各封國林立，每一個封國都是一個最高權力單位，再沒有可干涉他們的人。

但鄭國的黃金時代也告過去，姬寤生不久逝世，父子兩代辛苦建立起來的霸權，跟着瓦解。他的兒子姬忽繼位，大臣祭仲當宰相。姬忽是一位名將，在他獨當一面時，光芒四射。可是他不是一個政治家，所以他一旦總攬全局，面對比軍事要複雜萬倍的政治情況，即不能勝任。

姬忽的弟弟姬突，在他哥哥繼位時，逃到宋國，跟宋國國君子馮締結密約，企圖奪取寶座。稍後姬忽的大臣祭仲出使宋國，子馮跟祭仲締結密約。祭仲回國後，遂向姬忽提出最後通牒：「你繼承大位，並不是先君的意思，只因我一再勸告，才這樣決定。宋國乘我出使之便，把我囚禁，逼我立下盟誓，迎立姬突當國君，我恐怕空死無補於大局，只好應許。現在宋國大軍已經壓境，群臣都已前往迎接。你不如暫時退位，以後如有機會，當接你回國。」姬忽曾統率鄭國最精銳的兵團南征北戰，生龍活虎般幫助老爹建立起一等強國，想不到當了國君，反而一籌莫展（我們奇怪他對軍隊竟連一點影響力都沒有），只好逃往衛國。他的弟弟姬突，如願以償。

這樣逐君型的不流血政變，是春秋時代才有的特徵。春秋時代過去之後，大多數成功的政變，舊君都免不了被砍掉頭顱——運氣最好的也免不了終身囚禁。

四、楚王國

當周王朝勢力萎縮，中央政府喪失統御力量之際，長江中游的楚部落更加強大。跟當初周部落沿着渭水逐漸東移一樣，楚部落沿着長江也逐漸東移。

楚部落跟周王朝是兩個不同的民族，楚部落可能（我們不敢十分確定）是苗民族的一支，因之具有特別的屬於自己的語言和文化。例如楚部落把「吃奶」叫「穀」，把「老虎」叫「於菟」。以致周王朝譏嘲他們是「南蠻鳥舌的人」，指他們講話像鳥叫般的難懂。楚部落崇拜火神，周王朝崇拜農神。楚部落崇拜命運，周王朝崇拜祖先。中華民族已有政府組織數百年或千餘年（假如把傳說時代也加進去的話），楚部落還只是一個部落，自然十分落後。他們也自己承認落後，並且驕傲的以蠻族自居。他們原先定居在今湖北省西部一帶——沒有人知道他們從什麼地方來到該地區。最後東遷到丹陽（湖北秭歸）。本世紀（前八）九〇年代，勢力已越過漢水，到達淮河。它是一個新興的力量，人數眾多而又驍勇善戰，當它的勢力在漢水、淮河之上出現時，它已強大到沒有一個封國能阻擋它。

九〇年代紀元前七〇六年，他們的酋長芈熊通進攻漢水東岸的隨國（湖北隨州），隨國大敗。爲了緩和楚部落的壓力，隨國向芈熊通諂媚說，他可向周王朝中央政府請求封芈熊通爲國王。這件事在邏輯上就說不通，周政府的國王不過也是國王，根本沒有資格封別人再當國王，而且周王朝也絕不會傻到無緣無故去鼓勵另外冒出一個新的中央政府。芈熊通不久就聽到拒絕的消息，大怒說：「周王算什麼東西，我想當王，就自己當王。」

紀元前七〇四年芈熊通宣佈建立楚王國，定都丹陽，勢力範圍西到巴蜀，東到淮河上游，面積廣袤，不亞於北方的周王朝。周王朝當然不承認這個新王國，新王國也不在乎這種承

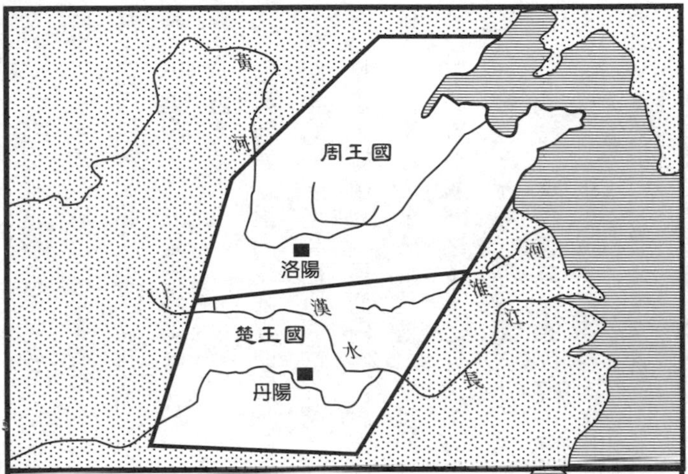

圖九　周王國與楚王國對抗

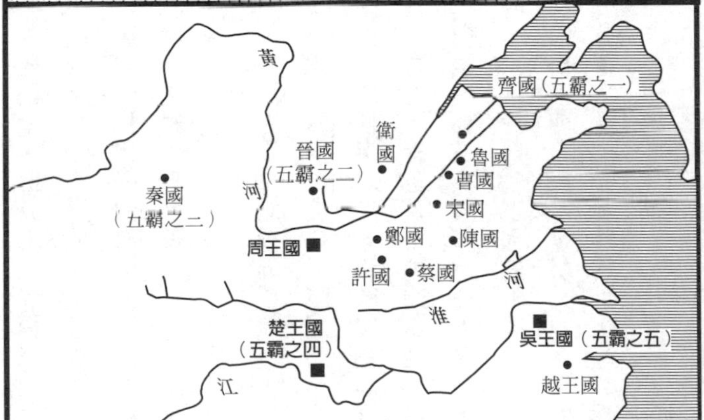

圖一〇　春秋時代主要封國

認。

——在這種情形之下，我們不得不改變稱謂，把周王朝改稱爲周王國。因爲在當時已知的世界上，周政府已不是中國唯一的中央政府，楚政府起而跟它並存。同時，因爲周王國事實上已不能控制和代表全體封國，所以在此後我們提到周王國時，不再是指從前那種統一局面的周王朝，而只是指洛陽附近那一小塊日益縮小的王畿土地，它跟封國的地位平等，不再超過封國之上。

芈熊通建立王國後就立即展示威力，在沈鹿（湖北鍾祥）地方，召集一次他影響力所及的封國會議。一些早已臣服的封國，如巴國（四川重慶）、庸國（湖北竹山），和一些新歸附的封國，如申國（河南南陽）、鄧國（湖北襄樊北）、鄖國（湖北安陸）、羅國（湖北宜城），都來參加，像覲見周王一樣的覲見楚王，確定楚王國的霸權。只有隨國，在上次用請求封王的方法解圍之後，仍倔強如故，拒絕參加這次類似給楚王奉上王冠的會議。會議之後，楚兵團立即出擊，隨國軍隊再度大敗，只好淪爲楚王國的附庸。

——我們應注意申國的行動，申國跟周王朝皇族，是舅父跟外甥的關係，姬宮涅和褒姒的被殺，以及周政府的東遷，都由申國引發。現在也因周王朝衰落，不得不向一個風俗習慣不同，言語不通的野蠻民族屈膝。

楚王國建國過程中，最大的一件事是接受了中華民族的方塊文字。他們可能在上世紀（前九）之前就已經接受，但我們注意的不是時間，而是他們終於接受的事實。此一事實使中華、楚兩大言語相異的民族，因文字類別統一的緣故，最後終於融化為一個民族。假使那時候中國跟緋尼基人一樣使用拼音文字，楚王國必然用字母拼出他們的文字，經過七百餘年的對抗，各自發展各自民族的和鄉土的文學，兩個民族只會越離越遠。這是方塊文字第一次顯示它的功能。這功能在大分裂時代再次顯示，在滿洲民族的清王朝入主中國後，第三次顯示。

五、衛國新台醜聞

本世紀（前八）最後一年（前七〇一），衛國發生新台醜聞。

八〇年代衛州吁死於反政變之後，衛國即由衛州吁的弟弟衛晉，繼任國君。衛晉在年輕時已經十分荒唐，跟他的庶母夷姜私通，生下一個兒子，名衛急子，意思是急急而來的兒子，這件嚴重背叛禮教的亂倫事件，當然絕對祕密，所以只好把孩子寄養在民間。等到衛晉當了國君，具有不再在乎抨擊干預的權力時，才向外公開，並且立為太子。

衛急子成年之後，老爹衛晉遣使臣前往齊國，禮聘齊國國君的女兒宣姜，作為衛急子的妻子。事情就出在這位多嘴的使臣身上，他從齊國回來後，把宣姜的美貌大加渲染，老爹衛晉聽了，神魂飄蕩，就在淇水河畔，建築一座非常豪華的宮殿，命為「新台」，然後教衛急子出使宋國。衛急子一走，衛晉就派人去齊國迎親，把宣姜直接迎到新台。等到衛急子回國，宣姜已由妻子變成庶母。宣姜最初以為她的丈夫是一個英俊青年，忽然出現一個老漢，當然大失所望。不過失望之後，跟那種勢利眼的女人一樣，只要能掌握現實富貴，也就十分快活，而且連生了兩個兒子：衛壽、衛朔。有了兩個兒子，宣姜開始考慮到未來，感覺到她的前任未婚夫的存在，是一個定時炸彈，必須排除。老爹同意她的見解，獸性再度發作，對兒子興起殺機。

恰巧齊國攻擊紀國（山東壽光南紀台村），要求衛國出兵相助，老爹衛晉命衛急子前往齊國約定會師日期。一面卻暗中派出武士，偽裝做強盜，埋伏中途，吩咐說：「看見懸掛白色牛尾的船隻，即行動手，殺死之後，憑牛尾領賞。」

——白色牛尾，當時是一種代表封國使節的標幟。

這個陰謀屬於高度機密，然而卻被宣姜的大兒子衛壽探知，他對邪惡的老爹老娘無可奈何，但他卻把這消息通知長兄衛急子，勸他逃走。衛急子拒絕相信父親會殺死親生兒子。衛壽不得已，設宴給他餞行，把他灌醉，留下一張字條說：「我已代你前往，請快逃命。」然後將白色牛尾插在自己船頭出發，到了埋伏地點，「強盜」是只認白色牛尾不認人的，當然把他殺掉。衛急子酒醒之後，大驚說：「我應該追上救他。」可是當他追到，弟弟已死。他放聲痛哭，責備「強盜」殺錯了人，「強盜」自不能允許正主仍然活着，於是再把衛急子殺掉。

新台醜聞所以重要，在於它說明：多妻制度下的中國宮廷，是一個黑暗的，人性淪喪的毒蛇穴窟。父母夫婦和兄弟姊妹兒女，在忠孝仁愛禮教喊不絕口之下，爲了淫慾或繼承，而互相猜忌陷害，互相殘殺吞食。並且隨着歷史的發展，一個王朝比一個王朝更窮凶極惡。

六、東西方世界

——二〇年代・紀元前七七六年（周王朝十二任王姬宮涅被殺前五年），希臘人在奧林匹克平原舉行競技大會，以紀念天神宙斯。奧林匹克運動會自此始，希臘信史時代也自此始，較中國晚六十五年。

——四〇年代・紀元前七五三年（春秋時代前三十一年），羅馬王國建立，由母狼餵養長大的弟兄二人：羅慕路、勒莫，興築羅馬城。

——五〇年代・紀元前七四五年（晉國國君姬伯，封他的叔父姬成師於曲沃），亞述部落滅巴比倫帝國，建亞述帝國。

——七〇年代・紀元前七二二年（春秋時代開始），亞述攻陷以色列首都撒馬利亞城，以色列王國亡。

第七章　紀元前第七世紀

本世紀，封國間的戰爭升高，戰敗者只有兩條路可走：一是向戰勝國乞和，當戰勝國的尾巴國，即所謂接受「城下之盟」。一是想當尾巴國而不可得，被戰勝國併吞。周王朝初期，各封國的面積，相差不大，經過不斷的併吞之後，就呈現懸殊的現象。強大的封國不斷吃下弱小的封國而日益膨脹，小封國的數目因不斷被吃而日益減少，未淪亡的小封國也因不斷被蠶食而更加縮小。

封國內部，受到國際社會的衝擊，和土地兼併的影響，國君不斷的被敵國或被本國政變所放逐或殺戮。

然而，無政府狀態的國際社會，不久即被納入霸權秩序。一個超強的封國，用他強大的兵力和威望，代替沒落的周王朝的中央政府，行使職權。一方面保護弱小的封國不受其他強大封國的侵略，一方面保護國君的傳統利益不受國內新興力量的冒犯。這種霸權形態，成爲本世紀最大特徵。

一、封國的併吞與逐君殺君（上）

周王朝所屬封國，到底有多少，沒有人知道。僅在末期，只就有記載的而言，就有一百七十餘國。這些封國除了國王下令撤銷，或子孫斷絕自然消滅外，永不會滅亡。然而上世紀（前八）時，胡國卻亡於鄭國。進入本世紀（前七），強大的封國更大批併吞無力自衛的一些相鄰的小封國，諸如：

一、齊國併吞——譚國（山東章丘），郕國（山東寧陽），鄣國（山東東平東障城鄉），陽國（山東沂南），紀國（山東壽光南紀台村），遂國（山東肥城西南），宿國（山東東平東）。

二、晉國併吞——霍國（山西霍州），魏國（山西芮城），耿國（山西河津），虢國（河南三門峽），樊國（河南濟源），虞國（山西平陸）。

三、狄部落併吞——衛國（河南淇縣，不久遷於漕邑，即河南滑縣復國，後再遷楚丘，即河南滑縣東，不久又遷於帝丘，即河南濮陽），溫國（河南溫縣），邢國（河北邢台，不久遷於夷儀，即山東聊城復國）。

四、秦國併吞——西虢國（陝西寶雞），梁國（陝西韓城），芮國（陝西大荔），滑國（河南偃師東南），鄀國（河南淅川。不久於上鄀，即湖北鍾祥西北復國），蜀國（四川成都）。

五、楚王國併吞——息國（河南息縣），弦國（河南息縣南），黃國（河南潢川），夔國（湖北秭歸），江國（河南正陽南），六國（安徽六安），庸國（湖北竹山），巴國（四川重慶），申國（河南南陽），呂國（河南南陽北），宗國（安徽盧江），蓼國（河南固始東北），舒國（安徽廬江西南），舒蓼國（安徽舒城南），鄧國（湖北襄樊北）。

六、邾國併吞——須句國（山東東平西須句城，不久復國）。

七、衛國併吞——邢國（山東聊城）。

八、魯國併吞——項國（河南沈丘），須句國（山東東平西須句城），戎國（山東曹縣西北）。

一百七十餘封國，大部份太小和太不重要。它們有些僅只在史料上出現一次或數次，便如石沉大海。所以事實上，只有左列十一個封國和一個王國，在春秋時代扮演重要角色：

一、晉國　首府鄂邑（山西鄉寧），稍後遷至絳城（山西翼城）

二、齊國　首府臨淄（山東淄博東臨淄鎮）

三、秦國　首府平陽（陝西寶雞東），稍後遷至雍邑（陝西鳳翔）

四、鄭國　首府新鄭（河南新鄭）

五、宋國　首府商丘（河南商丘）

六、魯國　首府曲阜（山東曲阜）

七、衛國　首府帝丘（河南濮陽）

八、陳國　首府宛丘（河南淮陽）

九、蔡國　首府上蔡（河南上蔡）

十、曹國　首府陶丘（山東定陶）

十一、許國　首府許丘（河南許昌）

十二、楚王國　首都枝江（湖北秭歸），稍後遷至郢都（湖北江陵）

從前的封國，只不過僅有一個城市或一個村落。本世紀（前七）開始後，疆域膨脹，所擁有的城市和村落漸多，各封國才有首府的建立，逐步向獨立王國邁進。

封國間的互相併呑，和封國國內因之引起的緊張情勢，使本世紀（前七）就發生了四十餘件逐君殺君的事件。我們不能一一敘述，只把它列爲左表，代替說明。

——表中所稱「公子」，是指封國國君的兒子，所稱「王子」，是指王國國王的兒子。不過並不一定是指現任國君國王的兒子，他可能是前任國君國王的兒子或幾代之前某一位國君國王的後裔；所謂「公子」「王子」，只是表示他的貴族身份。

年代	年份	國別	事變
〇〇	前六九八	秦國	諸大臣使強盜襲殺國君嬴出子。（不知道什麼原因。）

	前六九七	鄭國	大臣祭仲逐國君姬突，迎立上世紀（前八）被罷黜的國君姬忽復位。（姬突上世紀好容易爬上寶座，他不但不感謝祭仲，反而嫌他專權，打算殺祭仲，他不是老奸巨滑祭仲的對手。）
	前六九六	衛國	諸公子逐國君衛朔，立他的弟弟衛黔牟。（衛朔是新台事件的幼子，爲貴族們所不容。）
	前六九五	鄭國	大臣高彌渠殺國君姬忽，立他的弟弟姬亹。（姬忽太庸碌了，他沒有從打擊中學到一點東西。）
	前六九四	魯國	國君姬允赴齊國，被齊國國君姜諸兒暗殺。（這又是一件宮廷醜聞，下一節我們將談到它。）
		鄭國	國君姬亹應邀到齊國開會，被齊國國君姜諸兒殺掉。（姜諸兒宣稱，爲了主持正義，對弒君的人，必須懲處。）
一〇	前六八八	衛國	齊、宋、陳、蔡、魯五國聯軍強送前任國君衛朔返國復位，現任國君衛黔牟逃亡。
	前六八六	齊國	將領連稱殺國君姜諸兒，立公子姜無知。（連稱是邊防軍司令，駐防期滿而姜諸兒拒絕履行自己的諾言把他們調回，宣稱國君有權作任何決定，下一節我們也將談到它。）

前六八五	齊國	大臣雍廩殺國君姜無知，立公子姜小白。（去年動亂的延續。）
前六八四	蔡國	楚王國擄蔡國國君蔡獻舞，不久又釋放。（這是有名的「息夫人」的故事，蔡獻舞對美麗的小姨息夫人無禮，息國國君乃跟楚王國結盟，設計擄蔡獻舞報復。蔡獻舞即向楚王芈熊貲極力稱讚息夫人美貌絕倫，楚遂滅息國，擄息夫人而去。）
前六八二	宋國	大將南宮萬殺國君子捷，立公子子游。諸公子又殺子游，立公子子禦說。（子捷跟南宮萬原是好友，南宮萬曾被鄭國俘擄，子捷嘲笑他是囚徒，嚴重的傷害了南宮萬的自尊，激起殺機。）

二〇

前六八〇	鄭國	大臣傅瑕殺國君姬嬰，迎立〇〇年代被罷黜的姬突復位。（姬突原用賄賂買通傅瑕，復位後第一件事就是把傅瑕殺掉。）
前六七九	晉國	公子姬稱起兵攻殺國君姬緡，自立。（姬稱自祖父起，經五十餘年的奮鬥，終於篡奪到政權。）
前六七五	周王國	王子姬頹起兵逐國王姬閬，自立。（衛國、南燕國【河南延津】，幫助姬頹。）
前六七三	周王國	鄭、虢兩國聯軍攻殺現任國王姬頹，迎立被罷黜的前任國王姬閬復位。

	前六七二	楚王國	王子芈熊頵殺國王芈熊艱，自立。（二人本是兄弟，當哥哥的企圖殺弟弟，反被弟弟先行下手。）
三〇	前六六二	魯國	公子姬慶父殺國君姬般，立姬般的弟弟姬啓。（姬慶父是姬般、姬啓的叔父。）
四〇	前六六〇	魯國	公子姬慶父又殺國君姬啓。（姬慶父最後的目的是坐上寶座，但他連弒二君，做的太過火了，以致觸怒全體貴族，只好逃亡。）
		衛國	狄部落攻殺國君衛赤。（衛赤養有龐大鶴群，每隻都有優厚的俸祿。狄軍來攻時，人民和武裝部隊一哄而散。）
	前六五六	蔡國	齊國擄蔡國國君蔡肸，不久又釋放。（齊國國君姜小白的寵妃蔡姬，是蔡國女兒，一次發生口角，把她送回，蔡國迫不及待的就把她另行嫁人，姜小白怒不可遏，乘遠征楚王國之便，順便報仇。）
	前六五一	晉國	大臣里克殺國君姬奚齊，姬奚齊的弟弟姬卓子繼位。里克再殺姬卓子，迎立公子姬夷吾。（里克連弒二君，目的就是迎立姬夷吾，他的情形跟衛國的傅瑕不同，但結果相同，姬夷吾一上台便翻臉告訴他：「當你的國君太危險了。」里克只好自殺。在第四節時，我們會再談到。）
五〇	前六四五	晉國	秦國擄晉國國君姬夷吾，不久又釋放。

前六四三	齊國	諸公子起兵互鬥，國君姜小白餓死，他的兒子姜無虧繼位。
前六四二	齊國	貴族們殺國君姜無虧，迎立前太子姜昭。（齊國這才算安定下來。）
前六四一	滕國	國君姬嬰齊到曹國會盟，遲到，宋國予以囚禁，不久又釋放。（宋國國君子滋甫打算稱霸，用此展示他的威風。）
	鄫國	國君到曹國會盟，宋國把他綁到次睢之社（山東臨沂）殺掉祭天。（我們不知道他的罪狀，同是封國，子滋甫卻把別的國君像豬一樣宰掉，國際社會的形態，可一日了然。）
六〇		
前六三九	宋國	國君子滋甫到盂邑（河南睢縣）會盟，楚王國把他囚禁，半年後才釋放。（子滋甫是一個凶惡的笨伯，這一次形勢恰恰翻了過來，楚王國就在會場上把他逮捕。）
前六三六	晉國	公子姬重耳殺國君姬圉，自立。（參考第四節。）
	周王國	王子姬帶逐國王姬鄭，自立。（這又是一件宮廷醜聞，姬帶是姬鄭的弟弟，弟弟跟嫂嫂王后私通，姬鄭把王后囚禁，姬帶就採取軍事行動。）
前六三五	周王國	前任國王姬鄭得晉國大軍相助，攻殺現任國王姬帶，復位。
前六三二	曹國	晉國擄曹國國君曹襄，不久又釋放。（晉楚爭霸中城濮之役的前奏。）

		衛國	晉國攻衛，衛國國君衛鄭出奔楚王國，命他的弟弟衛武繼位乞和。晉命衛鄭返國，衛鄭卻射殺衛武，復位。晉國擄衛鄭，立公子衛瑕。（這是城濮之役前後國際間縱橫捭闔的大事件之一。）
七〇	前六三〇	衛國	前任國君衛鄭再返國，殺現任國君衛瑕，復位，首府遷往帝丘（河南濮陽）。（衛鄭是一個典型惡棍，但他的謀略和賄賂使他勝利，終於擺脫晉國的盛怒。）
	前六二六	楚王國	太子芈商臣殺他的父親現任國王芈熊顒，自立。（老爹打算廢掉芈商臣而另立幼子當太子，密謀泄露，芈商臣是中國歷史上第一個弒父的君王。）
八〇	前六二〇	宋國	諸公子殺國君子禦，立公子子杵臼。（宋國國君子王君逝世，他的弟弟子禦把太子殺掉，自立，貴族們不接受這種篡奪。）
	前六一三	齊國	公子姜商人殺國君姜舍，自立。（齊國國君姜潘逝世，兒子姜舍繼位，姜潘的弟弟姜商人把侄兒殺掉，自坐寶座，他的篡奪完全成功。）
	前六一一	宋國	祖母王姬，殺他的孫兒國君子杵臼，立他的弟弟子鮑。（子杵臼過度荒唐，咎由自取。）
九〇	前六〇九	齊國	大臣殺國君姜商人，立公子姜元。（姜商人凶暴，眾叛親離。）

	莒國	太子己僕殺他的父親現任國君己庶其，後逃亡魯國。貴族立公子己季佗。（己庶其寵愛幼子己季佗，又對國人無禮。）
前六〇七	晉國	大臣趙穿殺國君姬夷皋，立公子姬黑臀。（姬夷皋是春秋時代最大的暴君，當他想殺宰相趙盾時，趙盾的侄兒趙穿先行動手。）
前六〇五	鄭國	公子姬宋殺國君姬夷，立公子姬堅。（這是有名的「食指大動」故事，姬宋每食指動時，必嚐異味，當他晉見姬夷時，食指大動，恰巧姬夷在吃異味黿肉，姬宋以爲會請他吃，姬夷故意不給，用以表示所謂食指大動並不靈驗。姬宋大怒，伸手到鍋子裏沾起肉汁嚐一下，揚長而去。姬夷也大怒，準備殺他，結果反斷送殘生。）

現在，我們可以看出封國統治者的恐慌之情，他們不但面臨隨時被鄰國併呑的威脅，也面臨隨時被國內反抗力量趕走和殺掉的威脅。國王和中央政府既無力維持舊有的秩序，它的那些禮教因之也不能發生拘束的作用。現實的現象是，無論國際社會或國內社會，力量決定一切。

封國統治者都渴望有一位主持正義的英雄人物出現。他們所謂的正義，當然是指保護現存的封國不再被併呑，和保護他們自己不再被逐被殺。於是一些野心勃勃的國君開始往這個目標奮鬥，而且脫穎而出。他們並不希望建立自己的王朝，也不希望統一中國，只是希望建立霸權，成爲一個霸主，諸封國以他的馬首是瞻，就大大的心滿意足了。在這種霸權政治形態之下，霸主代替周王朝國王和中央政府的地位。封國本應朝見國王的，現在改爲朝見霸主。本應向國王進貢的，現在改爲向霸主進貢。糾紛爭執本應請國王審理的，現在改請霸主審理。受侵略時本應向國王控訴求救的，現在改向霸主控訴求救。霸主唯一的依靠是武力而不是法理，所以職位不能世襲。武力衰弱時，霸權轉移，霸主資格即行消失。

二、五霸

春秋時代，先後興起五個霸權，史學家稱爲「春秋五霸」，即齊國、晉國、秦國、楚王國、吳王國。前四國在本世紀（前七）出現，後一國在下世紀（前六）出現。我們歸納爲左列一表：

霸國	創業霸主	霸權起訖	時間
齊國	國君姜小白	本世紀（前七）二〇年代—五〇年代	約四十年
晉國	國君姬重耳	本世紀（前七）六〇年代—再下世紀（前五）一〇年代	約一百六十年
秦國	國君嬴任好	本世紀（前七）五〇年代—七〇年代	約三十年
楚王國	國王羋侶	本世紀（前七）九〇年代—下世紀（前六）九〇年代	約一百一十年

吳王國	國王吳光	下世紀（前六）九〇年代—再下世紀（前五）一〇年代	約三十年

每一個霸權都曾烜赫一時，但沒有一個霸權能伸展到全中國——猶如十九世紀和二十世紀沒有一個霸權能伸展到全世界一樣。他們只能在它自己的周圍建立勢力，齊國霸權限於東方，晉國霸權限於北方，秦國霸權限於西方，楚王國和吳王國霸權限於南方。當齊國稱霸時，秦國不受影響。楚王國稱霸時，燕國也不受影響。齊秦兩國是短期霸權，霸主身死，霸權即歸消失，吳王國也不過父子兩世，倏興倏滅。只有晉楚二國是長期霸權，陸續綿延一百餘年，鬥爭十分激烈。霸權決定於武力，武力顯示於戰爭。一場大戰下來，晉國勝則晉國霸。又一場大戰下來，楚王國勝則楚王國霸，所以春秋時代也是國際爭霸時代。

五霸的第一霸齊國，他的國君姜小白是一位充滿傳奇故事的人物。

姜小白上一任的國君是他的哥哥姜諸兒，姜諸兒冥頑不靈而又一意孤行，他最荒唐的一件事是跟妹妹文姜通姦。文姜嫁給魯國國君姬允，〇〇年代紀元前六九四年，姬允夫婦到齊國訪問，一對狗男女重溫舊夢。姬允發現了醜聞，大怒之下，立即辭行回國。兄妹當然想到回國後會發生什麼事，於是命大力士彭生，在扶姬允上車時把他扼死。魯國明知道內情，因軍事力量太弱，無可奈何。只好單單指控彭生，要求懲凶。姜諸兒就把彭生殺掉，一則推卸責任，一則滅口。但人們已經嗅到一種不祥的氣味，諸公子紛紛逃亡。其中一位是姜諸兒的弟弟姜糾跟他的智囊管仲，投奔魯國，另一位也是姜諸兒的弟弟姜小白跟他的智囊鮑叔牙，投奔莒國（山東莒縣）。

彭生死後第八年（一〇年代前六八六年），姜諸兒到郊外打獵，發現一頭野豬，姜諸兒連射三箭，都沒有射中。那野豬卻忽然舉起前蹄，像人一樣的站起來，發出慘叫。姜諸兒驚恐中看那野豬竟然是已死的彭生，魂不附體，一頭就從馬上撞下來。等到救起時，一隻鞋子卻不見了。當天晚上，就發生大將連稱指揮的兵變，當叛軍怎麼找都找不到姜諸兒，正要放棄努力時，在一個暗道旁邊看到那隻鞋子，於是把姜諸兒抓出來，亂刀殺死。民間堅信這隻鞋子是彭生的鬼魂放在那裏的。

連稱立姜諸兒的堂弟姜無知當國君，不久又發生政變，連稱跟姜無知一齊被殺。遠在外國的姜糾和姜小白得到消息，分別由他們所居留的封國，派遣軍隊，護送他們回國。這是一個長距離賽跑，誰先到首府臨淄（山東淄博東），誰就能成爲一國之主。管仲深恐姜小白先到，他單人獨馬先行追趕，途中聽說莒國軍隊護送着姜小白已經過去了，他快馬加鞭，終於趕上，他假裝着恭順，上前拜見姜小白，然後猛的向姜小白射出一箭。姜小白大叫一聲，口吐鮮血，從車子栽下來。管仲大喜過望，上馬逃走。

然而姜小白並沒有死，那一箭正射中他腰皮帶上的銅鉤。管仲是有名的神射手，姜小白恐怕他再來一箭，所以立刻故意栽倒，這是他超人的機智。等他到了臨淄，坐上寶座，姜糾才趕到，已來不及了。魯國軍隊發動攻擊，又被擊敗，不得不接受這個現實，向姜小白要求和解。姜小白的條件是：殺掉姜糾，縛送管仲——因爲他那一箭，要對他作最嚴厲的懲處。魯國答應了，姜糾身死，管仲被囚入戒備森嚴的囚車，送回臨淄。任何人都不會想到，姜小白對管仲所作的最嚴厲的懲處，是任命他擔任齊國的宰相。

這件高度戲劇化的舉動，緣自於智囊鮑叔牙。姜小白最初請鮑叔牙當宰相，鮑叔牙竭力推薦管仲。姜小白把管仲從囚車中放出，促膝長談，連續三天三夜，相見恨晚。當宰相的命令發表時，國內國外無不震驚，尤其是魯國，馬上就警覺到受了愚弄。齊國霸權從此開始，姜小白的霸業即管仲的霸業，姜小白只是軀殼，管仲才是靈魂。但姜小白更爲偉大，因爲他能任用管仲。

三、齊國霸權的興衰

姜小白是最受讚揚的一位霸主，在他稱霸的四十年中，曾召集過國際和平會議二十六次，出動軍隊二十八次，一直保持着春秋時代初期那種兵農合一的樸實氣氛和貴族騎士風度，而這些在以後的霸主中便不再見。姜小白的兵力並不是壓倒性的，他曾經兩次進攻魯國，兩次都被擊敗。但他終於使魯國領悟到跟一個強大的鄰國爲敵，雖然勝利也是一種不幸，因而承認齊國的霸主地位。

姜小白的政治號召是「尊王攘夷」，即尊奉周王朝國王跟排斥蠻族。冷落在洛陽一隅的國王，已經沒有幾個人記得他了。現在姜小白重新把他從廢物箱裏找出來，放到尊貴的神壇上，每次會盟和每次軍事行動，都宣稱是奉中央政府之命，並由國王的特使坐在首席，以證明確實如此。這種做法對任何人都沒有害處，卻可以減少嫉妒，減少各封國的自卑。統治階層因他們的既得利益又回到從前的那種被尊重的好日子，所以很樂意接受這種假國王眞霸主的領導。

至於排斥蠻族，在當時最嚴重的是戎狄部落的侵略。周政府沒落之後，戎狄部落的壓力全部落到相鄰的封國身上。單獨一個封國的力量，很難抵抗。這種必須集結更大力量才能救亡的艱苦責任，現在由霸主承擔，姜小白遂成爲中華文明的保護人。「尊王」是容易的，只要在儀式上做出熱中就夠了，姜小白做的最好也最熱鬧。但「攘夷」是沉重的，那需要實力，不過至少有四件事，是他的成就。

第一、北方山戎部落於三〇年代紀元前六六四年，進攻燕國（北京），燕國向齊國求救。姜小白親自赴援，把山戎部落擊潰。這是一次決定性的勝利，使燕國在未來的一百餘年間，再沒有嚴重的外患。姜小白在勝利後，即行撤退，燕國國君送客，不知不覺送到齊國國境，姜小白根據「國君不出境」的古老規則，立即把那一塊土地割給燕國。

第二、狄部落於四〇年代紀元前六六〇年，進攻衛國（河南淇縣）。衛國國君衛赤，是一位優秀的愛護動物協會的會員，但不是一位優秀的國君。他最愛養鶴，每一隻鶴都有一個官位，享受豐富的俸祿，而人民卻窮苦不堪，當狄部落發動攻擊，衛赤徵集人民入伍時，人民喊說：「讓鶴去打仗吧。」狄部落攻陷衛國後，竟把衛赤煮了吃掉。衛國潰敗的太快，霸主沒有來得及救援，但姜小白仍爲它的殘民，在東方四十公里的漕邑（河南滑縣）地方，另築一個新都。

第三、狄部落於大獲全勝後的明年（四〇年代前六五九），再進攻邢國（河北邢台），邢國又陷落。齊國也爲它在夷儀（山東聊城）地方，另築新城，收集殘民。

第四、齊國和他的加盟國聯軍，於四〇年代紀元前六五六年，遠征到漢水，向不斷向北推進的楚王國，展示威力。楚王國的使節屈完到聯軍司令部質問說：「齊國在北海，楚國在南海，風馬牛各不相干。你們找上門來，有什麼貴幹？」姜小白說：「楚國既然自稱是中國的封國之一，爲什麼不肯進貢？國王姬瑕南征時，死因不明，請你們答覆？」

——姜小白的問話必須加以註解。楚王國爲了執行北進政策，跟中華民族猛拉關係，曾經宣傳他們是黃帝王朝的官員祝融（後來成爲火神）的後裔，曾被周王朝封爲子爵，規定每十年進貢一車茅草。而姬瑕溺死，則是三百多年前古老的故事了。

屈完回答說，進貢這件事很抱歉，一車茅草算不了什麼，他們馬上就拉一車去。至於那位偉大的國王姬瑕之死，他們不知道原因，齊國一定要調查原因的話，屈完建議直接去問漢水。姜小白顯然的不敢跟楚王國作戰，所以只提出兩項屬於閒扯的、不關痛癢的問題。所以他立刻表示對屈完的回答十分滿意，凱旋而歸。這是有名的「召陵之會」（召陵，河南郾城），雖然虎頭蛇尾，卻使楚王國的北進政策，第一次受到阻撓。

五〇年代紀元前六四五年，管仲逝世。

管仲病危時，警告姜小白說，他的三位親信豎刁、易牙、衛開方，絕不可使他們掌握政治權力。

——豎刁，是姜小白最親信的宦官，他本來不是宦官的，為了能貼身服侍他所敬愛的國君，自願接受宮刑。易牙，是一位精於烹飪的專家。有一天，姜小白說：「什麼肉我都吃過，只沒有吃過人肉。」當天晚餐，就有一盤蒸肉，異常的鮮美。姜小白大大的讚賞他，易牙說：「這是我三歲兒子的肉，我聽說忠臣不顧惜他的家人，所以奉獻給國君。」衛開方，是衛國的一位貴族，他追隨姜小白十五年，都沒有回家。對這三位人物所表演的一臉忠貞，姜小白至為感動。

管仲分析說：「人性是這樣的，沒有人不愛自己超過愛別人，如果對自己身體都忍心殘害，對別人豈不更忍心下毒手！沒有人不愛自己的兒女，如果連自己的兒女都能下得狠心，他對誰下不得狠心？沒有人不愛自己的父母，如果十五年之久都不想見父母一面，連父母都拋到腦後，對其他的人又有誰不會拋到腦後？」姜小白問：「這三個人在我身邊很久，你從前怎麼不提？」管仲說：「國君在私生活中，應該享有他的癖好，否則當國君便沒有絲毫樂趣了，但這些癖好必須不干擾到國家大事。我死之前，還可以防止他們。我死之後，恐怕他們會像洪水一樣的潰決。」姜小白一生都在管仲指導之下，只有這件事他大大的不以為然。

兩年後，五〇年代紀元前六四三年，姜小白生病沉重，不能起床。豎刁、易牙發現姜小白已沒有利用價值，效忠已不能帶來利益，於是決定殺掉太子姜昭，擁立姜小白的另一個兒子姜無虧，這樣他們就可以順理成章的取得宰相的高位。於是下令禁止任何人出入寢宮，三天之後，姜小白仍然不死，豎刁、易牙勃然大怒，把姜小白左右服侍的人，全部逐走。又在寢宮四周，築起圍牆，隔絕內外，姜小白不得不餓死在他的病榻上。餓死之後，蒼蠅雲集，屍體腐爛生蛆。一直等到蛆的數目多到爬出圍牆之外，人們才想到這位英雄已死。

以後發生的事是，太子姜昭逃到宋國（河南商丘），豎刁、易牙擁立姜無虧，衛開方擁立另一位公子姜潘，其他又有兩位公子姜商人、姜元，也紛紛自稱國君，四位國君各自宣稱是合法繼承人，就在首府臨淄廝殺混戰，一直混戰到明年（前六四二），宋國軍隊護送姜昭回國，才算結束亂局。然而齊國的霸權卻告終止。唯一的安慰是，靠着管仲建立下來的法治基礎，齊國雖然軍事力量不振，但始終是一個政治大國和一等強國。當晉國霸權鼎盛時，也只能把齊國當作同盟國，不敢把齊國當做尾巴國。

四、晉國長期霸權

齊國霸權沒落後，晉國霸權興起。

晉國國君姬詭諸，有三個兒子，長子姬申生已立爲太子，次子姬重耳，三子姬夷吾。後來姬詭諸又娶了驪姬姊妹，生下姬奚齊、姬卓子。驪姬懷着掌握大權的野心，決定奪嫡——奪取嫡長子繼承人的位置。奪嫡一定引起流血，但驪姬甘願冒這個危險。而年老的丈夫幾乎很少有人能逃出年輕貌美後妻的手心，姬詭諸同意驪姬奪嫡，於是把姬申生殺掉。他的兩個弟弟姬重耳和姬夷吾，一看老爹已瘋狂的喪失了人性，就分別逃亡外國。四〇年代紀元前六五一年，姬詭諸逝世，十一歲的姬奚齊繼位。驪姬的作風早引起貴族們的憤怒，老爹一死，冰山倒塌，只兩個月，大臣里克發動政變，姬奚齊被殺。驪姬再立姬卓子，也只兩個月，里克發動第二次政變，姬卓子和驪姬同時被殺。

逃亡在梁國（陝西韓城）的姬夷吾聽到消息，唯恐怕逃到翟國（山西吉縣西北）的哥哥姬重耳比他先行回國，就向秦國國君，也是他的妹夫嬴任好求助，允許割五個城市作爲酬勞。嬴任好派軍隊護送姬夷吾回去。可是姬夷吾坐上金鑾殿後，立即食言。五〇年代紀元前六四五年，秦國大舉進攻，姬夷吾兵敗被俘，幸而他的妹妹爲他求情，沒有把他殺掉，反把他放回，除了照割五城外，還送太子姬圉到秦國作爲人質。

嬴任好待姬圉像親生兒子，把最心愛的女兒懷嬴嫁給他。可是，五年後的六〇年代紀元前六三八年，姬圉聽說老爹病危，恐怕其他兄弟乘老爹死時奪取寶座，心急如焚，就拋下懷嬴，私自逃回晉國，這使嬴任好大爲震怒，認爲他們父子全是忘恩負義之徒。恰巧姬重耳流亡到秦國，嬴任好就再把懷嬴嫁給姬重耳。懷嬴本是姬重耳的侄媳，爲了政治利益，姬重耳也顧不得最尊貴的禮教名份了。明年（前六三七），姬夷吾逝世，姬圉繼位。又明年（前六三六），強大的秦國兵團護送姬重耳，強渡黃河，攻陷晉國首府絳城（山西翼城），姬圉被殺。姬重耳即位，他這時候已六十二歲了，距他四十三歲時逃亡，流浪了二十年。

姬重耳是五霸中的第二個霸權的創業霸主，在晉國內部不斷的動亂之後，本沒有這個可能性。但他當上國君不久，就碰上兩個機會——正應了中國一句諺語：「好運氣來了山都擋不住。」

第一、周王國的宮廷發生醜聞，第二十任王姬鄭的妻子翟后，跟姬鄭的弟弟姬帶私通，被姬鄭發現。沒有幾個男人對綠帽子不起劇烈反應的，何況他又是一個國王。姬鄭把翟后廢掉，還要逮捕姬帶，姬帶逃到翟國（山西吉縣西北），憑他的三寸不爛之舌，把翟國國君說的大大光火，派出軍隊隨姬帶前往洛陽，去搭救囚禁中的女兒。姬帶於是攻陷洛陽，立翟后當王后，自己稱王。姬鄭既失去妻子，又失去寶座，狼狽的逃到鄭國的氾城（河南襄城），四顧茫然，前途暗淡。在過去他可以向霸主姜小白呼籲，現在姜小白去世，已沒有霸主，他面臨的是一個絕望的局面。姬重耳迅速的抓住這個機會，發兵勤王。姬帶不提防這個奇襲，於是跟翟后一同被殺，姬鄭復位。

第二、周王國內亂平息後的第二年，楚王國率領它的加盟國聯軍，進攻宋國。宋國向晉國乞援，這是推尊霸主的一種強烈表示。姬重耳面臨抉擇，這一次的對象不是花花公子姬帶，而是龐然大物的楚王國。但是他如果畏縮，他便得安於第二流國家的地位。最後，他決定出兵。爲了先解宋國之圍，他逕行攻擊楚王國的東方尾巴國衛國（河南滑縣東）和曹國（山東定陶）。兩國原來都是齊國的尾巴國，現在卻成了楚王國的尾巴，可看出楚王國在姜小白死後只不過九年時間內的凌厲發展，這種發展只有軍事上的勝利才能遏止。楚兵團總司令成得臣放棄宋國，西上捕捉晉軍的主力。六〇年代紀元前六三二年，兩國在城濮（山東鄄城）

決戰。楚王國大敗，成得臣自殺。史學家稱這場決戰爲「城濮之役」。

晉國霸權自此確定。

姬重耳於七〇年代紀元前六二八年逝世，在位只九年，只有姜小白在位四十三年的五分之一。但姜小白身死霸滅，姬重耳身死之後，霸權仍然繼續。因爲姜小白所仗恃的只有一個管仲，管仲和管仲的繼承人都先姜小白而死。而姬重耳死後，當初跟隨他流亡在外的一批幹部，稱爲「六卿」的六大家族所組成的統治集團，卻一直穩定的存在。所以晉國霸權不像齊國那樣，一墮即碎。而是長期的，屢墮屢起，雖有衰退的時候，卻不斷重振。

五、秦國短期霸權

五霸中的第三霸是秦國，國君嬴任好介入國際社會，比姬重耳早，但他的逝世卻在姬重耳之後。

姬重耳逝世後的明年（七〇年代前六二七年），嬴任好命他的總司令百里孟明，統率精銳的秦兵團，向鄭國發動突襲。原來秦國有一小部份軍隊駐在鄭國協防，他們看到鄭國轉向晉國親善，大爲吃醋，就向秦政府密報說，他們現在正保管着鄭國城門的鑰匙，如果突襲的話，就可以把鄭國併吞。然而這件事在那個時代有極大的困難，秦國首府雍邑（陝西鳳翔）跟鄭國首府新鄭（黃帝王朝姬軒轅的故都·河南新鄭），航空距離六百公里，沿途盡是窮山惡水和羊腸小道，急行軍也要三十天以上，不可能完全保密。果然，秦兵團到了距鄭國還有八十公里的滑國（河南偃師東南），消息已經傳播開來。鄭國一位商人弦高正趕着一批牛群去洛陽販賣，立即偽裝為鄭國的使臣，把牛群趕到秦兵團軍營，宣稱奉了鄭國國君的命令，前來犒軍。百里孟明大吃一驚之餘，只好支支吾吾告訴弦高說，他的目標不是鄭國而是滑國。為了證明他不是說謊，就突襲倒楣的滑國，把它滅掉，然後撤退。

慘劇發生在撤退途中，洛陽以西一直到關中地區，有一座東西綿延一百八十公里的崤山山脈（二百年後紀元前五世紀，秦國完全控制崤山後，在它的西端築起聞名天下的函谷關，作為秦國東方的大門），崤山山脈主峰一千八百五十公尺，峰下群山開裂一線，懸崖絕壁，世稱「崤山峽谷」，只有一條僅可容納一輛戰車的小道，傍着萬丈深淵，盤旋曲折，下不見谷底，上不見天日。秦兵團進擊時沒有遇到阻攔，而現在卻埋伏下晉國大軍。秦兵團三百輛戰車和三千餘驍勇的士兵，到此無用武之地，全軍覆沒。

——世界上假如有一個國家，存心忠厚的不斷救助另一個國家的危難，最後反而被凶惡的反噬一口，那就是秦國對晉國了。晉國這次出境邀擊，不但是忘恩的，也是不明智的，從此跟秦國結下世仇。

這對嬴任好的霸權是一個挫折，幸好晉國國君姬歡在嫡母懷嬴（嬴任好的女兒）要求下，把被俘的百里孟明以下幾個高級將領釋放，才再給秦國一個機會。三年後（七〇年代前六二四年），百里孟明的軍隊訓練完成，向晉國報復，晉國不能抵抗。百里孟明再度進入崤山，埋葬那些被屠殺的秦國戰士的屍體。接着幾年之間，秦國征服鄰近的封國達十二個之多

——大部份國名已無法查考。連驅使周政府東遷的犬戎部落，也被消滅，秦國向西方開擴疆土達二百公里。

然而，秦國的霸權也是短期的。七〇年代最後一年紀元前六二一年，嬴任好逝世，霸權終結。這是人才被摧殘罄盡的必然結果。秦國地處偏僻，崛起的時代很晚，教育不發達，民智閉塞，高級知識份子本已寥寥無幾。嬴任好之能夠終於建立霸權，主要原因在於他任用了兩位有行政才能的宰相百里奚和蹇叔，但他們都是外國人，而且都已去世。百里孟明曾推薦出生於本國的三位高級知識份子：車奄息、車仲行、車鍼虎，他們是弟兄關係，因之人們稱爲「車家三良」。嬴任好死後，他的繼承人把百里孟明和車家三良全部殉葬，這種愚蠢的措施，使秦國又回到嬴任好之前的草昧時代。

六、楚王國問鼎事件

楚王國自上世紀（前八）起，即以雷霆萬鈞之勢，闖入中國的國際社會，並且一天也不停留的向東和向北侵蝕，僅只有兩次碰壁，一是本世紀（前七）四〇年代「召陵之會」，一次是六〇年代「城濮之役」。

——非常奇怪的一種現象，北方寒帶民族總是向南發展的，可是楚王國和稍後興起的吳王國和越王國，卻向北發展。大概北方在當時已高度開發，繁華世界具有更大的誘惑力，所以對尙是一片蠻荒的江南，視爲畏途。

兩次碰壁都不是致命打擊，楚王國雄厚的國力，不久就完全恢復。八〇年代紀元前六一四年，第六任王芈侶即位，發奮圖強。不久，晉國發生內亂，國君姬夷皋過度暴虐，被他的大臣殺掉，新君姬黑臀初立，跟宰相趙盾，正全力安定內部，在國際上採取低姿勢態度。這是天賜給芈侶的機會，他開始使他的王國成爲五霸中的第四個霸權，而且是長期霸權。九〇年代紀元前六〇六年，芈侶準備完成，遠征北方陸渾（即嵩山地區，距洛陽僅六十公里）的戎部落，把戎部落滅掉之後，順便率領大軍到洛陽近郊，向那可憐的周王展示威力，驚惶失措的國王姬愉急忙派他的大臣姬滿，攜帶大批慰勞品，前往探聽消息。在談話中，芈侶詢問九鼎的大小輕重。九鼎是九個三隻腳的大鍋。用當時最貴重的金屬青銅鑄成，據說每一個鼎代表夏王朝時代的一個州。周王朝掌有它，是作爲中國最高統治者的一種憑證。芈侶不過好奇，但姬滿立刻緊張起來，回答說：「周政府雖然衰弱，但天老爺仍支持它，九鼎的輕重，不宜過問。」芈侶馬上發現他已觸及到這個殘餘政權神經中最衰弱的一環，不禁大笑說：「請放心，我不會要你們的九鼎。僅只楚王國民間的掛鉤，就夠鑄出九鼎。」

——這麼尊貴的九鼎，應該是國寶中的國寶，但它的結局卻大大的出人意外。四個世紀後的紀元前三世紀，周王國最後一任王姬延，他被稱爲「羞愧之王」（赧王）。那時國土更小，政府更窮，姬延靠着向新興的商人們借債度日，負債累累，無法支持。他就悄悄的把九鼎熔化，陸續出賣還賬。等周王國被秦王國滅掉時，九鼎已賣了個淨光。

七、東西方世界

——三〇年代，紀元前六六八年（齊國國君姜小白救燕國前四年），亞述帝國名王阿賽班尼泊爾即位，重建尼尼微城，創立大圖書館。

——四〇年代，紀元前六六〇年（狄部落攻陷衛國，把衛國國君衛赤吃掉），日本帝國開國，神武天皇即位。

——五〇年代，紀元前六五〇年（姜小白逝世前七年），希臘開始霸主政治。

——七〇年代，紀元前六二一年（秦國國君嬴任好逝世，車家三良殉葬），雅典執政官德勒可編纂法典，用刑殘酷，偷一把蔬菜，即處死刑，被稱為「血法」。

——八〇年代，紀元前六一二年（楚王國六任王芊侶在位），閃族迦爾底亞部落攻陷尼尼微城，亞述帝國亡。迦爾底亞建都巴比倫故城，稱後巴比倫帝國。

——九〇年代，紀元前六〇五年（芊侶向周王國問鼎的次年），後巴比倫帝國名王尼布甲尼撒即位。

第八章　紀元前第六世紀

本世紀進入春秋時代後期，封國繼續不斷的被併呑，國君繼續不斷的被殺被逐。南方的楚王國跟北方的晉國，兩大長期霸權，也繼續不斷的對抗，焦點集中在爭奪位於中原的鄭國、宋國，戰爭不息。

太多的戰爭促成兩件大事，一是和平運動，一是晉國為了打擊楚王國，在楚王國背上悄悄插上一把利刃——扶植吳王國興起。和平的呼聲反應人心趨向，吳王國的興起促使楚王國的霸權終結。

一、封國的併呑與逐君殺君（中）

本世紀（前六）被大國併呑的小國，有紀錄的有左列的二十國，其中包括十二重要封國之一的許國。各滅亡之國能在臨覆亡時留下名字，說明它們當時已具有相當規模。

一、楚王國併呑——蕭國（安徽蕭縣），舒庸國（安徽舒城西南），舒鳩國（安徽舒城舒鳩城），賴國（湖北隨州東北），陳國（河南淮陽，不久復國），蔡國（河南上蔡，不久於河南新蔡復國），唐國（湖北隨州西北）。

二、晉國併呑——潞氏國（山西潞城），偪陽國（山東棗莊西南），鼓國（河北晉州），肥國（河北藁城）。

三、莒國併呑——鄫國（山東蒼山）。

四、齊國併呑——萊國（山東平度）。

五、魯國併呑——邿國（山東濟寧市東南），鄟國（山東郯城）。

六、蔡國併呑——沈國（安徽臨泉）。

七、吳王國併呑——徐國（江蘇泗洪），巢國（安徽巢湖），鍾吾國（江蘇新沂）。

八、鄭國併呑——許國（河南魯山）。

逐君殺君事件，跟上世紀（前七）一樣的層出不窮：

年代	年份	國別	事變
〇〇	前五九九	陳國	大臣夏徵舒殺國君嬀平國。（在第二節，我們將敘述這件事。）
	前五九八	陳國	楚王國逐陳國國君嬀午，但不久又准他復位。（去年動亂的延續。）
	前五九一	鄫國	邾國（山東鄒城南）殺鄫國國君。（不知道什麼原因。）

一〇	前五八二	鄭國	晉國囚鄭國國君姬睔，諸公子立他的庶兄姬繻。（這是晉楚爭霸中的一幕，鄭國傾向楚王國，於是晉國乘鄭國國君朝見時，把他囚禁起來報復。）
	前五八一	鄭國	諸公子殺國君姬繻，立其侄姬髡頑。晉國出兵驅逐姬髡頑，送前任國君姬睔回國復位。（這次政變，可以想像到跟晉國有關。）
二〇	前五七六	曹國	晉國擄曹國國君曹負芻，明年才釋放。（這是得罪霸主的懲罰。）
	前五七三	晉國	大臣欒書殺國君姬壽曼，立公子姬周。（姬壽曼聽他親信的話，殺掉大臣郤至全族，欒書、中行偃聯合起來再殺掉姬壽曼。）
三〇	前五六六	鄭國	公子姬騑殺國君姬髡頑，立他的兒子姬嘉。（姬髡頑粗暴傲狠，自以爲不可一世，對貴族毫無禮貌。這一年，在赴國際會議途中，又對姬騑端架子，姬騑就殺了他。）
四〇	前五五九	衛國	大臣孫林父逐國君衛衎，立公子衛秋。（衛衎跟姬髡頑犯同一毛病，他約孫林父午宴，孫林父赴宴時，衛衎卻在園子裏射天鵝，不理不睬。）
五〇	前五四八	齊國	大臣崔杼殺國君姜光，立他的弟弟姜杵臼。（姜光跟崔杼的妻子私通，崔杼在現場把他捉住。）

前五四七	衛國	大臣寧喜殺國君衛秋，迎立四〇年代被罷黜的前任國君衛衎，晉國把衛衎囚住，但不久就釋放。（這跟上世紀【前七】前六八〇年鄭國傅瑕迎立姬突復位的事件，一模一樣。晉國本來要懲罰衛衎的，但衛衎把他的女兒獻給晉國國君姬彪當妾，才被釋放，霸主的意義已跟姜小白時代大不相同。）
前五四四	吳王國	守門人殺國王吳餘祭，他的弟弟吳夷昧繼位。（不知道什麼原因。）
前五四三	蔡國	太子蔡般殺他的父親現任國君蔡固，自立。（又是一件宮廷醜聞，蔡般的妻子是楚王國女兒，老爹跟她私通，兒子就殺了老爹。）
前五四二	莒國	太子己展輿殺他的父親現任國君己密州，自立。（上世紀【前七】前六二六年楚王國芈商臣殺父事件的重演。）
	魯國	公子季孫宿殺國君姬野，立他的弟弟姬裯。（奪嫡陰謀。）
前五四一	莒國	公子己去疾逐國君己展輿，自立。（己去疾是己展輿的弟弟，去年老爹死時逃亡，今年返回發動政變。）
	楚王國	王子芈圍殺國王芈麇，自立。（芈麇臥病在床，身爲叔父的芈圍到寢室問疾，乘機把侄兒縊死。）

六〇	前五三九	燕國	諸大臣逐國君姬款，立姬悼公。（姬款準備使他的親信當權，大臣們聯合起來把他的親信殺掉，姬款大懼而逃。）
	前五三四	陳國	公子嬀招發兵圍國君嬀弱，嬀弱自縊死，立他的兒子嬀留。楚王國發兵討伐陳國內亂，嬀留出奔鄭國，陳國亡。（嬀招是嬀弱的弟弟，他跟庶子嬀留結盟，殺掉太子嬀偃師。這是一場奪嫡的鬥爭，結果把國鬥亡。幸而五年後楚王芈圍死掉，陳國才復國。是超級強國干涉尾巴國內政的普通形態。）
	前五三一	蔡國	楚王芈圍殺蔡國國君蔡般，蔡國亡。（芈圍雖然自己弒君殺侄，卻義正詞嚴的宣佈蔡般弒君殺父，必須加以懲罰。兩年後芈圍死掉，蔡國才復國。）
七〇	前五二九	楚王國	王子芈棄疾政變，國王芈圍自縊死。他的哥哥芈比繼位，芈棄疾再逼芈比自殺，芈棄疾自立。（我們在第五節將談到它。）
	前五二八	莒國	諸公子逐國君己狂，立他的叔父己庚輿。（不知道什麼原因。）
	前五二一	蔡國	諸公子逐國君蔡朱，立公子蔡東國。（蔡東國是蔡朱的叔父，楚王國當權大臣費無極接受了蔡東國重賄之後，宣稱：「蔡朱背叛楚國，楚國希望立蔡東國當國君，蔡國如果不自己處理，楚國將採取行動。」蔡國貴族大為驚慌，只好逐走蔡朱。這是超級強國干涉尾巴國內政的又一種形態。）

八〇	前五一九	周王國	王子姬朝逐國王姬匄，自立。（姬朝是姬匄的哥哥，又是一場奪嫡鬥爭，但突出的是，「百官」「百工」，都起來反抗姬匄領導的政府。）
		莒國	貴族逐國君己庚輿，迎立七〇年代罷黜的前任國君己狂。（己庚輿喜歡鑄劍，劍鑄成就用人試它利不利，他逃走時嚇的要死，試劍時的英雄氣概沒有了。）
	前五一七	魯國	三桓逐國君姬裯。（魯國政府早已被三大家族分割，姬裯企圖恢復原狀，用武力討伐，兵敗逃走。他逃走後，魯國即由三家共同主持政府，不再設立國君，直到七年後姬裯客死他鄉，才立他的弟弟姬宋。可看出魯國國君地位，已低到可有可無的程度。）
	前五一六	周王國	晉國逐周王姬朝，使三年前罷黜的前任國王姬匄復位。（姬匄完全靠外力才再坐上寶座。）
	前五一五	曹國	國君曹午被宋國囚死，他的弟弟曹野繼位。（曹午到宋國朝見，宋國國君子欒把他囚禁，曹午就死在囚所。宋國在當時不過是二等強國，對三級國家，已是如此態度。）
		吳王國	王子吳光殺國王吳僚，自立。（他們是堂兄弟關係，吳僚待吳光很友愛，但政治是無情的。）
九〇	前五一〇	曹國	公子曹通殺國君曹野，自立。（曹通是曹野的叔父。）

前五〇九	蔡國	楚王國囚蔡國國君蔡申，三年才釋放。（蔡申到楚王國朝見，楚王國宰相芊囊瓦，向他索取重賄，蔡申拒絕，於是把他囚禁，達三年之久，蔡申不得不屈服，獻出貴重的皮衣和玉環，楚王國才把他釋放。蔡申回國後就跟吳王國結盟，發兵向楚王國夾攻，促成前五〇六年楚王國的崩潰。）
前五〇七	唐國	楚王國囚唐國國君唐成侯，不久釋放。（跟蔡申的情形，從頭到尾，完全相同。不過芊囊瓦這次索取的是名馬，時間沒有拖得那麼久。）
前五〇六	楚王國	吳王國逐楚王芊軫。（在第五節中我們將再敘述。）
	曹國	公子曹露殺國君曹通，自立。（曹露是前任國君曹野的弟弟，向這個殺兄的叔父復仇。）
	杞國	公子姒遇殺國君姒乞，自立。（不知道什麼原因。）
前五〇四	周王國	鄭國逐周王姬匄，明年才返國復位。（去年，姬匄派人把流亡在楚王國的哥哥姬朝暗殺。姬朝的擁護者聯合鄭國軍隊，進攻姬匄，姬匄逃到晉國。明年，再靠晉國的力量回來。）
前五〇二	陳國	國君媯柳被吳王國囚死，兒子媯越繼位。（吳王國是短期的超級強國，剛興起就馬上學會霸主的這一套。）

在國君們被逐被殺的浪潮中，最有趣的是周王國的國王，這個已經淪落爲蕞爾的小國，它連自己的問題都無力解決，完全仰仗霸主的臉色。上世紀（前七）姜小白「尊王攘夷」時代已經過去，現在，再沒有人想到尊王這回事，「王」反過來還要尊霸主。而霸主對國際上的侵略行爲，和封國內部的政變，也喪失阻嚇的力量，事實上霸主自己還在那裏製造事端。霸權只是超級強國維護自己利益的工具，不再含有初起時那種以保護弱者自居的騎士的意義。

二、楚王國霸權的隱憂

楚王國知道，要想恢復上世紀（前七）六〇年代「城濮之役」喪失的霸權，必須再通過一次戰爭。

本世紀（前八）〇〇年代紀元前五九七年，楚王芈侶向晉國的尾巴國鄭國進攻。合圍之後，猛攻十七晝夜。鄭國仗恃着晉國支持，拒絕投降。城角一處被攻破，芈侶正要下令攀登時，聽到城中哭聲震天，心裏忽然不忍，反而下令撤退。可是鄭國卻誤以爲晉國援軍已到，立即堵住缺口，男男女女蜂擁到城上繼續作戰。楚兵團看和平方法不能解決，再度進攻，鄭國終於陷落。

芈侶並沒有把鄭國併呑，因爲併呑後就直接跟晉國接壤，不如留一個小國作爲緩衝。他取得鄭國城下之盟後，即行退出。而此時晉軍才緩緩趕到，楚兵團回軍迎戰。兩國在邲城（

河南滎陽北）決戰，晉軍像山崩一樣的潰敗。兵士們狼狽奔竄，跳進黃河，向北游泳逃命。在激流中他們爭着攀住本國的船舷或抓住船槳，剎那間三十幾艘戰艦被攀沉沒。晉軍總司令荀林父下令：「凡攀船抓槳的，砍斷他的手指。」一霎時血淋淋的手指墮滿各船，船上兵士一掬一掬的把它們抛進黃河。

邲城之役使楚王國的霸權確定，晉國的霸權中落。距城濮之役三十六年。晉國的尾巴國紛紛轉到楚王國的屁股之後，只有宋國、衛國、曹國、魯國，還沒有變，但衛魯二國不久就暗中向楚王國飛媚眼。

楚王國下一個目標是宋國。兩年後（〇〇年代前五九五年），王子羋側率領楚兵團發動攻擊。宋國向北方的舊霸主求救，晉國剛剛戰敗，沒有力量出兵。宋國首府睢陽（河南商丘）被圍九個月，城裏糧秣吃光，人民大批餓死，作父母的含着眼淚互相交換子女烹食，陷落在即。宋國宰相華元用一種只有春秋時代才行得通的辦法來解決這個危機。一天晚上，他化裝成楚王國的兵士，縋城而下，一直混進羋側的寢帳（由此可看出楚兵團戒備的鬆懈，和羋側的低能），就在床頭把匕首逼到羋側的咽喉上，要求楚兵團撤退。華元表示，宋國可以投降，但必須楚兵團先行撤退十五公里，使宋國在外表上看起來不像是投降的樣子。羋側答應了，宋國也納入楚王國陣營。

楚王國的霸權達到極峰，然而也就在這時候，一把刀子已暗中在它背後舉起。這淵源於一個比三流作家筆下的言情小說還要荒唐離譜的男女戀愛故事，但它是事實。開始於本世紀

（前六〇〇年代，而發作於本世紀九〇年代。

女主角陳國大臣夏御叔的妻子夏姬，是鄭國國君姬蘭的女兒，生子夏徵舒之後，丈夫逝世。夏姬是一位絕色美女，從她的滄桑經歷，和因她引起的國際戰爭，我們可以肯定，她一定是世界上最最具有魅力的女子之一。她首先跟陳國大臣孔寧、儀行父私通，經過二人的介紹，陳國國君嬀平國也加入情夫的行列。最糟的是，他們還戲謔夏徵舒像他們的共同兒子。〇〇年代紀元前五九九年（邲城之役前兩年），夏徵舒殺掉嬀平國。孔寧、儀行父逃到楚王國向霸主告狀，楚王芈侶聽了一面之詞，而且逢上他正要展示他的霸權，而聲討「亂臣賊子」恰是一個理想的發動戰爭的堂皇理由。於是他滅掉陳國，把夏徵舒處決。

夏姬的美貌使芈侶動心，就要自己帶回皇宮。但大臣巫臣向他提出警告：「大王仗義興兵，全世界誰不尊敬。如今卻把禍首收做妃子，人們就會抨擊你貪色好淫，恐怕對霸權有不利的影響。」芈侶認爲他的話有很深的道理，大爲佩服。王子芈側（就是那位攻宋國時被敵人混到寢帳的總司令）請求把夏姬送給他，巫臣說：「這女子是不祥之物，爲了她，已死了一個國君，滅亡了一個國家。如果娶她，一定後悔不迭。」芈侶說：「果然是不祥之物，少惹她爲妙。」芈側大怒說：「我不要她可以，但巫臣也不能要。」巫臣用一種委屈萬狀的聲調說：「這是什麼話，我怎麼會有這種邪惡的念頭，我只是一心爲我們的國家。」恰巧另一位大臣連尹襄老的妻子逝世，芈侶就把夏姬送給連尹襄老，而夏姬不久就跟連尹襄老前妻的兒子私通。

兩年後（前五九七），邲城之役中，連尹襄老陣亡。夏姬跟嫡子私通的醜聞漸漸傳開，在首都郢都（湖北江陵）住不下去，要求返回她的娘家鄭國。巫臣早已派人通知鄭國國君姬堅迎接他的姊姊，姬堅自然聽從霸主國的命令。一〇年代紀元前五八九年，晉國與齊國去鞍邑（山東濟南）會戰，齊國大敗，向楚王國尋求同盟。芈侶派人去齊國締約，巫臣自告奮勇前往。紀元前五八四年，巫臣出發，卻在經過鄭國的時候，宣稱奉了楚王的命令前來跟夏姬結婚。然後他連齊國也不去了，締約的事更拋到腦後，他知道不能再回到楚王國，就帶着夏姬，雙雙投奔晉國。巫臣是楚王國有名的智囊人物，以富於謀略聞名國際。晉國大喜過望，把他當作上賓招待。巫臣為了夏姬，千方百計，輾轉曲折，總算達到目的。

——我們假設夏姬第一次結婚時十六歲，兒子夏徵舒十六歲時殺死嬀平國。那麼〇〇年代紀元前五九九年，她已三十二歲。到一〇年代紀元前五八四年跟巫臣結婚時，至少已四十八歲。眞是不平凡的女性，不僅僅駐顏有術而已。可惜處在那個時代，她只能被她所不能控制的命運擺佈。

但巫臣跟嬀平國一樣，也付出可怕的代價，王子芈側，和巫臣的另一位政敵芈嬰齊，在巫臣娶了夏姬，投奔晉國後，妒火中燒，把巫臣留在楚王國的家族，不分男女老幼，全體處斬。巫臣痛心的寫了一封信給二人說：「我固然有罪，但我的家族是無辜的，他們並沒有背叛國家，你們如此屠殺，我要使你們馬不停蹄的死在道路之上。」兩位王子對巫臣的恐嚇嗤之以鼻，他們低估了巫臣的智慧、能力，和復仇的決心。

早在本世紀（前六）初期，太湖之北的吳部落酋長吳壽夢，就建立吳王國，自封爲第一任國王，定都梅里（江蘇錫山）。不過他的王國十分落後，作戰時軍隊仍停留在赤身露體的階段。巫臣發現吳王國在地緣政治上的無比價值，於是他向晉國政府獻出「聯吳制楚」的戰略，晉政府接受，派遣巫臣的兒子巫狐庸，率領一個軍事顧問團，去教吳王國加強政府的組織，和訓練他們的軍隊現代化——如何使用馬匹、戰車、弓箭，和各種戰術。從此吳王國不但阻止了楚王國的東進，更成爲楚王國背後的致命敵人，楚王國第一次面臨本土有被攻擊可能的威脅。

十年之後（二〇年代前五七四年），吳王國開始向楚王國用兵，而且保持連續不斷的攻勢，使楚王國每年都要出兵七八次之多。芈側提前死於下一節我們所介紹的鄢陵之役，芈嬰齊則死於跟吳王國一次戰役後的道路上，楚王國的力量被消耗殆盡。

三、鄢陵之役

晉國同樣也知道，要想恢復霸權，必須反過來擊敗楚王國。

二〇年代紀元前五七五年，晉國國君姬壽曼親自統率大軍，攻擊鄭國。鄭國向楚王國求救，楚王芈審（芈侶的兒子）也親自統率大軍赴援。兩國在鄢陵（河南鄢陵）決戰，這一次輪到楚兵團大敗了。芈審的眼睛還被射中一箭，他的兒子芈熊伐，被晉兵團俘擄。

然而，楚兵團雖然大敗，卻不像上次邲城之役晉軍那樣潰不成軍。芈審集結殘兵，重整旗鼓，預備再打一個回合。可是得到消息說，魯國、衛國已倒向晉國，派軍參戰，晉兵團已下令明天發動拂曉總攻。芈審大爲震驚，急派人去請總司令芈側會議，想不到芈側卻喝得酩酊大醉，用盡方法都呼喚不醒。芈審失望說：「軍事情況如此緊急，總司令卻醉成這種模樣，怎麼還能作戰。」教人把人事不省的芈側綁到車上，全軍撤退。行到中途，芈側方才酒醒，慚懼自殺。

——芈側性格凶殘而尤其酗酒，每次出兵，楚王芈審都嚴令他戒酒。這一次因戰場失利，芈側心情惡劣，在營帳中徘徊到深夜，考慮如何扭轉局勢。但他是一個能力有限的庸才，所以除了憂愁外，別無他法。他的親信侍從官谷陽同情他，把私藏的一瓶酒拿出來，斟一盃送過去，芈側嚐了一口，驚愕的說：「好像是酒。」谷陽說：「不，是冷茶。」芈側會意的一飲而盡，急問：「冷茶還有嗎？」谷陽又斟上一盃，芈側大喜說：「谷陽眞正的愛我。」等到芈審一連派人來請他時，一瓶冷茶已全下了肚，芈側像死人一樣頹臥在營帳之中。谷陽垂淚說：「我本是愛總司令才獻酒的，誰知道反害了他，國王一定會追究這件事。」星夜逃走。

鄢陵之役距邲城之役二十三年，晉國又奪回霸權，尾巴國又回到它的陣營。但楚王國的主力並沒有受到嚴重傷害，所以仍虎視眈眈，不斷發動侵略如故。晉國霸權沒有城濮之役後那麼強大堅固。

四、國際和平會議

楚晉之間兩百年來不斷的戰爭，促使和平運動興起。就在本世紀（前六），曾經召開三次國際和平會議，所有的封國都希望兩個超級強國能夠和解，安於它們的現狀，保持現有的均勢，不再用軍事行動解決問題。

第一次和平會議，由宋國宰相華元發起邀請。二〇年代紀元前五七九年，在宋國首府睢陽（河南商丘）舉行，晉國和楚王國都派代表參加，簽訂一份盟誓，這恐怕是世界上最古老的和平條約之一。盟誓上說：「晉楚二國，同意永遠摒棄戰爭，同意互相救助災難危急。楚王國如受到第三國攻擊，晉國就幫助楚王國與第三國作戰。晉國如受到第三國攻擊，楚王國也幫助晉國與第三國作戰。兩國政府同意保持道路暢通，經常派遣使節來往，隨時磋商，共同討伐叛逆。如果違背這個誓言，神明就降禍給他，使他國家的軍隊潰散，國命不長。」這個盟誓文字太美了，美的像一首詩，所以不能在實際政治中實行。簽約後第四年，即爆發鄢陵之役。

第二次和平會議，由宋國大臣向戌發起邀請，地點仍在宋國首府睢陽，時間是鄢陵之役後三十年（五〇年代前五四六年）。各國明知道和平會議沒有用處，但沒有人敢公開反對謀求和平的努力。這次參加和平會議的共有十四國，包括當時所有的重要的國家。晉國代表是宰相趙武，它的集團有鄭國、衛國、曹國、宋國、魯國。楚王國代表是宰相屈建，它的集團有陳國、蔡國、許國。另有秦國和齊國，屬於獨立的一等強國，不列入尾巴國之內。還有邾國（山東鄒城東南）、滕國（山東滕州）；邾國是齊國的附庸，滕國是宋國的附庸（可稱之爲「尾巴的尾巴」），只能列席當觀察員，沒有資格在盟約上簽字。這份名單跟實際情形一樣，壁壘分明，顯示出晉楚兩大超級強國瓜分世界的藍圖。——當時人看起來，中國就是世界。

在會議席上，楚王國堅持當盟主，晉國說：「凡國際會議，晉國一向當盟主。」楚王國說：「正因爲晉國一向當盟主，所以這一次楚王國應該也當一次。」晉國代表只好接受，會議才沒有破裂。不過盟誓依舊沒有具體內容，只規定了一項作爲和解象徵：即尾巴國本來只向所屬的霸主進貢的，現在改把禮物分成兩份，分別向兩個霸主進貢。在這方面，楚王國顯然得到便宜，因爲它的尾巴國只有三個，晉國的尾巴國卻有五個。

五年後（五〇年代前五四一年），第三次和平會議在鄭國虢城（河南滎陽北）舉行，會議正在開的起勁之時，莒國（山東莒縣）派使節飛奔到會議所在，控告魯國正向它侵略，已攻陷了鄆城（山東鄆城）。這眞是尖銳的諷刺，楚王國代表芈圍下令把魯國代表叔孫豹斬首。但晉國代表趙武堅決反對，又把他釋放。芈圍急於回國奪取政權，無心爲這種抽象的原則付出更大的力量，會議於是草草結束，魯國用戰爭手段所造成的現實沒有人能夠變更。

第三次和平會議後，進入六〇年代，晉楚兩國之間，果然再沒有戰爭。不過這不是和約的功效，而是兩國接着都發生內部問題，無暇對外。兩國霸權也相繼凋零，無力量也無必要發動戰爭，歷史重心開始轉移到新興的吳王國身上。

五、伍子胥鞭屍事件

第三次和平會議後不到三個月，楚王國發生政變。出席和平會議代表的芈圍，回國之後，殺了他的侄兒楚王芈麇，自己即位。他是楚王國的暴君之一，最愛纖纖細腰的女子，以致很多宮女爲了培養細腰而餓死——或許出於自願減肥，也或許出於強迫。七〇年代紀元前五二九年，芈圍的弟弟芈棄疾再發動政變，芈圍走投無路，上吊而死。芈圍的另一個弟弟芈比繼位後，也被芈棄疾逼的自殺。芈棄疾就當了國王，立他的兒子芈建當太子。

芈棄疾爲了聯秦制晉，曾爲他的兒子芈建聘下秦國國君的妹妹孟嬴作妻子。孟嬴，即小說家筆下的無祥公主。七〇年代紀元前五二六年，芈棄疾派遣大臣費無極前往迎娶。費無極是一個小聰明層出不窮的野心政客，急於爬上宰相的位置。當他把孟嬴迎接到郢都（湖北江陵）後，立即向芈棄疾打小報告，渲染孟嬴絕世美麗，天下無雙，建議芈棄疾自己娶她，芈棄疾欣然接受這個建議。費無極就告訴秦國護送大臣說，楚王國的風俗，新娘要先到皇宮拜見公婆，才可以正式舉行婚禮。於是，孟嬴進宮，老爹就留住不放。而把一位陪嫁的齊國少女，冒充孟嬴嫁給芈建。一年之後，孟嬴生下一個兒子芈軫，醜聞也開始洩露。

——這是一百年前紀元前八世紀衛國新台事件的重演，劇情不差分毫，只是男女主角換由楚秦兩國擔任罷了。中國有一句古老諺語說：「有奇淫的人，必定有奇禍。」當然這不是定律，偶爾有逃得過去的，但大多數都逃不過去。芈棄疾奇淫招來的災難，比衛晉，以及姜諸兒、蔡同所招來的災難，更加悲慘。

孟嬴跟新台事件的宣姜一樣，是一個被犧牲的女子，她沒有力量阻止這種事情發生。但她比宣姜善良忠厚，她沒有殺害前任未婚夫而奪嫡的意思。可是費無極卻緊張起來，如果芈棄疾死掉，芈建繼位，他可想像得到他會吃不了兜着走。即令芈建不殺他，他也再沒有前途，他的前途寄託在孟嬴跟她的兒子芈軫身上。於是在他慫恿下，芈棄疾把芈建驅出郢都，派到北方邊疆，鎮守城父（河南寶豐東）。然後費無極誣陷芈建謀反，建議把芈建殺掉，改立芈軫當太子。

——費無極在這方面是一個發明家，他發明了「誣以謀反」的祕密武器，專門供當權派打擊要排除的人之用。自此之後，它在中國歷史上佔重要地位，這種摧殘人權，毀滅人性，破壞法治，甚至反過來可能顚覆自己政權的手段，跟封神榜上的「翻天印」一樣，隨時隨地都會被祭出來，發揮它的惡毒功能。成爲中國文化最大的汚點之一。

芈棄疾對孟嬴有一種歉咎的心情，他用種種方法，百般獻媚，可是他苦於無法解開這個結。費無極的設計雖然喪盡天良，但總算可以把這個結解開。七〇年代紀元前五二二年，芈棄疾召回芈建的宮廷教師伍奢，好像是眞的一樣，質問說：「太子謀反，你爲什麼不檢舉？」伍奢當面拆穿這個老畜生的假面具：「大王已經奪去了兒媳，如果又要謀殺兒子，你於心何忍？」這話當然使芈棄疾發瘋，他下令把伍奢囚禁。芈建在城父得到消息，就逃到宋國。

羋棄疾遂順理成章的立羋軫當太子，任命費無極作太子的宮廷教師。在習慣上，當太子登極之後，宮廷教師通常都會擔任宰相，費無極長久的經營，現在一切都依照他的願望實現。

然而伍奢必須處死。他的長子伍尙、次子伍子胥，都有超人的智慧，羋棄疾命伍奢寫信給他的兩位兒子：「等你的兩個兒子到來，我一齊赦免你們。」伍奢照寫了，伍尙是一個不懂政治的人，看到信非常高興。但伍子胥警告他：「我不相信任何昏君和暴君。」於是弟兄分開，伍尙跟着使臣去郢都，伍子胥逃亡。伍尙到了郢都，父子同時斬首。伍子胥逃到宋國，跟羋建會合，偏又逢上宋國內亂，兩人再逃到鄭國。在鄭國時，羋建牽涉到一件失敗的政變，鄭國把他殺掉。伍子胥抱着羋建跟齊國少女所生的四歲兒子羋勝，僥倖的逃出虎口。可是天下雖大，卻找不到立足之地，只有新興的吳王國遠在楚王國背後，正在跟楚王國對抗，肯收容他們。

從鄭國到吳王國首都姑蘇（江蘇蘇州。前五六〇年從梅里遷都於此），航空距離七百二十公里，還要穿過楚王國的領土，這是一段殺機四伏路程。當伍子胥抱着羋勝到達吳楚交界的昭關（安徽含山北）時，街頭已貼出懸賞緝拿逃犯的告示，盤查極嚴。伍子胥躲到郊外田野裏露宿，苦無辦法通過。過度的愁悶憂慮，一夜之間，使他的頭髮全白。正因爲頭髮全白，相貌改變，反而得以混出國境。

吳王國在巫狐庸，以及巫狐庸的後台——晉國，有計畫的全力援助下，已經強大。楚王國在它的東界早已改攻爲守，沿着邊疆一連築起三座巨城：州來（安徽鳳台）、居巢（安徽壽縣東南）、鍾離（安徽鳳陽），企圖阻止吳王國西進。但楚王國那種老式裝備的軍隊抵抗不住現代化的吳兵團，三城陸續陷於吳王國之手，楚王國的疆域自開國以來第一次萎縮。

七〇年代紀元前五二二年，伍子胥進入吳王國，孤獨又貧窮，以致淪落爲姑蘇街頭的乞丐，沿街吹簫討食。向一個君王報仇，已是世界上最困難的事。對一個乞丐而言，那更是一場幻夢。尤其是吳王國內部的權力鬥爭，這時正面臨爆發階段，更不可能爲一個外國的乞丐而去攻擊一個超級強國。伍子胥的前途暗淡，他已注定這樣流浪下去，最後倒斃在大街之上。幸而王子吳光收容了他，送給他幾畝田地，使他耕種。吳光深知道伍子胥的才能，把他引做親信，參加機要密謀。

六年之後（八〇年代前五一六年），芈棄疾逝世，孟嬴的兒子芈軫繼位。伍子胥搥胸痛哭，他失去了向芈棄疾面對面復仇的機會。

明年（前五一五年），吳光發動政變，把國王吳僚刺死。吳光繼位，命伍子胥出任宰相。而也就在這一年，那位楚王國新台醜聞的大導演費無極，在郢都（湖北江陵）被憤怒群眾毆斃，全家被屠。

九〇年代紀元前五〇六年，距楚王國新台醜聞二十年，距伍奢被殺、伍子胥過昭關十六年。吳王國向楚王國發動歷史上空前的大規模總攻擊，吳光自任總司令，伍子胥擔任參謀總長。從姑蘇到郢都直線距離八百公里，吳兵團水軍分別沿長江淮河，逆流而上，陸軍則從昭關向西挺進，三路大軍節節勝利，不久進抵郢都，楚王芈軫逃走。

伍子胥進入郢都後，把芈棄疾的屍體從墳墓裏掘出來，親自抽打三百皮鞭，直到屍體粉碎。這是中國歷史上有名的鞭屍事件，數千年以來，每一個時候，都有人爲伍子胥這項艱難的英雄事蹟，發出感嘆和歌頌。

吳王國不能把楚王國併吞，因爲楚王國的面積太大了。等到次年（前五〇五年），楚王國大臣申包胥，率領秦國戰車五百輛的救兵，向郢都進發。恰巧吳王國又發生內亂，吳光的弟弟吳夫概率領他的直屬部隊，逕自回國，打算襲擊首都姑蘇。吳光只好撤退，當然滿載着搶掠到手的金銀財寶。

——申包胥是一個可敬的楚王國的愛國志士。據說秦國國君本來拒絕赴援，但申包胥站在皇宮門前慟哭，七日七夜不進一滴飲食，秦國君臣們爲他的忠心深深感動。芈軫總算復國，但楚王國遭到這種亡國的浩劫，已殘破不堪，首都遷至郢都北一百二十公里的鄀城（湖北鍾祥西北），長期霸權也到此結束。

吳王國，這個五霸中的最後一霸，由這一戰而確定它的霸權。

六、魯國的三桓政治

春秋時代，對中國歷史發生最大和最悠遠影響的封國，不是五霸，而是一個其小如豆，位於山東半島泰山腳下的魯國。它跟齊國緊鄰，爲了爭奪交界處汶水一帶農田，不斷跟齊國衝突。衝突的結果，總是魯國吃虧，因爲它既小且弱，而且迂腐顢頇，不求進步。

魯國是首創周王朝一切文物制度的姬旦的兒子姬伯禽的封國，所以收藏的圖書和文獻最多，貴族們的文化水準也最高。周王朝的首都鎬京（陝西西安西）於紀元前八世紀被犬戎部落攻陷後，圖書文獻全部失散，只有魯國的圖書文獻仍在。它的首府曲阜（山東曲阜）遂成爲當時全世界唯一的文化巨城。再加上魯國從沒有遭受過劫掠焚燒的惡運，對周王朝初期的文物制度，保持的也最完整。這些豐富的文化遺產中，最重要的是一些周王朝初期所實行或擬定的各種法令規章，和各種典禮時使用的儀式程序。——被人總稱之爲「儀禮」。各國知識份子和知名的文化人，都必須到魯國親自查考，才能了解。因爲就在本世紀（前六），這些複雜繁瑣的老古董，已無人記憶。

周禮的內容很多，僅只儀式程序這一部份，就有祭禮、葬禮、婚禮、冠禮（男子成年時戴帽子）、笄禮（女子成年時戴簪子）等等，以及階級性專用的國王之禮、國君之禮、貴族之禮。——沒有平民之禮，因爲禮只是爲貴族而設，不是爲平民而設，對貴族才用得着禮，平民根本不被看在眼裏，奴隸更不用說了。這是一種專門知識，必須專家才能勝任。從事這種以主持典禮爲職業的專家，當時被稱爲「儒家」。他們按照古老的規定，辦理各種重要儀式，小自埋葬死人，大至國君訪問。國君訪問時或國君相見時，通常都聘請儒家擔任「賓相」，他的任務跟二十世紀結婚典禮時被稱爲伴郎或伴娘的「賓相」，完全相同；服侍在國君左右，隨時提醒國君應該做什麼或應該說什麼。在普通的貴族場合，儒家則被僱擔任司儀、總管之類的職位。我們在此可以了解，儒家的原始意義就是典禮儀式的顧問人員，他們最榮譽的高位是在外交場合，被僱爲國君賓相。

——注意「賓相」這個位置，中國的「宰相」制度起源於此。我們在本書一開始時就使用宰相一詞，但事實上要到下世紀（前五），賓相才由純禮儀事務性的顧問，而蛻變爲政治性的宰相；才從臨時性的僱員，蛻變爲國君專任的高級助理。不過中國正式官稱上並沒有「宰相」一詞，宰相只是民間的口語，歷代王朝對它的名稱不斷改變，有時候更奇形怪狀，花樣百出。當我們敍述時如果一一寫出，不但無聊，而且更加糊塗。所以我們自始至終都使用宰相一詞，以保持對此一職位清晰的印象。

儒家因職業上的需要，對產生「禮教」的那個古代，有一種強烈的崇拜感情，對於非古代的事物，則加排斥。問題是古不能復，在小場合的典禮上，人們還可以勉強遵守。但在大場合的典禮上，便格格不入，因而產生出許多不必要的笑柄和糾紛。用一個例子可作說明，下世紀（前五）二〇年代紀元前四七八年，齊國國君姜鶩，跟魯國國君姬蔣，在蒙邑（山東蒙陰）舉行高階層會議，二人見面時，姜鶩向姬蔣叩頭（在八世紀之前，中國人席地而坐——正確的說，是坐在自己的小腿上。所以所謂叩頭，只是深深的把頭俯下，跟八世紀後必須屈辱的先行雙膝跪地的叩頭不同），這是所有禮節中最尊敬的一種。可是，魯國國君姬蔣卻雙手一拱，只作了一個揖。這情形跟現代社交場合你伸出手，對方卻不伸手，只微微點一下頭一樣。姜鶩跟他的隨從大臣，都怒不可遏，魯國賓相引經據典的說：「按『禮教』的規定，國君見國君，不過作揖，國君只有見國王時才叩頭，你們怎麼連這都不懂！」齊國確實不懂，不過不久就懂了。四年後紀元前四七四年，兩國國君又在顧邑（山東鄄城東北）會盟，齊國早就準備妥當，屆時一聲令下，跳出幾個壯士，抓住姬蔣，強迫他向姜鰲叩頭。這時「禮教」排不上用場，姬蔣只好叩頭。齊國爲這件事，曾編了一首詩歌：

魯國人冥頑不靈
多少年都不清醒
使我們難以爲情
他們死守着那可憐的儒書
引起無謂的紛爭

儒書，即儒家賴以吃飯的書——專門記載古代繁瑣複雜禮儀的書。

就在這種濃厚的崇古社會中，中國古代思想家之一，儒家學派的創始人孔丘誕生。孔丘是宋國貴族的後裔，紀元前八世紀九〇年代因妻子太美而喪生的宋國宰相孔父嘉，就是孔子的六世祖父。孔父嘉的兒子政變後逃到魯國住下來，遂成爲平民。孔丘的父親孔紇，曾在魯國軍隊中當一名軍官，但他逝世的太早。孔丘是一個遺腹子，在母親顏徵辛苦的養育下長大。孔丘年幼時，刻苦的學習儒書，成年後即成爲一個十分淵博的「禮教」專家，而且聲譽鵲起，後來甚至得到三桓之一的仲孫覺的注意。仲孫覺臨死時，曾囑咐他的兩個兒子仲孫無忌和仲孫敬叔，去向孔丘學習這種知識。這是一個契機，使孔丘跟魯國特殊形態的「三桓政治」結合。

我們試在下面列出魯國三桓政治系統的簡表：

父 前八世紀八〇年代	子 上世紀（前七）三〇年代	改姓 上世紀（前七）四〇年代	三桓政治之始 本世紀（前六）〇〇年代	三都（三桓封地）	孔丘同時三桓 本世紀（前六）九〇年代	三都宰（三都首長）
十五任君（桓公）姬允	十六任君 長子姬同		二十二任君 姬倭		二十七任君 姬宋	
	次子姬慶父	仲孫（孟孫）	仲孫蔑	郕城（山東寧陽）	仲孫無忌	公斂處父
	三子姬牙	叔孫	叔孫豹	郈城（山東東平）	叔孫州仇	公若貌
	四子姬友	季孫	季孫行父	費城（山東費縣）	季孫斯	公山不狃

魯國第十五任國君姬允（死於齊國姜諸兒之手的那一位），有四個兒子，長子姬同是嫡子，繼承國君的寶座。次子、三子、四子，都是庶子，只能擔任政府的高級官員。姬允被尊稱爲桓公，即威武的國君，所以他的三位庶子，被稱爲「三桓」。三桓的後裔，分別改姓（

封國內全體貴族和全體官員，都是國君的後裔，跟國君同姓。所以庶子的後裔必須改姓，否則熙熙攘攘，擠來擠去，全國只有一個姓，分辨起來就很困難）。次子姬慶父的後裔改姓仲孫（有時候也稱孟孫或孟），三子姬牙的後裔改姓叔孫，四子姬友的後裔改姓季孫。

本世紀（前六）〇〇年代，仲孫蔑（仲孫覺的父親）當宰相，他引進叔孫和季孫兩家，由三大家族輪流掌握政權，世代相傳，遂開始魯國著名的達四百年之久的三桓政治。三桓從國君手中奪取到政權和廣大土地的所有權，並在自己的封地上建築都城，即表上所稱的三都。魯國國君遂跟周王國的國王一樣，被冷落在一旁。八〇年代時，第二十六任國君姬裯，曾發動一次軍事攻擊，討伐三桓，結果被三大家族趕走，在國外流浪至死。

問題是，三桓雖然聯合起來奪取了魯國國君的權力，但三桓也各有他們自己的助手和幹部，當時稱爲「家臣」，這些家臣的力量，也日形膨脹。其中最傑出的一位是季孫斯的家臣陽虎，他代表一種反對割據的力量，不但把季孫壓下去，把其他二桓也壓下去。陽虎在稍後出任魯國的宰相，負責實際政治三年之久。他謙卑的延攬專家，曾親自拜訪過孔丘，邀請孔丘任職，但孔丘懷疑他政權的穩定性，沒有接受。

本世紀（前六）最後第二年（前五〇二年），季孫斯向陽虎反攻勝利，陽虎逃亡。三桓對孔丘拒絕跟陽虎合作這一點有深刻的印象，於是任命孔丘擔任中都（山東汶上）縣長（中都宰），開始孔丘的政治生涯。

七、東西方世界

——〇〇年代・紀元前五九七年（夏徵舒殺陳國國君嬀平國後第二年），後巴比倫王尼布甲尼撒攻耶路撒冷，猶太國王約雅敬出降。尼布甲尼撒立約雅敬的兒子約雅斤為王，不久又把約雅斤廢掉，立約雅敬的弟弟西底家為王。

——〇〇年代・紀元前五九四年（邲城之役後第三年），雅典執政官梭倫，建立公民會議跟司法陪審制度。世界各國平民參政和陪審團設立，這是首創。是雅典人對人類文明最偉大的貢獻之一。

——一〇年代・紀元前五八八年（齊晉兩國鞍城之役次年），猶太國王西底家背叛後巴比倫帝國，尼布甲尼撒圍耶路撒冷。

——一〇年代・紀元前五八六年（吳王國建國前一年），耶路撒冷陷落，尼布甲尼撒挖出西底家的雙目，下令焚城，把猶太人全部擄到巴比倫當奴隸，猶太王國亡。

——五〇年代・紀元前五五〇年（齊國大臣崔杼殺國君姜光前二年），波斯帝國崛起，滅裏海南岸米太帝國，兵力益強。

——五〇年代・紀元前五四六年（第二次和平會議舉行），呂底亞王國和波斯帝國，在提力亞會戰，呂底亞王國大敗。又在首都撒狄城外會戰，呂底亞的戰馬看見波斯的軍用駱駝，既怪又臭，驚駭狂奔，遂又大敗。國王克里薩斯被擄，呂底亞王國亡。

——六〇年代・紀元前五三九年（第三次和平會議後第二年），波斯居魯士大帝攻陷巴比倫城，後巴比倫帝國亡。居魯士定都蘇薩，釋放後巴比倫擄掠的猶太人返耶路撒冷，猶太人在巴比倫爲奴四十八年。

——九〇年代・紀元前五〇九年（伍子胥鞭屍前三年），羅馬王國改建爲共和國，設立執政官和元老院。開始信史時代。

第九章　紀元前第五世紀

中國第一個黃金時代——大黃金時代，於本世紀來臨，直到紀元前一世紀（那時，中國從分裂紛亂中終於凝結成一個龐大的國家，奠定中國的基本疆土，更奠定中華人的一項偉大的傳統價值——大一統的心理基礎）。在學術思想上，大黃金時代是中國最光榮，最長期的百花怒放，百家爭鳴時代。這項燦爛的景觀，要到兩千三百年後的二十世紀初葉，才再重現。所以大黃金時代的學術思想，在文化史上具有空前的重要地位。

春秋時代於本世紀一〇年代結束，吳王國亡於暴發戶的越王國，五霸遂成爲歷史上的陳蹟。一個新型的爲時二百六十年的戰國時代揭幕，越王國在消滅了強大的吳王國後，即從重要的國際舞台上若隱若現。久困於內部紛爭的晉國，最後也被三大家族瓜分爲三個獨立封國。

國際權力開始以一種前所未有的姿態出現，即戰爭更多，戰爭的規模更大，引起社會結構的變動更巨。

一、封國的併吞與逐君殺君（下）

本世紀（前五）跟上兩個世紀一樣，大國繼續瘋狂的併吞小國，強鄰繼續瘋狂的併吞弱鄰，國君被逐被殺的事件，繼續瘋狂的不斷發生。

併吞的記錄：

一、楚王國併吞——頓國（河南項城），胡國（安徽阜陽，不是紀元前八世紀被岳父滅掉的那個胡國），陳國（河南淮陽），蔡國（安徽鳳台），杞國（山東安丘），莒國（山東莒縣），密國（河南新密）。

二、吳王國併吞——越王國（浙江諸暨，不久復國）。

三、宋國併吞——曹國（山東定陶）。

四、晉國併吞——泫國（山西高平），代國（河北蔚縣），仇由國（山西盂縣）。

五、越王國併吞——吳王國（江蘇蘇州），郯國（山東郯城）。

六、秦國併吞——密國（甘肅靈台）。

逐君殺君的記錄：

年代	年份	國別	事變
〇〇	前四九七	薛國	貴族殺國君任比，立公子任夷（不知道什麼原因）。
	前四九四	越王國	吳王國擄越王姒勾踐（在第四節，我們將再敘述）。
	前四九一	蔡國	大臣殺國君蔡申，立他的兒子蔡朔（兩年前，吳王國把蔡國從新蔡【河南新蔡】遷到州來【安徽鳳台】，以避免楚王國的報復攻擊。今年，蔡申去吳王國朝見，貴族們恐怕他再遷國，僱人把他射死，然後再把凶手殺掉滅口）。
一〇	前四八九	齊國	大臣田乞殺國君姜荼，立他的哥哥姜陽生（姜荼是最小的庶子，母親又不是貴族出身。田乞因之發動政變，實際上是打擊姜荼的擁護者國姓家族和高姓家族）。
	前四八八	邾國	魯國擄邾國國君曹益，明年才釋放（曹益是個暴君，魯國乘民怨沸騰，出兵把他捉住）。
	前四八七	曹國	宋國殺曹國國君曹陽，曹國亡（曹國是一個三等小國，彈丸之地，可是曹陽野心很大，聽了親信大臣公孫彊的建議，圖謀稱霸，於是背叛晉國，又跟宋國衝突。宋國大舉進攻，晉國拒不救援，曹國遂亡。世界上確實有曹陽這種不照照鏡子的國家領袖人物）。

		邾國	吳王國囚邾國國君曹益，立他的兒子曹革（曹益靠着吳王國的力量，剛剛復位，就又施展凶暴，連吳王國都爲之震驚，大軍再臨邾國，把他逮捕）。
	前四八五	齊國	大臣鮑牧殺國君姜陽生，立他的兒子姜王（這是鮑姓家族跟田姓家族奪權的鬥爭）。
	前四八三	衛國	吳王國囚衛國國君衛輒，不久又釋放（因衛國曾殺了吳王國使臣的緣故）。
	前四八一	齊國	大臣田恒殺國君姜壬，立他的弟弟姜驁（田姓家族終於擊敗了其他家族，自此齊國政權全部落到田姓之手）。
二〇	前四八〇	衛國	國君衛輒的父親衛蒯聵，逐他的兒子現任國君衛輒，自立（十六年前【前四九六】，衛國國君衛元最寵愛他的妃子南子，南子跟當時的太子衛蒯聵發生衝突，衛蒯聵要殺她，結果失敗，逃亡到宋國。十三年前【前四九三】，衛元逝世，由衛蒯聵的兒子衛輒繼位。今年，衛蒯聵突然返國，把兒子趕走）。
	前四七八	陳國	楚王國殺陳國國君嬀越，陳國亡（陳國乘楚王國內亂——王子羋勝政變失敗，進攻楚王國，楚王國等內亂平息，即行反擊。我們可以發現一項歷史定律：橫挑強鄰，必然引起可怖的打擊，甚至亡國）。

	衛國	貴族殺國君衛蒯聵，立公子衛般師。齊國發兵問罪，又把衛般師捉去，立公子衛起（衛蒯聵在外流浪十六年，僅比晉國國君姬重耳少三年，卻什麼都沒有學會，他靠孔悝、渾良夫二大臣的支持才復位，剛復位就殺一個逐一個，傲狠凶暴，不可一世。今年，晉國大軍臨境，衛國大臣乘勢把他誅殺，立衛般師。碰巧齊國遠征軍到達，便發動突襲，把衛般師俘擄，另立衛起）。
	杞國	公子姒閼路殺國君姒維，自立（不知道什麼原因）。
前四七七	衛國	大臣石圃逐國君衛起，三年前罷黜的國君衛輒復位（衛起到底是外國強立的）。
前四七五	代國	晉國殺代國國君，代國亡（晉國大臣趙無卹企圖併吞代國，就把姊姊嫁給代國國君，然後請姊夫赴宴，在宴會上殺了他）。
前四七三	郳國	被罷黜的前任國君曹益，逐他的兒子現任國君曹革，復位（吳王國在今年滅亡，曹益得越王國幫助回國）。
前四七一	郳國	越王國囚郳國國君曹益，立他的兒子曹何（曹益跟衛蒯聵都是同一類型人物，堅決拒絕接受教訓。這是他第二次復位了，暴虐更甚，越王國只好把他囚禁，直囚到死）。

三〇	前四七〇	衛國	大臣褚師比逐國君衛輒，明年，立公子衛黔（衛輒也暴虐，貴族把他逐走，但衛輒的外交手段很成功，越魯宋三國聯軍壓境，強迫衛國接納衛輒復位。衛國一敗再敗，最後不得已，大開城門，盛怒相迎，衛輒竟不敢入城，三國只好罷休）。
	前四六九	宋國	諸公子逐國君子啓，立他的哥哥子得（靈姓家族擁護子啓，樂姓家族跟皇姓家族擁護子得，三大家族奪權鬥爭）。
	前四六八	魯國	三桓逐國君姬蔣，立他的兒子姬寧（姬蔣打算借越王國軍隊剷除三大家族，這是魯國國君最後一次掙扎）。
四〇	前四五八	晉國	四卿逐國君姬錯，姬錯死於道路，公子姬驕繼位（在第六節，我們將談到它）。
	前四五五	鄭國	貴族殺國君姬易，立公子姬丑。
五〇	前四四四	義渠國	秦國擄義渠（甘肅西峰）國王（不知道進一步情形）。
	前四四一	周王國	王子姬叔襲殺國王姬去疾，自立。另一王子姬槐又殺姬叔襲，自立。
七〇	前四二六	衛國	公子衛亹殺國君衛糾，自立。
	前四二五	秦國	諸大臣攻國君嬴懷公，嬴懷公自殺，他的孫兒嬴肅繼位。

	前四二三	鄭國	晉國殺鄭國國君姬已，他的弟弟姬駘繼位。
	前四二二	晉國	國君姬柳的妻子秦嬴殺姬柳，立他的兒子姬止（姬柳荒淫，這不足爲奇，奇的是秦嬴。這一天，姬柳又出去跟別的女子幽會，秦嬴命人在中途殺了他）。
八〇	前四一五	衛國	公子衛頹殺國君衛亹，自立。
九〇	前四〇二	楚王國	強盜襲殺國王芈當，他的兒子芈疑繼位（這時國君和國王的警衛已很森嚴，恐怕不是普通強盜）。

本世紀（前五）被併吞的封國數目，跟逐君殺君的數目，看起來似乎比從前減少。事實上是大多數封國的滅亡，都沒有記錄可尋。小封國如此，較重要的封國有時也如此。被併吞的不僅僅是小封國，強大的五霸之一吳王國，以及十二重要封國中的陳國、蔡國、曹國，也都不能倖免。顯示出一種現象，即強國不再以霸權爲滿足，不再以擁有尾巴國爲滿足，它要直接控制土地。不再以國君臣服爲滿足，而要把國君排除，直接統治人民。封國數目減少，國君數目也跟着減少，滅它們殺他們的事件自然也跟着減少。

二、中國第一個黃金時代——大黃金時代

在不斷戰爭和不斷政變聲中，出現中國第一個黃金時代，從本世紀（前五）起，直到紀

元前一世紀，綿延四百餘年，它包括左列一個較短的時代，一個較長的時代，和三個強大的王朝（王國）：

一、春秋時代末期　本世紀（前五）
二、戰國時代　本世紀（前五）——前三世紀
三、秦王朝　前三世紀
四、西楚王國　前三世紀
五、西漢王朝　前三世紀——前一世紀

中國社會結構，在本世紀（前五）之前，至少有一千年以上的時間，是一種廣大的奴隸群和貴族並存的社會。因爲土地權來自分封，也就是只有國君跟貴族才有土地，而奴隸是主要的生產工具。奴隸不但沒有土地所有權，而且連自由權也沒有，他們來自戰爭時的俘虜，獲罪於貴族的平民，和奴隸的後裔——奴隸的後裔永遠是奴隸。奴隸所以在社會結構上佔重要地位，是因爲耕田係使用木犁，木犁必須使用很多人力才能拉動。大黃金時代開始時，鐵器開始普遍，除了用於戰爭外，也用於把木犁改爲鐵犁。尤其是不知道由於什麼契機，人們發現如果使用牛馬拉動鐵犁，會比使用奴隸耕種的速度更快，收穫也更多。這就跟十九世紀內燃機出現，終於代替了牛馬一樣。不僅產品大量增加，也引起社會巨變，促使奴隸制度沒落，土地所有權開始從國君和貴族手中滑出，重新分配。兩種新興的事物：都市商業階級和土地重新分配後的地主階級，向舊日的木耕人耕時代的奴隸主，也就是世襲的貴族階級挑戰

，世襲的貴族們不斷的掙扎反攻，也曾不斷的獲得勝利，但發展到紀元前三世紀時，失敗已成定局。

在這種社會結構巨變之下，思想學術界呈現出百花怒放的奇觀。這些怒放的百花好像生長在火山灰上一樣，火山爆發時的震撼固然驚天動地，甚至造成大量傷害，但它噴出的火山灰卻是世界上最肥沃的土壤。世襲貴族千餘年對圖書和知識的壟斷，隨着他們走下坡而失去控制。平民階級——包括奴隸，過去絕對不允許，也絕對不可能獲得圖書和知識，而且即令獲得也沒有用，社會和政府全是封閉的，平民永不能脫離他們的階級。大黃金時代中的平民卻可從新獲得知識技能，爬到貴族地位，擔任政府官員，和累積財富。新的社會形態是，一個人的權力，決定於他的思想和能力，不再完全決定於他的祖先成份，這是從前連做夢都夢不到的事，遂使貴族階級固有的知識份子認爲名份大亂，七竅生煙。但中國所有的古哲學思想和文化創造，卻因此而在這個時代中萌芽成長。最主要的有四大學派，即儒家、道家、墨家、法家。另外還有其他各種美不勝收的社會科學和自然科學，紛紛出現，光芒四射，使中華人的思想學術，進入空前的輝煌時代。

春秋戰國式的國際併呑戰爭，在紀元前三世紀結束時，大黃金時代達到巓峰。秦王朝把中國建立成爲一個現代國家，統一而強大，具備強有力的中央政府，奠立了中國廣達三百萬方公里的基本疆域，世界上沒有一個古文明國家或民族，能在一開始時即擁有這麼廣大完備的規模，而且置於有效率的管理之下。除了中華民族之外，還包括其他多種民族，如苗民族、瑤民族、戎民族等等，成爲世界上最早的多民族的國家之一。接着是紀元前二世紀開始，西漢王朝給中國帶來長期的和平跟秩序，使中華人凝結力更強，各民族到最後都成爲中華民族的一份子，永不可分。

最重要的是，大黃金時代一些偉大的成就，幾乎全由中華民族單獨完成。這是中華民族生命力最活潑旺盛，最朝氣蓬勃的時代，像一頭不停撞樹的牛犢，從不後看，而只勇敢向前。

所以我們稱中國第一個黃金時代是大黃金時代——黃金時代中的黃金時代。

三、儒家

儒家學派對中國人的影響，至爲深遠，它的創造人是上世紀（前六）末，才從事政治生涯的孔丘。現在讓我們繼續敍述他的事蹟。

本世紀（前五）第一年（前五〇〇），魯國國君姬宋，跟齊國國君姜杵臼，在夾谷（山東新泰）會面，孔丘以禮儀專家身份，被任命爲姬宋的賓相。於是儒家學派最津津樂道的一件事發生了，會見之後舉行的娛樂節目中，齊國演出萊部落（山東平度）的土風舞，孔丘根據儒書，指責齊國不該使野蠻人表演，而應使用傳統的宮廷舞。齊國立刻演出傳統的宮廷舞，不過卻是宮廷中平時演出的輕鬆喜劇。孔丘再根據儒書，認爲犯了「平民輕視國君」的大罪，立即指揮魯國的衛士把那些無辜的男女演員，驅到台階之下，砍斷手足。據孔丘的門徒事後面不改色的宣稱，孔丘這次凌厲行動，不但沒有引起國際衝突，反而使齊國國君發現自己做錯了事，大爲恐懼，就把從前侵佔魯國汶水以北一帶土地（汶水以北、龜山以北之田）還給魯國。

○○年代紀元前四九八年，孔丘建議三桓拆除他們的都城，以求魯國國君重振久已失去的權威，這就是著名的「墮三都運動」。三桓對於家臣們不斷的佔據都城跟他們對抗，很早以來就深爲苦惱，孔丘的建議似乎是釜底抽薪，根絕家臣擅權的有效方案，所以一致贊成。可是，當叔孫家的郈城（山東東平），和季孫家的費城（山東費縣），都拆除了城堡，要更進一步拆除仲孫家的郕城（山東寧陽）時，仲孫家的態度忽然改變。不但仲孫家的態度改變，連都城已拆除了的二桓，也忽然警覺到不對勁。拆除都城固然可以阻止家臣利用，但也毀滅了保護自己對抗國君的力量。孔丘當然不肯中止，他請國君姬宋親自率領軍隊前去討伐，結果大敗而回，只好眼睜睜看着二桓把已拆掉了的那兩個都城重建起來。這是孔丘企圖恢復傳統秩序所受的最大挫折。

墮三都的第二年（前四九六），孔丘被賞識他的國君姬宋任命爲代理宰相（攝相事），三桓已經大爲光火，而孔丘卻不到三個月，就把一位很有名望的文化人少正卯逮捕，立即處死。然後宣佈少正卯有五大罪狀，這五大罪狀是：「居心陰險，處處迎合人的意思。行爲邪惡，不肯接受勸告。說出的全是謊話，卻堅持說的全是實話。記憶力很強，學問也很淵博，但知道的全是醜陋的事情。自己錯誤，卻把錯誤潤飾爲一件好事。」這種煙霧濛濛的抽象罪名，說明凡是有權的人，都有福了，他們可以隨時把這頂奇異的帽子扣到任何一個人頭上，而仍能振振有詞。恰巧遇到君主主持對天老爺的大祭典，在分祭肉的時候，三桓故意不分給孔丘。這是周禮社會中最嚴重的一種處分，表示已被深惡痛絕。孔丘只好流亡，出奔衛國。

孔丘的政治生涯到此結束，但對他卻是幸運的，他可以把全副精力用在教授門徒上。他曾經訪問過齊國、陳國、蔡國，尋求一個能實行他古老的政治理想——周禮的國度，但他無法找到。最後，紀元前四八四年，他再回到魯國定居，在外共流亡了十三年。

孔丘回國時已六十三歲，繼續教授門徒，傳播他對紀元前十二世紀周王朝初創時代的懷念和崇拜。又對左列五部當時已經存在的古老書籍，用他的觀點，加以編纂刪訂：

一、易經
二、春秋
三、詩經
四、書經
五、禮經

注意這五部書，它們被合稱爲「五經」，大黃金時代結束後，儒家學派在政府中當權，這五部書支配中華人學術思想近兩千年之久。

易經　是一部曖昧不明的形而上學的玄書，它所用的字句簡單而模稜，因之使它顯得好像十分深奧，讀者們可以站在各種角度，作各種不同的解釋。只因它是紀元前十二世紀周王朝初期的著作，而且據說出自周王朝開國英雄姬昌（第一任國王姬發的老爹）的手筆。所以孔丘懷着敬畏的心情，小心翼翼的避免太多的觸及到它的實質問題，他感嘆自己生命的短促，沒有時間深入研究。可是，星象家卻不像儒家那麼尊重它，老實不客氣的用它來推測未來，一直到二十世紀，仍把它當作一部占卜吉凶的巫書。

春秋　周王朝所屬各封國，都有本封國的歷史記載，而且各有各的名稱。如楚國史名檮杌，晉國史名晉乘，魯國史名春秋。孔丘對魯國史重予編纂，目的不在提供一部眞實的史實，而在用來發揮他的恢復傳統秩序的政治理想，努力暴露對新興事物的排拒，更努力隱瞞或抹殺，甚至曲解貴族的罪行。舉一個例子可以說明孔丘的苦心，楚部落建立王國已三百年，但孔丘仍拒絕稱它的君主爲國王，而只稱他爲子爵，這個可憐的老人企圖用精神勝利的法寶來否定現實。於是，春秋遂脫離歷史的範圍，變爲「褒善貶惡」評論性的經典。孔丘的門徒堅持說，經過他們開山老祖刪訂過的春秋，每一個字都有神聖的和深奧的意義。這些門徒中後來曾有三部著作左傳、公羊傳、穀粱傳，專門詮解春秋。其中最教人驚奇的是，公羊傳和穀粱傳，是用一種自問自答的方式來詮釋的，幼稚的程度，能引人失笑。然而，儒家學派的門徒卻不承認有什麼可失笑的，嚴肅的當作一本聖書。

詩經　出現於紀元前十二世紀，是中國最早的一部詩歌選集，包括貴族作品和平民作品。孔丘把它作一次重大刪定，依孔丘的標準，只保存了他認爲有價值的三百首，其他的都被淘汰——這是中華文化最大的損失。詩經裏的詩篇，包羅人生萬象，從戰爭到和平，從閨房到宮廷，從農田到政府，從政治到戀愛，並且有很多其他書籍上所沒有的情調和鳥獸草木的名稱。貴族階層的知識份子在談話中必須經常引用上面的詩句，以顯示他的高深學問，才能受到尊敬，而孔丘更把它當作辭典運用。孔丘的門徒再加發揮，索性把所有的詩篇，都賦予政治的和道德的生命，跟公羊傳、穀梁傳賦予春秋政治的和道德的生命一樣。這部詩選，遂被尊為經典，脫離了文學的範圍，成為儒家的五種經典之一。連男女間的情歌，都被形容為聖人們莊嚴的政治意識（這使我們想起基督教舊約中所羅門之歌被詮釋為上帝的預言一樣，兩部著作似乎具有同一的奇遇）。

書經　又名尚書，是中國最早的一部政治文獻選集，包括紀元前二十七世紀黃帝王朝，紀元前二十三世紀夏王朝，紀元前十九世紀商王朝，紀元前十二世紀周王朝，各王朝帝王的一些文告或宣言。在孔丘的觀念中，古代帝王，尤其是開國的帝王，幾乎統統都是聖人，比英雄還要高一級，所以他們的文告宣言自然成為經典。知識份子也必須經常引用其中的字句，才能為自己的意見找到權威論據。

禮經　內容全部是紀元前十二世紀周王朝初期的禮節儀式。孔丘認為，禮節儀式也是一種教育，使貴族、平民、奴隸，都各自固守自己的名份，不相逾越。只要大家自覺的甘心於現狀，安份守己，不去追求他名份所不應有的東西，好比說，奴隸如果不妄去追求他名份所不應有的自由權力，平民如果不妄去追求他名份所不應有的政治權力，社會就會永遠和平。所以孔丘認為禮的教育——禮教，可以辦到用血腥鎮壓手段所辦不到的事，能夠使社會恢復到紀元前十二世紀時那種貴族的樂園時代。正如一個政黨的政綱政策一樣，儒家的中心思想和具體方案，全在這部經典之中。後來這部經典分爲下列三書：禮記、儀禮、周官，內容更詳盡，範圍更擴大，但主旨不變。

——這五部因爲孔丘編纂刪訂而被尊爲經典的古書，在大黃金時代結束後，一直到十九世紀，中國幾乎所有的知識份子，都在這五部古書裏團團打轉。所謂中華人的思想學術著作，在二十世紀之前，百分之九十都是對這五部古書的研究和再研究，所謂學者、專家、思想家，差不多都是爲這五部古書做註解，或爲其中某一句某一字做考證的人。知識份子從事這種工作也夠艱苦的，大家互相抄錄，輾轉引據，資料隨着時間而越增越多，從幼年到白髮蒼蒼，一生都跳不出這個圈圈。

一〇年代紀元前四八一年，孔丘正在刪訂春秋時，有人報告他說，魯國國君姬蔣打獵時捉到一隻麒麟。麒麟是中國古老傳說中一種最仁慈不過的野獸，連螞蟻都不忍心踐踏。孔丘嘆息說：「古人有言，世界和平，上有聖明的君王，麒麟才會出現。現在世界大亂，牠卻出現了，眞是怪事，我的智慧已經乾枯。」就此停筆。

——歷史上的春秋時代，因麒麟的出現而終止。明年（二〇年代前四八〇年），戰國時代開始。

又明年（前四七九），孔丘逝世。

孔丘沒有寫下任何著作，在他逝世之後，他的門徒把他平日的言論，摘要的記錄下來，名爲論語，跟「五經」一樣，也被列爲經典。一個以崇古尊君爲中心思想的儒家學派正式建立起來，眾門徒分散四方，各爲這個理想奮鬥。論語所記載孔丘的言論是片段的，所以儒家學派缺少一個完整的哲學體系，和一個爲一種觀念概括統攝而前後一貫的邏輯。但孔丘是一個經驗豐富，和洞察人生的智慧老人，他所說的那些格言雋語，已能充份表達他思想的要領。若干世紀後，儒家學派發現殺少正卯這件事不太光彩，所以曾竭力證明根本沒有少正卯這個人。不過孔丘壯年時的政治生涯，似乎不應該影響他老年後的學術貢獻。當他回到魯國的時候，已有很大改變，他和藹可親，嚴肅而誠懇，對學生的教誨從不疲倦。嚴格的說，與其說孔丘是一位思想家，毋寧說他是一位教育家，他只作敍述，而很少創見。但他對人際關係的深刻了解，使他對人性的弱點抱濃厚的同情態度。所以他提出做人的基本道理「忠」和「恕」，尤其重視「恕」——自己不願意接受的，絕不勉強別人接受。「恕」是人生永遠不變的最高貴的情操。

在崇古的大前提下，黃帝王朝的伊祁放勳和姚重華，孔丘開始刻意的美化他們，這是一個大契機，他爲中華人提出一個美麗的回顧——而不是美麗的前瞻。從此儒家學派即以效法伊祁放勳和姚重華，爲君主或人民的奮鬥目標。如何達到這個目標，孔丘肯定「仁」是唯一的動力，「仁」的內容是「愛人」，即一種眞摯的純潔感情，忠和恕就是完成「仁」的手段，這手段優先的表現在孝順父母的行爲上。所以「孝」是一切行爲的最低起步。

孔丘的政治生涯是失敗的，但他的教育精神則絕對的可貴而且成功。他是一位偉大的教師，被儒家學派尊崇爲「萬世師表」，他那些精闢的處理人際關係的言論，留傳下來，成爲中國最珍貴的文化遺產的一部份。

四、道家・墨家・法家

在孔丘的同時或稍前稍後，另有三位偉大的思想家興起。並從他們身上，產生另外三個偉大學派：

一、李耳　道家學派

二、墨翟　墨家學派

三、李悝　法家學派

李耳，宋國苦縣（河南鹿邑）人。他所生的時代，沒有定論，有人說他是本世紀（前五）人，有人說他是上世紀（前六）人，有人說他是下世紀（前四）人，甚至有人說根本沒有這個人。李耳在只剩下彈丸之地的周王國首都洛陽，擔任圖書館管理員（藏室史）。孔丘曾到洛陽向他探詢過關於周禮的若干細節問題，李耳用一種教訓的語調回答：「你問的那些人，骨頭都已腐爛，只剩下言論。英雄人物遇到可以施展抱負的機會，立即獻身。沒有這種機會時，不必勉強追求。我認爲珠寶一定要保藏嚴密，有才能的人不必外表精明。把你的驕傲去掉，再把你的欲望去掉，這些對你無益。」這段話毫無系統，而且答非所問，但正擊中孔丘的要害，同時也顯示出李耳自己的思想。本世紀（前五）一〇年代前四八四年——伍子胥被「誣以謀反」自殺的那一年，李耳忽然辭職，騎着一匹青牛，向西而去。穿過秦國的散關（陝西寶雞西南）時，鎮守關隘的司令官（關令）尹喜說：「你就要隱居了，盼望能給我們留下幾句話。」李耳就在那裏寫下了舉世聞名的道德經，然後出關而去，從此不知影蹤。道德經也稱爲老子，只是一篇五千字的短文（在那個時代，寫字是用刀刻在燒燙的竹片上，五千字已夠這位老頭受的了），李耳把宇宙發展的自然法則，命名爲「道」，這就是道家學派的起源。不過李耳跟孔丘不同，他沒有野心，也沒有門徒，因之也沒有發自門徒口中對自己的一些頌揚。但他仍被後世的學者尊奉爲道家學派的始祖，道德經也被尊奉爲道家學派的經典。李耳的思想是對強梁世界的一種消極反應，是人類遇到不可理喻，而又無法抗拒的壓力時的一種自解自慰的心理狀態。他曾從他的老友常從那裏，得到最大的啓示。有一次，常從張開口問李耳說：「我的舌頭在嗎？」李耳回答說：「在。」常從又問：「我的牙齒在嗎？」李耳回答說：「不在了。」於是他立刻領悟到柔弱者存在，剛強者滅亡的道理。李耳的全部思想是：清靜，不要作爲，任憑事物自然發展。李耳說，這樣做在表面上看起來是柔弱的，會馬上傾覆，可是實際上不但不會傾覆，反而更爲堅強，因爲它的發展是辨證的，極弱即是極強，後退即是前進，酒盃太滿了必定溢出來，月亮太圓時必定缺下去。所以，李耳主張不要進取，只要耐心，不作爲就是有作爲，自然演進就是納入規律。也就是說，什麼事都不要做，就是已經做了很多重要的事。

墨翟，魯國人，孔丘的同鄉，但他在宋國（河南商丘）的時候居多，從沒有當過官，也從不去追求當官。他的中心思想是博愛、和平、反浪費、反享受、反侵略——不是反戰，而只是反侵略。跟孔丘一樣的是，他也擁有數目龐大的門徒。跟孔丘不一樣的是，他的門徒有嚴密的組織。孔丘的門徒全力從事於歌頌孔丘，而墨翟的門徒則全力從事於實踐墨翟的理想。所以墨翟不僅建立了被稱為墨家的學派，還建立了墨黨——為實行墨家學說的行動集團，這應該是中國歷史上第一個民間政治性的組織。有一次，楚王國在科學家公輸般的協助下，製造雲梯，準備征服宋國。墨翟聽到消息，為了拯救他的第二祖國，他從魯國首府曲阜（山東曲阜），狂奔十晝夜，趕到楚王國首都郢城（湖北鍾祥西北）。曲阜到郢城航空距離六百一十公里，千山萬水，盤旋彎曲，即以最低限度兩倍計算，也有一千四百公里，只走了十天（那時代還沒有馬匹，全靠徒步），可看出支持他拚命奔跑的愛心。到了郢城，就在楚王面前設置沙盤，演習攻防。公輸般用九種方法攻擊，墨翟用九種方法防禦。公輸般不能取勝，最後，公輸般說：「我還有最後的一着，但我不說出來。」墨翟說：「我知道你還有最後的一着，但我也不說出來。」楚王聽不懂他們的啞謎，墨翟說：「公輸般不過以為殺了我就可以解決問題，但我的三百餘門徒在禽滑釐率領下，已進入宋國，登城協防，等待作戰。」楚王於是下令取消這次軍事行動。

正因為博愛與和平之故，這位思想大師提出若干問題。諸如：為什麼在街上殺一人是犯罪，而在戰場上殺一萬人是英雄？為什麼搶奪別人的雞鴨是盜賊，而搶奪別人的國土是名將？為什麼人民要忍飢挨餓去供養統治者享樂揮霍？為什麼人民要把政權交給一家人世代相傳？為什麼一個人死後要用活人殉葬？為什麼埋葬一個死人，要花費那麼多錢？為什麼父母死了，兒子要守喪三年，不去從事勞動生產，卻平白受人供養？這些問題的提出，都冒犯到被隱蔽着的社會上的既得利益階層，顯示墨翟的高度智慧和高度勇氣。也顯示出墨家學派跟儒家學派恰恰相反，墨家學派追求的是一個新的社會秩序，和新的人際關係。

墨翟死後（不知道他什麼時候逝世），他的門徒把他生前的言論編纂為一本書，命名墨子，作為墨家學派的經典。

李悝，我們對他所知道的太少，只知道他在本世紀（前五）末葉，擔任晉國高級官員。晉國分裂後，繼續擔任魏國高級官員。他指出米價太貴對消費者有害，米價太賤則對農人有害，他創辦「平糴法」，即控制米價在一個水平程度，使魏國成為戰國時代初期的超級霸權。李悝又參考各國的法律，綜合成為一部法典，命名為法經，是中國最古老的成文法典之一，內容全是刑事範圍，有「盜法」「賊法」「囚法」「捕法」。法家學派認為，君主擁有絕對的權威，法律是幫助君主治理國家的重要手段。

儒家墨家都有創始人。他們雖沒有宣稱他們創造了一個學派，但孔丘和墨翟很明確的被承認是領袖人物。道家雖沒有創始人，但以後思想相同的學者卻追認李耳是道家的始祖。法家則眞正是一個沒有首腦的思想巨流，李悝只不過時代最先，我們姑且用他來加強印象，事實上更先的還有五霸中第一霸齊國宰相管仲，他是一個典型的法家，而且用法家的政策使齊國強大。但所有被稱為法家的學人，並無意自稱一個學派，更無意組成一個類似儒家墨家那樣的門徒集團。他們只是共同具有法治思想，這思想跟上述三家思想相異，尤其是跟儒家，幾乎針鋒相對。

我們可以用幾句簡單的話作爲總結，儒家思想是保守的，認爲社會是退化的，最好的永遠是最好的，而最好的時代已經過去。現在不如過去，未來不如現在，所以必須事事以古爲法，至少也要保持現狀。道家的思想是逃避的，把人生的富貴尊榮，看得都像天際的浮雲，絕不追求，也不跟人競爭，如果有人競爭，他們就立刻退讓，使對方在沒有對象之下自行崩潰。墨家思想是宗教的，像一個苦行僧，無條件爲他人分憂，在人類未能全部快樂之前，他們不單獨快樂。法家思想是一種統御術，認爲崇古是一種罪惡，最好的時代不是過去，而是現在。只有君主嚴厲的實行法治，才能發揮國家的功能，完成秩序與和平。

五、諸子百家

儒、道、墨、法四家思想，是大黃金時代四種重要的思想。

然而，不僅此四家而已，當時曾有「諸子百家」的稱謂，以形容新思潮的蓬勃奔放。不過在歷史上留下記載的重要思潮，包括儒道墨法在內，只有十一家。我們把它列出一表，註明它們的主要學者和主要著作，以代替長篇累牘敍述：

百家	創始人或主要人物	諸子（主要學者）	諸子（主要著作）
儒家（崇古思想）	孔丘（前五）	曾參（前五）・卜商（前五）・左丘明（前五）・公羊高（前五）・穀梁俶（前五）・顏回（前五）・孟軻（前四）・孔伋（前四）・荀況（前三）・董仲舒（前二）	論語・大學・中庸・孟子（以上著作稱「四書」）・左氏春秋・虞氏春秋・李氏春秋・春秋公羊傳・春秋穀梁傳・荀子・景子・公孫尼子・寧越・曾子・徐子・子思子・世子・芈子・宓子・羊子・魯仲連子・王孫子・漆雕子
道家（退讓思想）	李耳（前五）	姬軒轅（前二十七）・列禦寇（前五）・關喜（前五）・莊周（前四）・楊朱（前四）	老子（道德經）・關尹子・莊子・列子・文子・鶡冠子・蜎子・力牧・公子牟・黔婁子・田子・捷子・長盧子・黃帝君臣・鄭長者・王狄子
墨家（博愛思想）	墨翟（前五）	禽滑釐（前五）・公尚過（前五）・孟勝（前四）	墨子・田俅子・我子・隨巢子・胡非子
法家（法治思想）	李悝（前五）	管仲（前七）・慎到（前五）・吳起（前四）・公孫鞅（前四）・申不害（前四）・韓非（前三）・李斯（前三）	法經・管子・商君書・韓非子・申子・李子・處子・慎子

名家（邏輯方法）	惠施（前四）	鄧析（前六）·公孫龍（前三）	惠子·鄧析子·公孫龍子·黃公·毛公·尹文子·成公生
兵家（軍事思想）	孫臏（前四）	田穰苴（前六）·司馬錯（前四）·孫武（前六）·王廖（前四）	孫子兵法·司馬兵法
陰陽家（玄學思想）	鄒衍（前四）	鄒奭（前四）	鄒子·馮促子·黃帝泰素·杜文公·閭丘子·周伯·南公
縱橫家（外交技術）	蘇秦（前四）	鬼谷子（前四）·張儀（前四）	蘇子·張子·闕子·蒯子·鬼谷子·零陵·令信
雜家（綜合思想）	呂不韋（前三）	尸佼（前四）·劉安（前二）	呂氏春秋·尸子·淮南子·尉繚子
農家（農業技術）	許行（前五）	辛計然（前五）	神農·黔老
小說家（文學著作）	屈原（前四）	宋玉（前四）	離騷·九辯·神女·高唐

諸子中的「子」字，在大黃金時代最爲流行，它有兩種意義，稱人時意義是「先生」，稱著作時意義是「全集」。如「孟子」，稱人時指「孟軻先生」，稱著作時指「孟軻全集」

。如「公孫龍子」，稱人時指「公孫龍先生」，稱著作時指「公孫龍全集」。——只有李耳，據說因爲他太老了的緣故，特別尊稱他爲「老子」，同時也用此稱他的大作道德經。「諸子」，即「眾先生」，也即「各種著作全集」。有時候對各種著作，統稱爲「諸子書」，這就比較清楚多了。在大黃金時代之後，爲了表示推崇，對人偶爾還有「子」的稱呼，但對著作，稱「子」的混亂風氣才全部絕跡。

前四家我們稱它是一種學派，後七家實質上是一種專門知識或一種專門行業，跟哲學無關。但雖然跟哲學無關，卻跟學術思想有關，每一種都有它的理論基礎和重要著作，全部是大黃金時代新興的思潮，從前根本沒有，以後也很少出現——即使偶有出現，也被已經定爲正統思想的儒家所排斥輕視。

促成這個偉大景觀的原因，大概有下列二項：

一、社會結構劇烈變動中所產生的紛亂、黑暗、貧富不均，和平民生活的痛苦，一些平民階層的知識份子，遂有高級情操上的反應，各人按照着各人認爲正確的方向，提出拯救世界，消滅貧窮的方法。

二、傳統的權威，即世襲貴族統治的瓦解，像從苗圃上搬開了沉重的石頭一樣，新的花草容易勃興。各國政府爲了保持生存，不但不再支持舊的權威，反而打擊舊的權威，幫助新興力量建立新的權威。如各國國君大多數都拋棄貴族政治，競爭着從平民和奴隸群中，選拔人才——包括政治家、軍事家。對新興思潮，是一種強大鼓勵。

不僅僅百花怒放，百家爭鳴而已，中華人的思想已進入無涯的空間，充滿了想像力，奔騰騁馳，彩虹四起，處處是活潑的靈性和豐富的生命。大黃金時代是中華人最興奮的時代。

六、戰國時代

讓我們從學術思想的天地中走出來，回到戰爭的和政治的世界。

上世紀（前六）結束時，春秋時代五霸的最後一霸吳王國，奪取到霸權。但就跟從前它在楚王國背後悄悄舉起利刃一樣，正當它氣焰萬丈時，一個文化程度更落後的越王國，也在它背後悄悄舉起利刃。

越民族的來歷沒有人知道，它的部落設在諸暨（浙江諸暨），酋長姒勾踐宣稱他們是夏王朝開國君主姒文命的後裔。實際上他們比楚民族距中國文化更遠，血統也更不相干。他們使用一種比楚王國更難懂的言語，過着一種更奇異更野蠻的風俗習慣生活。吳王吳光對這個名不見經傳的草昧部落，當然看不上眼。〇〇年代紀元前四九七年，姒勾踐宣稱他不再是酋長，而是越王國的國王。明年（前四九六），吳光向他進攻，越王國在檇李（浙江海寧）迎戰，吳光大敗，腳趾中了越軍的毒箭，潰爛而死。孫子吳夫差繼位，他每頓飯都命衛士大聲問：「夫差，你忘記殺祖之仇了嗎？」他肅然回答：「誓死不忘。」兩年後（前四九四），吳夫差作第二次進攻，取得決定性的勝利，生擒了姒勾踐。

對越王國如何處理，吳政府發生歧見，那位忠心耿耿，鞭屍案的主持人伍子胥，堅決主張把越王國併入版圖。而另一位高級官員伯嚭，則堅決主張把越王國收爲尾巴國，他們都有非常充份的理由。當時吳、越兩國的形勢，跟上世紀（前六）鞭屍時吳、楚兩國的形勢不同，那時吳王國沒有力量併吞楚王國，現在吳王國已有足夠的力量併吞越王國了。可是，姒勾踐是一個可怕的敵人，他靠着諂媚和賄賂，使伯嚭提出與伍子胥相反的意見，並使吳夫差採納那個意見。吳夫差允許越王國存在，但越王姒勾踐必須拘留在吳王國的首都姑蘇（江蘇蘇州），當作人質。姒勾踐對這種苦難，只好接受，但他握有更重要的祕密武器——忍耐。有一次，吳夫差病了，姒勾踐親自去嚐吳夫差的糞便，然後用一種唯恐怕別人沒有聽到和傳播不廣的驚喜聲調喊：「病人的糞便如果是香的，性命就有危險。如果是臭的，表示生理正常。大王的糞便是臭的，一定會馬上痊癒。」

世界上只有少數像伍子胥那種智慧人物，才能抵擋住諂媚和賄賂，吳夫差不過一個平凡角色而已，他被姒勾踐裝模作樣的愛心深深感動。於是，只三年光景，就在〇〇年代最後一年紀元前四九一年，把姒勾踐釋放回國。姒勾踐回國後第一件事就是挑選美女送給吳夫差，其中有一位西施，是中國歷史上著名的美女之一，吳夫差特地在姑蘇（江蘇蘇州）城外建築一座最豪華的宮殿姑蘇台，使西施居住。據說西施有一種「心痛」的病，大概是現代人稱的胃痛。每逢西施病發，她用手「捧心」（摀在胸前）的時候，正是她最美麗的時候，吳夫差會魂魄消散，忘掉軍國大事。姒勾踐正要他如此，越王國在姑蘇台的歌舞聲中，祕密重整軍備。

只有伍子胥洞察到這個危機，但有遠見的人往往是悲哀的，他的警告沒有人聽，太多的警告反而使人憎惡。一〇年代紀元前四八四年，吳王國進攻齊國，在艾陵（山東沂源）地方把齊國擊敗。吳夫差興高采烈的向大臣們誇耀他的本領，伍子胥說：「越王國才是我們的大患，齊國不過小毛病罷了。這次我們如果失敗，大王可能生出戒懼之心，反而是吳王國的福氣，如今不幸勝利，大王一定心高氣傲，再向中原進發，跟古老的晉國爭霸。那時越王國乘我們國內空虛，發動突擊，吳王國危在旦夕。」永無止境的忠言規諫，使吳夫差對元老大臣的容忍達到最後限度。伯嚭於是適時的揭發伍子胥的叛國罪行。——伍子胥預見吳王國不可避免的沉淪，在數年前出使齊國時，曾把兒子托付給齊國的大臣鮑息。通敵的證據沒有比這更確鑿的了，伯嚭用沉痛的表情指出：「無怪伍子胥總是反對進攻齊國，原因在這裏。」吳夫差像一隻被挑怒了的瘋狗一樣，狂怒起來，下令伍子胥自殺。

伍子胥死後第二年（前四八二），吳夫差果然率領大軍北上，抵達黃池（河南封丘），這是南方霸權兵力到達北方最北的第一次，在那裏大會各國國君，爭取盟主。當晉國稍爲表示猶豫時，吳夫差就下令他的兵團擂起戰鼓，晉國立即屈服。姑蘇到黃池航空距離七百公里，急行軍也要二十天左右，而經過二十天之久急行軍的部隊，緊張疲憊交集，根本不能作戰。姒勾踐抓住這個機會，向吳王國發動突襲，包圍姑蘇，焚燒姑蘇台，大火一月不熄。吳夫差狼狽回軍救援，就在姑蘇城外，他的兵團一經接觸，即被擊敗。吳夫差不得已，向越王國求和，姒勾踐接受了，因爲這時候他的力量還不夠強大。

明年（一〇年代最後一年前四八一），春秋時代結束。

——二千年後的十九世紀，一個新的屬於世界性的更龐大的春秋時代，再度來臨，而且直到二十世紀，甚至可能延伸到二十一世紀。跟紀元前古中國已逝去的春秋時代，無論在實質上和形態上，都有幾乎全部相似之點。諸如：一、小國林立。二、大國爭霸。三、政變不斷發生，國家元首不斷被逐被殺。四、不斷有舊國滅亡，新國興起。五、一次大戰調整一次霸權。六、新生事物、新生思想、新生意識形態，如雨後春筍，不斷向舊事物、舊思想、舊意識形態挑戰，而且節節勝利——像民主終於戰勝君主。七、因之衛道之士更艱苦、更痛心欲絕，用盡所有手段，企圖阻擋歷史前進的巨輪。

又明年（二〇年代第一年前四八〇年），戰國時代開始。顧名思義，這是一個國際間戰爭更趨激烈的時代。

吳夫差墮落了，他沉醉在以西施爲首的溫柔鄉中，再沒有當年報殺父之仇時的英雄氣概，一敗之後，不能振作復興。二〇年代紀元前四七三年，距姑蘇城外挫敗整整九年，距生擒姒勾踐整整二十一年。越王國發動全面總攻擊，吳軍崩潰，姑蘇陷落。吳夫差逃到陽山（江蘇蘇州西北萬安山），向姒勾踐請求仿傚二十年前的故事，准許吳王國降格爲越王國的尾巴國。姒勾踐答覆說：「從前天老爺把越王國賜給你，你不接受。現在天老爺把吳王國賜給我，我不敢拒絕。」

吳夫差只好自殺，臨死時用布把臉蒙起來，因爲他在地下無顏再見伍子胥。吳王國立國一百一十四年，到此滅亡。

五霸也到此結束。

七、晉國的分裂

姒勾踐是一個可怕的敵人，更是一個可怕的朋友。他是中國歷史上最著名的忍辱負重的君主，也是最著名的忘恩負義的君主。吳王國覆亡之後，姒勾踐的兩位智囊中的一位——范蠡（他一直在姑蘇城陪伴姒勾踐受苦受氣），即行逃走，臨逃走時寫了一封信給另一位智囊文種（他擔任宰相的職務，負實際政治責任，越王國在他手中復興），信上說：「飛鳥射盡，良弓收藏。狡兔死盡，獵狗被殺。姒勾踐頸項特別長而嘴像鷹嘴，這種人只能共患難，不能共安樂，你為什麼還不離開呢？」文種不相信世界上會有這種冷血動物，但他不久就相信了，姒勾踐親自送一把劍給文種，質問他說：「你有七個滅人國家的方法，我只用了三個，就把吳王國滅掉。還剩下四個方法，你預備用來對付誰？」文種除了自殺外，別無選擇。當時的越王國跟上上世紀（前七）五霸之一的秦國一樣，都是剛剛脫離草昧時代，人才極端缺乏。秦國是國君嬴任好死後車家三良才殉葬的，而姒勾踐還沒有死，政治家已被翦除罄盡。

三〇年代紀元前四六八年，姒勾踐把首都從諸暨遷到北方六百五十公里外的琅琊（山東膠南），距齊國首都臨淄（山東淄博東），只一百九十公里，這使齊國和魯國，都大為震恐，不得不謹慎而恭敬的對待這位言語不通，衣服不同，禮儀也相異的野人頭目。

——姒勾踐於遷都後逝世，他的後裔沒有能力繼續維持一個現代化的政府制度，各部落酋長紛紛拔帳而去，越王國迅速沒落。勉強支持到下世紀（前四）二〇年代前三七九年，只好放棄琅琊，南遷到會稽城（浙江紹興）。六〇年代前三三三年，第七任也是最後一任國王姒無彊，攻擊楚王國，兵敗被殺，部眾潰散，立國一百六十五年。

越王國像暴風下的沙堆，不斷的層層吹散，最後一掃而光。晉國卻像烈日下的冰山，經過漫長的時間，最後全部蒸發。晉國在二百年前上上世紀（前七）國君姬重耳即位時，追隨他流亡的那些大臣，就組成了一個世襲的貴族統治集團，這個統治集團曾爲晉國建立長期霸權。但他們的後裔不能像祖先們那樣和睦相處，百餘年排擠傾軋的結果，上世紀（前六）五〇年代，只剩下六個大的家族：范家、中行家、荀家、韓家、趙家、魏家。六大家族共同掌握權力，成爲魯國三桓政治的複製品，晉國國君跟魯國國君一樣，地位越降越低。再經過百餘年的排擠傾軋，到本世紀（前五）四〇年代，六大家族又發生火併。范家、中行家在火併中失敗，被驅逐出國，於是只剩下四大家族，各擁有強大的私家軍隊和廣大的領土，晉國國君姬錯忍受不住這種壓迫，採取魯國國君曾經採取過而終於失敗了的行動，他祕密向齊國借兵，企圖用外力解決內憂。四家得到消息後，立刻把姬錯趕下寶座，姬錯死在逃亡的中途。

然而四大家族間的均勢不久破裂，荀家是四大家族中力量最強大的一家，族長荀瑤，一位非常聰明，因而也自命不凡的花花公子，興起併吞其他三家的念頭。他開始向其他三家勒索土地，韓、魏兩家不敢不答應，但趙家族長趙無卹拒絕。荀瑤大怒，四〇年代紀元前四五六年，他邀集韓家族長韓虔、魏家族長魏駒，聯合進攻趙家的根據地晉陽（山西太原），約定把趙家滅掉之後，三家瓜分它的土地。晉陽城很大而且很堅固，圍攻了兩年，都無法攻下。到紀元前四五三年，聯軍決開汾水的堤防灌城，水勢浩大，僅差兩三塊板的厚度就灌到城裏去，情勢危急萬狀。

就在這個時候，出現外交史上最大的奇蹟。趙無卹派遣密使潛入聯軍營帳，向韓虔、魏駒分析當前的形勢：「荀瑤的欲望沒有止境，人人皆知。在力量相等的時候，韓、魏二家還要割地給他，如果趙家滅亡，你們有什麼把握能分到土地？即令分到，你們又有什麼把握不再吐出來？即令不吐出來，你們又有什麼把握不再被繼續勒索？不如我們三家聯合，瓜分荀家。趙家死而復生，永遠感激你們救命大恩，你們也自此永遠免除被併吞的恐懼。」兩家同意密使的見解，這個決定是明智的。於是，一夜之間，形勢發生一百八十度的轉變。韓、魏、趙三家聯軍向睡夢中的荀家兵團發動突擊，本來灌城的汾水洶湧的奔向荀家防地，荀家兵團全軍覆沒，荀家全族被屠，趙無卹把荀瑤的人頭拿來當作尿壺。

現在，晉國只剩下三大家族。史學家爲了方便，像稱「三桓」一樣，稱韓、魏、趙三家爲「三晉」，晉國國君就更沒有份量了，反而到三家去朝見。

本世紀（前五）結束前三年（前四〇三），那個早被人遺忘了的，住在洛陽窮苦王宮裏的周王國第三十八任國王姬午，在收到三家的巨額賄賂後，龍心喜悅，下令擢升三大家族爲國君，就在他們現有的地盤上建立封國。於是一片滅國聲中，三個強大的新封國在國際舞台上出現。不過可憐的晉國國君依舊存在，只剩下首府新田（山西侯馬），和另一個城市曲沃（山西聞喜）。而這兩個城市，也由三個新興的封國派人管理。

八、東西方世界

——〇〇年代·紀元前五〇〇年（夾谷會盟，孔丘當魯國賓相），希臘南部諸城邦組「伯羅奔尼撒聯盟」，推斯巴達爲盟主。

——一〇年代·紀元前四九〇年（吳王國擄姒勾踐後四年），第一次波希戰爭爆發，波斯大敗。

——二〇年代·紀元前四八三年（戰國時代開始之前三年），釋迦牟尼逝世。

——二〇年代·紀元前四八〇年（戰國時代第一年），第二次波希戰爭爆發，波斯海軍全軍覆沒。

——二〇年代·紀元前四七九年（戰國時代第二年），第三次波希戰爭爆發，波斯大將馬都尼被俘，從此波斯再沒有力量西進。

——二〇年代·紀元前四七七年（齊國壯士強迫魯國國君姬蔣叩頭的前三年），希臘諸城邦組「提洛聯盟」以防波斯。

——三〇年代·紀元前四六九年（姒勾踐殺文種後三年），希臘哲學家蘇格拉底誕生。

——五〇年代·紀元前四五〇年（晉國三大家族瓜分荀家後三年），羅馬公佈十二銅牌法。

——六〇年代・紀元前四三一年（楚王國滅莒國），第一次伯羅奔尼撒戰爭爆發，延續十年，雅典不能支，乞和。

——七〇年代・紀元前四二七年（李悝實行平羅法），希臘哲學家柏拉圖誕生。

——八〇年代・紀元前四一五年（越王國滅郯國的前一年），第二次伯羅奔尼撒戰爭爆發，延續十二年。

——九〇年代・紀元前四〇四年（三晉擢升爲封國的前一年），第二次伯羅奔尼撒戰爭結束，雅典戰敗，城被拆除。斯巴達命三十人組織政府，史學家稱「三十暴君時代」。

第十章　紀元前第四世紀

本世紀是一個戰爭的世紀。

國際形勢完全改觀，各封國紛紛宣佈改爲獨立王國，各封國國君也紛紛改稱國王——跟從前管轄他們的周王朝的國王站在平等地位。

但奇蹟發生在秦國身上，這個最落後、最不惹人注目的偏僻小國，在法家巨子公孫鞅主持下變法成功，就像一條闖進瓷器店的蠻牛一樣的闖進了國際社會，各國驚駭失措之餘，不知道自己也變法圖強，而只一味的乞靈於外交政策，有些國家主張聯合起來抵抗，用武力把它制服。有些國家主張跟它和解，以求避免眼前的傷害。

國際間外交戰激烈。

一、封國的消失與蛻變

本世紀（前四）開始後，三個重要的封國相繼滅亡。

第一個是齊國。跟魯國三桓，晉國三晉一樣，齊國政權在上世紀（前五）便落到田姓大臣的家族手中，經過數十年的經營，到本世紀（前四）發展成熟，一〇年代紀元前三八九年，田姓家族的族長田和，仿傚三晉的辦法，把賄賂送給洛陽周王國的國王姬驕，姬驕發揮了周王朝國王最後一次剩餘價值，下令擢升田和當齊國國君。齊國原來的國君姜貸，則被放逐到海邊的一座小城。十年後的二〇年代紀元前三七九年，姜貸逝世，姜姓齊國滅亡。

其次是晉國，晉國的分裂使人惋惜，因爲在所有的封國中，晉國的面積最大，力量最強，最有資格統一當時亂糟糟的中國。二〇年代紀元前三七六年，晉國最後一任國君姬俱酒，被三晉逐出宮廷，廢爲平民。僅餘的兩個城市，也被三晉瓜分。晉國滅亡。

再其次是鄭國，它位置在華北大平原的中央要衝，春秋時代是晉楚兩大長期霸權必爭之國。晉國滅亡的次年（前三七五），韓國向它進攻，首府新鄭（河南新鄭）陷落，鄭國滅亡，韓國就把首府從平陽（山西臨汾）遷到新鄭。

三個重要封國的滅亡，國際上沒有一個國家說一句支持的或同情的話，好像一片枯葉在激流中沉沒，連一個漣漪都不能引起。

本世紀（前四）中期之後，當時中國版圖上只剩下左列八個重要的國家。這八個重要的國家中，除了楚王國外，其他七國，在理論上仍然是周王朝的封國，國君仍然只能稱「公爵」稱「侯爵」。但他們早已不滿意這種低一級的身份。於是，從六〇年代起，國君們一窩蜂的擺脫封國的名義，一律改稱國王，建立跟周王國地位完全平等的獨立王國。左表是他們的王國名稱和王國的首都：

楚王國　郢都（湖北江陵）

齊王國　臨淄（山東淄博東臨淄鎮）
魏王國　安邑（山西夏縣）（不久遷都大梁・河南開封）
宋王國　睢陽（河南商丘）
秦王國　咸陽（陝西咸陽）
韓王國　新鄭（河南新鄭）
趙王國　邯鄲（河北邯鄲）
燕王國　薊城（北京）

其他仍存在的還有越來越小的衛國（河南濮陽），儒家大本營的魯國（山東曲阜），苟延殘喘的鄒國（山東鄒城）、滕國（山東滕州），歷史模糊的中山王國（河北定州），以及古老的周王國（河南洛陽），但一個比一個微不足道。尤其是周王國，從前它還可以在精神上自我陶醉，闗着門宣稱他是天下的共主，中國的元首，至少還有一旦被利用的價值，如分封三晉跟分封田和之類。現在連這點自我陶醉也告終結，只剩下可憐的空殼，國王窮困潦倒，每天忙着內部鬥爭，跟一個部落酋長相差無幾。

魏國是戰國時代前期的超級強國——猶如鄭國是春秋時代前期的超級強國。魏國在沒有建立王國之前即以霸主的姿態出現，稱雄國際舞台六十餘年。它的開國國君魏斯，一連任用了三位法學派人物，一位是前面敍述過的李悝，一位是鎮守鄴城（河北臨漳）的西門豹，一位是開闢並鎮守西河地區（黃河以西・陝西北部）的吳起。魏國位於中原的中央，擁有最肥

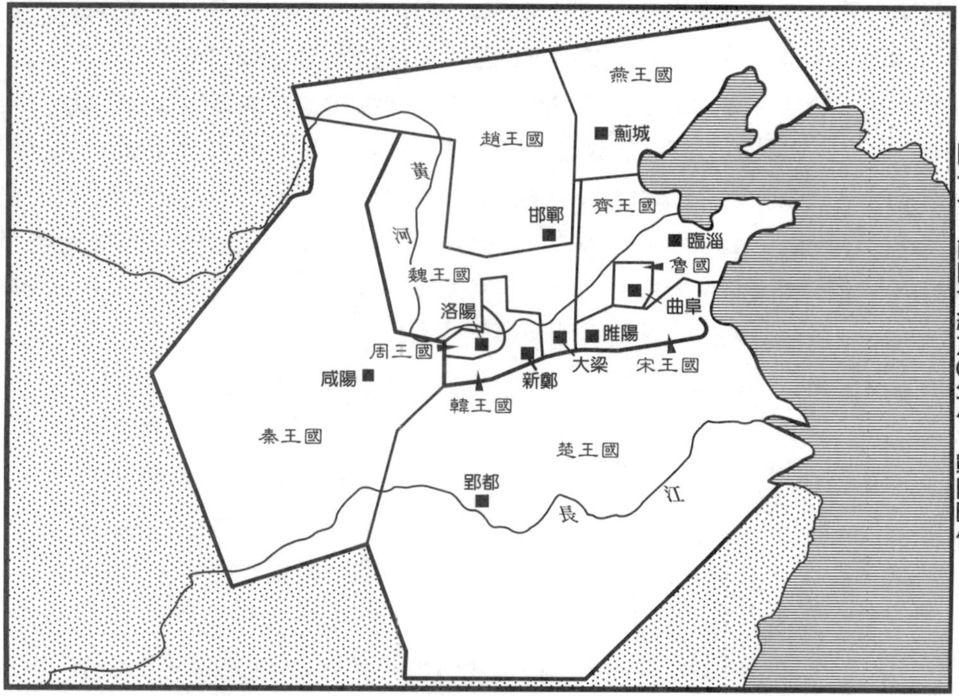

圖二 前四世紀六〇年代・戰國時代

沃的耕地，農產品的收入在各國之上。李悝當宰相期間，制定法律，調整賦稅，使社會得到長時間的安定。西門豹在鄴城一帶興辦灌溉工程，使魏國更富上加富。吳起不僅是傑出的政治家，而且是一位傑出的軍事家。在他鎮守西河期間，像泰山壓頂一樣，緊壓住秦國的北疆，如果再多給他十年時間，秦國可能會被他片片蠶食。

本世紀（前四）四〇年代，尙是封國的魏國，國力達到巔峰。紀元前三五四年，大將龐涓進攻趙國的大城邯鄲（那時趙國的首府仍在晉陽——山西太原）。趙國向齊國求救，明年（前三五三），齊國派出援軍，總司令田忌、參謀長孫臏，採取攻擊敵人所必救的戰略，統率齊兵團直接進入魏國本土。龐涓果然回救，在桂陵（河南長垣）陷入埋伏，大敗而歸。

——這裏面包括一個著名的出賣朋友的故事，龐涓和孫臏同是鬼谷子的門徒，也是最要好的朋友。龐涓先離開老師，當了魏國的大將，最初還懷着純潔的友情，向魏國國君魏罃推薦孫臏。可是龐涓不久就發現孫臏的才幹遠超過自己，可能被國君賞識而奪取自己的位置，他沒有鮑叔牙對國家和對管仲那種高貴的情操，他決心採用冤獄手段，排除孫臏。於是，他命人告發孫臏謀反，當然是證據確鑿，然後再由龐涓虛情假意的一再哀求，國君魏罃才勉強赦免孫臏一死，但仍砍斷他的雙足，以防逃亡。從此孫臏不能走路，只能在地上爬行。龐涓所以沒有殺他，是爲了要他寫出記憶中鬼谷子所傳授的一部兵法。孫臏感激老友的救命之恩，當然願意寫出。但寫了一半，他發現了被陷害的眞相，就僞裝瘋狂，啼笑無常，有時候連屎尿都吃下去。等到龐涓的防範稍爲鬆懈，孫臏就逃回他的祖國——齊國，被齊國最高軍事首長田忌，任命爲參謀長（軍師），作戰時他不能騎馬，就坐在特製的車子上指揮。這個故事的另一意義是，大黃金時代中，政權不再是世襲的花花公子們的私產，有才能的平民可以很容易的擢升爲政府的高級官員，思想學術自由的天地中，一定擁有一個生氣蓬勃的開放社會。

五〇年代紀元前三四一年，魏國再發動第二次侵略戰爭。由太子魏申親自擔任總司令，龐涓擔任參謀長，進攻韓國。韓國也向齊國求救，田忌、孫臏仍然使用攻擊敵人所必救的老戰略，統率齊兵團再度進入魏國本土，直指魏國的東方重鎮大梁（河南開封），一面在馬陵道（山東陽穀西南）佈下埋伏。魏兵團不得不回軍應戰，結果又第二度大敗，魏申被俘自殺，龐涓在黑夜中被引到一棵上面寫着「龐涓死此」的大樹之下，當他命衛士燃起火把，察看上面寫的是什麼時，伏兵向着火光，萬箭俱發，把他射死。龐涓是一個典型的卑劣人物，他臨死都沒有絲毫對他的負義行爲感到慚愧，反而詬罵孫臏僥倖成名。

二、吳起與楚王國

魏國的開國國君魏斯，是一位英明的領袖，這由他能任用三位法家巨子，可作爲證明。而吳起是三巨子中更爲傑出的一位，他是衛國人，在魯國當過低級軍官，然後投奔魏國，立下開闢河西（陝西北部），廣大疆土的功勳。有一次，魏斯跟吳起一齊在龍門（山西河津西北）渡黃河時，魏斯不禁讚賞說：「山川如此險要，正是魏國的珍寶。」吳起說：「一個國家的存在，在政治修明，不在山川險要。夏王朝末代君主姒履癸，東有濟水（發源於太行山，東流注入渤海，現在河道已被黃河所奪），西有華山（五嶽之一），南有伊闕（洛陽南郊關隘），北有羊陽阪（山西平順東），結果被商王朝滅掉。商王朝末代君主子受辛，東有泰山（五嶽之一），西有孟門（河南輝縣西太行山關隘），南有黃河，北有恆山（五嶽之一），結果被周王朝滅掉。魏國如果政治腐敗，同舟共濟的人，都可能成為敵人。」魏斯欣然接受這個十分不順耳的勉勵。

〇〇年代紀元前三八七年，魏斯逝世，他的兒子魏擊——龐涓喪師辱國時國君魏罃的父親繼位，這時吳起的聲望很高，魏擊準備任用他當宰相，現任宰相公叔大為恐慌，公叔是一個精明透頂的政客，他像演戲一樣進行他的權力鬥爭。公叔的妻子是一位公主——魏斯的女兒，公叔在新王魏擊面前，竭力讚揚吳起，認為吳起是一個了不起的角色，足有資格擔任魏國的宰相。問題是，吳起是衛國人，恐怕他不能專心忠於魏國。不過這也容易解決，公叔建議說，如果選一位公主嫁給吳起，就把吳起的心拴住了。魏擊認為這是一個好辦法。

於是，公叔夫婦在精密的設計下，擺下筵席，邀請吳起，筵席上，公叔的妻子以公主的身份，鼻孔朝天，把公叔像牛馬一樣喝來叱去，百般凌辱。吳起看到眼裏，大為震駭，暗暗慶幸自己幸而沒有跟公主結婚。不久，國君魏擊向吳起說，願意把女兒嫁給他，吳起緊張起來，婉轉但堅定的表示不敢當。公叔就向魏擊警告：「娶公主是一般人做夢都夢不到的榮耀，吳起竟然拒絕，恐怕他的志向高於公主，我們必須提防。」魏擊遂對吳起改變態度。

吳起這時才知道中了公叔的圈套，但已不是可以用口舌解釋的了。他只好逃亡，逃到楚王國。國王芈疑用盛大的誠意歡迎他，並任用他當楚王國的宰相。楚王國自從上上世紀（前六）伍子胥鞭屍之後，已二百年之久，不能恢復昔日的威勢，芈疑把希望寄託在吳起身上，交給他大權。

吳起對這個龐大古老，內部已腐爛不堪的王國，先從整理法律規章着手，使它簡明切實，然後嚴格執行，把一些政治垃圾——只發議論不做事，和貪污腐敗的官員，以及花花公子型的貴族，全部免職，逐出政府，任用有才幹的幹部，提高行政效率，把節省下來的經費，用到武裝部隊上。吳起身爲總司令，但他經常跟最低級的士兵生活在一起。只幾年功夫，楚王國驟然強盛。影響力向南直到百越（廣東、廣西、福建三省及湖南、江西二省南部），向北則阻止新興的魏、韓兩國南下，向西攻擊秦國，深入漢水上游（陝西南部）。國際間都感覺到問鼎中原的古老災難又要重演。

然而，那些失去官位權勢，和失去貪污機會的政治垃圾，跟附在他們身上的寄生份子，寧願國家衰亡，也不願自己的既得利益喪失，於是一個很明顯的現象發生，那就是怨聲載道。一〇年代紀元前三八一年，芈疑逝世，吳起失去了保護人，憤怒的垃圾迫不及待的群起向吳起攻打——箭如雨下。吳起的謀略到底高人一等，他逃到芈疑停屍的所在，躲在屍體底下，亂箭固然射死了吳起，但也射中了芈疑的屍體。等到芈疑的兒子芈臧即位，下令逮捕射死吳起和射中老王屍體的叛徒，七十餘家被屠殺。

吳起對楚王國的貢獻是一個奇蹟，可惜不過六年的短短時間，不能作更大的發揮，基礎也不穩固，吳起一死，光芒又熄。

但吳起不過就原有規模認眞的加以整頓而已，二十年後，更大的一個奇蹟在秦國出現。

三、歷史上最大的魔術——秦國變法

歷史發展到現在，本世紀（前四）已過去三十餘年。位於西方蠻荒的秦國，還默默無聞。沒有人看出這個落後而貧窮的小國有什麼前途，能維持現狀，不被魏國併呑，已算上等運氣了。

兩位偉大的政治家使歷史改觀，一位是秦國國君嬴渠梁，一位是吳起的同鄉，祖籍衛國的法家學派巨子公孫鞅。嬴渠梁主持的雖然是一個貧窮的小國，但他雄心勃勃的想恢復三百年前紀元前七世紀時他祖先嬴任好的霸業。他在即位的明年（三〇年代前三六一年），就發出徵求賢能人才的文告，歡迎能使秦國富強的知識份子，光臨秦國。在那個時代，各國延攬政治人才，猶如二十世紀各國延攬科學人才一樣。嬴渠梁確認，人才決定國家的命運。

公孫鞅雖是衛國人，但衛國太小，不能作爲憑藉。很早就到魏國，在魏國宰相公叔痤手下做事。公叔痤很了解他，正要向魏國國君魏罃推薦他，而公叔痤一病不起。魏罃親自前往探望，向他詢問後事。公叔痤說：「公孫鞅的才幹，高我十倍，我死之後，請把國政交給他。魏國前途，在他身上。」魏罃不禁大吃一驚。遲了一會，公叔痤又說：「大王如果不能用公孫鞅，那麼請把他殺掉，不要讓他出境。一旦被別的國家延攬，將成爲魏國第一大患。」魏罃告辭出門後，對左右說：「公叔痤病勢沉重，已經語無倫次了，竟然教我把國家大權交給公孫鞅。而且一會功夫，又教我殺了他。」大臣魏昂深知公孫鞅的才能，也向魏罃推薦，魏罃一笑置之。魏罃只是一個普通的庸才，不是一個革命性人物。

公孫鞅在魏國絕望，他適時的前往秦國。

嬴渠梁跟公孫鞅促膝長談，這是姜小白跟管仲促膝長談歷史鏡頭的重演，嬴渠梁對公孫鞅相見恨晚。公孫鞅告訴嬴渠梁說：「對一項學問懷疑，絕對不能成功。對一件措施懷疑，也絕不能成功。一個有眞知灼見的人，必被世人排斥。不可跟愚昧的人討論進取開創，只可使他們看到豐富的收穫。高度智慧的見解，跟世俗不同。成大功的人只跟少數人相謀，不去徵求多數人的意見。要國家強盛，只有徹底的改革。」於是這塊魏國扔掉的石頭，成了秦國牆角的磐石。嬴渠梁把大權交給這個素不相識的客卿，命他依照他的計畫和步驟，進行徹底改革——當時的術語稱爲「變法」。

公孫鞅在頒佈變法令之前，先把一根十公尺長的木棍立在首府櫟陽（陝西臨潼）南門，下令說，「把它拿到北門的人，賞十兩黃金。」當大家驚疑不定時，他又提高賞金爲五十兩。一個好奇的青年姑妄把它拿過去，竟然如數的得到賞金。這是公孫鞅的第一步，他先要人民信任並尊重政府，政府在得到人民信任尊重之後，才能有所作爲。

公孫鞅所作的改革，可歸納爲左列十一個主要的具體項目：

一、強迫人民學習最低程度的禮儀。父子兄弟姊妹，不准同睡一個炕上，必須分室而居（炕，用土坯或磚砌成的大床，設有灶門，冬天可以在其中燒火。北方冬天嚴寒，一家老幼全睡在上面取暖）。

二、統一度量衡制度。強迫全國使用同一標準的尺寸、升斗、斤兩。

三、建立地方政府系統。若干村組成一鄉，若干鄉組成一縣，縣直屬中央政府。

四、建立社會基層組織。十家編爲一組，互相勉勵生產和監督行動，一家犯法，其他九家有檢舉的義務。而檢舉本組以外的其他犯罪，跟殺敵的功勳一樣，有重賞。藏匿犯人，跟藏匿敵人一樣，有重罰。

五、強迫每一個國民都要有正當職業，游手好閒的人，包括世襲貴族和富商子弟，如果不能從事正當職業，一律當作奴隸，送到邊疆墾荒。

六、用優厚的條件招請移民。不分國籍，凡到秦國從事墾荒的，九年不收田賦。以求人口迅速增加，而人口就是兵源。

七、鼓勵生產。人民耕田織布特別好的，積存糧食特別多的，免除他的賦稅和勞役。

八、一家有兩個成年男子，強迫分居（這是增加生產和增加人口的手段）。

九、人際間爭執，必須訴諸法庭裁判，不准私人決鬥。私人決鬥的人，不論有理無理，一律處罰。

十、對敵作戰是第一等功勳，受第一等賞賜。

十一、必須作戰有功才能升遷。貴族的地位雖高，商人的財富雖多，如果沒有戰功，不能擔任政府官職。

從這十一個項目，可看出秦國那時還處在半野蠻狀態，落後、窮困、腐敗，和一片混亂。也可看出變法意義不僅是單純的改變法令規章，不僅是單純的只改變上層建築，而是徹底的改變，軍事改變，政治改變，政府組織和社會結構、風俗習慣改變，甚至道德價值標準和人生觀念都要改變。「變法」是人類智慧所能做的最驚心動魄的魔術，它能把一個侏儒變成一個巨人，把一個沒落的民族變成一個蓬勃奮發的民族，把一個弱小的國家變成一個強大的國家。

只用了十九年時間，秦國繼魏國之後，崛起爲超級強國之一，但它比魏國的實力雄厚百倍。

——這是中國歷史上唯一的一次輝煌變法，只有在大黃金時代中才會有這種偉大的成就，但公孫鞅也付出跟吳起所付出的一樣使人沮喪的代價。喪失既得利益的既得利益階層，永遠把改革恨入骨髓。六〇年代紀元前三三八年，嬴渠梁逝世，他的兒子嬴駟繼位，怨聲載道的憤怒垃圾群，包括嬴駟的皇家教師公孫賈和嬴虔，他們乘機反撲，指控公孫鞅謀反，公孫鞅遂受車裂的酷刑處決。儒家學派一直用這個悲慘結局，告誡後世的政治家，萬萬不可變法。

——二千二百年後，日本帝國效法公孫鞅，實行變法，即著名的「明治維新」，使一個跟當初秦國同樣落後的古老日本，也魔術般的崛起。歷史已顯示一個定律，處在巨變的時代，有能力徹底改變的國家強，改變而不徹底的國家亂，拒絕改變的國家則繼續沒落，直到滅亡。

四、合縱對抗與連橫和解

五〇年代紀元前三五〇年，公孫鞅把秦國的首府從櫟陽（陝西臨潼），遷到咸陽（陝西咸陽）。六〇年代紀元前三四〇年，即魏國馬陵道大敗的次年，公孫鞅率領大軍，作變法後最重要的一次武力展示，向瘡痍未復的魏國進攻，魏軍再度大敗，魏國總司令魏昂被公孫鞅俘擄。魏國國君魏罃搥胸打跌說：「我懊悔不聽公叔痤的話。」以魏罃的平庸和當時對公孫鞅的痛恨，他不可能懊悔失去這個人才，恐怕是懊悔沒有殺掉他。魏國這次受的打擊，十分沉重，把吳起辛苦開闢的河西疆土（陝西北部），全部喪失給秦國。首府安邑（山西夏縣）跟秦國只隔一條黃河，失去安全保障，只好向東遷到三百公里外的重鎮大梁（河南開封）。

這一戰距公孫鞅四〇年代紀元前三五九年開始變法，只十九年，秦國已強大到迫使超級強權的魏國一蹶不振，割地遷都，這種聲勢立即引起各國的震恐。

國際上從此出現一種從來沒有過的長期緊張局面，舊傳統的意識形態和政治知識，都不能應付這個雷霆萬鈞的壓力。於是以秦國爲對象，產生了兩種嶄新的但也恰恰針峰相對的戰略思想和外交政策。一是合縱對抗政策，即圍堵政策，主張從北到南，各國締結軍事同盟，共同抵禦秦國的侵略，秦國如對某一國發動侵略，即等於向所有的盟國侵略，各國同時出兵作戰。另一是連橫和解政策，即和平共存政策，主張從西到東，各國同時跟秦國簽訂友好條約，保持雙邊的和平關係。

這兩種政策，由兩個平民出身的學人蘇秦、張儀提出。

蘇秦是周王國人，家庭貧苦，他曾向秦國國君嬴駟推銷過統一中國的策略。嬴駟剛剛殺了公孫鞅，正在討厭所有的外國人，蘇秦碰了一鼻子灰，把旅費耗盡，幾乎是乞討着回到故鄉。正在織布的妻子看見久別的丈夫落魄歸來，連身子都沒有移動。蘇秦向他正在煮飯的嫂嫂索飯充飢，他嫂嫂好像沒有聽見。蘇秦慚愧之餘，改變他的意見，主張對秦國採取合縱對抗政策。再下功夫研究國際局勢跟君主們的心理，疲倦的時候，他用鐵錐猛刺自己的雙腿，血流遍地。六〇年代紀元前三三三年，他再度出發，先去見燕國國君姬文公，這一次他獲得突破性的成功。姬文公介紹他去見趙國國君趙語，趙語萬分高興這個建議，於是連鎖介紹，蘇秦一連到了韓國、魏國、齊國，最後再到楚王國。六國完全同意簽署這個盟約，並一致任命蘇秦為他們的宰相，使他擔任「縱約長」——南北合縱對抗盟約組織的祕書長，圍堵政策完成。

——最戲劇性的一件事接着發生，當蘇秦從楚王國返回趙國報命時，經過洛陽，周王國的國王姬扁，誠惶誠恐的隆重接待他，沿途掃除街道，準備官舍。蘇秦已不是上次回家那種可憐兮兮的模樣了，他以六國宰相之尊，鮮衣怒馬，隨從如雲，他的祖國同胞眞是又敬又羨。那位使他挨餓的嫂嫂，也匍匐路旁，連頭都不敢抬。蘇秦問她：「妳從前怎麼那樣輕視我？而今天又怎麼如此恭敬？」那位嫂嫂老老實實說：「只因爲你今天位尊而多金。」這位嫂在紀元前四世紀就一語道破一個屬於人性上的祕密，想得到別人的尊敬，尤其是想得到這種嫂嫂型勢利眼的尊敬，其他什麼都不需要，只要地位高而又有錢就夠了。

張儀是魏國人，蘇秦的同學好友，也是一位貧窮的學人。當他在楚王國游說時，曾因爲太窮的緣故，被認定偷了東西，幾乎被毆死。後來到了秦國，推銷他的連橫和解政策，秦國國君嬴駟正在懊悔失去了蘇秦，以致國際上被蘇秦孤立。一旦得到張儀，就像得到了珍寶一樣。張儀的謀略是，把參加合縱對抗盟約的盟國，各個擊破，使他們個別的跟秦國和解。

——站在當時東方各國的立場，合縱對抗政策是唯一的生存之路。可是，只有大政治家才能看到十年之後，只有歷史學家才能看到三十年之後。各國有各國眼皮底下的現實利益，他們不但不能團結，反而互相殘殺。

第一次合縱對抗盟約，於六〇年代紀元前三三三年簽訂。秦國立即採取反應。明年（前三三二），秦國向魏國表示讓步，願把從前侵佔魏國的襄陵（山西襄汾）地區七個城市歸還。那七個城市距魏國前首府安邑（山西夏縣）八十公里，是防務上最需要的屏障，如果能把它們收回，安邑就可安枕。魏國不能抵抗這個誘惑，於是同意脫離合縱。而且爲了擴張土地，還向趙國發動攻擊。齊國在秦國的鼓勵下，認爲可以從趙國瓜分到土地，就也參加魏國這一邊。兩國軍隊雖然被趙國擊退，但第一次合縱對抗盟約，只維持一年便告瓦解。蘇秦在趙國無法解釋魏齊兩國的叛盟的行動，只好前往燕國，專任燕國宰相。秦國等到合縱對抗盟約瓦解了之後，卻拒絕歸還襄陵七城，魏國在大怒下攻擊秦國，又被秦國擊敗。

合縱對抗盟約固然瓦解，但這種觀念仍被認爲是正確的指導原則。所以十五年後的八〇年代紀元前三一八年，這時各封國都已改制爲獨立王國，魏、楚、韓、趙、燕五個王國痛恨秦王國乘着盟約瓦解，不斷向東擴張，於是再締結第二次合縱對抗盟約，推舉楚王芈槐擔任縱約長，集結五國聯軍，進攻秦王國東方邊界重鎮函谷關（河南靈寶東北）。這是一次聲勢浩大的軍事行動，人人都預料將爆發一場大戰。可是，秦王國守關大將樗里疾，大開關門，出兵迎戰。五國聯軍震於秦軍的聲威，竟面面相覷，誰都不敢先行攻擊。僵持了幾天之後，楚兵團糧道被秦王國切斷，在驚恐中第一個撤退。其他五國軍隊也跟着倉惶拔營回國，合縱對抗盟約又一次瓦解。

楚王國雖然失去吳起，因之也失去當超級強國的機會，但它仍是領土最廣大、人力最雄厚的大國，秦王國不敢輕視它，尤其恐懼楚王國跟東方的另一個強國齊王國聯合。函谷關那場類似兒戲的戰役中，齊王國沒有參加，秦王國宰相張儀對此有深刻印象，他決心使楚齊兩國更加分開。

函谷關戰役後第五年（八〇年代前三一三年），張儀到楚王國訪問，向楚王芈槐建議：「只要貴國跟齊王國斷絕邦交，秦王國願把從前佔領你們的商於（陝西丹鳳至河南西峽一帶河谷）六百華里地區歸還。」芈槐，這個世界上最大的糊塗蟲之一，十分高興，認爲這是天下最便宜的事了，立即宣佈跟齊王國絕交，爲了表示他態度堅決，還派人到邊界上對齊王國的國王大肆辱罵，然後由使臣隨同張儀到秦王國接收土地。再也想不到，張儀交出的只是他自己的封地六華里。使臣吃驚說：「我奉國王之命來此，言明六百華里。」張儀也吃驚說：「你們國王一定聽錯了，秦王國每一寸土地都從血戰中得來，豈能平白送掉六百華里。」

羋槐不能忍受這種騙局，命大將屈丐向秦王國進攻，結果大敗，屈丐被俘，漢中地區（陝西南部）三百公里疆土，反而全部喪失。羋槐更氣的發瘋，動員全國兵力，向秦王國作最猛烈的一擊，這一次銳不可當，一直進攻到距秦王國首都咸陽（陝西咸陽）只四十公里的藍田（陝西藍田），秦王國岌岌可危。可是楚王國錯誤的外交政策發生惡果，當秦王國向齊王國求援時，齊兵團立即攻入楚王國本土，韓、魏兩國也分別集結軍隊，準備乘機南下，瓜分楚王國這個肥佬。楚軍不得不忍痛撤退。

秦王嬴駟很大方的宣稱不採取任何報復行動，而且仍願繼續和解，並且提議用商於地區（陝西丹鳳至河南西峽）的六百華里，交換楚王國黔中地區（貴州）的六百華里。羋槐把張儀恨入骨髓，他回答嬴駟說：「我不要交換商於，只要交換張儀。」嬴駟拒絕，但張儀表示他願意交換。嬴駟說：「羋槐會殺了你。」張儀說：「殺了我而國家可得到黔中地區六百華里，死也值得，何況羋槐並殺不了我。」張儀一到楚王國，羋槐就把他投入監獄，準備選擇一個好日子行刑。而張儀的謀略——主要的還是賄賂，適時發生力量。羋槐最寵愛的美人鄭袖向羋槐哭泣說：「張儀是秦王國的宰相，秦王最得力的智囊，你輕率的把他殺掉，秦王國豈肯罷休。一旦大軍臨境，我跟孩子死無葬身之地，不如早一天向南逃生，免得受秦軍凌辱。」芈槐最親信的宦官靳尙也祕密建議說：「人臣各爲其主，本身並沒有什麼恩怨。殺了張儀，秦王國不過少一個人罷了，我們卻要失掉黔中地區六百華里。」芈槐考慮的結果，決定把張儀釋放，而且跟張儀做了好朋友。

秦王國一再得到甜頭之後，對東方諸國的侵略，更加凌厲。九〇年代紀元前三〇六年，楚、齊、韓三國第三次締結合縱對抗盟約，可是盟約剛剛簽訂，芈槐又第一個變卦，秦王嬴稷（嬴駟的兒子）邀請芈槐在黃棘（河南南陽南）相會，當面把從前佔領的上庸（湖北竹山）土地，歸還楚王國。芈槐十分滿意這一次外交上的勝利，合縱對抗盟約就第三次瓦解。

五、齊宋兩國的侵略戰爭

就在五〇年代，齊國一連兩次擊敗當時的超級強國魏國，遂在東方建立霸權。六〇年代改建王國之後，國勢更蒸蒸日上。當秦王國在西方不斷向鄰國蠶食鯨吞的時候，齊王國在東方也不斷的向他的鄰國蠶食鯨吞。

八〇年代，位於偏僻北方的燕王國，發生內亂。

燕王國的內亂是儒家思想的產物，儒家系統爲了政治上的目的，在它的思想體系內，把紀元前二十四、二十三世紀黃帝王朝第六第七兩位君主在位的時代，形容成爲空前美好的世界——三十餘年慘重水災，死人千萬的史實則一筆抹殺。第六任君主唐堯帝伊祁放勳，和第七任君主虞舜帝姚重華，簡稱「堯舜」，也是形容爲比天老爺、比耶穌還要仁慈完善的聖人，他們之間權力轉移方式，更美化爲一首抒情詩一樣的自動「禪讓」制度。燕王國國王姬噲是一個跟芈槐一樣的糊塗蟲，他眞的相信了這一套。於是就在八〇年代紀元前三一六年，如法炮製，把王位禪讓給他的大臣子之，自己非常謙卑的走下寶座，參加官員的行列。

可是，子之的謀略雖奪取了王位，卻不能控制奪取王位後的局勢。另一位大臣市被，和姬噲的兒子姬平先後起兵反抗，首都薊城（北京）陷於混戰。子之在位三年，內戰就打了三年，死亡數萬人，在那個地廣人稀的國家中，是一個龐大數字。

齊王田辟彊興奮的抓住這個機會，八〇年代紀元前三一四年，齊兵團侵入燕王國本土，沒有遇到任何抵抗就佔領了薊城，把混戰的各派軍隊擊潰，姬噲、子之一齊死在亂軍之中。田辟彊宣佈合併完成，得意洋洋的宣稱：「一萬輛戰車的國家攻擊一萬輛戰車的國家，只五十天功夫，就全部征服。」燕王國人民反抗合併，兩年後，新崛起的民間武力把齊軍驅逐出境，擁立太子姬平繼任國王。但齊王國並沒有什麼損失，從燕王國劫掠回來的財物珠寶，仍然俱在，國力更富。不過齊王國這次不成功的侵略行徑，跟燕王國結下無法和解的仇恨，種下燕王國必然報復的種子。

在齊王國向外擴張的同時，宋王國也向外擴張。我們從地理位置上可以了解，宋王國最沒有擴張的資格，它唯一的立國之道應該是追求長期而穩定的和平，即令含有屈辱性的和平，也必須忍受。因爲它的四境無險可守，而又全是一等強國，任何糾紛都足以導致自己無力承擔的戰爭。可是宋王國的國王宋偃，卻認為並不如此，他跟上世紀（前五）曹國末代國君曹陽一樣，雄心勃勃，不自量力的要想成為居領導地位的霸權。為了展示他的威力，他把盛血的皮囊掛到樹上，用箭射它，當血流下來的時候，他認為射天勝利。宋偃又教他的侍衛人員和搖尾系統，經常大聲喊叫：「萬歲」，一個人先在宮裏喊，宮外的人接着喊，然後全城喊，萬歲的聲音震耳欲聾，好像全國上下都一心一意的向他效忠。凡規勸他的人，一律當作叛亂份子處決。國際上愕然的稱它是「桀宋王國」。桀，凶暴的意思，紀元前十八世紀夏王朝最末一位君主姒履癸，便被人加上這個惡劣的稱號。宋偃不在乎別人的評論，他像一隻瞎了眼的野獸，向四面八方狂咬猛噬。當齊王國侵略燕王國時，宋偃乘虛向齊王國背後攻擊，佔領五個城市。又在西界跟魏王國衝突，奪取兩個城市。在南方楚王國交界處，把楚王國的邊防巡邏隊擊敗。

一連串的軍事勝利，使宋偃躊躇滿志，他跟遙遠的西方秦王國建立密切的外交關係，互相呼應，儼然如願以償的成為東方新興的超級強國。不過，橫挑強鄰的歷史定律又要再一次應驗了。宋王國不但橫挑一個強鄰，而是橫挑東西南北四周所有的強鄰，滅亡迫在眉睫。

六、三位巨子

我們再回到學術的領域。

大黃金時代百花怒放，光芒四射的學術界，各種哲學和各種政治思潮，在本世紀（前四）更為輝煌燦爛。吳起、孫臏、公孫鞅、蘇秦、張儀，一系列英雄人物的際遇事蹟，說明新的思潮中最進步的一部份已經得到付諸實施的機會，和發生推動社會的力量。

傳統的貴族統治在迅速崩潰，平民中高級知識份子的地位，在國內和國際，開始成為政府的主要支柱。以致各國君主都以延攬他們作為重要的國策。齊王田辟疆，當他在位的八〇、九〇年代期間，在首都臨淄（山東淄博東）稷門附近，建築一個龐大的國際學人區，稱為「稷下館」，專用來招待各種專家。這個稷下學人區中，街道寬廣，樓廈相連，每位學人都有一份等於政府國務官（大夫）的薪俸。所以在本世紀（前四）後期，齊王國的文化水準最高，人才最盛。

學術不但已獲得自由研究的環境，也獲得社會的尊敬，各家各學派都有突飛猛進的發展。我們無法詳細敍述，因為它是中國思想史上的精華，大黃金時代的主要成就之一，有千萬種專門著作表達它。我們只能具體的介紹在本世紀（前四）後期出現最有影響力的三位巨子，作為代表。

這三位巨子是：儒家孟軻、道家莊周，和詩人屈原。

孟軻，鄒國（山東鄒城）人，魯國三桓之一的孟孫的後裔，是孔丘的第四代門徒，屬於稷下學人的行列。他富有財產（這財產來自於奴隸或來自於土地，還不得而知），生活豪華，當他游說各國時，乘車數十輛，僕從和門徒百餘人，聲勢奪人，縱使宰相出巡，也不過如此，這跟蘇秦、張儀以及其他平民出身的貧窮學人，迥然不同。

儒家學派的理論體系，發展到孟軻而完全成熟。修正是有的，如孔丘的正名主義在孟軻學說中已被貶爲次要，因爲貴族沒落，平民（包括奴隸）升起已成定局，硬把「楚王」正名爲「楚子」的時代已經過去，再不能維持固有的名份了。但孔丘的崇古精神，孟軻卻全部繼承，而且更發揚光大。

孟軻最主要的政治思想，是分辨「義」「利」，即堅持一切以仁義爲基本，強烈的反對功利。我們不能單憑字典上孤立的解釋去了解仁義功利的區別，必須在實踐中去了解它。

八〇年代紀元前三二〇年，孟軻晉見魏王國國王魏罃，魏罃問他說：「你老人家不遠千里而來，有什麼利於我們國家的嗎？」孟軻回答說：「大王何必說利，只要說仁義就夠了。大王說：『怎麼利我的國家？』大臣們說：『怎麼利我的家族？』平民說：『怎麼利我自己？』上下都爭奪利，你的王國就危險了。萬輛戰車的王國，殺他君主的，必是擁有千輛戰車的大臣。千輛戰車的王國，殺他君主的，必是擁有百輛戰車的大臣。假如大家只講仁義，不講功利，就不會有這種事情發生。」

魏罃當時的反應是可想而知的，孟軻在魏王國的游說徹底失敗。

從上面這番說話，可看出孟軻反對功利，但他的仁義理論卻仍然建築在功利的基礎之上。孟軻又說：「爲國家開闢土地，充實國庫的人，現代人稱他們是英雄，古人稱他們是民賊。爲國家締結聯盟，攻戰必勝，現代人稱他們是英雄，古人稱他們是民賊。」這種民賊必須排斥，於是孟軻聲言：「勇敢善戰的將領，應處死刑。能廣結盟國的外交家，應處次一等的刑。墾荒拓地的移民，應處再次一等的刑。」孟軻這段話，可能是對某一種特定的事情有感而發。但一旦實行起來，結果將是一種悲慘的場面，那就是：爲國家圖富強，爲人民謀福利，和爲抵抗侵略，捐軀戰場，折衝國際的英雄和外交家，都成了民賊，要被剷除。

崇古是儒家的中心思想，既是目的，也是手段。九〇年代時，滕國（山東滕州）國君姬定公逝世，他的兒子姬文公即位，向孟軻請教：他應該爲他的國家做些什麼？孟軻指示姬文公首先應該「服三年之喪」，必須爲死去的老爹穿三年孝服，在此三年期間，不准吃肉飲酒，不准聽音樂，不准跟妻子同房，不准參加任何社交活動，不准處理任何公私事務——這一項最重要，一處理公私事務，便是功利，不是仁義了。更不准從事任何勞動，只准穿粗布衣服，蓋粗布被，睡在草地上或木板上，專心專意的悲哀，最好是悲哀到骨瘦如柴，口吐鮮血，或昏迷不醒。這種行爲被稱爲「孝道」，是達到仁政的必要步驟，也是仁政的具體表現，國家由此即可治理。

但孟軻的基本思想是民本主義的，他嚴厲的譴責暴君，他認爲暴君並不是君主，而只是一個「獨夫」，人民推翻他、甚至殺掉他，都是合理的。——孟軻這種突破時代的主張，曾引起以後很多帝王的不悅，直到紀元後十四世紀末葉，明王朝的開國皇帝朱元璋，還爲了孟軻這種激烈的思想，大發雷霆，下令把孟軻逐出聖廟。

孟軻卓越的貢獻在於他強調經濟成長的重要性，認爲經濟衰退，道德即跟着衰退；道德衰退，社會秩序即不能維持，國家即受到傷害。政府和君主的第一樁重大的責任，是使人民安居樂業。如何使人民安居樂業，孟軻提出「仁政」，他主張盡量少用刑罰，盡量減少賦稅，使人民安息。他厭惡他所處的戰國時代，希望回到古時候儒家學派所稱頌的伊祁放勳和姚重華時代。

孟軻在下世紀（前三）初逝世，跟當時大多數失敗的游說之士一樣，沒有人注意他。可是他的言論被門徒們記載，定名孟子。大黃金時代結束後，被儒家學派尊爲經典之一，孟軻才被人記起來，而且尊奉到僅次於孔丘的地位，被稱爲「亞聖」——第二位或次一等的聖人。

莊周，宋國人，曾經在他的故鄉蒙縣（河南商丘）當過低級的地方官員（漆園吏）。他跟李耳沒有絲毫淵源，但他大體上尊崇李耳的學說，而在程度上更爲極端。李耳的思想是逃避的，認爲逃避即進攻。莊周的思想則是頹廢的，認爲凡是存在的，都是合理的，凡是發生的，都是正當的。他說：「鴨子的腿雖然太短，你給牠接長，牠必然害怕。白鶴的脖子雖然太長，你給牠截短，牠一定悲哀。凡是長的不要強迫它短，凡是短的不必強迫它長。」所以連逃避都懶得去做，而只求苟且的活下去，任憑外在形勢的宰割辱弄，自己只保持精神勝利。

莊周反對對任何事情認眞，因爲世上根本沒有眞。他說：「我們兩個人爭執，你勝了我，就是你對了嗎。我勝了你，就是我對了嗎。可能兩個人都對了，也可能兩個人都錯了，沒有人能作公正的判斷。使贊成你的人判斷，他既然贊成你，怎麼能公正。使贊成我的人判斷，他既然贊成我，怎麼能公正。使反對我們的人判斷，他既然反對我們，那就更無法公正。我們連誰是誰非都不知道，怎麼能依靠是非。」

是非無法肯定，善惡自然也無法肯定，所以也不必發揚善和反對惡。不但抽象的事物如此，莊周認爲他自己這個人是否存在，同樣的也都無法肯定。有一天，他做了一個夢，夢見變成蝴蝶，飛來飛去，十分快樂。醒來之後，他就宣稱他弄不清是他在夢中變成了蝴蝶，還是蝴蝶在夢中變成了他。據說楚王芈商曾請他去當宰相，他不肯去，他說，他寧願當一個在污泥中爬行的活烏龜，而不願當一個被敬奉在神廟裏的死烏龜。莊周的妻子逝世，他並不悲哀，反而敲着盆子高歌。在他看來，死亡跟生存沒有差異。

莊周沒有門徒，他的著作莊子，據說是由他自己寫出來的。後世崇拜他的學人，拿來跟李耳的老子——道德經，並列爲道家的經典。他們的學說，並列稱爲「老莊哲學」。道家學派發展到此，也完全成熟。

——孟軻把紀元前二十四、二十三世紀黃帝王朝第六任唐堯帝伊祁放勳，和第七任虞舜帝姚重華，納入儒家系統，努力崇拜。不知道從什麼時候開始，道家學派的學者把紀元前二十七世紀黃帝王朝第一任黃帝姬軒轅也納入道家系統——以後便把他納入道教煉金術、長生術的巫師系統，並替他寫出相當多的著作。所以除了「老莊哲學」外，對道家思想也稱「黃老哲學」。伊祁放勳、姚重華、姬軒轅，在地下如果知道他們被化妝的如此偉大，一定樂不可支，恐怕要大大的乾上一盃。

屈原，楚王國人，中國歷史上第一位留下名字的文學家和詩人。他在楚王芈槐政府中擔任高級官員，負責文書方面工作，楚王國的文告法令，都由他執筆。但他得罪了最有權勢的宦官靳尙——張儀所以能把芈槐像呆瓜一樣玩弄於手掌之上，全靠賄賂這位宦官。屈原反對芈槐的這種外交政策，使靳尙大不愉快，他告訴芈槐說：「屈原太輕浮了，你吩咐他做的事，他常誇口說非他不行，鬧的全國皆知。」芈槐把屈原貶黜，命他擔任較低的職務（三閭大夫）。下世紀（前三）第二年（前二九九）秦王嬴稷邀請芈槐到武關（陝西商南）會談，屈原反對，芈槐也不想去，但他的幼子芈蘭恐怕開罪強鄰，力勸老爹前往。結果芈槐在武關被囚，屈原就對芈蘭抨擊，芈蘭老羞成怒，把屈原貶竄到南方蠻荒地區。屈原走到汨羅江（湖南汨羅），痛恨政府的腐敗無能，感傷自己因太忠心而獲罪，於是把石頭綁在自己身上，投水而死。

——這是一個愛國詩人之死，他投水的那一天是陰曆五月五日，後來中華人稱這一日爲「端五節」——當時人們稱初一日初二日……爲端一端二……。每逢端五節，江南一帶廣泛的舉行划船競賽，表示對屈原的營救工作，一直進行不輟。

屈原的長詩離騷，敍述他對國家的熱愛和悲憤，大部份使用楚王國的方言，即在當時，雖然仍用的是漢字，但不經過註釋，一般人也不容易了解。屈原以後的詩人還有宋玉、景差，後人把他們的作品集成一書，名爲楚辭，即楚王國詩歌選集，離騷是其中的第一篇。跟北方文學詩經對稱。

楚辭是具有異國情調的南方鄉土文學，保留着楚王國的風俗習慣，和特別的語法。

七、東西方世界

——〇〇年代・紀元前三九九年（韓國宰相韓傀被聶政刺死前二年），希臘哲學家蘇格拉底被政敵誣陷，獄中服毒自殺。

——一〇年代・紀元前三八八年（吳起從魏國投奔楚王國前一年），高盧王布稜那斯攻陷羅馬城，羅馬共和國用黃金一千磅贖城。分批繳納時，對數量計算，總有爭執。布稜那斯大怒說：「戰敗的人應該承認他的不幸。」

——一〇年代・紀元前三八四年（秦國首府自雍城遷至櫟陽的前一年），希臘哲學家亞里斯多德誕生。

——五〇年代・紀元前三四七年（秦國首府自櫟陽遷至咸陽後三年），希臘哲學家柏拉圖逝世。

——六〇年代・紀元前三三八年（公孫鞅被殺），馬其頓王腓力二世統一希臘半島。

——六〇年代・紀元前三三六年（蘇秦游說失敗，狼狽回家的次年），腓力二世被刺身死，他的兒子亞歷山大繼位。

——六〇年代・紀元前三三四年（蘇秦任六國宰相前一年），亞歷山大東征，侵入小亞細亞。

——六〇年代・紀元前三三三年（蘇秦任六國宰相，嫂嫂讚揚他地位高而又有錢），馬其頓兵團跟波斯帝國大軍在伊索斯會戰。馬其頓死四百五十人，波斯死十一萬人。波斯王大流士三世逃脫，皇太后、皇后、公主，全部被俘。

——六〇年代・紀元前三三二年（第一次合縱對抗盟約瓦解），亞歷山大回軍攻入埃及，築亞歷山大城。此城直到二十世紀，仍巍然矗立在尼羅河口。

——六〇年代・紀元前三三一年（第一次合縱對抗盟約瓦解的次年），亞歷山大再攻波斯，陷波斯首都蘇薩城。

——七〇年代・紀元前三三〇年（第一次合縱對抗盟約瓦解後二年），波斯大將柏蘇斯於騾車中刺殺現任國王大流士三世，以阻止他向馬其頓投降。柏蘇斯繼位稱王，在巴克拉尼城集結殘軍，續與馬其頓作戰。

——七〇年代・紀元前三二八年（秦王國任命張儀當宰相），亞歷山大攻陷巴克拉尼城，生擒柏蘇斯，鞭打後交給故王大流士三世的家屬處置。

——七〇年代・紀元前三二三年（韓、燕同時宣佈建立王國），亞歷山大痛飲狂醉，暴死。

——七〇年代・紀元前三二二年（秦王國宰相張儀出任魏王國宰相），亞里士多德逝世。

第十一章　紀元前第三世紀

本世紀，東方各國在秦王國磨刀霍霍聲中，毫無警覺的繼續爭城奪地，互相攻擊。結果，到了七〇年代，全被秦王國併吞。砍砍殺殺的二百六十年的戰國時代告終，嶄新的大一統局面出現，秦王國建立中國第一個中央集權，具有法家思想的強大王朝。

可是，這個王朝皇帝的繼承人沒有領導能力，以致到了九〇年代，倏然滅亡。短命的西楚王國代之統一中國。經過短時間血流成河的內戰，到本世紀最後第二年，西楚王國也滅亡，另一個新興的西漢王朝代之再度統一中國。

本世紀結束時，戰爭跟着結束，進入長期的和平。

一、東方各國互相纏鬥

秦王國的軍事力量，進入本世紀（前三）已強大到無可匹敵的程度，它已使楚王國受到一連串創傷，現在它更要加強對這個鄰居的打擊。

〇〇年代紀元前二九九年，秦王嬴稷邀請楚王芈槐到武關（陝西商南）舉行高階層會議，芈槐冒冒失失的去了，秦王國把他當作俘虜一樣捉到咸陽（陝西咸陽），命他用臣民的禮節覲見嬴稷，又強迫他割讓黔中（貴州）土地，芈槐這個被秦王國玩了一輩子的糊塗老爹，到這時候惡夢才醒，憤怒的拒絕，秦王國就把他囚禁。

楚王國得到事變消息，立即擁立芈槐的兒子芈橫繼任國王。嬴稷發現不能利用芈槐勒索，大失所望，就由武關出擊，楚軍又被打敗，但仍堅持不再割地。芈槐曾經逃脫過，但中途又被捉回，三年後病死在咸陽，秦王國把他的屍體送返。

——乘着會見或覲見的機會，把友邦君主囚禁甚至殺掉，在春秋戰國時代，是一件稀鬆平常的事。參考前數世紀逐君殺君的記錄，便可證明。楚王國就常使用這種無賴的手段，而秦王國似乎還是第一次。不過用來對付像楚王國這種強大國家的國王，卻使各國汗流浹背。

嬴稷壓制了楚王國後，一〇年代紀元前二八八年，他宣稱他是西方大帝（西帝），派人去齊王國，請齊王田地當東方大帝（東帝）。這明顯的表示兩個超級強國將瓜分世界，田地欣然接受，但他的大臣們認爲國王的地位已經夠高了，改稱帝號，並沒有實質上的利益，反而給其他國家不必要的刺激。所以田地稱東方大帝只兩天功夫，就自動取消。嬴稷也只好跟着把他的西方大帝的招牌悄悄拿下來，但他對已經一蹶不振的楚王國沒有放鬆，二〇年代紀元前二七八年，他命他的大將白起率大軍向楚王國進攻，給楚王國一個致命傷害，攻陷首都郢都（湖北江陵），焚燒楚王國歷代國王的墳墓。楚王國的正規國防軍全部潰敗，芈橫倉惶遷都陳丘（故陳國，河南淮陽），暫時喘息。

齊王田地雖然取消了帝號，卻沒有取消野心。在取消帝號的兩年後（前二八六），他向宋王國進攻，那位射天勝利，橫挑強鄰的國王宋偃，兵敗被殺，宋王國滅亡。這是八個大國中首先滅亡的一國，各國對它的滅亡，毫無反應。

遠在北方的燕王國，念念不忘上世紀（前四）齊王國那次蹂躪。經二十八年的埋頭苦幹，於本世紀（前三）一〇年代，準備完成。紀元前二八四年，即齊王國併呑宋王國後第二年，齊王田地在國際上的威望，正達最高峰時，燕王國祕密跟趙、秦、韓、魏締結盟約，五國聯軍在燕王國大將樂毅率領下，向齊王國發動總攻，齊王國軍隊全部覆沒，全國土地和重要城市，包括首都臨淄在內，像落葉一樣，被五國聯軍的暴風，一口氣掃光。只剩下即墨（山東平度）、莒城（古莒國，山東莒縣）兩個邊遠城市，仍由殘軍據守。樂毅送回了其他四國遠征軍之後，自己率領燕王國軍隊留下來，圍攻即墨。

齊王田地，這個卡通電影上的丑角人物，從臨淄逃出來後，東方大帝的尊嚴架子，仍然不變。他先投奔衛國（河南濮陽），衛國盛大而周到的接待他，田地卻像他仍坐在寶座上一樣，對衛國國君頤指氣使，衛國國君就停止供給他飲食。田地只好投奔魯國（山東曲阜），魯國派使臣到邊境迎接，田地詢問魯國怎麼接待他，使臣表示當然把他當作國賓。但田地要求用國王的禮節，那就是說，魯國國君必須從早到晚，站在堂下，伺候田地吃飯和聽候呼喚，因爲他是國王，魯國僅把他當國賓是不夠的，必須把他當主人。魯國不由的嚇了一跳，下令封閉邊境。田地再投奔鄒國（山東鄒城），恰巧鄒國國君逝世，田地宣稱他要以國王的身份弔喪，鄒國告訴他：「我們是小國，不敢當您國王的御駕。」田地走投無路，聽說莒城仍在固守，就逃到莒城。

田地最初曾向楚王國求援，現在楚王國援軍在大將淖齒率領下，也抵達莒城。淖齒奉有楚王羋橫的密令，如果齊王國還有希望，就支持田地。如果齊王國沒有希望，就參加燕王國那一邊，佔領莒城。淖齒不久就發現田地是一個膿包，過去那些聲譽，不過是時勢造成的虛名。於是他邀請田地閱兵，就在閱兵台上把田地捉住，用極殘酷的方法處死：田地的筋被抽出來，懸掛到樑上，哀號三晝夜才氣絕。

——中國歷史上總共有五百五十九個帝王，其中約有三分之一，即一百八十三個帝王死於非命，而以田地死的最慘。不知道淖齒爲什麼對他如此殘忍，只有一個可能的解釋，即田地的尊貴架子太刺傷淖齒。

不過楚王國併吞莒城的目的也沒有達到，莒城民眾暴動，驅逐楚軍，殺掉淖齒，擁立田地的兒子田法章繼任國王。

樂毅圍攻即墨（山東平度）五年，不能攻下，他改用懷柔政策，企圖使即墨自行崩潰。可是燕王國內部發生變化，二〇年代紀元前二七九年，那位有姒勾踐優點，而沒有姒勾踐缺點的英明老國王姬平逝世了，少不更事的年輕兒子姬樂資繼位，認爲樂毅這個人的忠貞大有問題。齊王國以超級強國的龐然大物，在一個月之內全部瓦解，而即墨一個孤城，卻圍攻了五年，顯然像姬樂資左右親信所形容的，一定潛伏着某種陰謀。於是姬樂資下令把樂毅免職，另派親信大將騎劫代替他。騎劫立即強行攻城，即墨守將田單用他新發明的祕密武器「火牛陣」反擊。火牛陣是將利刀綁到牛角上，然後燃燒牠的尾巴，這一群尾巴着了火的牛群，就成了無數坦克車，排山倒海般的衝進燕軍陣營，燕軍被這種從沒有見過的武器嚇壞了，霎時間大敗，騎劫被殺。燕軍這一敗像一場連鎖的雪崩，齊王國人民群起響應，向燕軍攻擊，只幾天功夫，就把所有的燕王國佔領軍全部趕走。

這是歷史上著名的一次奇蹟勝利，齊王國復國。不過，跟三百年前紀元前六世紀鞭屍事件楚王國復國一樣，因爲殘破太重的緣故，齊王國雖然恢復了國土，卻不能恢復力量，它從超級強國的地位上跌下來。現在中國只剩下一個霸權——秦王國霸權。

二、嶄新的外交政策——遠交近攻

本世紀（前三）三〇年代開始，秦王國的外交政策，發生劇烈而重要的轉變。秦王嬴稷採用宰相范睢「遠交近攻」的建議，對一些距離遙遠的或較遠的國家，如齊王國、燕王國，和新被擊敗正在萎縮中的楚王國，一律笑臉相迎。而對跟自己接壤的魏、韓、趙三國，則斷然訴諸武力。

這個外交政策是可怕的，事實上使所有的國家都陷於孤立，以便於敵人各國擊破。它的製作人范睢卻不是秦王國人，而是一個魏王國人，他熱愛他的祖國，一直在魏王國宰相魏齊手下，做一個低級官員，唯一的希望是能有機會得到長官的賞識，逐步升遷。他永沒想到有一天當秦王國的宰相，獻出這種高度智慧的謀略，這是一場冤獄逼出來的奇蹟。

當范雎仍是魏王國低級官員時，有一次，他奉派作外交使節須賈的隨員，出使齊王國。齊王田法章欣賞他的才能，祕密邀請他出任齊王國的官職，范雎不願背叛祖國，田法章十分失望，贈送給他黃金五公斤和酒菜一席。范雎拒絕了黃金，只接受了酒菜。須賈聽說後，既妒且怒，一口咬定范雎一定是洩露了什麼重要機密，否則齊王國不會對他有如此重酬。回國後報告魏齊，魏齊也怒不可遏，不分青紅皂白，立即召集全體官員跟全體賓客，舉行盛大宴會，把范雎綁到堂下，教他招供。當范雎的供詞不能使魏齊滿意時，魏齊認爲他堅不吐實，空言狡辯，下令苦刑拷打，范雎的肋骨折斷，牙齒脫落，而拷打不止，范雎假裝氣絕身死，魏齊才命人把他拖到廁所，下令所有的官員跟賓客都向那滿身血污的屍體輪流撒尿，用以表示對國王的忠貞和對賣國賊的痛恨。

范雎等到凌辱他的官員群散去之後，他哀求並賄賂獄卒救他，獄卒在奉命把范雎拖出埋葬時，暗暗送他回家療養。范雎的傷勢好不容易復原，逃亡到秦王國，向秦王嬴稷提出遠交近攻的外交政策，嬴稷大喜，任用他當宰相。

不久，須賈出使秦王國，范雎化裝成一個乞丐，向須賈求食。須賈對范雎仍然活在人世大爲驚愕，但仍憐恤老友的淪落，送給他一件皮袍。當范雎告辭之後，須賈發現了眞相，他魂不附體（在那個時代，殺掉一個外國的使節，跟殺掉一隻麻雀一樣），脫掉衣服鞋襪，赤身露體，光着雙足，跪到宰相府門前請罪。范雎也依樣畫葫蘆的召集政府官員和賓客，大擺筵席，告訴匍匐在地的須賈說：「你本來是死定了，你所以不死，不過念你送給我那件絲袍，還有一點故人之情。」命他回國告訴魏王國的國王，如果不立即把魏齊處斬，即將向魏王國攻擊。魏齊在流別人的血表示他的忠貞時，非常慷慨激昂，現在需要流自己的血來維護國家安全，他卻卑劣的棄職潛逃。不過逃來逃去，逃到最後，沒有一個國家敢爲他這麼一個蠢人去開罪憤怒的秦王國的宰相，他仍然被迫自殺。不過他的靈魂要比龐涓高貴，他臨死時承認他的錯誤。

——魏王國地居中原，物產豐富，教育發達。當時最傑出的政治家、軍事家、思想家，半數以上出生在這裏或集中在這裏。可是魏王國顢頇的統治階層，不但不能用他們，反而凌辱迫害，逼使他們投奔敵國。我們不能想像：如果魏王國任用了吳起、公孫鞅、孫臏、范睢、樂毅（他也是魏國人），歷史的發展會變成什麼樣子。

在秦王國新的外交政策下，遠東三國因此得到暫時的安定，近東三國卻惡運當頭。它們只有接受不斷的痛擊而呼救無門，既沒有霸主可以申訴，又沒有另一個超級強國可以跟秦王國制衡。其中最悲慘的一次宰割，是使趙王國陷於萬劫不復的長平戰役。

三〇年代紀元前二六四年，秦王國攻擊韓王國，沿着黃河北岸向東挺進，佔領南陽（河南修武以西）。兩年後（前二六二），又佔領野王（河南沁陽），把韓王國跟北方的領土上黨郡（山西長子）的聯繫隔斷。上黨郡郡長（郡守）馮亭，向趙王國投降。這是把燙手的山芋抛給趙王國，趙王國無法拒絕這個廣達二萬方公里的土地的誘惑，仍興高采烈的接住，一面祈禱老天爺保佑它不是一塊燙山芋。

秦王國當然不允許已到口的肥肉被別人挖去，兩年後（四〇年代前二六〇年），大將王齕向上黨進攻，等到趙王國大將廉頗率援軍到達，上黨已經陷落。而秦軍仍銳不可當，廉頗節節失利，最後退到長平關（山西高平王報村），構築營壘，堅守不出。廉頗認為秦軍遠來，一定不能持久，他將等到秦軍撤退時，再行邀擊。秦王國看出，如果不除掉這老謀深算的廉頗，就不可能殲滅趙王國的野戰兵團。范雎所建立的間諜系統，及時的在趙王國首都邯鄲（河北邯鄲）向當權人士散佈耳語說：「廉頗太老了，已經喪失了銳氣，所以屢戰屢敗。上黨失陷對他的打擊很大，他自知不是秦王國的對手，已成為一個懦夫，不敢出戰，恐怕終有一天在壓力下向秦王國投降。秦王國最害怕的是趙王國少壯派將領趙括，只要趙括不出來當統帥，秦王國就鐵定的勝利。」在全國上下一致的要求下，國王趙丹把廉頗免職，任命趙括繼任總司令。

趙括是趙王國名將趙奢的兒子，有絕頂的聰明和絕頂的口才，自以為他的軍事才能天下無雙。趙奢在世時，父子們談論兵法，老爹往往被兒子批駁的啞口無言。趙括的母親高興說：「將門虎子，眞是不錯。」但老爹不以為然，他說：「戰爭是致人於死的大事，他說起來卻十分輕鬆，一旦擔任大將，必定失敗。」所以當趙括被任命為總司令後，老母立刻上書給國王趙丹說：「趙括事實上是一個呆子，只會讀父親的書，而不會靈活運用，不是大將之才，請不要派遣。」趙丹以為老母謙讓，老母說：「他父親當總司令時，所得到的賞賜，全部分給部下。命令發佈的當天，就住進軍營，跟士兵同甘共苦，不再過問家事。遇到困難，必定徵求大家意見，從不敢自以爲是。可是趙括剛被任命爲總司令，就威風凜凜，軍營之中，沒有人敢對他仰視。賞賜給他的財物，全運回家。他父親死時曾一再囑咐，無論如何，不可使趙括指揮大兵團作戰。」趙丹當然不肯因老母一人之言而改變主意，老母請求：「如果一定要用他，萬一喪師辱國，但求赦免我們全家。」趙丹允許。

秦王嬴稷得到趙括當總司令的消息，高興的幾乎發狂，他任命各國所最畏懼的大將白起當總司令，原在前方擔任總司令的王齕降爲副總司令。唯恐怕白起的威名使趙括恐懼，不敢出戰，那就捕捉不到趙王國的主力了，嬴稷下令，有敢洩露總司令姓名的，立即斬首。然後動員全國所有的後備兵力，把十五歲以上的男子，全部投入戰場。世界上最大的一場會戰，祕密佈置完成。秦王國所要的不僅僅是戰場上的勝利，它還要徹底摧毀趙王國的戰力。

趙括採取中央突破戰術，他厭惡防禦，他認爲最好的防禦就是攻擊，要取得勝利，必須發動繼續不斷的攻擊，楔入敵人陣地之後，左右展開，促使它全線崩潰。他就任之後，即撤除防禦工事，親自率領精銳，向秦軍最弱的營壘進攻，白起下令退卻。趙括突破秦軍陣地之後，仍保持猛烈的攻勢以擴大戰果，白起下令再退，然後派出二萬五千人的奇襲部隊，切斷正在銳進的趙括的退路。於是趙王國的大軍被分割爲二，趙括和一部份精銳部隊被隔在前方，留守的軍隊仍在長平關陣地。接着白起又切斷趙軍的糧道，趙軍霎時間發生糧食恐慌，而且跟中央政府失去聯絡。趙括發動數次最猛烈的攻擊，希望突出秦軍的包圍，但秦軍堅強抵抗，毫不動搖。趙括那些說起來頭頭是道，曾使老爹閉口的軍事理論，全部失效，他不得不效法廉頗的辦法，改攻為守，等待援兵。可是現在的形勢改變，兵力既被分開，糧秣又盡，守已不可能，而且又無法把緊急情況報告邯鄲。趙括勉強支持了四十六天，士兵們飢餓的發瘋，最初是殺掉戰馬充飢，等到戰馬殺盡，就互相攻殺，煮食戰友的屍體。趙括被迫作最後的衝刺，分兵為四隊，輪流突擊，但始終突不破秦軍鋼鐵般的防線。到此，趙括束手無策，他親自挑選敢死隊作最後一次突圍，結果全軍覆沒，他自己也死在亂箭之下。趙軍還剩有四十萬人，全部投降。

慘劇發生在趙軍投降之後，白起命這四十萬飢餓疲憊，得慶再生的俘虜，進入長平關附近一個名為「殺谷」的深谷之中，把谷口兩端堵塞。預先埋伏在山頂上的秦軍，像暴雨一樣的拋下土石，四十萬人，全被活活埋葬，只有二百四十人被釋放回國，傳佈這場恐怖消息。趙王國舉國大哭，聲震天地，他們的青年這一代，全在這一役犧牲，趙王國從此沒落。

長平關戰役四年後（前二五六），當秦王國的軍隊再度攻擊韓、趙兩國時，穿過洛陽那個可憐而古老的周王國的領土，如入無人之境。周王國最末一位國王姬延，赫然震怒，親自號召各國恢復早已無人再談的合縱對抗盟約，組織討伐秦王國的國際聯軍。周王國的命脈不絕如縷，既小又窮，連神聖不可侵犯的立國之寶的九鼎，都熔化了賣掉過日子。如今竟去碰撞人人畏懼的侵略大王，眞是把頭伸到餓虎口中的壯舉，比曹陽、宋偃還要荒唐。

姬延好不容易招募了五六千人，又苦無糧餉，只有向地主們跟富商們借貸，約定勝利凱旋之日，用戰利品奉還。楚、燕二國倒是派遣了軍隊赴約的，但發現再沒有其他國家軍隊時，就驚惶的撤退。周王國那五六千人的烏合之眾，當然不能單獨行動，熱鬧了一陣之後，只好解散。既沒有戰利品，債也無法淸償，債權人日夜索債，姬延無法應付，就躲在一個高台之上，不敢跟人見面。但他這種兒戲舉動，秦王國聽到後大不高興。派出一支軍隊到洛陽，把姬延捉住，廢為平民。這個立國八百七十九年，被儒家學派讚不絕口的周王朝，在沒有一聲嘆息中滅亡。

周王國滅亡的次年（四〇年代前二五五年），楚王國軍隊進入曲阜，把魯國最後一位國君姬讎放逐。六年後（五〇年代前二四九年），再把他廢為平民，魯國也滅亡。

現在，中國境內，七大強國並立。

三、呂不韋・韓非

秦王國的王位，到了五〇年代紀元前二四七年，傳給了十三歲的少年嬴政，由嬴政父親嬴異人的老友呂不韋攝政。

呂不韋是趙國人，他是歷史上最有政治頭腦的資本家之一。嬴異人曾在趙王國當過人質，他父親嬴柱是秦王國的太子。嬴柱跟當時的任何貴族一樣，姬妾很多，嬴異人的母親不過其中之一。他的母親既不受寵愛，因之他也不受重視。在趙王國首都邯鄲（河北邯鄲）那段時間，窮困潦倒，跟一個流亡的難民差不多。呂不韋看上了他，把他當作奇貨，投下大量賭注。又親自去咸陽，靠謀略和賄賂，說服嬴柱最寵愛的華陽夫人——她偏偏沒有兒子。在華陽夫人的要求下，嬴異人排擠了所有的弟兄，被立為太子的法定繼承人。不僅如此，呂不韋還把自己最寵愛的姬妾送給嬴異人，這位姬妾一年後生了一個兒子，就是嬴政。呂不韋的運氣不錯，不久，老王嬴稷逝世，嬴柱繼位。嬴柱當王只三年就一病而死，嬴異人繼位。嬴異人當王也只有三年，也一病而死，嬴政遂坐上寶座。呂不韋這場精彩的政治投資，收到可驚的利潤。

東方各國乘秦王國一連串權力轉移之際，再度組成一次為時過晚的合縱對抗聯盟。五〇年代紀元前二四一年，楚、趙、魏、韓、衛（齊燕兩國拒絕參加，這是遠交近攻的效果），推舉楚王芈完當縱約長。芈完命宰相黃歇代表，統率五國聯軍，抵達函谷關外。這是合縱對抗聯盟第二次進逼函谷關挑戰，距上世紀（前四）第一次進逼挑戰，已七十七年。不過這一次比上一次更糟，當秦軍大開關門，擂鼓出戰時，五國聯軍魂飛魄散，稍後望見秦軍的旌旗，就好像一群老鼠望見了貓的耳朵一樣，霎時間驚慌失措，一哄而散。尤其是仍然龐大的楚王國，好像惹下了什麼滔天大禍，拋棄了已定都三十八年之久的陳丘（河南淮陽），把首都再遷到更東方，距秦王國更遠的壽春（安徽壽縣）。這是東方諸國最後一次團結，不過這次團結不如不團結，它們的醜態畢露，鼓勵秦王國興起更大的野心，開始認眞的考慮早日動手消滅它們。

六〇年代紀元前二三七年，嬴政二十三歲，他不高興呂不韋專權，把他免職。嬴政自己親政，用法家學派的李斯當宰相。嬴政非常喜歡讀書，在博覽群書中，他發現了孤憤、五蠹，反覆誦讀，佩服的五體投地，嘆息說：「我能見到這本書的作者，跟他交遊，雖死無恨。」李斯告訴他，作者韓非，是韓王國的貴族，因爲患有口吃的毛病，所以不善於言詞辯論，但他的智慧全在他的著作之中。嬴政十分興奮，通知韓王國，邀請韓非到秦王國訪問。

六〇年代紀元前二三三年，韓非到了咸陽，作爲國王的貴賓，受到盛大的尊敬與歡迎。然而天下事往往並不都是向正面發展的，龐涓、孫臏的故事，在秦王國重演。李斯爲自己的職位起了恐慌，決心殺掉韓非。他向嬴政提出警告說：「韓非是韓王國貴族，不是普通平民，絕不可能忠於秦王國。與其用他，冒着被背叛的危險，不如送他回國。但與其送他回國後變法圖強，成爲大敵，不如殺了他以絕後患。」專制帝王大多數都是翻臉無情，喜怒無常的，而且無論幹什麼喪盡天良的事，都會得到搖尾系統的支持。

於是嬴政把韓非從貴賓位置上拉下來，投入監獄，雖然嬴政後來改變主意，下令把韓非釋放，但李斯卻在他改變主意之前，在監獄中把韓非毒死。

韓非，這個集榮耀與悲劇於一個焦點的學人，是法家學派的總匯。他的思想中心是，君主應擁有強大的權力，不必希望人民感恩，也不在乎人民怨恨，只要賞罰嚴明，就可以使政府成爲萬能。

韓非死後，崇拜他的學人把他的作品，集成一部書，命名韓非子。嬴政，和李斯雖然殺了韓非，但卻接受了韓非的全部思想，建立他們的日益擴張中的帝國。

四、六國覆滅

本世紀（前三）七〇年代，東方六個王國滅亡的內在和外在條件，都已具備。內在條件是，統治階層日益腐敗無能，人民的貧窮日益加重，渴望着早一點變天的心理狀態日益強烈。外在條件是，秦王國統一當時世界的決心與強大實力，日益膨脹。於是就在七〇年代的十年之中，像一根鐵棒搗碎六個雞蛋一樣，輕而易舉的把六個王國全部征服。它們滅亡的順序，列於左表：

順序	國別	亡國年代	亡國年份	立國年數
1	韓王國	七〇	前二三〇	一〇四
2	魏王國	七〇	前二二五	一四五
3	楚王國	七〇	前二二三	五一九
4	燕王國	七〇	前二二二	一一一
5	趙王國	七〇	前二二二	一〇五
6	齊王國	七〇	前二二一	一三九

第一個遭到惡運的是國勢始終沒有振作過的韓王國，韓非死後的第三年（前二三〇），秦王國大軍攻陷它的首都新鄭（河南新鄭），韓王國最末一任國王韓安投降。

韓王國的滅亡引起其他各王國震恐，趙王國在過度緊張中，跳進秦王國間諜佈置下的圈套，把那位唯一可以挽救國家、忠心耿耿的名將李牧，逼得自殺而死，秦王國那些將軍們從此再沒有可以較量的對手。兩年後（前二二八），秦王國繼白起之後的名將王翦，即對趙王國進攻，國王趙遷投降。趙遷的哥哥趙嘉向北逃走，在代郡（河北蔚縣），集結殘軍，繼續抵抗。

燕王國更手忙腳亂，燕王姬喜的太子姬丹主持國政，大臣們勸他跟齊、楚、魏再組合縱對抗聯盟，姬丹認爲那已不切實際，而且緩不濟急。他決心採取左道旁門的手段，派遣刺客去脅迫嬴政，命他承諾退還侵略的土地，並保證不再繼續侵略。如果他拒絕，就把他刺死。姬丹選擇的刺客是著名的勇士荆軻，整個計畫是：燕王國向秦王國請求合併，派遣荆軻獻上燕王國的地圖，嬴政一定會親自接見，當荆軻雙手展開地圖時，一柄短小而鋒利的匕首就在地圖中出現。

紀元前二二七年，荆軻到了秦國首都咸陽（陝西咸陽）。一切都照計畫進行。可是，當荆軻右手拿起匕首，左手抓住嬴政的袖子，正要說話的時候，嬴政掙脫了荆軻的手，繞着柱子奔逃。荆軻在後面追趕，很顯然的，機會已失。嬴政拔出腰劍，把荆軻左腿砍斷。荆軻栽倒到地上，勉強坐起，右手把匕首向嬴政擲去，擊中桐柱，射出火花。嬴政再用劍砍他，荆軻用手去接，五個手指應聲而落。他面露微笑，對嬴政說：「我本打算劫持你，逼你退還侵略鄰國的土地。不幸失敗，大概天意如此。」他死於亂劍之下。

秦王國大軍立即向燕王國作懲罰性的攻擊。明年（前二二六），攻陷首都薊城（北京），姬喜向東逃到襄平（遼寧遼陽）。秦軍繼續追擊，姬喜不得已，把太子姬丹縊死，將頭獻給秦軍，秦軍才撤退。但秦軍並不是寬恕了燕王國，而是急於回去獻上主凶的人頭。

秦王國大規模的統一中國的軍事行動，不會停止。縊死姬丹的次年（前二二五），秦軍進攻魏王國，決開黃河的堤防，使從天而降的河水灌入首都大梁（河南開封），最末一位國王魏假被擒，就地處決。

兩年後（前二二三），秦王國名將王翦率領傾國的兵力，六十萬人的精銳兵團，進攻仍然地廣人眾的楚王國，一連串決定性的殲滅戰後，最末一位國王芈負芻投降。

明年（前二二二），秦王國大軍向北掃蕩，進攻襄平（遼寧遼陽），生擒姬喜，燕王國滅亡。秦軍在回軍途中，攻陷代郡，趙嘉自殺，但他總算延長趙王國五年的壽命。

又明年（前二二一），輪到那唯一還存在的齊王國。

范睢的遠交近攻政策，在齊王國身上發揮最高的效果。足足五十餘年的時間，齊秦兩國的邦交極為敦睦，政府使節和民間商旅，絡繹於途，十分密切。齊王田建，曾於六〇年代紀元前二三七年，前往秦王國訪問，嬴政用極尊貴的禮節歡迎他。在首都咸陽（陝西咸陽）設置盛大筵席，秦王國的高級官員和各國使節，匍匐在田建腳下，誠惶誠恐，不敢抬頭。田建深爲感動，跟嬴政結拜爲異姓兄弟，兩個王國自然也成爲最親密的兄弟之邦。齊王國派到咸陽的使節，每個人都得到親切的招待和可觀的貴重禮物，無不心花怒放，對秦王國的堅強友情，讚不絕口。秦王國也不斷派遣各種使節，包括其他各國國籍的客卿在內，攜帶大量黃金珠寶，前往齊王國首都臨淄（山東淄博東），一面游說統治階層不要改變外交政策，一面誘使他們墮落，跳入貪污腐敗的陷阱。因此，齊王國對任何形式的合縱對抗行動，一概拒絕參加。而且每逢秦王國征服一國，田建就派遣特使前往咸陽道賀。當全世界都在爲保衛祖國血戰之際，只齊王國隔岸觀火，置身事外，連享半個世紀以上的繁榮與和平。

然而，末日終於到來，七〇年代最後一年（前二二一），東方六個王國中的五個王國都已消滅，只剩下齊王國孤獨的陷在秦王國四面八方的重重包圍之中。田建跟那位被秦王國收買了三十年的宰相后勝，他們痲木的神經系統才感覺到有點不對勁，但一切都已太遲。秦王國大軍於滅掉趙王國之後，轉頭南下，沒有遇到任何抵抗，就佔領了臨淄。齊王國在糊裏糊塗中斷送。

以後的事是，嬴政把受賄最多的后勝處決，把昔日如手足的結拜老哥田建流放到共城（河南輝縣）。當了四十五年的太平國王，享盡了人間榮耀的田建老爹，在荒涼的太行山松柏林中，築屋定居。隨從他的宮人們不久就紛紛逃走，老爹只有一個兒子，年紀還小，這位王位繼承人每夜啼哭，使老爹心碎。而地方官員的供應又時時斷絕，以致金枝玉葉的一家人常受飢寒，老爹更加傷感，一病而死，幼兒不知道下落。齊王國的遺民聽到消息，曾爲他作一首悼歌：

滿耳松樹的濤聲
滿目柏樹林
飢餓的時候不能吃
口渴的時候不能飲
誰使田建落得如此結局
是不是那些——
圍繞着他的客卿大臣

東方六個王國到此全部結束，為時二百六十年的戰國時代也到此終止。只有一個封國仍然存在，那就是衛國（河南沁陽）。可能是它太小了，小到被嬴政把它忘掉。直到十二年後九〇年代紀元前二〇九年，嬴政的繼承人嬴胡亥大概忽然間想起了它，才下令把它取消。

五、輝煌的八〇年代

塵埃已經落定，封國和獨立王國長期的混戰局面，已經過去，中國又統一於一個中央政府，成為一個單一的國家，而且出現中國歷史上第一個最強大的王朝。在它強有力的指導推動下，一個奇異而龐大的帝國建立起來。

嬴政大帝是這個空前偉大事業的總工程師，幾乎就在征服六國的同時，他立即就把軍事上蓬勃的破壞動力，轉變爲政治經濟以及文化上的建設動力，在八〇年代成爲大黃金時代的高峰。

我們敍述嬴政大帝爲中國作了些什麼事時，必須了解一點，他的每一項措施，無論後世的人高興或不高興，讚美或詛咒，卻幾乎件件都影響中國歷史至少二千年之久。

他先從一件小事情上開始，那就是他不再稱爲國王，而改稱皇帝，這是「皇」「帝」二字第一次結合爲一個專有名詞，從此它的地位比國王高一等，代表國家最高元首和不受任何限制的最高權力。嬴政大帝又規定，皇帝的命令稱爲詔書，皇帝並用一種特別的字作爲自己的代名詞，即不再稱「我」而改稱「朕」。並廢除周王朝最得意的諡法制度，皇帝的區別以簡單明瞭的數字作標準，如嬴政大帝自己稱秦王朝的創始皇帝，他的後裔稱「二世皇帝」「三世皇帝」以至「萬萬世皇帝」。不過中國民間卻把嬴政大帝的稱號簡化，一致稱他爲「秦始皇」。

——周王朝有兩種專屬於貴族階級的文字遊戲，第一種是避諱制度，依儒書的規定，地位高貴的人的名字，神聖不可侵犯。地位低微的人必須提心弔膽的不去觸及它，即令同音的字也不允許在文字上出現，有時候更不准說出口，否則便是「犯諱」，凡是「犯諱」的人，輕者要受處罰，重者可能處斬。嬴政大帝所以沒有明令取消這個制度，大概它在本世紀（前三）還沒有造成特別災害的緣故。第二種就是諡法制度，依儒書的規定，一個尊貴的貴族死後（不夠尊貴的貴族，如官職稍小，和普通平民，都沒有資格），他的兒子或部下，即根據他生前的行爲特徵，給他一個恰如其份的綽號，如周王朝第一任國王姬發，被稱爲「武王」，即武功蓋世之王。如第十二任國王姬宮涅，被稱爲「幽王」，即黑暗不明之王。周王朝認爲諡法制度是禮教的一部份，一個人爲了顧慮死後的惡劣綽號，會主動的約束自己的行爲。這個構想太天眞了，它沒有想到，滿身罪惡的死者，如果權勢仍然存在，便沒有人敢提出恰當的形容詞，而搖尾系統還會把字典上所有的高貴字句，全部堆到他頭上。秦王朝滅亡後，儒家當權，諡法恢復，遂成爲一個小醜表功制度。我們舉一個例子作爲說明，十七世紀明王朝那位吸毒的斷頭政治皇帝朱翊鈞，他的綽號是：「範天合道哲肅敦簡光文章武安仁止孝顯皇帝」，二十世紀那位把清王朝搞垮了的老太婆那拉蘭兒，她的綽號是：「孝欽慈禧端佑康頤昭豫莊誠壽恭仁獻崇熙顯皇后」，這種必須喘一口氣才讀得完的頭銜，使人倒盡胃口。

廢除諡法制度只是一件小事，但它顯示一種動向。嬴政大帝跟他的政府已完全擺脫儒書裏那些周王朝的重要傳統，眼前展開的是一個自由自主的新的天地。在這個基礎上，中國疆域開始轟轟烈烈的向外擴張。周王朝只限於黃河中游，戰國時代七個強大的王國各自開疆拓土，幾乎每一個王國都膨脹到有周王朝那麼龐大。嬴政大帝完成統一的工作後，疆域已包括了黃河、長江，以及桑乾河三大流域的大部份，這已是夠大的帝國了，然而有一個新興的威脅使他不能安枕，就是北方沙漠上，強大的匈奴民族，悄悄崛起。當秦王國剛剛掃平六國，收兵回營的時候，匈奴那個毛茸茸的陰影，忽然籠罩下來。匈奴最南的邊界，在被稱爲「河南地」的河套北部，距秦王朝的中華帝國的首都咸陽，只四百公里，騎兵一天就可以抵達城下。這使嬴政大帝決心把匈奴逐出河套。

這項任務由大將蒙恬勝利的完成，秦兵團而且越過黃河，挺進到陰山山脈（高闕・內蒙烏拉特後旗東南）。沿着固有的邊界一帶，戰國時代各國爲了抵禦北方蠻族的劫掠，都建有屬於自己的邊防長城，現在，蒙恬爲了阻止匈奴的反攻復仇和南下侵略，他發動軍隊和民眾，把它銜接起來。這個在當時長達二千餘公里而被稱爲「萬里」的長城，東端起自遼東半島遼東郡（遼寧遼陽）的東南，西端到臨洮城（甘肅岷縣），使本來分爲三段的長城：燕王國長城，趙王國長城，秦王國長城，聯而爲一。這對匈奴以及後來代之而起的其他北方蠻族，是一個阻擋力量，他們必須承受重大的死傷損失之後，才能攻破長城，進入中國本土。

在南方，有兩塊廣袤的蠻荒土地，等待開發，那就是「閩中地」和「陸梁地」。閩中地即現在的福建省跟浙江省南部。陸梁地包括現在的廣東、廣西兩省，和湖南、江西兩省的南部，陸梁的意義是「陸地上的強梁」，形容土著民族的強悍善戰。我們不知道什麼原因促使嬴政大帝決心征服這兩個地方，反正是當北方的河套被併入版圖後，秦兵團立即排山倒海般南下，投入這個燠熱難當，到處叢山峻嶺和惡霧毒蟲的原始地帶。

秦兵團一面開路一面前進，完成兩項偉大的工程，一是打通了大庾嶺，一是開鑿了靈渠運河。大庾嶺屬於五嶺之一，它有效的把南中國分隔爲二，秦兵團用雙手在嶺上闢出一條山道，使長江流域跟珠江流域豁然相通。靈渠運河連接長江的支流湘江跟珠江桂江，穿過野蠻部落和巨山峽谷，使南北交通發生戲劇性的變化，船隻可由帝國首都咸陽（陝西咸陽）出發，直達南方的海口番禺（廣東廣州）。

閩中地散處着越王國瓦解後殘存的部落，所有的酋長們都以國王自居，但他們跟秦兵團一經接觸，即行投降。陸梁地的一些強悍民族的激烈抵抗，在配備現代化武器的秦兵團水陸夾攻下，也被粉碎。

這是一個空前廣袤的帝國，過去從沒有過。比上世紀（前四）西方的亞歷山大帝國還大，而且亞歷山大帝國只曇花一現，秦王朝建立的中華帝國卻一直矗立不墜。帝國面積大約三百萬方公里左右，包括當時中國人已知的全部世界。嬴政大帝再擺脫周王朝最洋洋得意的另一個制度——封建制度，把帝國劃分為四十一個郡。郡是地方行政單位，直屬中央政府，郡下再劃分為若干縣，縣下再劃分為若干鄉。完全遵照公孫鞅變法時在秦國所定的制度。

四十一郡是：

內史郡（首都咸陽）
上郡（陝西榆林南魚河堡）
北地郡（甘肅西峰）
隴西郡（甘肅臨洮）
漢中郡（陝西漢中）
蜀郡（四川成都）

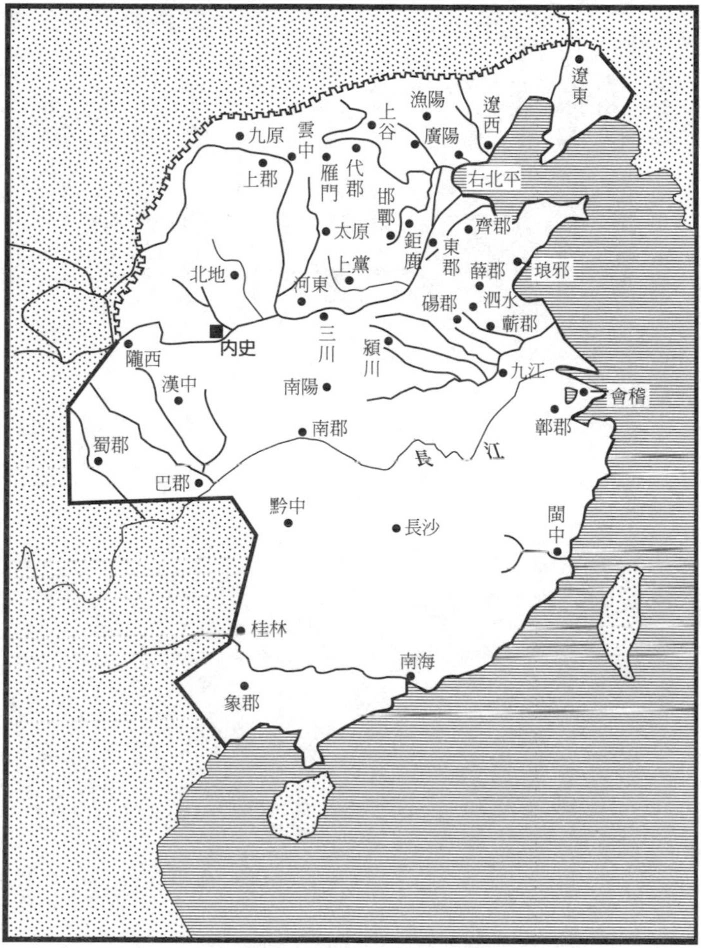

圖一二　前三世紀八〇年代・秦王朝三十六郡

巴郡（四川重慶）
河東郡（山西夏縣）
上黨郡（山西長子）
太原郡（山西太原）
雁門郡（山西右玉）
九原郡（內蒙包頭）
雲中郡（內蒙托克托）
代郡（河北蔚縣）
黔中郡（湖南沅陵）
象郡（廣西崇左）
上谷郡（河北懷來）
漁陽郡（北京密雲）
右北平郡（內蒙寧城西南）
遼東郡（遼寧遼陽）
遼西郡（遼寧義縣）
鉅鹿郡（河北平鄉）
邯鄲郡（河北邯鄲）

東郡（河南濮陽西南）
琅邪郡（山東膠南西南琅邪鄉）
泗水郡（安徽淮北）
九江郡（安徽壽縣）
閩中郡（福建福州）
南海郡（廣東廣州）
齊郡（山東淄博東臨淄鎮）
薛郡（山東曲阜）
碭郡（河南商丘）
三川郡（河南洛陽東）
潁川郡（河南禹州）
南陽郡（河南南陽）
南郡（湖北江陵）
會稽郡（江蘇蘇州）
鄣郡（浙江安吉）
長沙郡（湖南長沙）
桂林郡（廣西凌雲）

廣陽郡（北京）

這是一個劃時代的突破，和最駭人聽聞的政治結構，沒有封國封爵，沒有公侯伯子男。當時沒有一個人敢於想像皇帝的兒子們竟會跟平民一樣，竟沒有擁有土地，更沒有擁有奴隸群。尤其是崇古的儒家學派的學者，面對着這麼大的巨變，大惑不解，而且不久就大起恐慌，這簡直是敲碎他們的飯碗了。

六、嬴政大帝

嬴政大帝的生命是多采多姿的，充份顯示他強力的獨立人格和獨立思考。他面對的是包羅萬象的龐大帝國，充滿陌生的人民。

然而，大黃金時代的光芒正在普照。大黃金時代最主要的特徵之一，是一種只向前看的心理狀態，人們逐漸的從周王朝那種崇古守舊的傳統中脫穎而出，而以堅決的態度，發揮創造未來的倔強精神。嬴政大帝正是這種主流思潮的代表人物，他是中國最勤勞的帝王之一，不分晝夜的爲他的帝國服務。

在政府組織上，嬴政大帝給中國歷代王朝奠定了權威性的規範，使得以後幾百個帝王只能在他所想到的圈子裏作小小的修正，而無力作巨大改變。秦政府跟周政府大大的不同，周政府不過是一個國王親屬和大部落酋長們住的大庭院，秦政府則是眞正的中央集權的政治機構。在皇帝之下設立宰相，宰相之下設立九卿——九位部長級官員。我們用左表說明：

元首	宰相級官員	部長級官員（九卿）	以後王朝改稱
皇帝	丞相（政治） 太尉（軍事） 御史大夫（監察）	奉常（祭祀部長）	太常・太常卿
		廷尉（司法部長）	廷尉卿・大理卿
		宗正（皇族事務部長）	宗正卿
		衛尉（皇城保安司令）	執金吾・衛尉卿
		太僕（交通部長）	太僕卿
		少府（宮廷供應部長）	少府卿
		典客（外籍官民接待總監）	大鴻臚・鴻臚卿
		治粟內史（糧食總監）	大農令・大司農・司農卿
		郎中令（宮廷禁衛官司令）	光祿勳・光祿卿

秦政府的組織精神，是政治、軍事、監察，三權分立，互不統攝。政府跟軍事不結合，可避免皇帝的權力被剝奪。監察權是皇帝的耳目，它主要目的在查看官吏和人民是否效忠或是否盡職。

九卿的官制，是秦政府的又一發明，我們在括弧中所註釋的現代官稱，實際上並不恰當，但不如此便無法加強印象。主要原因是，政府官員和宮廷官員，在秦王朝時還無法劃分。所有官員都爲皇帝做私事，也同時爲國家做公事。這就跟現代若干獨資經營的小店鋪，跟老闆家庭之間，無論財務和管理，往往混合爲一的情形一樣。到了後來，爲皇帝辦私事的官員另成一個宮廷系統，九卿才成爲政府系統。歷代王朝中央政府的組織雖不斷有變化，但九卿的官稱不變，一直保持兩千餘年，直到二十世紀，才隨着帝王制度的消滅而消滅。

我們可以假設一個問題，假設現在某一個國家，把地球上所有的其他國家都用武力征服，成立一個強有力的世界政府，它最迫切的政治措施，將是什麼？這正是嬴政大帝在紀元前三世紀八〇年代所面臨的課題，他爲了鞏固他的帝國所從事的努力，大概分爲兩個項目：

其一，開鑿運河和建築公路。除了靈渠運河外，秦政府又在黃河跟淮河的支流潁水之間，開鑿另一條同樣重要的運河，即鴻溝運河，也即現在的賈魯河，它接連黃河跟淮河，再從淮河轉入長江，航運灌溉，都有高度價值。公路從首都咸陽（陝西咸陽）出發，作輻射形狀，直達各郡，北到遼東郡（遼寧遼陽），南到長沙郡（湖南長沙），像蜘蛛網一樣密佈全國。公路寬五十步，每隔十公尺，即種植一棵松樹或柏樹，這恐怕是世界上最早出現的林蔭大道，構成「條條大路通咸陽」的壯觀，不僅有利於武裝部隊的機動性，更促進各地經濟文化的交流，使相異的差距日益縮小。

其二，統一文化和度量衡制度。各封國和各王國經過長期間的政治獨立，猶如西方羅馬帝國崩裂後的歐洲一樣，每一個國家都發展成爲一個文化的和經濟的社會單元，互不相同。齊王國寫出的字與楚王國寫出的字不一樣，韓王國的升斗跟燕王國的升斗不一樣，趙王國的里程也跟魏王國的里程大大的差異。各國車輛，各有寬度，也就是說，車輛只能在本國行駛，一出國境，因爲不能合轍的緣故，寸步難行。嬴政大帝要求把這些全部劃一，首先他下令採用一種新文字，也就是一種簡體字，把周王朝及六個王國所使用的那些繁雜而又互相差異的字體，簡化爲一種「小篆」——以後更再進一步的簡化爲一種「隸書」。這是中國歷史上由政府所發動，對文字所作的第一次劇烈的改革，使原來十分笨重的文字，變爲靈活，是中國文化最大的一項躍進。其次嬴政大帝規定標準長度（度），標準容量（量），和標準重量（衡）。從此在中國境內，文字、尺寸、升斗、斤兩，以及車輛的輪距，完全一致。這件事奠定了中國人萬世大一統思想觀念的基礎。

帝國的領導人，上至嬴政大帝，下至包括宰相李斯在內的高級官員，都精力充沛，具有活潑的想像力。在本世紀（前三）八〇年代十年中，他們做出比七〇年代統一當時世界還要多的事，也做出幾乎比此後兩千年大多數帝王所做的總和還要多的事。

七、焚書坑儒

著名的嬴政震撼，也發生在八〇年代，他採用暴力手段來對付儒家學派的崇古思想。澎湃的學術思潮中的四大學派：儒、墨、道、法，發展到本世紀（前三），道家本身沒有組織，從不跟人競爭。墨家也告沒落，沒落的原因不是它的理想不好，恰恰相反，而是因爲它的理想太好，要求太高；以致必須有一種殉道的極端宗教感情，才可以勝任，這不是每個人都辦得到的，不久就發生後繼無人的枯竭現象，逐漸在人群中消失，只留下使人敬仰的學說，供人研究。

於是，實際上只有儒、法兩家在對抗，兩家的學者都渴望得到君主們的垂靑，法家學派的方法是向君主分析利害，提出具體方案，使君主們悚然戒懼，不得不賦予權力。儒家學派是拒絕談利害的，他們只談仁義，只對君主歌頌功德，使君主們在非常舒服的精神狀態中，任用他們擔任官職。大黃金時代是法家學派當權的時代，在各國從事生死存亡的鬥爭時，儒家學派自然被排除於權力之門，不過這並不能使儒家學派灰心。

嬴政大帝在九卿之一的「奉常」（祭祀部長）之下，設立數目不定的「博士」官員（祭祀部兼管教育）。當時的博士跟現代的博士不同，當時的博士是國家最高的學術研究員，他們有優厚的薪水，地位僅次於祭祀部長，可以經常覲見皇帝，而皇帝也經常召見他們。秦政府的博士，包括各學派的門徒和學者。事實上只不過以法、儒、道三家爲主，道家所以也被延攬，因爲這時候道家已開始發展出來一個新的支派，這個支派跟陰陽家結合，高舉着李耳、莊周的招牌，揑造出姬軒轅也是他們的祖師爺之一，從事跟道家思想風馬牛不相關的兩件大的行動，一是他們宣稱能夠用火爐煉出使人吃了可以永遠不死的仙丹，一是他們宣稱能夠用同樣方法煉出黃金。言之確鑿的不死藥或長生藥，跟煉金術，足以打動任何人的心絃。這個新的支派，在本世紀（前三）和下世紀（前二），被稱爲「方士」，即是一種高級巫師，以後發生的道教，淵源於此。

嬴政大帝喜歡出巡，他的足跡幾乎遍於中國各地著名的山川。每次出巡，當然有一個龐大而威風凜凜的隨從行列，博士也在其中。每到一處，嬴政大帝一定要建立石碑作爲紀念。石碑上誇耀他征服六國，統一世界的豐功偉業。這正是儒家的拿手，著名的於八〇年代紀元前二一九年立在泰山頂上的頌德碑，就是儒家學派的博士跟故魯國的儒家學派的學者（儒生）的傑作，嬴政大帝十分高興。

於是儒家學派認爲機會已到，遂進一步做了一件自信嬴政大帝一定會龍心大悅的事，那就是他們建議嬴政大帝分封他的兒子們到各地當國王。八〇年代紀元前二一三年，博士淳于越正式上書給嬴政大帝說：「從前商周兩個王朝，立國都近千年（按，這是文化打手式的信口開河，事實上商王朝立國只有六百六十二年，周王國連洛陽那種賣九鼎的日子包括在內，不過八百七十九年，距千年都遠得很），主要原因在於分封兒子兄弟，作爲枝葉。現在陛下雖富有世界，可是你的兒子們卻跟平民一樣，一旦發生危險，便沒有人相救。凡事不效法古人，而能長久的，從沒有聽說過。」

——注意最後三句話，它表現出儒家學派的中心思想。

然而，這是對秦王朝那種眼睛只看未來的立國精神的挑戰，宰相李斯反駁說：「五帝的制度不相重複，三代的制度不相抄襲。各自使用各自的制度，並不是故意反古，而是時代前進，不得不如此。陛下創立大業，所建立的是萬世功勳，儒家學者愚陋，對此新的局面，不能領略。淳于越所說的是兩千年前三代時代原始社會的事，怎麼能夠效法？儒家學者不向時代學習，只一心一意崇拜古人，用虛僞的言語打擊眞實。見到新興事物，先議論紛紛。堅持現在的制度都沒有古代好，擾亂民心。」

嬴政大帝採納李斯的意見，儒家第一次碰到政治硬漢。嬴政大帝的手段是粗暴的，他下令焚燬那些使魯國國君被強迫叩頭的儒書（詩書）。超過六十天仍不焚燬的人，處以黥刑（臉上刺字），罰做苦工。兩個人以上談論儒書的，一律處決。凡認爲古代才是好的，現代都是錯的——「是古非今」的人，全家斬首。但政府圖書館收藏，供博士們研究的儒書，以及其他學派的著作，跟醫藥、卜卦、種樹的著作，不在焚燬之列。

——這是儒家學派所受到最大一次打擊，但仍准許博士們研究，所以影響不大。大的影響發生於稍後的九〇年代，粗野的項羽攻進咸陽後，縱火燒城，政府所保存的圖書，包括儒家的以及其他學派的很多著作，才永久喪失。

嬴政大帝雖然焚燬儒書，目的只在限制崇古思想的傳播，對儒家學者，仍繼續保留他們的職位，而且繼續鼓勵他們研究。可是，焚書事件的明年（前二一二），又發生方士事件，激起嬴政大帝採取流血的鎮壓政策。兩位因法術不靈，唯恐怕被砍頭的道家方士侯生、盧生，悄悄逃走。在逃走時宣傳說：「嬴政這個人，天生凶惡，只信任他手下的官吏，博士雖然有七十餘人，不過吃吃閒飯，受不到重視。他又喜歡殺人，拒絕聽自己的過失。方士們的法術偶爾不能應驗，就被處死。他只知道煉仙丹、求仙藥。沒有人會這麼傻，把長生不死的丹藥送給他。」嬴政大帝聽到後，咆哮起來：「我聘請這麼多知識份子，目的在促進永久的和平。他們中間有人建議說可以煉仙丹求仙藥，像徐福者流，浪費了無數金錢，結果什麼都得不到。而各人之間，你攻擊我，我攻擊你，不停的互相傾害告密。侯生盧生，我非常尊重他們，想不到卻把罪過全推到我一個人身上，用這種荒唐的話誹謗我。」於是下令把首都咸陽（陝西咸陽）所有的高級知識份子都逮捕起來，調查他們平日有沒有諷刺皇帝的言論。調查結果，罪狀確鑿的有四百六十人，給他們的處罰是全部坑殺，像長平戰役對付那些趙王國的降卒一樣。四百六十人中，依情勢判斷，應該全體都是道家的方士，但鑑於崇古也是一種罪狀，恐怕不可避免的也包括了不少儒家學者。

——以上兩項被稱爲「焚書坑儒」的事件，使儒家學派把嬴政大帝恨入骨髓。在此後兩千年儒家學派當權的漫長期間，一提起嬴政大帝，就破口大罵，把字典上所有惡劣的字句像炭火一樣的堆到他頭上。

嬴政大帝也有他不能超越時代的愚昧行動，中國民間有句諺語說：「當了皇帝想成仙。」其實人人都希望成仙，不過普通人無法把這種追求，搞得驚天動地。嬴政大帝握有現實世界最高的權力和光榮，但他知道逃不脫死亡，除非得到神仙的幫助。方士們分別向他推薦各種方法，向他報告各種神仙的行跡。其中最重要的一位方士，就是前面爲嬴政大帝所提到的徐福。徐福告訴嬴政大帝說，在東方大海之上，有一座名叫蓬萊的仙山，那是神仙居住的地方，如果能找到那座仙山，就可從神仙手中取得長生不死的仙藥。嬴政大帝答應他的請求，命他前往。八〇年代紀元前二一九年，徐福率領童男童女三千人，乘坐特別製造的巨船向東方大海進發，三千童男童女可能是用來作爲祭品的，也可能徐福一開始就蓄意一去不返，用他們去開闢新的疆土。

徐福出發後就沒有消息，有人說他在大海中沉沒，全體溺死。有人說他終於找到了蓬萊仙山，即現在的日本，定居下來，現代日本人身上仍流着他們的血統。兩種傳說都有可能，但日本沿海一帶所建立的徐福廟，似乎很支持後一種說法。

——嬴政大帝雖然尋找不死藥，卻沒有貿貿然吃到肚子裏。反而是以後那些服膺儒家學派，咒罵嬴政大帝的帝王們，不斷有人因服下方士的不死藥而一命嗚呼。

八、秦王朝突然瓦解

中華帝國的國勢正如旭日東升，然而，專制政體最大的缺點之一，是統治階級多半一代不如一代。任何英明的君主都無法保證他的繼承人跟他一樣的有能力有熱誠去治理國家。九〇年代的第一年（前二一〇），嬴政大帝在出巡歸來途中，走到沙丘（河北平鄉），一病而死。

嬴政大帝死後，遺詔命他的長子嬴扶蘇繼位，嬴扶蘇那時不在身邊，正在上郡（陝西榆林南）監督由大將蒙恬率領，防禦北方匈奴的邊防部隊。沙丘、咸陽間航空距離六百五十公里，在漫長的歸途中，嬴政大帝的幼子嬴胡亥，跟宰相李斯、宦官趙高，發動一項奪嫡陰謀，把遺詔毀掉，另寫兩份遺詔，一份命嬴扶蘇自殺，一份命嬴胡亥繼任帝位。

秦王朝雖然是一個由悠久歷史的王國演變出來的政權，但建立大帝國的時間卻很短，剛剛進入危險的瓶頸時代，卻不幸的出現了一個花花公子當它的舵手。嬴胡亥具有花花公子所具有的一切毛病，而尤其自私任性。他上台後不久，就跟他的親信趙高有過下列一段非常精彩的對話，他問趙高說：「人生在世，不過一眨眼功夫。我既然有今天的地位，有權有錢，想幹什麼就可以幹什麼，所以我要享盡天下艷福，你以爲如何？」趙高回答說：「這是極明智的見解，愚昧的人永遠想不到。」於是，幾乎是刹那間，帝國巨舟脫離了航線，駛入驚濤駭浪的淺灘，向着獰惡的礁石上撞去，誰都無法拯救。

巨變來的太快，嬴胡亥坐上寶座的明年（前二〇九），陽夏縣（河南太康）派遣前往一千公里外北疆重鎮漁陽郡（北京密雲）換防的一小隊後備軍，走到蘄郡（安徽宿州南蘄縣集）所屬的大澤鄉，遇到連綿大雨，道路中斷，計算時間，在限期內已不可能趕到，帝國軍法森嚴，可能受到嚴重處分。於是，隊長陳勝跟副隊長吳廣，鋌而走險，率領他們叛變，攻擊地方政府，奪取武器。

一群亡命之徒向龐大的帝國挑戰，等於閉着眼往黑暗裏一跳。可是想不到這一跳竟引起各地連鎖性的民變，變民領袖爲了擴大影響力，紛紛使用那些已消失了十二年之久的六個王國的國名，自稱國王，或擁立六國故王的後裔當名義上的國王。只十四個月時間，秦王朝所建立的光輝帝國，即土崩瓦解，重新恢復昔日的戰國時代。六個王國赫然的在故土上復興。

這些草莽國王興起的順序，跟他們的根據地，列於左表：

張楚王	陳勝	陳丘（河南淮陽）
楚王	襄彊	東城（安徽定遠）
齊王	田儋	狄縣（山東高青）
趙王	武臣	邯鄲（河北邯鄲）
燕王	韓廣	薊縣（北京）
魏王	魏咎	臨濟（河南封丘）
趙王	趙歇	信都（河北邢台）
張楚王	景駒	留縣（江蘇沛縣東南）
楚王	芈心	盱眙（江蘇盱眙）
韓王	韓成	潁川（河南禹州）
齊王	田假	臨濟（狄縣改稱山東高青）
齊王	田福	臨淄（山東淄博東臨淄鎮）
魏王	魏豹	平陽（河南滑縣）

六個王國國名的重現，並不等於六個王國的重建。死灰不可能復燃，即令復燃也不會持久。歷史的定律是，舊政權一旦毀滅，時間越久，越不可能復興。

眞正重要的是兩位在初期沒有自封爲國王的小人物，一位是故楚王國大將項燕的孫兒項羽，一位是沛縣（江蘇沛縣）地痞流氓頭目之一的劉邦。項羽在他的故鄉會稽郡（江蘇蘇州）把地方政府首長殺掉後起兵，物色到故楚王國第二十一任國王芈槐（就是被張儀玩弄的溜溜轉的那一位）孫兒芈心，芈心這時已經淪落成爲一個窮苦的牧羊人了。項羽擁立芈心當楚王，用以號召故楚王國的遺民。劉邦跟舊有的六國王族沒有一點淵源，也沒有機會利用殘餘的力量，他只靠自己在黑社會中的地位，集結亂七八糟的數千人，投奔芈心。芈心的楚王國建都盱眙（江蘇盱眙），鼓勵那些投奔他的將領們直接攻擊帝國的首都咸陽（陝西咸陽）。他下令說，誰先攻陷咸陽，誰就當秦王國的國王。劉邦率領他的部隊，沿着南陽（河南南陽）、武關（陝西商南）路線進發。

秦政府如果反應迅速，變亂可能早已結束。但二世皇帝嬴胡亥不喜歡聽不悅耳的話，任何不悅耳的話都被解釋爲惡意的。當各地叛變的消息報告到中央時，嬴胡亥大爲震怒，把報告消息的那些倒楣的官員，都投到監獄。於是以後來自各地的報告就大不相同，一致說：「我們這裏雖有小小的騷動，只不過是少數游手好閒之徒，打劫商旅，偷雞摸狗而已。地方政府搜捕進剿，已全部肅清。」嬴胡亥這才非常高興。民變就在嬴胡亥的保護之下，像野火一樣四處蔓延。一直到陳勝的大將周文，勢如破竹般打到距咸陽只三十公里的戲水（陝西臨潼新豐鎭），嬴胡亥才大夢初醒，徵調正規軍已來不及，就下令赦免正在驪山做苦工的數十萬奴工跟囚徒，命宮廷供應部長（少府）章邯當總司令，率領迎戰。交鋒的結果，周文敗退，章邯出函谷關向東追擊。

僅只擊退周文，並沒有解決問題。但趙高已開始他的新的陰謀，在精密的設計下，他誣陷開國元勳宰相李斯私通東方的叛徒，李斯父子同時被腰斬。趙高遂當上宰相，這位中國歷史上第一位最有勢力的宦官，爲了建立權威，特地在一次朝會上，把一隻鹿呈獻給二世皇帝，在呈獻時，他宣稱呈獻的是一匹馬。嬴胡亥說：「明明是鹿，怎麼說是馬呢？」趙高說：「明明是馬，怎麼說是鹿呢？陛下不相信的話，請問大家。」高級官員們遂分爲兩派，一派認爲是馬，一派認爲是鹿。等到這個事件結束後，認爲是鹿的一派官員，不久就陷入證據確鑿的謀反案件中，全部被殺，趙高遂完全掌握政府。

章邯一連串掃蕩了幾處草莽王國，九〇年代紀元前二〇八年，他的大軍圍攻新建立的趙王國的重鎭鉅鹿（河北平鄉）。趙王趙歇向其他同時新建立的一些草莽王國求救，各王國並沒有使他失望，紛紛派出援軍。可是，他們又重演戰國時代那種畏秦如虎的鏡頭，軍壘林立，卻沒有人敢向圍城的秦軍挑戰。最後，項羽率領的楚兵團抵達，一抵達即發動攻擊，這是歷史上聞名的一次猛烈會戰，楚兵團以一當十，殺聲震動天地，諸國援軍站在自己軍壘上觀戰，一個個面無人色。最後秦軍大敗，向西潰退。項羽邀集各國將領討論聯合追擊事宜，那些將領又敬又怕，走進楚兵團營門時，連頭都不敢抬。項羽的領袖地位，由此一戰而確定。

章邯之敗，對秦王朝的帝國政府而言，不過是一次戰役的失利，並沒有什麼影響。但章邯派他的祕書長（長史）司馬欣到咸陽請求增援時，趙高正開始他的第二個陰謀，打算把民變日熾的責任推到章邯身上，這只要說章邯縱敵玩寇，就可達到目的了。司馬欣一連三天都見不到宰相，正在驚疑時，得到這個消息，他急急逃回，不敢走來時的道路，另走其他小徑，趙高果然派人追捕，沒有把他捉到。章邯現在進退失據，沒有別的選擇，只有向項羽投降，項羽遂統率聯軍西進。

比項羽先出發的劉邦，速度更快，他早已到達武關（楚王芈槐被騙的地方）。十萬火急的告警文書雪片一樣飛到咸陽，嬴胡亥這時候倒沒有拒絕看這些使他不舒服的報告，他急忙召見被他認爲最忠心的宰相趙高，可是趙高正臥病在床。屢次召見，趙高屢次都臥病在床。趙高對內鬥爭是第一等能手，對付敵人卻一籌莫展，他既無法擊退劉邦，只好臥病在床。但臥病在床不能解決問題，他害怕嬴胡亥忽然發現眞相把他處決，於是決定先下毒手。

九〇年代紀元前二〇七年年底，趙高的女婿咸陽市長（咸陽令）閻樂，率兵闖進皇宮，把哀求饒命的嬴胡亥殺掉。然後趙高迎立嬴扶蘇的兒子嬴嬰繼位，宣告取消皇帝的尊號，恢復秦王國國王的舊稱，希望能像一〇年代取消「西方大帝」一樣，輕鬆的放下重擔。嬴嬰比他的叔父嬴胡亥能力高強，他即位後立即把趙高斬首，但秦政府在嬴胡亥和趙高劇烈的傷害下，已經解體，嬴嬰已無力扭轉乾坤。轉眼到了明年（前二〇六），劉邦逼近咸陽，嬴嬰集結不到軍隊，只得投降。龐大輝煌的秦王朝建立的帝國，在殺聲中歸於滅亡，距它蕩平六個王國（前二二一）只十六年，距嬴政大帝之死（前二〇九）只三年。

秦王朝滅亡的如此迅速的原因，我們歸納爲左列三項：

一、中國古老的法家學派的法治，是以君權爲基礎的，跟現代以人權爲基礎的法治，有很大不同。而秦王朝自公孫鞅變法，實行法治以來，已一百餘年，逐漸發展成爲一種機械的和僵化了的法治。陳勝、吳廣因雨耽誤限期，他有充份的理由可以免除處罰，但他不認爲有此可能性。主要的一點是，法治跟政治修明不可分，一旦政府官員顢頇腐敗，法律反而產生毒素，成爲迫害善良守法人民的一種殘酷工具，結果形成暴政，官逼民反。

二、秦王朝統一的時間太短，前後只有十餘年，人民對新政府的效忠心理，還沒有養成慣性。被剝奪既得利益的既得利益階級，諸如六個王國的那些貴族和當權階級跟他們身上的寄生蟲，以及大批被排斥的儒家知識份子，每一國以五萬人估計，就有三十萬人的反對力量潛伏民間，在那裏怨聲載道。這是一個龐大的數字，秦政府還沒有徹底的消化。他們日夜都在破壞新社會和新秩序，巴不得秦政府早日垮台，以便恢復他們過去的那種好日子。所以任何震撼發生，他們都會抓住機會。像孔丘的後裔孔甲，跟一些故魯國的儒家學者，一聽說陳勝起兵，立刻就迫不及待的抱着他們的儒書，前往投靠。

三、最後的原因是帝國的舵手嬴胡亥，我們不必多強調他，只要了解，無論大船小船，舵手非常重要。舵手如果決心向礁石上猛撞，誰阻止他誰就成了賣國賊而被殺或被投入監獄，再堅固的巨輪都會沉沒。

九、西楚王國曇花一現

九〇年代紀元前二〇六年，嬴嬰向劉邦投降後不久，從鉅鹿（河北平鄉）西征的項羽聯軍也抵達咸陽。

項羽是一位名將，但他的致命傷是不懂政治；而在打了幾個勝仗後，卻忽然自以爲很懂政治，他不知道政治比軍事複雜多了。項羽到了咸陽，因劉邦先把秦王朝滅掉，沒有把這個蓋世的榮譽留給他，又聽說劉邦把金銀財寶搶劫一空，於是暴跳如雷，像一頭瘋了的野獸一樣，下令把嬴嬰處斬，縱火焚燒咸陽城。又下令備戰，準備攻擊劉邦。劉邦立即屈膝，親自到楚軍營帳，向項羽謝罪，呈上他剛從皇宮搶出來的名貴白玉。於是項羽躊躇滿志，把名義上的楚王國國王芈心，一腳踢開，宣佈自己是西楚霸王，定都彭城（江蘇徐州）。下令把所有新興的王國全部撤銷，置全國於他建立的西楚王國統治之下。然後，一口氣重新分封如左表所列的十九個王國的國王：

封號	姓名	原來職位	封國首都
義帝	芈心	楚王	郴縣（湖南郴州）
西魏王	魏豹	魏王	平陽（山西臨汾）

韓王	韓成	韓王	陽翟（河南禹州）
漢王	劉邦	芈心的部將	南鄭（陝西漢中）
雍王	章邯	秦王朝總司令，降項羽，參加項羽聯軍西征	廢丘（陝西興平）
塞王	司馬欣	章邯的祕書長，參加項羽聯軍西征	櫟陽（陝西臨潼）
翟王	董翳	章邯的部將，參加項羽聯軍西征	高奴（陝西延安）
代王	趙歇	趙王	代縣（河北蔚縣）
常山王	張耳	趙歇的宰相，參加項羽聯軍西征	襄國（河北邢台）
河南王	申陽	張耳的部將，參加項羽聯軍西征	洛陽（河南洛陽）
殷王	司馬卬	趙歇的部將，參加項羽聯軍西征	朝歌（河南淇縣）
九江王	英布	項羽的部將	六縣（安徽六安）
衡山王	吳芮	百越（廣東、廣西兩省）土著民族酋長，參加項羽聯軍西征	邾縣（湖北黃州）
臨江王	共敖	芈心的大臣，攻陷南郡（湖北江陵）有功	江陵（湖北江陵）

遼東王	韓廣	燕王	無終（天津薊縣）
燕王	臧荼	韓廣的部將，參加項羽聯軍西征	薊縣（北京）
膠東王	田福	齊王	即墨（山東平度）
齊王	田都	田福的部將，參加項羽聯軍西征	臨淄（山東淄博東）
濟北王	田安	項羽的部將	博陽（山東泰安）

仔細研究這個表，就會發現項羽是一個毫無政治頭腦的莽漢。他所建立的不是一個統一的國家，而是一個地位都互相平等的國際聯盟，連邦聯的資格都夠不上。因爲大家都是獨立王國，在體制方面，項羽這個國王並不能高過別的國王。尤其是當我們注意上表那些新國王的原來職位，更會發現項羽處理這次分封，完全被他自己的喜怒，和他左右那些三流角色的政客所操縱，所以自己爲自己製造出來不必要的嚴重危機。像芈心，一個無權無勢的小朝廷，項羽把他遷到一千公里外蠻荒的郴縣（湖南郴州），芈心也順服的聽命之後，項羽仍不容他存在，派人把他殺掉。像劉邦，項羽應該依芈心的初約，封他當秦王，至少也要把他封到距家鄉較近的地區，滿足劉邦與劉邦部下的思鄉心理，這對項羽並沒有損失。但項羽仍記得劉邦比他先進入咸陽的大恨，而把劉邦驅逐到當時人們都認爲是蠻荒的南鄭（陝西漢中）。

像齊王田福，非常熱心的派遣他的大將田都，率領軍隊參加項羽的聯軍西征，田都即令有功，正常的情形應該是由項羽對田都加以賞賜，遣送回國，由國王田福再予擢升。可是項羽卻賣弄他的權威，把田都封為齊王，而把本來的齊王田福逐出國都臨淄（山東淄博東），貶到偏僻的即墨（山東平度）當膠東王。對燕王國跟趙王國，也都如此。後來更把韓王韓成當作罪犯一樣的捉住殺掉，致使韓成的智囊張良，投奔劉邦，跟項羽作對到底。中國有句諺語說：「天下本來不亂，是低能的人把它搞亂的。」正是項羽的寫照。

——有一件事也可幫助我們對項羽的了解，當時一位學者蔡生，建議項羽建都咸陽（陝西咸陽），因為咸陽具有最適中的位置，可以統御全國。項羽拒絕採納，他說：「富貴不回故鄉，好像穿了漂亮的衣服在黑夜裏走路。」項羽的目的只是在向他的鄉人們炫耀他的富貴，所以堅持返回東方。蔡生告訴朋友說，「人們都說：項羽像一個穿人衣戴人帽的猴子，果然不錯。」這話傳到項羽耳朵，項羽就把蔡生投到巨鍋中煮死。

西楚王國只締造了兩個月，戰爭就重新爆發。

舊齊王田福的宰相田榮，首先發兵迎擊他的舊同僚新齊王田都。舊趙王趙歇的宰相陳餘，也發兵攻擊他的老友新任常山王張耳。但項羽認為這些叛逆在自掘墳墓，他的強大兵力，可以貫徹他的任何荒謬政策。他先攻擊田榮，準備消滅田榮後，揮軍西上，再消滅陳餘。田榮果然不堪一擊，兵敗身死。項羽縱兵大肆屠殺，人民為了保護自己的生命財產，不得不集結起來武裝抵抗，叛亂隨着項羽不斷的軍事勝利而更加擴大，西楚兵團陷於疲於奔命的泥沼。田榮的弟弟田橫率領的新集結起來的齊兵團，開始跟項羽進行捉迷藏游擊戰。

遠在西方萬山叢中的漢王劉邦，抓住這個機會，悄悄從南鄭（陝西漢中）出發，越過秦嶺山脈，把故秦王國領土上項羽所建的一些封王，一鼓蕩平。然後大軍東征，並爲那個可憐的牧羊人芈心發喪，號召全國共同討伐項羽的弒君之罪。

九〇年代紀元前二〇五年四月，劉邦攻陷項羽的首都彭城（江蘇徐州）。

一〇、西漢王朝大統一

項羽得到彭城陷落的消息，立即放棄田橫，親率三萬人的精兵南下反攻。漢軍大敗，僅只被擠到穀水、泗水溺死的就有十餘萬人，潰退到靈壁（安徽濉溪）。西楚兵團的追兵趕到，漢軍再大敗，被擠到睢水溺死的又有十餘萬人。兩次戰役，說明項羽用兵的靈活和勇猛。

劉邦逃到滎陽（河南滎陽），西楚兵團把滎陽團團圍住，水洩不通。劉邦狼狽不堪，他的部將紀信僞裝劉邦的模樣，開東門出降。劉邦乘着楚軍狂歡呼號萬歲，因而戒備鬆懈之際，從西門悄悄逃走。劉邦自己雖然受到一連串的挫敗，但他派出去的大將韓信，卻用兵如神，進入黃河以北之後，把黃河以北項羽所建的一些封王，如西魏王、常山王、代王、燕王、殷王，以及使項羽疲於奔命的田橫所轄的故齊王國地區，只幾個月功夫，就把他們一一征服。

——西漢王朝賴三個傑出的人物而建立，即大將韓信、智囊張良、後勤總司令蕭何。韓信是故楚王國的一個窮苦的流浪漢，張良是故韓王國貴族的後裔，蕭何是故秦王朝縣政府的低級官員。假如不是時代動亂，他們只有湮沒在人海之中。韓信曾當過項羽禁衛軍的低級軍官，爲項羽站過衛兵，屢次向項羽貢獻意見，項羽都不能採納。唯英雄才能識英雄，項羽只是一員勇敢的將領，不是政治家，所以他不能了解韓信，猶如小學生不能了解大學生的課程一樣。項羽不但對韓信失之交臂，對他唯一的智囊，被尊稱爲「亞父」的范增，也不能容忍，終於把范增逐出政府。只有劉邦具備當時所有領袖們都沒有的才能，他在黑社會中培養出來的高度智慧，和寬宏度量，使三個傑出的人物爲他效力，使他自己成爲中國歷史上第一位平民出身的偉大君主。

滎陽戰役之後，戰爭成膠着狀態。項羽不斷的進攻，劉邦不斷的失敗。劉邦幾乎是每戰每敗，但他像一頭蒼蠅一樣，失敗後兜了一個圈子，收拾殘軍，又轉回來戰鬥。蕭何的後勤工作是第一流的，他坐鎮首都櫟陽（陝西臨潼），劉邦在前方從來不缺少糧食和兵源補充。而掃蕩黃河以北的韓信，於佔領了故齊王國地區後，開始抄掠項羽的後路。項羽不久就陷於求戰不能，求勝更不能的苦境。

九〇年代紀元前二〇三年，項羽要求和解，只有和解才能救他。結果雙方同意以鴻溝（嬴政大帝開鑿的運河）爲界，瓜分世界，鴻溝以西歸漢，鴻溝以東歸西楚。

簽約之後，項羽大大的舒了一口氣，把所俘擄的劉邦的父親送還給劉邦，率領大軍東歸，以爲從此可以休息一段時間。然而，劉邦不是受諾言拘束的人，當項羽大軍剛剛移動的時候，劉邦即行叛盟，從背後追擊。

項羽倉促應戰，劉邦仍然不是對手。但項羽的剋星韓信適時趕到，局勢遂急轉直下，發生了歷史上有名的垓下會戰。紀元前二〇二年，漢兵團在韓信指揮下，於垓下（安徽靈璧東南）設下十面埋伏，項羽陷入重圍。他此時才發現百戰百勝並不能保證最後一勝。當天夜晚，他忽然聽到四周漢兵團軍營中響起楚王國的歌聲，大驚說：「難道楚軍全都投降了嗎，為什麼楚歌如此之多？」他不能入睡，愴然下淚，左右將領也跟着下淚。他的愛妻虞姬為他作最後一次歌舞後自殺。明晨，項羽率領殘軍突圍南下，漢兵團急追，項羽奔到烏江（安徽和縣烏江鎮），只剩下二十六個騎兵。烏江村長勸項羽南渡長江，他安慰項羽說：「江東（太湖流域）雖小，地廣數百公里，人眾數十百萬，仍可以復興。」項羽說：「我當初率領江東的孩子們八千人，渡長江西征，如今沒有一人生還。即令江東父老仍憐恤我，尊奉我當國王，我也無顏見他們。」於是把坐騎贈給那位村長，舉劍自殺。

西楚王國驟然而興，驟然而亡，短短的只有五年。

漢王劉邦擊敗項羽後，完全統一中國，他效法嬴政大帝的作法，改稱皇帝，建立西漢王朝，定都距咸陽南郊兩公里的長安城（陝西西安）。——他力排眾議才遠離家鄉，把首都置在西方，從這一點可看出他比項羽高明。這時，正是本世紀（前三）最後第二年。

一一、東西方世界

——二〇年代・紀元前二七三年（秦軍攻陷楚王國首都郢都【湖北江陵】後五年），印度孔雀王朝阿輸加王即位，中國稱他爲阿育王。

——三〇年代・紀元前二六九年（秦王國用范睢當宰相前三年），羅馬共和國鑄造銀幣，世界用銀作爲錢幣自此始。

——三〇年代・紀元前二六四年（長平戰役前四年），第一次布匿戰爭爆發，持續二十四年。

——三〇年代・紀元前二六三年（長平戰役前三年），印度阿育王皈依佛教，屢次頒佈詔書制定人民生活規範，都刻在岩石上或柱竿上，俾使國人周知。史學家稱爲岩石詔書、柱竿詔書。

——五〇年代・紀元前二四一年（楚、趙、魏、韓、衛五國聯軍攻函谷關，秦軍開關出戰，五國聯軍驚惶逃走），第一次布匿戰爭結束。二十四年戰爭中，羅馬戰艦沉沒七百艘，士卒死二十萬人。然迦太基損失更重，乞和，賠償戰費黃金三千二百泰倫，割西西里島給羅馬。

——六〇年代・紀元前二三二年（韓非被殺的次年），印度阿育王逝世，二孫爭立，各據一方，帝國大亂。

——八〇年代·紀元前二一九年（徐福率三千童男童女，泛海往求仙藥），第二次布匿戰爭爆發。迦太基大將漢尼拔由伊比利安半島（西班牙）東征，把戰爭帶入羅馬本土，持續十八年。

——九〇年代·紀元前二〇二年（項羽烏江自殺，西楚王國滅亡），羅馬大將西庇阿直搗迦太基本土，漢尼拔補給斷絕，退回迦太基，與羅馬兵團會戰於撒馬，漢尼拔首次戰敗（漢尼拔與項羽、韓信，同是本世紀【前三】九〇年代名將）。

——九〇年代·紀元前二〇一年（本世紀最後一年），第二次布匿戰爭結束，迦太基再乞和，賠償戰費黃金一千萬泰倫，交出全部軍艦，割伊比利安半島給羅馬，迦太基永遠解除武裝。

第十二章　紀元前第二世紀

大一統的西漢王朝比秦王朝幸運，更比西楚王國幸運，它的瓶頸危機雖拖的很久，終於平安通過。但北方新興的匈奴汗國，卻忽然間成爲中國最大的威脅，使中華帝國飽受凌辱。不過等到本世紀中葉，中國衰弱的情勢改善後，就轉而反擊，奪取了匈奴汗國最大的可供耕種的土地河西走廊，控制西域，跟更多的外國接觸。於是西漢王朝和中國成爲同義語，中國人被稱爲漢人、漢民族，中國字被稱爲漢字，中國語被稱爲漢語。

然而，本世紀也開始一樁重要的轉變，這轉變是靜靜的，不動聲色的。儒家學派藉着政治力量，把諸子百家的學術思想，全部排除，儒家思想遂成了中國人唯一法定的正統思想。本世紀還看不出它的影響，但長久下去，中國人的想像力和靈性，逐漸的被這個單一而保守的思想醬住，直到二十世紀，長達兩千餘年。

一、匈奴汗國崛起沙漠

當西漢王朝在中國本土完成統一時，匈奴部落也在漠北完成統一。

匈奴部落酋長頭曼是一個粗獷人物，前妻生子冒頓，後妻又生一個幼子。愛後妻兼愛幼子是老年人的特有感情，使頭曼打算把酋長的位置傳給幼子，就派冒頓到月氏王國（甘肅張掖）當人質。等冒頓去了之後，這位狠心的父親即發兵猛攻月氏，希望月氏王國在大怒之下，把人質殺掉。冒頓察覺到老爹的詭計，立刻奪到良馬逃走。老爹大概也有點懊悔，同時並認為兒子很有膽識，於是分給他一部份部眾，但冒頓卻恨老爹入骨。

冒頓不久就發明一種射出時能發聲的響箭——鳴鏑，他下令給他的部屬說：「注意響箭，響箭射什麼，你們就也射什麼，不射的處死。」最初用在打獵上，冒頓響箭射出後，發現有未跟着射的，立即殺掉。有一次，冒頓用響箭射他自己的馬，部屬有不敢跟射的，也立即殺掉。又一次，冒頓用響箭射他自己的妻子，部屬又有不敢跟射的，也立即殺掉。過了一些時候，冒頓用響箭射他父親的坐騎，部屬們不敢再不跟射。冒頓知道已訓練成功，於是，上世紀（前三）最後一年，紀元前二〇一年，冒頓用響箭射他的父親，頭曼遂死在兒子的亂箭之下。冒頓把他的繼母與弟弟同時殺掉，宣稱自己是「單于」（匈奴語「元首」），建立匈奴汗國。

——我們給「汗國」的定義是：元首和中央政府遷移不定，也就是沒有固定首都的國家。中國史書上，稱為「行國」，對元首和中央政府臨時的所在地，稱為「王庭」。

匈奴汗國在冒頓統治下，向四面擴張，東到遼東半島，西到西域（新疆），南部收回被中國秦王朝奪去的河套地區。面積比中國當時的版圖還大。然後宣稱他們是中國夏王朝的後裔，所以中國也有他們的一份，藉以向中國發動侵略。這是北方民族鍥而不捨的向中國侵略的開始。

自從匈奴汗國崛起，中國以後兩千年間的外患，就差不多固定的來自北方。跟日耳曼蠻族鍥而不捨侵略羅馬帝國一樣，南方的富庶對那些寒冷荒涼地帶的游牧民族，是一個難以拒抗的誘惑。西漢王朝開國皇帝劉邦不能忍受這種侵略，於本世紀（前二）的第一年（前二〇〇），乘着剛剛擊敗項羽，統一中國的餘威，親自率領大軍向匈奴進攻。兩個新興的力量遇在一起，而中國軍隊大敗，劉邦在白登（山西大同東）被團團圍住，幾乎被俘，後來還是用一種不名譽的方法，才突圍逃出。

——到底是什麼不名譽的方法，沒有人知道，只好把它列爲千古疑案之一。

就在此時，一位政治家婁敬向劉邦建議和親政策，主張把中國公主嫁給單于，他說：「中國正十分疲憊，不能跟匈奴汗國作戰。冒頓單于是一個弒父凶手，除了武力，什麼都不認識。唯一降服他的辦法是把中國公主嫁給他，嫁妝一定要豐富，他既然用不着搶掠就可得到這麼多金銀財寶，而又成爲中國的女婿，女婿自不能跟岳父作對。將來公主生的兒子，繼任單于，於是中國的外甥外孫，中國是他的舅父外祖父，外甥外孫更不能跟舅父外祖父作對。」劉邦大喜，立刻下令他的獨生女兒魯元公主離婚遠嫁，雖然被劉邦的妻子呂雉哭鬧不休的阻撓，不能成行，但劉邦仍選了一位皇族的女兒（可惜，我們不知道這位中國歷史上第一位和親的少女的名字，跟她和親後的下落），封爲公主，送到匈奴汗國，當然少不了足使匈奴動心的嫁妝。

——和親政策自此成爲中國對付野蠻民族的重大法寶，除了紀元後十世紀，和十四世紀宋、明兩個王朝之外，都不斷使用這個法寶。有一個非常奇怪的現象是，凡使用和親政策的時代，都是中國強大的時代。凡拒絕和親政策的時代，都是中國衰弱的時代。這應該是自卑心理在作怪。

劉邦於○○年代紀元前一九五年逝世，兒子劉盈繼位，劉盈的母親呂雉，以皇太后之尊，掌握大權。呂雉是一個傑出的女政治家，然而冒頓單于既沒有把中國看到眼裏，更不用說什麼皇太后了。○○年代紀元前一九二年，冒頓單于寫了一封戲弄性的信給呂雉說：「聽說妳死了男人，而我也恰巧死了女人，我可以收妳當小老婆，從此匈奴和中國，成爲一家。」呂雉雖然氣的吐血，也無可奈何，只好回答說：「我已年老，不能侍奉你，願意用年輕的公主代替。」這是匈奴汗國強大的頂峰。

二、道家思想的實踐——黃老政治

匈奴汗國對中國肆無忌憚的凌辱，是看準了中國沒有力量反抗。中國所以沒有力量反抗，在於人口稀少，而且民窮財盡。

劉邦、項羽間的戰爭時間雖短，殺戮卻非常慘重。劉邦於本世紀（前二）第一年，即紀元前二○○年，從白登逃到曲逆（河北順平）時，讚揚曲逆城市的偉大說：「雄壯啊，我到過很多地方，只有洛陽和這裏最爲繁華。」曲逆那時不過五千戶（秦王朝時三萬戶），每戶平均五口，不過兩萬五千人。曲逆距主戰場中原，有一千公里之遙，尚且如此，主戰場中原的悲慘程度，可以想像。所以當時政治上最大的需要是使人口增加和生產增加。劉邦白登失敗後，不能反擊，呂雉被冒頓戲弄，仍要乞憐，就在於中國沒有足夠的兵源與財源。道家學派認爲要達到這個目的，只有對人民不加干涉。好像樹苗，不必每天往上拔它，那不但不會幫助它成長，反而會致它死命。只要不管它，它會自然茁壯。這個學說被宰相曹參服膺，並付諸實施。

劉盈繼位後，宰相蕭何逝世，曹參接替他的官位。曹參把道家學派淸靜無爲的學說，用到複雜的政治現實上。他一切都依照着蕭何所訂的規章行事，不作任何改進，凡向他建議改進的人，他就請那人喝酒，喝得酩酊大醉，不能開口才罷。曹參這種態度引起劉盈的責備，他就問劉盈：「你的才能，比你父親如何？」劉盈說：「不如。」曹參再問：「我的才能，比蕭何如何？」劉盈說：「似乎也不如。」曹參說：「這就對了，他們兩位定下的法令規章，我們這些不如他們的人，豈可自求表現，隨意變更。」劉盈只好支持他的作法。

劉盈逝世後，他的兒子劉恭繼位，因爲跟祖母呂雉衝突，被祖母毒死，由劉盈的另外一個兒子劉弘繼位。二〇年代紀元前一八〇年，呂雉逝世，發生政變，大將周勃把呂雉的家族和黨羽，全部斬除。廢掉劉弘，在劉邦的眾多兒子中，選擇了二十三歲的親王劉恒繼位。歷史證明這次選擇是明智的，對西漢王朝而言，更是幸運的。劉恒雖然很年輕，但爲人誠懇謙遜，沒有花花大少脾氣。他的妻子竇皇后信奉道家學說，她命她的兒子劉啓和其他王子，都要讀老子、莊子諸書。

劉恒受妻子的影響，也成爲熱心的道家學派的擁護者，他從李耳思想中，接受到三項教訓：「第一，仁慈；第二，勤儉；第三，別人沒有做過的事，不要去做。」劉恒的性格加上政治信仰，使他確實做到了這三點。在他在位期間，廢掉了割鼻斷足的酷刑，對貴族尤其特別安撫，八十歲以上的人都有賞賜，並經常免除全國田賦。劉恒有時候甚至穿着草鞋上殿，他最心愛的姬妾愼夫人穿的衣服，不用流行的拖地樣式，因爲拖地樣式所費布料較多。有一次他想蓋一個宮殿，預算要二千兩黃金，他說：「這是十個中等人家的財產。」竟不建造。他的兒子劉啓即位後，在老母竇太后主持國政下，繼續追求維持現狀的安定。這就是有名的「黃老政治」，從二〇年代到五〇年代，歷時四十年之久。

黃老政治推行的結果，人口大量增加，社會財富也隨着大量增加。各郡縣倉庫，都告盈滿。中央直轄倉庫，存糧太多，以致發生腐爛。存錢也太多，一直不曾動用，連串錢的繩索（中國古錢當中有一個方孔，用以貫穿繩索），都被蟲蛀斷。跟本世紀（前二）〇〇年代和一〇年代對照，史學家稱讚此四十年黃老政治的成績爲「文景之治」（劉恒號稱文帝，劉啓號稱景帝）。六〇年代以後，中國發動一連串禦侮和開拓戰爭，大部份軍費都依靠這些年累積下來的豐富儲藏。

不過黃老政治最大的缺點是使富者更富，貧者更貧；強者更強，弱者更弱。尤其到了後來，人口漸繁，耕地漸少時，貴族和富農在政府不干涉的保護政策下，大量兼併自耕農，造成一個龐大的地主階層。富人的田地一望無際，窮人卻連立一個錐子的地方都沒有。

三、七國之亂

黃老政治之際，發生七國之亂。

西漢王朝行政區域的劃分，採取「郡」「國」並存制度。當時人們的看法，認爲周王朝亡於分封，而秦王朝亡於不分封——如果封國林立，到處有皇族據點，陳勝、吳廣星星之火，便不會燎原。西漢王朝則採取折衷辦法，一方面仍保留秦王朝的郡縣制度，一方面也恢復周王朝的分封制度。我們用下表說明——王爵封國統轄數縣或十數縣，地位高於郡，侯爵封國只統轄一縣或數鄉，與縣相等。

中央政府	郡	縣	「郡」「王國」「侯國」，都直隸中央政府，互不相涉。
	封國（王國）	縣	
		郡、縣	
		封國（侯國）	

劉邦當了皇帝後，原則上皇族子弟封王，非皇族的功臣封侯。劉邦對封侯不太注意，但因「封王」擁有自己的政府和自己的軍隊，所以十分重視。他特地殺了一匹白馬，厚着臉皮命大臣向天老爺盟誓：「不姓劉而當王的，天下人共同攻擊他。」但劉邦死後不久，封國和中央政府之間，就開始了離心現象。戰國時代蘇秦、張儀的遺風仍在，知識份子和聰明才智之士，在中央政府不能施展抱負，往往投奔封國。封國既有實力，又有理論指導，欲望遂一天天提高，離心力逐日增加。

這種現象被很多人發現，其中之一就是劉啓的宰相晁錯。晁錯極力主張把封國的面積縮小，把封王的權力減少。劉啓贊成這種做法，但那些已經夠大的封王，當然不願意接受。所以在雷厲風行削小了三個封國之後，四〇年代前一五四年，東方的七個封國，遂聯合叛變。這七個封國是：

封國	封王	首府	註
吳國	劉濞	廣陵(江蘇揚州)	
濟南國	劉辟光	東平陵(山東章丘)	
菑川國	劉賢	劇縣(山東壽光南)	
膠西國	劉印	高密(山東高密)	

膠東國	劉熊渠	即墨（山東平度）	
趙國	劉遂	邯鄲（河北邯鄲）	
楚國	劉戊	彭城（江蘇徐州）	

七國封王跟皇帝的關係，用下表說明：

太上皇劉執嘉				
代王劉喜	一任帝劉邦			
①吳王劉濞	二任帝劉盈	齊王劉肥		
	三任帝劉恭	四任帝劉弘	②濟南王劉辟光	③菑川王劉賢

				楚王 劉交
		五任帝 劉恒	趙王 劉友	楚王 劉郢客
④膠西王 劉卬	⑤膠東王 劉雄渠	六任帝 劉啓	⑥趙王 劉遂	⑦楚王 劉戊
		七任帝 劉徹		

從表上可看出，除劉濞、劉戊之外，其他五個封王，都是皇族近親。這至少顯示一點，政權的安危，與分封與否無關，封國並不能解決問題，反而製造問題。

當七國聯合叛變時，半壁河山，全都陷入叛軍掌握。劉啓大爲震恐，他想不到他的對手如此強大，懊悔自己孟浪。七國提出的兩個口號，一是殺掉晁錯，一是退還削去的土地。劉啓全部接受，那個忠心爲國的晁錯在上朝途中，在街頭被武士捽下腰斬，而且屠滅三族。

七國聯軍並不因中央政府的屈服而停止行動，劉濞坦白的說：「我自己要當皇帝。」他的軍隊已迫近洛陽，但他只信任他的兒子，而不相信他手下幾位有謀略的將領：田祿伯、桓將軍、周丘。中央政府方面，劉啓卻明智的選出周亞夫當大將。短兵相接的戰場上，勝負決定於統帥，只兩個月功夫，周亞夫切斷吳楚聯軍糧道，吳楚聯軍飢疲撤退，周亞夫啣尾追擊，吳楚聯軍大敗。吳楚聯軍是叛軍主力，吳楚聯軍既敗，吳楚二國即滅，其他各封王或自殺或被殺，來勢洶湧的七國之亂，轉瞬平息。

七國之亂是一個重大轉捩點，如果七國勝利，中國勢必回到戰國時代的割據局面，互相併呑，戰爭不休。七國失敗，使西漢王朝順利的通過瓶頸，統一形勢更加堅固。劉啓乘機收回各封國的行政權和軍權，在封國掌握大權的不再是「封王」，而是「國相」（封國的宰相），國相由中央政府派遣。中央政府遂成爲眞正的大一統政府，有能力作更多的貢獻。

四、儒家思想定於一尊

儒家學派自從孔丘於紀元前五世紀建立，三百年來，受到很多輕視和打擊，但門徒們並不放棄他們的努力，而且藉着聚集學生講學的方法，使他們的學說，繼續傳播。陳勝、吳廣引起全國性混亂時，除了參加戰爭的軍人，天下最忙碌的，莫過於儒家學派人士了。孔丘七世孫孔鮒，就抱着儒書，四處投奔那些叛軍首領。他們受到的待遇也很可憐，劉邦就是第一個厭惡儒家學派的人，他見了儒家學者——儒生，就把他們的帽子抓下來，當衆往裏面撒尿。但儒家學者仍苦守着不去，我們可以體會到他們處境的尷尬和內心的痛苦。因爲別的首領還不如劉邦，劉邦總算還收留他們。

劉邦當了皇帝之後，他的那些大臣將軍，都是當初一塊當流氓的黑社會朋友，在皇宮裏，就像過去在劉邦家裏一樣，大吃大喝，喝醉了放聲高歌，還拔出刀劍砍柱子助興。不但一團糟亂，而且潛伏着可能被野心家利用的危險。劉邦知道應該改正，但他不知道如何改正。儒家學派的機會來了，這正是他們的專長。博士之一的叔孫通就請求由他制定朝見皇帝的儀式——簡稱「朝儀」。劉邦對儒家學派的複雜繁瑣，深有戒心，所以他吩咐說：「你可以嘗試，但要簡單，在我能辦得到的範圍內去做。」叔孫通特地到儒家學派發源地故魯國首府曲阜，請了三十餘位專家，連同自己的門徒一百餘人，共同擬訂規章，並加以演習。一個月後，再集合大臣將軍們演習。到了本世紀（前二）第一年（前二〇〇），長樂宮落成，群臣朝賀，正式啓用「朝儀」。大臣將軍們在宮廷官員引導之下，順序入殿（宮，指整個建築；殿，指宮中某一部份建築），分爲兩班，在兩廂坐下（那時候的坐，是坐在跪着的自己的雙腿上，一直到紀元後九世紀以後，中國才流行椅子櫈子）。禁衛軍官則在大臣將軍們身後站定，然後聽見一連串官員，從遠到近的傳報：「皇帝駕到。」劉邦坐着特製的用人拉的「輦車」，像舞台上的鏡頭一樣，適時的緩緩出現。宮廷官員引導大臣將軍們按照官職大小的順序，一一唸出他們早已背誦滾瓜爛熟的祝賀言詞。這時，宮殿上沉靜肅穆，人人震恐。接着，宴會開始，大臣將軍們都向前伏着身子，仰頭上望，任何人都不許可挺直脊樑，端端正正的向前平視——必須爬到地下，再仰頸抬眉上看。這是一個使人起雞皮疙瘩，自我斲喪的猥瑣姿勢，但儒家卻正用它來表示君王的尊貴和臣下的卑賤。宴會進行中，再順序的向當了皇帝的老流氓劉邦敬酒祝壽，連續九次。最後，宮廷官員大聲宣佈：「宴會禮成。」監察官（御史）出現，把動作不合規定的大臣將軍，一一趕出殿外，指控犯了「失儀」之罪，提出彈劾，要求處罰。這種情形往往只罰錢了事，但皇帝老爺也可藉此良機，予以免職或砍頭。於是一場宴會下來，沒有一個人敢再喧嘩吵鬧。劉邦大喜說：「天老爺，我到今天才知道當皇帝的威風。」立即擢升叔孫通當九卿之一的「奉常」（祭祀部長），賞黃金五百公斤，門徒們也都一一升官。久處在窮困而又絕望環境中的那些門徒，禁不住大聲歌頌他們的老師：「叔孫通眞是聖人。」

——從此，皇帝不但跟人民，便是跟最尊貴的大臣，也都被這種儒家最得意的傑作「朝儀」，隔開一段距離。戰國時代那種君臣間面面坐立，膝蓋碰着膝蓋長談的時代，不再在中國出現，帝王政體遂走進一條永不能回頭的死巷。西方專制君主和東方專制君主的不同，在此分野。

儒家學派雖然在技術上博得皇帝的歡心，但因爲正逢黃老政治時代，所以只能保持官位，不能對政治發生影響。另一位博士轅固生就比叔孫通倒楣，他稍爲對李耳、莊周表示不滿，竇太后就教他赤手空拳到獸欄裏打野豬，幸虧當時皇帝劉啓暗中給了他一把刀子，才算沒有送掉老命。後來，宰相趙綰也曾經計畫排斥其他學派，竇太后把他逮捕下獄，趙綰自殺。但竇太后逝世（六〇年代前一三五年）後，黃老政治無形中終止，儒家學派的好運氣來了。

劉啓的兒子劉徹於五〇年代紀元前一四一年即位，在宰相衛綰的建議下，於次年（六〇年代紀元前一四〇年）舉辦一次全國人才總選拔，爲國家選拔「賢良」「方正」「直言極諫」等國家管理人才，由皇帝親自考試。劉徹那一年十七歲，正是一個只歡喜遊蕩的大孩子，這考試當然由衛綰代表作主。衛綰是儒家學者，儒家學派人士遂天經地義被認爲是唯一的國家管理人才。一位專門研究五經之一春秋的博士董仲舒，在他的萬言試卷中，攻擊其他學派全是左道旁門，邪說妖言。他建議：「凡是不在五經之內的著作，以及非孔丘所傳授的書籍，應一律禁絕，不准流傳。」衛綰把他列爲第一名，亦即皇帝把他列爲第一名。

董仲舒的意見，既然經過皇帝採納，那麼便成了國家的政策。於是，一個重大的巨變，在不聲不響中發生。

第一，祭祀部（太常。即奉常）之內，所設的「博士」官職，原來由各學派人士分別擔任。此後只有儒家學派才能充當，而且限制範圍，只能研究五經。其他學派人士，全被驅逐，儒家遂獨霸學術中樞，定於一尊。其他學派的著作既被政府長期的視爲「邪說」「妖言」，禁止閱讀研究，遂逐漸從知識份子腦海中消失。諸子百家只剩下一家，一家中只剩下五經。儒家思想遂成爲皇帝欽定，中國唯一的正統思想。

第二，儒家學派在祭祀部（太常）之下，創辦國立大學（太學），由博士擔任教師，傳授五經和孔丘的思想。學生由國家供給費用，只要被認可研究畢業，即被任命擔任地方政府的官員。不但是平民進入政府的唯一途徑，因而增加知識份子對儒家學派的向心力，而且久而久之，儒家學派佈滿了各級政府，成爲一種排他性極強的儒家系統。

第三，儒家學派的基本思想是復古——至低也要維持現狀，最重要的手段是禮教，尤以喪禮佔首要地位。那種連紀元前四世紀孟軻時代都行不通的三年之喪，此後卻逐漸推行。一個中國人，他一生中要有六年的時間，不允許作任何事情，只能每天悲悼他的父母。除了這個最嚴重的一環，其他跟着而來的禮教，更多如牛毛，中國知識份子幾乎一生都爲此緊張。有些項目，像「避諱」之類，簡直使人不堪負荷。

光芒萬丈的思想學術自由的黃金時代，開始夕陽西下。代之而起的是儒家思想時代，比道家思想時代——黃老政治，要多出五十倍的時間，直到紀元後二十世紀，因受到嶄新的西洋思潮的衝擊，才告衰退。所以，在以後的敍述中，我們必須隨時注意到，中國歷史是在儒家思想——復古和保持現狀的實踐之下。

五、對匈奴汗國的反擊

黃老政治帶給當時中國空前的繁榮，雖然黃老政治終止，但繁榮仍在。僅以馬匹而言，〇〇年代時，宰相只能坐牛車，皇帝當然有馬車，但想要四匹顏色相同的馬，都找不到。可是五〇年代時，中央政府僅養在首都長安的馬，就有四十萬匹。民間大街小巷，處處是馬，而且競爭着只騎雄馬。對不可一世的匈奴汗國，反擊的時候已到。

中匈兩國之間，由於和親的緣故，邊境久久沒有大的衝突。當中國反擊行動於六〇年代開始時，採用的是誘敵先發的策略。六〇年代前一三三年，大將（將屯將軍）王恢統軍三十餘萬，埋伏馬邑（山西朔州）左右山谷之中。馬邑豪民聶壹，跟匈奴一向有商業上密切的往來，他把兩個死囚的人頭懸掛在馬邑城門上，告訴匈奴間諜說，他已把馬邑首長殺死，請匈奴乘虛進擊。軍臣單于信以為眞，親自率領十萬騎兵，從武州塞（山西左雲）入境，直指馬邑。行軍一百餘公里，距馬邑尚有不到一百公里時，只見牛羊遍野，不見牧人，感覺到有點異樣。於是攻陷附近一個塞亭（瞭望台），俘擄了一位雁門郡（山西右玉）的官員，要殺他時，那官員洩露了全部機密，軍臣單于大驚說：「是天老爺把你賜給我們。」把那官員封為天王，急令撤退。中國毫無所獲。

這一場陰謀奇計，雖然落了空，但中匈兩國五十年之久的和睦邦交，從此破裂。匈奴汗國又恢復從前那種大規模的侵略行動。可是，形勢已不是從前，中國的反應十分嚴厲，立即發動一連串不停止的攻擊。

馬邑之謀四年後（七〇年代前一二九年），大將衛青、公孫敖、公孫賀、李廣，分別出上谷（河北懷來）、代郡（河北蔚縣）、雲中（內蒙托克托）、雁門（山西右玉），四路進擊。明年（前一二八），衛青與另一大將李息，分別出雁門、代郡進擊。又明年（前一二七），衛青、李息再出雲中向西迂迴進擊，這一次開始有大的收穫，匈奴大敗，中國再度把匈奴驅出河套，就在河套沙漠與黃河之間，興築朔方城（內蒙杭錦旗北）。三年後（前一二四），衛青率六位將領，分別出高闕（內蒙烏拉特後旗東南）、右北平（內蒙寧城西南）、朔方（內蒙杭錦旗北），三路進擊，深入匈奴汗國三百公里，俘擄小王十餘人，男女一萬五千人，牛羊數近一百萬頭。

明年（前一二三），衛青再率六將領出定襄（內蒙和林格爾）進擊。這一次中國吃了敗仗，大將蘇建所率領的三千人騎兵團，全部覆沒。另一大將趙信，於兵敗後投降匈奴，因趙信深知中國內情，匈奴汗國像寶貝一樣看待他，特地爲他興築了一個趙信城。兩年後（前一二一），中國二十三歲的大將霍去病，出隴西（甘肅臨洮）進擊，越過焉支山（甘肅山丹東南胭脂山）五百公里，斬匈奴名王以下八千九百餘人，俘獲匈奴休屠王祭天時用的金人。同年，霍去病再出隴西作第二次進擊，越過居延海（內蒙額濟納旗），深入一千餘公里，殺擄三萬零二百人。霍去病一年中兩次空前勝利，橫穿河西走廊，如入無人之境。而河西走廊正是匈奴汗國渾邪王的防地，伊稚斜單于大怒，追究失敗的責任。渾邪王恐怕被殺，就帶着他的部落和他的土地，向中國投降。這對匈奴汗國是一個重大打擊，他們哀歌：「亡我祁連山，使我牲畜不蕃息。失我焉支山，使我婦女無顏色。」焉支山所產的紅色染料，可作爲婦女的化妝品，中國「胭脂」一詞，即由此來。

中匈戰爭這樣延續了十五年之久，進入八〇年代，才算有一場決定性戰役。

匈奴汗國也知道昔日光榮已經過去，所以採納降將趙信的建議，認爲中國軍隊不能深入沙漠，就把國境線後撤，單于遠走瀚海沙漠群以北。中國當然不會罷手，八〇年代紀元前一一九年，衛青出定襄，霍去病出代郡，向匈奴總攻。衛青兵團深入匈奴汗國五百公里，伊稚

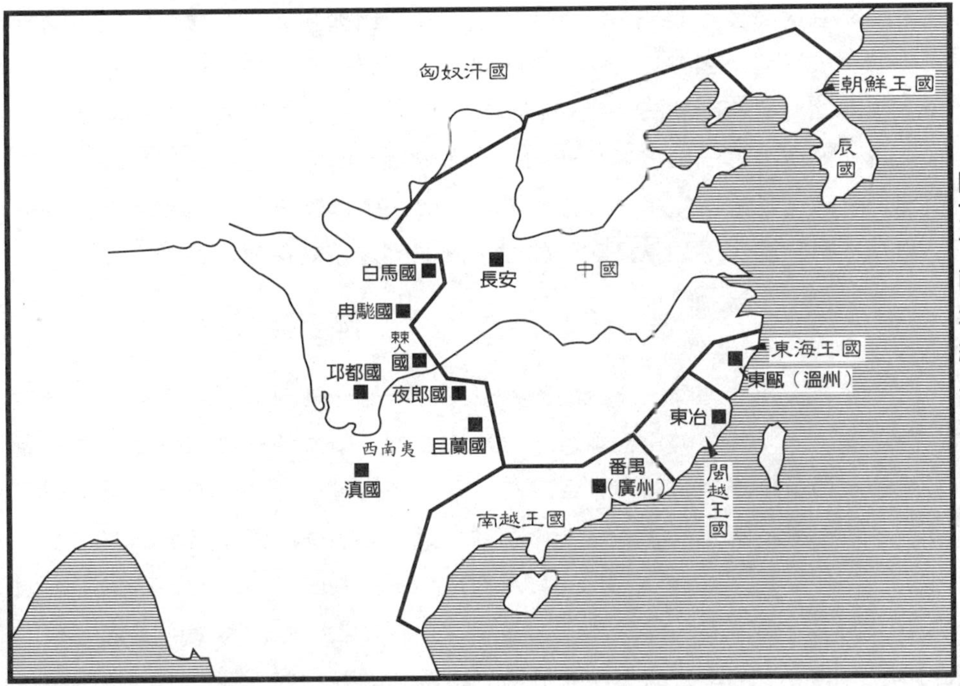

圖一三　前二世紀・西漢王朝初期

斜單于倉促迎戰，大敗，向北突圍逃走。衛青追擊到寘顏山（蒙古哈爾和林西南）趙信城，不見敵蹤（就在這一戰，名將李廣在沙漠中迷失道路，自殺）。霍去病兵團深入沙漠一千餘公里，殺擄七萬餘人，而匈奴汗國當冒頓單于最盛時，控弦戰士不過三十萬人。霍去病追擊到狼居胥山（蒙古肯特山），不見敵蹤。

這是對匈奴汗國最重要的一戰，從此瀚海沙漠群以南再沒有王庭，匈奴汗國對中國已不像過去那樣，構成生存上的威脅。八〇年代前一一五年及稍後時間，中國更在渾邪王故地河西走廊，設立四郡：酒泉郡（甘肅酒泉）、武威郡（甘肅武威）、張掖郡（甘肅張掖）、敦煌郡（甘肅敦煌）。這塊土地從此成爲中國的領土，直到今天。

六、張騫通西域

當中國準備反擊匈奴汗國的時候，想起了匈奴汗國的一個仇敵——月氏王國。這王國本來立國在河西走廊，首都設在張掖（甘肅張掖），是一個大國。但在本世紀（前二）三〇年代，被匈奴汗國擊潰，國王的頭骨被老上單于（冒頓單于的兒子）當作尿壺。全國向西逃亡，一直逃到中亞鹹海以南、阿富汗以北地區定居，定都藍市城（阿富汗瓦齊拉巴德市）。

中國盼望跟月氏王國結盟，對匈奴東西夾攻。以中國人的想法，月氏王國對匈奴有殺父滅國的深仇大恨，一旦聽到有報仇復國的機會，一定非常感激。中央政府徵求使臣，成固（陝西城固）人張騫應徵，跟他有同樣勇氣的還有一百餘人。

月氏王國距中國首都長安，直線三千餘公里，那時中國西界只到金城（甘肅蘭州），過此便是匈奴汗國的版圖和勢力範圍。而祁連山南麓，又有殺人掠貨的羌民族部落。更西則是西域，風言風語的傳說，西域全是無邊無涯的沙漠和沙磧，暴風時起，天翻地覆，光天化日之下，處處鬼哭神號。又有寸草不生的鹹水（羅布泊），舉目荒涼，上不見飛鳥，下不見走獸，往往走一個月不見人煙。也沒有正式道路，行旅只有沿着前人死在途中的枯骨，摸索前進，那是一個恐怖而陌生的地方。

六〇年代紀元前一三八年，張騫跟他的使節團從首都長安出發，向他們毫無所知的，充滿險惡死亡的西北蠻荒深入。他們一開始就遇到惡運，進入河西走廊後不久，就被匈奴汗國捉住，當發現他們是前往月氏王國時，軍臣單于火就更大了：「這是什麼話，月氏王國在我之西，中國怎敢越過匈奴，跟他們來往。如果我派使節去南越王國（廣東廣州），中國准許通過嗎？」下令禁止離境，但尊敬他們是英雄人物，所以每人介紹了一位匈奴小姐作爲妻子。這樣轉眼十年，到了七〇年代第一年（前一二九），張騫跟他的伙伴，不忘使命，拋棄妻子，向西逃走。終於逃到大宛王國（烏孜別克卡散賽城），大宛把人送到康居王國（哈薩克突厥斯坦），康居再把人送到月氏王國。然而，月氏王國現在十分富裕，比在河西走廊故地要舒適多了。現任國王是死王的孫兒，對祖父的感情又隔了一層，所以，沒有人想到報仇復國的事。張騫在月氏王國住了年餘，失望而歸。在歸途中，第二次被匈奴巡邏兵捉住，又禁止離境。七〇年代紀元前一二六年，他再度拋棄妻子，從匈奴逃走，他的妻兒聽到消息，狂奔來隨，可是追兵已至，張騫只搶到一個兒子，妻子跟另外一個幼子，被追兵隔斷，永遠訣別。張騫出使時一百餘人，十二年後，回到長安，只剩下兩個人——張騫，和他的堂邑（江蘇六合）籍忠實僕人甘父。

張騫這次出使，雖沒有達成原來盼望的政治目的，但他爲中國人發現了一片比當時中國還要廣大的新的世界。他的貢獻，只有以後哥倫布發現新大陸可以相比。張騫在月氏王國游說時，曾到過大夏王國（阿富汗東北部），發現有蜀郡（四川成都）出產的布匹，和邛崍山（四川滎經）出產的竹子。大夏人告訴他：「從身毒王國（印度）買來。」張騫推測，商品可以通過身毒王國，那麼，人馬當然也可以。也就是說，不必再冒被匈奴捕捉扣留的危險，改從蜀郡出發，到達西域，當更爲安全。這設計得到皇帝劉徹的支持，遂引起中國對「西南夷」的開拓。

七〇年代紀元前一二一年，匈奴汗國渾邪王投降，河西走廊成爲中國領土，於是中國跟西域直接接觸。張騫再提出跟烏孫王國（吉爾吉斯伊什提克）結盟的建議。烏孫王國原在河西走廊西部，跟月氏王國爲鄰，後來被月氏驅逐，西遷到中亞巴爾喀什湖東南，是一個橫跨伊犁河的大國。張騫認爲，烏孫比月氏更能傷害匈奴，得到烏孫王國的友誼，就等於砍斷了匈奴汗國的右臂。八〇年代紀元前一一六年，張騫第二次出使西域，平安到達烏孫王國。邀請烏孫遷回故地，可是烏孫王國的反應非常冷淡，第一、它不知道中國的大小強弱，不能憑使節團的一面之詞，作這麼大的決定。第二、它同時恐懼匈奴汗國的報復。張騫停了年餘，又失望而歸。不過他作了兩件事情，一是他把他的部屬分別派赴康居王國、月氏王國、大夏王國、安息王國（伊朗）、身毒王國（印度）、于闐王國（新疆和田），宣揚中國的聲威。一是他動身回國時，邀請烏孫王國派遣使節與他同行，到中國訪問。

張騫回國後的明年（前一一四）逝世，但他派赴各國的使節，伴同各國的使節團和商團，陸續抵達長安。從此交通頻繁，中國與西域諸國關係，日增密切。尤其是烏孫王國，當它的使節發現中國竟然是如此的龐然大物而又富強無比時，不禁肅然起敬。雖然仍不願東遷，而且那時中國已在河西走廊設立了四個郡，也不再希望他們東遷。但它決定向中國臣服。匈奴汗國當然不高興，揚言要採取軍事行動。烏孫王昆莫緊張起來，向中國求婚，希望用中國的婚姻關係阻嚇匈奴的侵略。九〇年代紀元前一〇五年，一位美麗的中國公主劉細君，嫁給烏孫國王昆莫（後來改嫁昆莫的孫兒岑娶）。匈奴汗國聽到消息，急急忙忙也送了一位美麗的匈奴公主給烏孫王國，打算抵消中國公主的影響力，但匈奴汗國在西域的聲勢，已開始受到挑戰。

然而，並不是每一個使節都具有張騫那種超人的智慧和見識。出使大宛王國的使節向皇帝劉徹報告說，大宛王國貳師城（烏孜別克哈馬特城）有一種世界上最好的馬，名「汗血馬」，流出來的汗像血一樣，每天能跑五百公里。劉徹當即派使節攜帶二十萬兩黃金，作為價款。又用黃金鑄成一個金馬，作為禮物，向大宛王國購買。大宛王毋寡認為汗血馬是他們的國寶，不肯出售。中國使節仗着國家強大，就在毋寡面前，把金馬擊碎，破口大罵，掉頭而去。大宛王毋寡大為憤怒，命它東境郁成城（烏孜別克烏茲根城）的鎮守大將郁成王，截住中國使節團，全部殺掉。

中國遠征軍在大將李廣利率領下出發，明年（前一〇三），遠征軍抵達郁成城，卻被郁成王擊敗。大宛王國全國歡騰，慶祝強敵潰退，但他們慶祝的太早。又明年（前一〇二），正是本世紀最後第二年，中國遠征軍獲得增援，圍攻大宛首都貴山城（烏孜別克卡散賽城）。貴山城的外廓陷落，大臣們知道不能支持，只好把毋寡殺掉求和，交出所有汗血馬，任憑遠征軍選擇。屠殺中國使節團的郁成王，逃到康居王國，被引渡軍前處決。

這是一場不榮譽的戰爭，中國傷亡十萬人左右，目的只不過為了三千餘匹汗血馬。汗血馬來到中國後即沒有下文，一定早已絕種。而以後也再沒有聽說過西域有這種寶馬，可能這種馬被過度誇張，不過是普通的馬。也可能大宛王國鑑於汗血馬是災禍之源，為了避免類似這種傷害，而把牠們殺光，像傳說中的大象在危急時，自動把象牙折斷一樣。

七、中國疆土的再擴張

除了北方和西方，中國向南、向東北、向西南，同時都在擴張。

中國南方，於上世紀（前三）八〇年代，曾被秦王朝收入版圖，設立四郡：閩中郡、南海郡、桂林郡、象郡。九〇年代，秦王朝覆亡。它們又脫離中國，分別建立下列三個獨立王國：

一、東海王國　首都東甌（浙江溫州），原閩中郡北境。
二、閩越王國　首都東冶（福建福州），原閩中郡南境。即故「閩中地」。
三、南越王國　首都番禺（廣東廣州），原南海郡、桂林郡、象郡。即故「陸梁地」。

本世紀（前二）六〇年代紀元前一三八年，閩越王國攻擊北方的東海王國，東海王國向中國求救，中國赴援，閩越兵團撤退。東海國王騶望，恐怕中國軍隊走了之後閩越捲土重來，就舉國歸降。全國人口大約四萬餘人，西漢政府把他們遷置到淮河以南地區定居，東海王國消失。

三年後（前一三五），好戰的閩越王國轉過頭來又攻擊南方的南越王國，南越王國向中國求救。中國遠征軍分別由西路北路，向閩越夾攻。閩越國王騶郢的弟弟騶餘善看出情形不對，即把騶郢殺掉，向中國乞和。中國遂命騶餘善和另一位王族騶丑，同時當王，共同治理國家。

南越國王趙嬰齊於本世紀（前二）八〇年代紀元前一一三逝世，兒子趙興的母親樛太后是中華人，西漢政府於是乘此機會，派遣使節安國少季到南越，誘說趙興取消獨立，歸附中國。樛太后懷念祖國，慫恿她的兒子接受。可是南越王國立國已百年之久，開國國王趙佗，於上世紀（前三）九〇年代陳勝、吳廣起兵時，正擔任秦王朝南海郡（廣東廣州）民兵司令（都尉），立即斷絕大庾嶺山道，阻止戰爭南延，自己稱王，建立自己的南越王國。迄今已歷四代，政府大臣和人民，都不願再被中國兼併。所以，樛太后母子陷於孤立。明年（前一一二），宰相呂嘉發動政變，攻殺樛太后和國王趙興，另立趙嬰齊本國妻子所生兒子趙建德繼位。又明年（前一一一），中國遠征軍攻陷首都番禺（廣東廣州），生擒呂嘉和趙建德，南越王國滅亡。中國將它的故土，分爲下列十郡：

一、南海郡（廣東廣州）
二、蒼梧郡（廣西梧州）
三、交趾郡（越南河內）
四、合浦郡（廣西合浦）
五、鬱林郡（廣西桂平）
六、九眞郡（越南淸化）
七、日南郡（越南東河）
八、珠厓郡（海南瓊山）
九、儋耳郡（海南儋州）
十、象郡（廣西崇左）

中國攻擊南越王國時，閩越國王騶餘善表示願派軍隊八千人助戰，可是卻只口頭宣傳，並不加入戰鬥。南越破滅後，任何稍有頭腦的人，至少都會避免跟中國衝突。騶餘善卻往相反的方向走，他像魔鬼附體一樣，立刻自稱皇帝，宣佈跟中國皇帝居於平等地位。更糟糕的是，他還出兵襲擊中國撤退北返的遠征軍。明年（九〇年代紀元前一一〇年），中國遠征軍掉轉頭來，向閩越王國進攻，駱餘善被另一個國王駱丑的繼任人駱居股逮捕殺掉，向中國投降。中國把他們遷到淮河以南地區，跟東海王國的遺民一齊定居，閩越王國滅亡。

南方秦王朝開拓的故疆，至此全部恢復。

在東北，中國跟朝鮮王國接壤。朝鮮半島當時諸國並立，朝鮮王國最大，居於北部。半島南部則有辰國——一個由各部落聯盟的鬆懈國家。

九〇年代紀元前一〇九年，中國派遣使節涉何到朝鮮王國，游說朝鮮國王衛右渠取消獨立，歸附中國。衛右渠拒絕，但仍很禮貌的派人送涉何北返。想不到涉何是一個膽大妄爲的亡命之徒，回國途中，走到兩國交界的清川江，竟把好心腸的護送人員刺死，然後向皇帝劉徹報告說他殺的是朝鮮大將。劉徹嘉勉他的冒險精神，命他擔任遼東郡（遼寧遼陽）民兵司令（都尉）。衛右渠大怒，派兵擊殺涉何。

涉何的荒唐，和衛右渠的不能忍辱負重，使中朝兩國戰爭爆發。明年，紀元前一〇八年，中國遠征軍強渡清川江，攻陷首都王險城（朝鮮平壤），衛右渠被他的部下所殺，朝鮮王國（衛氏朝鮮）遂亡。中國將它的故地，分爲下列四郡：

一、樂浪郡（朝鮮平壤）

二、臨屯郡（朝鮮江陵）

三、玄菟郡（朝鮮安邊，後遷遼寧新賓，再遷遼寧瀋陽）

四、眞番郡（朝鮮漢城）

——這是朝鮮半島北部第一次歸入中國版圖，歷時四百餘年，紀元後四世紀初，才被新興的高句麗王國奪去。

在西南，中國邊界只到巴郡（四川重慶）和蜀郡（四川成都），越過此線，便是「西南夷」——萬山叢中，散佈着數不清的野蠻部落。史學家爲了方便起見，對這些部落，稱之爲「國」，對它們的酋長，稱之爲「王」，其中以下列八個強大的國，比較重要：

國名	今地	中國設郡	註
僰國	四川宜賓	犍爲郡	
夜郎國	貴州關嶺	（連設郡的資格都沒有）	
且蘭國	貴州福泉	牂柯郡	
滇國	雲南晉寧	益州郡	
邛都國	四川西昌	越巂郡	
筰都國	四川漢源	沈黎郡	
冉駹國	四川松潘	汶山郡	

白馬國	甘肅西和	武都郡	

中國向西南擴張，完全基於軍事理由。最早，六〇年代紀元前一三五年，援助南越王國對抗閩越王國時，遠征軍一位將領唐蒙，在南越王國發現蜀郡（四川成都）的「枸杞醬」（枸杞，果實像紅色稻米），當地人說是商人從牂柯江運來的（牂柯江，今貴州紅水河上游，向東南注入西江）。唐蒙推測從蜀郡到牂柯江，一定有路可通，假如順着枸杞商道，出奇兵從背後攻擊南越王國，眞是神兵天降。西漢政府於是命唐蒙當開道大臣，唐蒙從筰關（四川合江）出發，先到夜郎國，再向東進，又到且蘭國，終於發現通牂柯江之路。

——在夜郎國，夜郎王根本不知道有中國這麼回事，他問唐蒙：「中國跟夜郎比，誰大？」

唐蒙回去後，即由巴郡、蜀郡，分別發遣民工，開山鑿道，使能通過大軍。不過沿途盡是窮山惡水，在那個沒有炸藥的時代，純靠雙手和簡單的鐵器，面對重重山巒，至爲艱苦，不斷的死傷和糧食轉運困難，幾乎激起民變，但工程終於完成。八〇年代紀元前一一一年，中國對南越王國攻擊時，即利用這條新開的山道，調發西南夷各國軍隊出征。只有且蘭王拒絕接受命令，並且截殺中國使臣和犍爲郡郡長。結果遠征軍回頭討伐，且蘭王被殺，國亡。

張騫由蜀郡（四川成都）西通身毒王國（印度），再由身毒通西域的構想，使政府採取行動。大文學家司馬相如因爲是蜀郡人的緣故，有很大的貢獻，在他的游說下，筰都國、冉駹國，都先後歸附。邛都國在中國遠征軍壓力下，也跟着歸附。只有遙遠的滇國拒絕，這個堅強的部落酋長滇王，提出夜郎王同樣的問題：「中國和滇國比，誰大？」九〇年代紀元前一〇九年，中國遠征軍抵達滇國，滇王投降。

西南夷至此全部歸入中國版圖，政府分別在這些小國所在，設立郡縣。如上表所示，共有七郡。只益州郡不久即行脫離，當中國繼續派遣使節再往探測身毒王國道路時，滇王拘留他們不放。不過那時中國已得到河西走廊，不再需要遠涉身毒王國了。

八、漢賦

在本世紀（前二）結束時，我們且轉到文學領域。

紀元前六世紀的詩經，和紀元前四世紀的楚辭，是中國文學——尤其是「詩」的兩大源頭，到本世紀（前二）發展而成爲另一種形式：「賦」。因爲它特別盛行於西漢王朝，所以也稱之爲「漢賦」。

詩經所包括的，全是短句短詩，每句不過三個字或四、五個字，每首不過十幾句，簡單樸實。楚辭則如長江大河，滔滔不絕，是一種長篇史詩。「賦」在形式上是楚辭式的，只去掉所有的特殊方言。在內容上則是詩經式的，只再擴大內涵。一篇標準的「賦」，大約有三四百句，每句字數沒有限制，雖不嚴格的押韻，但它確實有韻。這種體裁，比詩經、楚辭，更能活潑的表達感想和議論。

——我們不必舉出實例，因爲這種古老的文學作品，非經詳細註解，已無法讀得懂，如加上註解，所佔篇幅就太多了。

在「賦」的寫作上，最有成就的作家，就是西南夷開拓中建立功勳的司馬相如。皇帝劉徹是一個喜愛文學的人，有一天，他讀到司馬相如的子虛賦，惋惜說：「我自恨不能跟作者同生在一個時代。」一位也是蜀郡（四川成都）人的宦官在一旁說：「他是我的同鄉，我聽說他有很多這種作品。」劉徹大喜，立刻徵召他到長安。——這種結合跟嬴政和韓非的結合，完全相同，不同的是那位宦官不必害怕司馬相如奪他的位置。

劉徹的徵召恰是時候，因爲司馬相如在家鄉正不得意。司馬相如很窮，偶爾有一次，參加臨邛（四川邛崍）富豪卓王孫的宴會。卓王孫的新寡女兒卓文君，是一位喜愛文學和音樂的女子，在宴會上，司馬相如彈琴，故意彈出鳳求凰曲子，卓文君從窗縫中窺探，看到他儀容瀟灑，不由的愛上了他。結果，跟他私奔。

這在當時是一件醜聞，卓王孫氣的發昏，跟女兒斷絕父女關係。司馬相如飢寒交迫，便索性在他岳父門前，開設一家酒舖，司馬相如短褲赤膊，招待客人。而由卓文君親自爲客人燙酒。這對於講身份的富豪來說，是一個天大的侮辱，卓王孫臉上無光，閉門不出。後來兄弟們一再勸解，才算分一點財產給女兒。

正在此時，劉徹徵召司馬相如。司馬相如比韓非幸運，沒有受到入獄毒死的待遇，劉徹給了他一個中級官職。又命政府供應他紙筆（這些都是當時的貴重物品）。以後，又被擢升爲皇家警衛指揮官（中郎將），派到蜀郡（四川成都）處理西南夷諸國歸附事宜。因爲他是欽差大臣，蜀郡郡長（太守）以下，遠出郊外迎接，沿途各縣縣長親自當前導，蜀郡人士深感這是全郡的光榮。卓王孫和臨邛的其他富豪，也都到蜀郡歡迎，而且深恨自己把女兒嫁給司馬相如太晚（這使我們想起紀元前四世紀的蘇秦）。

司馬相如的遭遇是傳奇的，傳奇的樞紐在於「賦」，可說明「賦」的份量。「賦」一直支配中國文壇，到紀元後六世紀，才被淘汰。

爲了對這個演變有一完整印象，我們姑且把中國「詩」的主流，用下表顯示：

世紀	前六— 前四—		前二—	七—	一〇—	一三—	二〇—
體裁	詩經	楚辭	賦（漢賦）	詩（唐詩）	詞（宋詞）	曲（元曲）	自由詩

九、東西方世界

——三〇年代・紀元前一六八年（呂雉死後十二年），希臘各城邦，除斯巴達外，共組亞該亞同盟。馬其頓王百爾修爲盟主，攻擊斯巴達，強迫它加入同盟，共抗羅馬共和國。羅馬遂擊馬其頓，馬其頓大敗投降，被擄去男女十五萬人，悉賣爲奴。

——五〇年代·紀元前一四九年（七國之亂後五年），第三次布匿戰爭爆發。羅馬深恐迦太基共和國復興，藉口迦太基違反停戰條約，出兵進攻，命迦太基交出全部軍械，並以貴族子弟三百人當作人質，迦太基全部接受。但羅馬忽然懊悔條件太輕，又加上拆除城牆，不准在市區添建房屋，不准沿海居住等等條款。羅馬立意要激怒迦太基，迦太基果然被激怒，婦女兒童都參加作戰，保衛祖國。

——五〇年代·紀元前一四六年（罷黜百家、獨尊儒術的前六年），第三次布匿戰爭結束。迦太基城陷，國亡。羅馬縱火屠城，迦太基抵抗到最後一人，全部被殺。老弱倖存者，全被賣爲奴隸（迦太基共和國的結局悽慘而悲壯，使我們不愉快的證明「哀兵必勝」這句話不是絕對的，它只是格言，不是定律，而歷史上偏偏有太多的格言）。

第十三章　紀元前第一世紀

本世紀，中國繼續從事與匈奴汗國的戰爭。好戰的北方鄰國，永遠是中國的禍根，這個禍根如果不徹底排除，中國便永遠追求不到和平。所以，中國向北進擊，只是避免淪亡的求生自衛。匈奴汗國在中國不斷進擊下，終於由分裂走向瓦解。

在國內，統治中國的西漢王朝的皇族，即劉邦的後裔，享受太久的富貴，使他們不可避免的陷於腐敗和墮落，政權遂轉到皇帝母親或皇帝妻子的家族之手，形成一種特殊的「外戚政治」，爲西漢王朝敲起喪鐘。

一、中匈兩國的和與戰

匈奴汗國有足夠的強大，中國在上世紀（前二）獲得的勝利，包括奪取了它最富庶的河西走廊，也只能使它受創，不能使它屈服。而受創的匈奴汗國，仍是勁敵。

上世紀（前二）最末一年（前一〇一），且鞮侯單于即位，表示願與中國和解，把過去所拘留的中國使節，一齊遣回長安。本世紀（前一）第一年（前一〇〇），中匈恢復邦交，中國派遣正使蘇武、副使張勝，赴匈奴汗國報聘。莫名其妙的怪事就發生在這位醜惡的副使張勝身上，張勝跟早先投降匈奴汗國的一些中華人，密謀乘且鞮侯單于外出打獵時，殺掉匈奴的智囊衛律，然後劫持單于的母親，逃回中國，這種卑鄙計畫，竟出自高級外交官員，使人心驚。事情敗露後，經過一場流血殺戮，愛國心切的張勝露出投機的原形，投降匈奴。而毫不知情的蘇武卻拒絕投降，匈奴把他放逐到冰天雪地的北海（貝加爾湖）。兩國剛剛恢復的邦交，被一個小政客破壞，重新以兵戎相見。

——蘇武被放逐貝加爾湖，靠牧羊維生，二十年之久，始終拒絕投降，匈奴汗國宣稱他早已死亡。一〇年代最後一年（前八一），中匈復交，中國派到匈奴汗國的使節，聽到蘇武仍然活着的消息，就告訴匈奴說：中國皇帝曾射下一隻雁，雁足上繫着蘇武求救的信件。匈奴吃了一驚，才把他釋放。蘇武出使時只四十餘歲，回國時已六十餘歲，妻子早已改嫁，家人也早星散。他的故事，兩千年來，中國有無數小說、戲劇和歌曲，歌頌他忠於國家堅忍不屈的偉大精神。

蘇武被囚的明年（前九九），中國大軍分兩路向匈奴汗國進攻，一路是大將李廣利，出兵酒泉（甘肅酒泉），深入西域，到達天山，被匈奴擊敗。另一路大將李陵的遭遇，更爲惡劣。李陵率領五千步兵，出兵居延海（內蒙額濟納旗），向北深入沙漠，行軍三十餘日，挺進到浚稽山（蒙古戈壁阿爾泰山），跟匈奴且鞮侯單于的三萬人相遇，李陵迎戰，殺數千人。且鞮侯單于召集援軍，約八萬餘騎，李陵只得撤退。但最強悍的步兵，擺不脫騎兵的追擊。匈奴兵團分爲兩翼，左右展開，把李陵兵團夾在當中。李陵且戰且走，數日之後，退到一個不知名的山谷，規定士兵受傷三次以上的才准坐車，受傷兩次以上的改爲駕車，受傷一次的繼續戰鬥，又殺匈奴三千餘人。再走四五日，到達一片葦草茂盛的畜牧地帶，匈奴兵團順風縱火，李陵卻先行縱火自救。再南行，到達山丘區域，且鞮侯單于命他的兒子攻擊，李陵兵團在樹林中設下埋伏，又殺匈奴三四千人。且鞮侯單于以元首之尊，親自指揮十六倍於敵人的精兵，追擊十餘日，不能取勝，簡直憤怒的發狂，攻擊更加猛烈。李陵在沙漠中再南行四五日，又殺匈奴二千餘人。且鞮侯單于已經發現李陵是一支孤軍，更緊追不捨。兩翼越過李陵，在李陵前方合圍，遮斷退路，箭如雨下，呼喊投降。李陵繼續戰鬥，一日之內，射出五十萬箭，箭遂用盡。就拋棄車輛輜重，全體徒步前進，還有三千餘人，進入鞮汗山（蒙古諾顏博格多山），匈奴兵團堵住谷口。入夜，李陵徘徊陣壘之間，嘆息說：「再給我們每人十枝箭，就能支持到邊界。」然而，他沒有箭。夜半，李陵下令擊鼓突圍，鼓已破裂，不能發聲。李陵命向四面八方衝出，一以分散敵人注意，一以希望有人能逃回中國向政府報信。他與另一位將軍韓延年上馬，率親軍十餘人，越嶺南走。匈奴兵團潮水般追擊，李陵身上除短兵器外，沒有他物，不能阻擋敵人縮小包圍圈。終於，韓延年中箭而死，李陵被俘。

兩年後（前九七），大將李廣利、韓說、公孫敖，分別出朔方（內蒙杭錦旗北）、五原（內蒙包頭）、雁門（山西右玉），三路再向匈奴汗國進攻。匈奴早得到消息，向漠北撤退，三路大軍都無收穫。七年後（前九〇），李廣利再出五原，而皇帝劉徹卻在首都長安，以詛咒的罪名，把李廣利的妻子逮捕下獄。李廣利正在乘勝追擊，聽到消息，立即拋棄大軍，隻身向匈奴投降。這是劉徹的殘忍性格逼出來的國際笑柄，並且使反擊匈奴的軍事行動，再度受到挫折。

本世紀（前一）初期，中國站在失利的一邊，但並沒有大戰，李陵以五千步兵對抗匈奴八萬騎兵，只是一場苦鬥而已。匈奴汗國竭力避免與中國決戰，希望積小勝爲大勝，使中國疲憊。這種情形，維持四十年，直到本世紀（前一）中葉。

二、司馬遷·路溫舒

李陵被俘，使中國史學之父司馬遷，受到酷刑。

司馬遷，夏陽（陝西韓城）人，他的史學名著史記，是中國最早的一部最有價値的史書。在幼年的時候，司馬遷跟隨父親，遊歷了很多地方，東南到過會稽（江蘇蘇州）。南方到過沅江湘江（皆在今湖南），東方到過魯縣（山東曲阜），西南到過巴郡（四川重慶）、蜀郡（四川成都）、益州郡（雲南晉寧）。可以說他足跡走遍半個以上已知的世界，這對他開闊的心胸和寫作的技巧，有很大幫助。父親逝世後，他繼任父親的官職——天文台長（太史），隨即着手撰寫史記——中國第一部傳記式的通史。

然而，當這部巨著寫到一半時，李陵被俘，皇帝劉徹大怒，在專制帝王眼中，只有自己的命値錢，別人的命都不値錢，所以，他認爲李陵應該自殺。大臣們諂媚劉徹，也一致認爲李陵應該自殺。劉徹問司馬遷的意見，司馬遷的災難於是來臨，他回答的恰恰是劉徹所不願意聽的話，他說：

「李陵對士兵非常愛護，平時常以殺敵報國為最大志願。如今不幸戰敗，而一些沒有冒一點危險的大人先生，卻在一旁議論紛紛，挑剔他的過錯，使人痛心。李陵以不滿五千人的步兵，深入沙漠，與八萬騎兵對抗，轉鬥五百公里，箭盡力竭，但仍冒白刃反攻，部下毫無離心，自古名將，不過如此。他身雖被俘，卻曾力挫強敵，也足以名垂天下。而且我更相信，李陵忍辱投降，絕非出自本心，他一定另有計謀，報效祖國。」

——一〇年代紀元前八一年，劉徹已死，在匈奴羈留二十年的蘇武被釋回國時，寫信給李陵，勸他一同回國。李陵覆信說：「我當時所以不死，只是打算效法前輩英雄，有所作為。可是，大志未成，全族被劉徹屠戮，老母都不能倖免。仰天搥胸，眼淚流盡，繼之泣血。」忍辱負重的人，不可能被狂熱份子體諒。沉痛的心情，也不可能被浮滑之徒了解。所以李陵、司馬遷不得不成為悲劇人物。

劉徹既決心屠戮李陵全族，對司馬遷讚揚李陵的話，當然使他大為光火，就把司馬遷囚入詔獄。法官會審的結果，確定司馬遷犯了包庇叛徒的偽證之罪，判處死刑。司馬遷的家人為他好不容易借貸到一筆贖金，才減為次一等的腐刑——將生殖器割除。

腐刑固然痛苦，但尤其羞辱，司馬遷幾次都要自殺，但他終於在殘忍的命運下活下去，為的是要完成他的史記巨著，他的苦心使我們感謝。

史記上自紀元前二十七世紀黃帝姬軒轅，直到本世紀（前一）他受腐刑之後。用二百餘人的傳記，表達二千六百年間的人事變化和社會變動。再用若干表格和專題報導，作爲補充。以簡練的中國古文寫出五十二萬字巨書，成爲中國史籍的珍寶。而且這種體裁，從此被史學家奉爲圭臬，中國所謂「正史」，兩千年來都跳不出司馬遷所創立下的範疇。

司馬遷所遭遇的酷刑，不是孤立事件或偶發事件。它普遍的存在，而且已長久存在。中國司法制度，很早就分爲兩個系統，一個是普通法庭——司法系統，另一個即司馬遷所碰到的詔獄法庭——軍法系統。

詔獄法庭的特徵是，犯法與犯罪無關。法官的唯一任務是運用法律條文編撰一件符合上級頭目旨意的判決書。司馬遷不過一個中級官員而已，即令最高級官員，只要陷進詔獄系統，都不能自保。像削平七國之亂，拯救西漢王朝的救星，後來擔任宰相的周亞夫，他的兒子曾購買一些紙糊的刀槍之類的葬器，預備老爹死後焚化。有人告發周亞夫私藏武器叛亂，立刻就被投進詔獄。周亞夫向法官解釋那些只是死人的用具，法官何嘗不知道那是死人的用具，但他們的任務不是追尋眞相，而是執行命令，只好回答說：「你雖然沒有在地上叛亂，但很明顯的，你將在地下叛亂。」周亞夫只有死亡。另一位農林部長（大農令）顏異，當皇帝劉徹發行一種專門向封國詐財勒索用的「鹿皮幣」時，顏異僅只向外翻了一下嘴唇，也立刻被投進詔獄，法官判他犯了「腹誹」大罪——雖然沒有在言詞上反政府，但卻很明顯的在肚子裏反政府。顏異也只有死亡。

詔獄法庭不限於直接冒犯了皇帝，一件謀反案發生後，無論這件謀反案是眞的，或是出於詔獄系統——誣陷的，往往千千萬萬人牽連進去，包括各色人等。像親王劉安謀反案，死於詔獄的就有數萬人。劉徹親信江充揭發的巫蠱案，死於詔獄的也有數萬人。法官對失寵了的親王、宰相、部長，當敢如此殘虐的任意戲弄，低級官員和平民所受到的待遇，我們可用常識判斷。以上世紀（前二）九〇年代為例，十年中每年詔獄系統逮捕的囚犯，都有十餘萬人，佔全國總人口百分之一。亦即平均一百人中，就有一個人因謀反罪而身繫囹圄，這個數目使人毛骨悚然。

這是中國文明的一項恥辱，對此現象，路溫舒首先提出呼籲，要求政府尊重人性，保障人權。

路溫舒，鉅鹿（河北平鄉）人，跟司馬遷相反，無論在當時或在後世，都默默無聞，他只不過是司法部（廷尉）一名低級的總務官（廷尉史），但也正因為身在司法部任職，所以比普通人了解的更為深刻。三〇年代紀元前六七年，司馬遷受腐刑已三十二年，他給當時的皇帝劉病已，上了一份奏章，暴露司法的黑暗，他說：

「司法裁判，是國家大事。處死的人不能復生，砍斷的手足不能復續。書經上說：『與其殺一個無罪的人，寧可放掉一個有罪的人。』可是，今天的司法裁判，卻恰恰相反。法官們上下勾結，刻薄的人，被稱讚為廉明。殘忍的人，被稱讚為公正。主持正義、昭雪冤獄的人，卻有被認為不忠貞的後患。所以，法官審訊案件，非致人於重刑不可，他對囚犯並沒有私人恩怨，只是用別人的自由和生命，來保衛自己的自由和生命而已。他必須把別人陷入重刑，他才可以獲得安全。」

路溫舒又說：

「於是，死囚所流的血，盈滿街市。其他處刑的囚犯，更比肩相連。遇到行刑日子，每次都殺萬人以上，誠感可哀。」

路溫舒指出造成冤獄的原因在於口供主義，他說：

「人之常情，安樂時願意活下去，痛苦時則求早死。苦刑拷打之下，要什麼口供就會有什麼口供。囚犯不能忍受酷刑的痛苦，只好照着問案人員的暗示，揑造自己的罪狀。問案人員利用這種心理，故意把囚犯的口供引導到犯罪的陷阱。罪狀既定，唯恐怕還有挑剔之處，就用種種方法，把口供修改增刪，使它天衣無縫，每字每句都恰恰嵌入法律條文之中。鍛鍊完成之後，寫成公文書，即令上帝看到，也會覺得這個囚犯死有餘辜。因爲陷害他的都是法律專家，顯示出的罪狀是太明顯了。」

路溫舒建議改革。皇帝劉病已的反應是，下一道詔書，命全國法官辦理案件時要寬大公平。僅靠行政命令當然不能改變悠久傳統，因爲冤獄與酷刑，是無限權力政治制度下的產物，此種制度存在一日，冤獄與酷刑存在一日。像司馬遷、周亞夫、顏異，事實上任何法官都救不了他們。但路溫舒的奏章，使我們發現中華人權所受的蹂躪，自古就沒有有效的保護。這份奏章，是中國最早爭取人權的呼聲，雖然很溫和，很微弱，而且又沒有收到任何效果。

三、中國疆土的繼續擴張

西域（新疆）各國自從張騫之後，便處於中華帝國與匈奴汗國兩大超級強權的夾縫之間，左右為難。

匈奴汗國在西域早就建立勢力，設有西域總督（僮僕都尉）。匈奴使節到西域，一切費用，都由所在王國供應。而中國使節的一飲一食，卻要用錢購買，這已夠中國不舒服了，再加上各國在匈奴的壓力下，往往截殺中國使節，遂使中國終於發動一連串膺懲性的戰爭。

第一個跟中國發生衝突的是樓蘭王國。

——樓蘭王國首都位於今新疆若羌；而東北重鎮樓蘭城，則位於羅布泊西數公里處，現在已全部陷於沙漠之中。我們在介紹中國沙漠時，曾談到沙漠南移，並舉樓蘭為例。至遲在本世紀（前一），樓蘭王國以及且末王國（新疆且末）、婼羌王國（新疆若羌東南一百七十公里）、精絕王國（新疆民豐北一百一十公里），距沙漠都有一段距離，還是富庶的花花世界。可是二十世紀的現在，都成了斷瓦殘垣，寸草不生的沙磧廢墟（注意現在地圖上標示的，今鄯善不是古樓蘭，今若羌也不是古婼羌）。

樓蘭王國是西域最東的國家，跟中國最西的敦煌郡接壤。西域的南部被塔克拉瑪干沙漠及白龍堆沙漠再分割為南北兩部，樓蘭城正是分道的港口，中國出使各國的使節，由樓蘭城分赴沙漠南北。由沙漠南北各國返回的使節，則在樓蘭城會合。衝突的時間是上世紀（前二

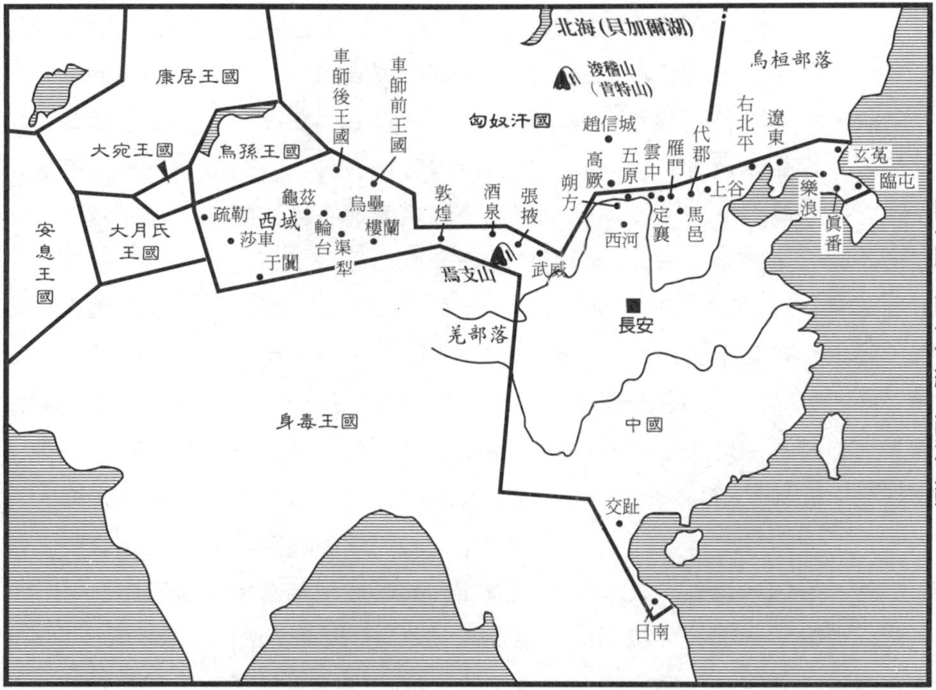

圖一四 前一世紀·西漢王朝

）九〇年代，比大宛王國汗血馬戰役要早三年。樓蘭王國和車師王國（新疆吐魯番），在匈奴汗國指使下，派出聯合巡邏部隊，專門截殺中國使節，以切斷中國跟西域的交通線。中國的反應十分激烈。紀元前一〇八年，大將趙破奴率騎兵七百人，奇襲樓蘭，把樓蘭王擊斬。——正因爲擊斬樓蘭王太容易，西漢政府把大宛王國看走了眼，認爲跟樓蘭王國一樣脆弱，才有三年後的汗血馬戰役。

進入本世紀（前一），中國在西域殖民，已有相當成績。輪台（新疆輪台）一帶的肥沃土地上，就有屯墾區。這時候，樓蘭王國新王安歸，跟匈奴汗國結親，再度截殺中國使節。龜茲王國（新疆庫車）進攻中國屯墾區輪台，擊斬屯墾司令（校尉將軍）賴丹。

二〇年代紀元前七七年，中國使節傅介子進入西域，先到樓蘭王國，把國王安歸殺掉，改它的國名爲鄯善王國。另立一位新王，由中國政府送一位宮女作新王的王后。

六年後（前七一），中國與烏孫王國（吉爾吉斯伊什提克城）聯合出兵，夾攻匈奴汗國，企圖使匈奴汗國在兩面作戰的苦境中崩潰。中國方面，由田廣明等五位大將，分別由西河（內蒙準格爾旗西南）、雲中（內蒙托克托）、五原（內蒙包頭）、張掖（甘肅張掖）、酒泉（甘肅酒泉），五路出兵。烏孫王國方面，由中國使節常惠擔任參謀長，向東進軍。匈奴汗國得到消息，立刻作大規模緊急撤退。以致中國聲勢浩大的五路大軍，深入沙漠一千餘公里，仍捕捉不到敵人主力。但烏孫兵團卻大獲全勝，俘擄匈奴親王以下四萬餘人。匈奴汗國從此更加衰弱，張騫斷匈奴右臂的西進政策，現在顯出功效。他敏銳的眼光能遠瞻到六十年之後，則不僅是偉大的探險家，而且更是偉大的政治家。

這次戰役之後，常惠緊接着調發各國軍隊五萬餘人，進攻龜茲王國，聲討它攻殺輪台中國屯墾司令賴丹的罪行。但六年前當時的國王已經去世，現任國王謝罪說：「這不是我父親的意思，而是我父親大臣姑翼的意思。」常惠說：「那麼，交出姑翼。」龜茲王國交出姑翼，就在城下處斬。於是中國聲威，震懾西域。屯墾區恢復，並迅速推展，由輪台而渠犁王國（新疆庫爾勒），而伊循城（新疆若羌東）。他們跟當地女子結婚，西域各國開始有中國血統的國民。

——注意常惠的用兵，他進攻龜茲王國，用的不是中國軍隊，而是西域各國聯軍，這是最成功的外交手段。當紀元後十八世紀，歐洲英法等國殖民最盛時，遇到戰亂，主要兵源乃靠本國。

面積廣袤的車師王國（新疆吉木薩爾）位於天山以北，是中國前往烏孫王國的要道之一。車師國王烏貴娶了匈奴汗國的公主，所以跟匈奴結盟，繼續遮殺中國使節。三〇年代紀元前六七年，中國在渠犁王國的屯墾司令鄭吉，率領屯墾兵團一千五百人，再調發各國軍隊，集結一萬餘人，攻擊車師。烏貴不能抵抗，但投降又恐懼匈奴汗國報復。兩難之下，他索性放棄王位，向西投奔烏孫王國。中國就把車師國民東遷到交河城（新疆吐魯番），而在車師故地（新疆吉木薩爾）屯墾。匈奴汗國對這個侵入到天山以北的屯墾區大為驚恐，不斷派兵騷擾。三年後（前六四），中國承認在天山以北不可能保持據點，把屯墾區撤銷，退回天山以南，與渠犁王國的屯墾區合併。

——但交河城仍然存在，稱車師前王國，故地（新疆吉木薩爾）則稱車師後王國。

在西域，中國公主佔重要地位。第一位公主劉細君於上世紀（前二）九〇年代，嫁給烏孫王岑娶。劉細君逝世後，中國再把另一位公主劉解憂嫁給繼任的烏孫王翁歸靡，生了三個兒子和兩個女兒。一個女兒嫁給龜茲王絳賓，絳賓深以當中國的外孫女婿爲榮。三〇年代紀元前六五年，夫婦曾一同到長安朝見中國皇帝。遠在西域西陲的莎車王國（新疆莎車），國王死後，沒有子女，爲了倚仗中國國威，就迎立劉解憂最小的兒子萬年當國王。想不到萬年是一個不成才的小流氓，使國人大大的失望。故王的弟弟就把萬年殺掉，自己繼位。但中國外孫不是隨便可以加害的，就在龜茲王夫婦入朝的當年，中國使節馮奉世調發各國軍隊，進攻莎車，莎車城陷，新王被斬。

中國公主還有一位侍婢馮嫽，嫁給烏孫王國大將，她是歷史上最美麗而且最成功的女政治家之一，經常代表公主和代表中國政府，出使西域各國，調解糾紛，各國對她有崇高的尊敬。

四〇年代紀元前六〇年，中國政府任命鄭吉擔任首位西域總督（都護），他把總督府（都護府）設在烏壘王國（新疆輪台東北），中國在西域勢力，更爲增強。

四、匈奴汗國的分裂

人的惡運有連鎖性，國家也是如此。匈奴汗國在西方被烏孫王國擊敗，在東方也被新興的烏桓部落（內蒙西遼河上游）擊敗，國勢日形萎縮。

國勢萎縮一定引起國人的苦悶和政權的不穩定，又加上此時在位的握衍朐提單于，暴虐好殺，更促使危機加重。四〇年代紀元前五八年，東方將領們擁立一位親王即位，號稱呼韓邪單于。握衍朐提單于出兵討伐，戰敗被殺。但西方將領們也擁立另一位親王即位，號稱屠耆單于。兩個單于，互相攻擊。明年（前五七），另外又崛起了三個單于，於是五單于並立，全國大亂。經過一番爲敵報仇式的自相殘殺，最後，只剩下呼韓邪單于。可是他的一位族兄卻又在東方自立，號稱郅支單于。紀元前五四年，郅支單于向西進攻，進入王庭（當時匈奴的王庭設在蒙古哈爾和林），呼韓邪單于節節向南敗退。從這一年起，匈奴分裂爲南北兩個汗國。兩個汗國爲了爭取外援，爭着向中國奉承乞憐，和爭着派遣太子到中國充當人質。

呼韓邪單于不久就無法支持郅支單于的攻勢，紀元前五一年，他率領南匈奴汗國全部人民牲畜，向中國投降。這是一件爆炸性的大事，呼韓邪單于到長安朝覲時，中國皇帝劉病已在皇宮中大擺酒筵歡迎他。呼韓邪單于要求遷居河套，劉病已同意，並派大將韓昌，率領騎兵一萬六千人，沿着黃河駐防保護。這一次朝覲對西域各國是一個晴天霹靂般的震撼，他們認爲絕不可抗拒的龐大的匈奴汗國，竟被中國征服。

——呼韓邪單于自此不斷朝覲，最後一次朝覲是六〇年代紀元前三三年。當時皇帝劉奭（劉病已的兒子）把一位宮女王昭君賞賜給他。劉奭並不認識王昭君，等到辭行時才發現她竟是一位絕色美人，使他那數萬名後宮的小姐們都黯然失色，他大大的跳高起來，下令把宮廷畫家毛延壽殺掉，因爲毛延壽沒有把她的美貌畫出來。關於王昭君的故事，中國流傳最久也最廣，被寫成很多詩歌戲劇，家喻戶曉。

呼韓邪單于在中國全力援助下，力量漸大，不斷反攻。現在輪到郅支單于不能支持了。於是向西移動，侵入西域北境，滅掉堅昆王國（西伯利亞葉尼塞河上游）和丁零部落（貝加爾湖畔）。他向中國要求送還充當人質的太子，中國政府慷慨答應，派使節谷吉，一直把太子護送到他的臨時首都堅昆王城。可是，萬萬想不到，郅支單于不但毫無感謝之情，反而記起中國援助他的對手呼韓邪單于的怨恨，竟把谷吉殺掉。郅支單于殺了谷吉之後，才發現殺掉中國使節的嚴重性，他放棄堅昆，繼續向西遷移。就在這時候，康居王國（哈薩克突厥斯坦）屢屢被烏孫王國擊敗，想借匈奴的力量保衛自己，兩國遂結成同盟。

五〇年代紀元前四四年，郅支單于率領他的部下，到達康居。康居王把女兒嫁給郅支單于，郅支單于也把女兒嫁給康居王。即行出兵攻擊烏孫，烏孫王國不能抵禦，西界邊陲，幾乎全部殘破。

但康居王國和北匈奴汗國間的蜜月很快結束，郅支單于以康居王國的保護人自居，而且性情粗暴，把康居王的女兒也殺掉，又把康居貴族當作奴隸一樣驅使迫害。又興築城壘，向西域各國發出通知，要他們進貢。康居王國深悔引狼入室，但已無法挽救。

六〇年代紀元前三六年，距郅支單于殺山國使節八年，中國西域總督府副指揮官（副校尉）陳湯，調發各國軍隊，連同屯墾兵團，共四萬餘人，分兩路向郅支單于夾攻，南路翻越葱嶺（帕米爾高原），穿過大宛王國。北路則穿過烏孫王國，在郅支城（哈薩克江布爾）下合圍。郅支城陷落，聯軍斬下郅支單于的頭，傳送航空距離三千三百公里的中國首都長安。陳湯在他給政府的報告中，陳述所以發兵的理由。他說：「凡侵犯中國的，逃的再遠，也要誅殺。」北匈奴汗國滅亡。

呼韓邪單于成爲匈奴汗國唯一政權，不久即向中國請求離開河套，回到北方他自己的故土。

五、外戚政治

中國勢力在西域成長的時候，統治中國的西漢王朝的外戚政治，也在成長。西漢政府可以說自始至終，都由皇帝跟外戚共同執政。開始時皇帝當然佔優勢，但若干年代下來，皇帝生活腐化和壽命短促，外戚遂佔優勢。等至外戚的優勝成爲絕對力量時，皇帝只有交出權力。

西漢王朝開國皇帝劉邦，他的妻子呂雉，雖跟他一樣，只是一個不識幾個字的鄉下女人，但卻是一個不平凡的女野心家，幫助她丈夫創立事業。當劉邦在外作戰時，她在後方留守，不惜發動最大的冤獄，以鞏固政權。劉邦死後，她以皇太后之尊，在接着第二任、第三任、第四任皇帝在位期間，獨攬大權，把劉邦那個非姓劉不能封王的白馬之盟廢除，而把她的兄弟侄兒，大批封王。她死之後，劉姓皇族反攻，呂姓戚族全部被殺。可是劉姓皇族可以殺盡呂姓戚族，卻不能殺盡所有戚族，這是那個時代無法解開的結。我們且將這個結，即西漢政府歷任皇帝任用外戚的情形，列出一表：

年代	皇帝任數	皇帝姓名	當權外戚
(前三世紀)九〇	1	劉邦	
(前二世紀)〇〇	2	劉盈	(劉盈生母皇太后呂雉主持國政)
一〇	3	劉恭	呂產、呂祿(劉恭劉弘祖母太皇太后呂雉的侄兒)
	4	劉弘	
二〇	5	劉恒	
四〇	6	劉啓	竇嬰(劉啓生母竇太后的侄兒)

五〇	7	劉徹	田蚡（劉徹的舅父・生母王太后的同母異父弟弟）衛青（劉徹妻子衛皇后的弟弟）霍去病（衛皇后姊姊的兒子）
（本世紀）一〇	8	劉弗陵	上官桀（劉弗陵的岳父・妻子上官皇后的父親）霍光（霍去病的弟弟・劉弗陵妻子上官皇后的外祖父）
二〇	9	劉賀	（在位僅二十七日）
	10	劉病已	史高（劉病已祖母史良娣的弟弟）許延壽（劉病已妻子許皇后的叔父）
五〇	11	劉奭	許嘉（劉奭的舅父）
六〇	12	劉驁	許嘉（劉驁的岳父・妻子許皇后的父親）王音、王根、王鳳（劉驁的舅父・生母皇太后王政君的弟弟）
九〇	13	劉欣	傅喜（劉欣祖母傅太后的弟弟）丁明（劉欣的舅父・生母丁太后的弟弟）
（後一世紀）〇〇	14	劉箕子	王莽（劉箕子祖母太皇太后王政君的侄兒・劉箕子妻子王皇后的父親）
	15	劉嬰	王莽（劉嬰曾祖母太皇太后王政君的侄兒・劉嬰伯母王太后的父親）

皇帝能力強的時候，外戚是一種助力。皇帝能力弱的時候，外戚就自然成爲政權的接班人。呂姓外戚即是很明顯的例證，假使他們中間有一個不是膿包，劉姓皇帝反擊失敗，西漢王朝的政權一定結束。所以在大的敎訓之後，一連兩任皇帝，對外戚都保持相當距離。第七任皇帝劉徹，雖大量任用外戚，但他能夠控制局勢。而且還在防範工作上，採取殘忍手段。他死的前一年（一〇年代紀元前八八年），最心愛的小兒子劉弗陵，只有九歲，他想立他當太子，於是先行把年輕美麗的母親鉤弋夫人殺掉，他解釋說：「我死之後，她當了皇太后，一定爲非作歹，重用她的家人。爲了避免呂雉故事重演，不得不如此。」

然而，西漢政府的基本構成形態，所面臨的不是特定的某一人某一姓的外戚問題，而是普通性的外戚問題。呂姓戚族的屠滅和鉤弋夫人的被殺，都無法阻擋政權滑入外戚之手。第十任皇帝劉病已出身平民（他的祖父是劉徹的太子，被殺，後裔廢爲平民）。劉病已當了皇帝後，不但有一種自卑感，而且有一種孤立感，他跟前任皇帝的外戚霍光站在一起時，就感覺到如芒刺在背。而在任用他自己的外戚掌握政權後，才感到安全。霍姓戚族終被屠殺，史姓戚族和許姓戚族接着興起。

這種情形，演變到本世紀（前一）末期，遂形成一種現象：舊皇帝逝世時，他的外戚即退出政府。新皇帝即位，他的外戚即進入政府，好像近代民主國家選舉後的政黨轉移情形一樣。舉一個例子就可明瞭，十二任皇帝劉驁逝世後，沒有兒子，由弟弟的兒子劉欣繼位。因爲不是父子相襲，所以各有各的外戚，劉驁的母親皇太后王政君，即下令王姓戚族全部免職，讓出官位給劉欣的外戚——祖母傅、生母丁。

本世紀（前一）最後一年（前一），劉欣病死，也沒有兒子，由他叔父的兒子，年方九歲的劉箕子繼位。王政君恢復皇太后的權力，立即徵召她的侄兒王莽擔任大司馬（宰相級），將傅姓戚族和丁姓戚族全部殺掉或趕走，同時不惜採用流血手段，阻擋九歲劉箕子的外戚——母親衛氏的家族，前來首都。

外戚政治發展到這個階段，西漢王朝命運已經注定要結束。

六、東西方世界

——○○年代・紀元前九七年（司馬遷所著史記，截止於本年），日本崇神天皇將象徵皇權的神器（祭祀用具），安置於大和地方，日本人遂自稱大和民族。

——一○年代・紀元前八五年（鉤弋夫人被殺後三年），羅馬共和國執政官美立阿斯，改革內政，取消窮人四分之三的欠債。剝奪遠征小亞細亞大將薩拉公民權，屠殺他的同僚。

——一○年代・紀元前八三年（蘇武回國前二年），薩拉由小亞細亞回軍，攻陷羅馬城。每日公佈他的政敵名單，宣佈不受法律保護，屠殺五千餘人。

——二○年代・紀元前七九年（蘇武回國後二年），義大利半島維蘇威火山爆發，龐培城淪沒（當時是一件震人心腑的大慘劇，可是人們終於將此城和被活葬的人民忘記。兩千年後的十九世紀，此城才被掘出重現，火山灰保護每一屍體，使兩千年前人們逃難時的恐怖情景，如在眼前）。

——二〇年代，紀元前七三年（中國使節傅介子擊斬樓蘭王後四年），羅馬共和國奴隸鬥士斯巴達卡斯等七十餘人，從加菩阿角鬥場逃出，各地奴隸紛往投奔，計畫渡地中海脫離羅馬。羅馬大將格拉蘇討伐，戰事持續三年，史學家稱「奴隸戰爭」。

——二〇年代・紀元前七一年（中國與烏孫王國夾攻匈奴），羅馬共和國奴隸戰爭結束，奴隸軍潰敗，斯巴達卡斯跟他的部屬六千餘人，全部釘死十字架，自羅馬城到阿匹安道上，懸屍數十公里。

——三〇年代・紀元前六二年（中國在西域設總督前二年），羅馬共和國「前三雄時代」開始，執政官龐培、格拉蘇、愷撒，三人結盟，輪流主持國政。

——四〇年代・紀元前五七年（匈奴汗國五單于並立），日本派遣使節到中國朝貢，中國政府頒發金印，印文「漢委奴國」。

——四〇年代・紀元前五五年（郅支單于攻呼韓邪單于入王庭前一年），羅馬大將愷撒攻入英格蘭，說出名語：「我來，我見，我征服。」

——四〇年代・紀元前五三年（南北匈奴向中國爭寵，送太子爲人質），羅馬大將格拉蘇，遠征亞洲安息王國，在卡里會戰，羅馬軍團大敗，死二萬餘人，被俘爲奴的一萬餘人。格拉蘇被擒，安息人因他貪財如命，就把黃金熔汁，灌入他的口中而死。

——五〇年代・紀元前四九年（南匈奴呼韓邪單于，首次入朝中國後二年），羅馬「前三雄時代」結束。執政官龐培嫉妒愷撒的成功，與元老院聯合，下令免除愷撒高盧（法國）總督。愷撒遂回軍，攻陷羅馬城，龐培逃亡。元老院推選愷撒為執政官。

——五〇年代・紀元前四四年（北匈奴汗國郅支單于殺中國使節谷吉），愷撒被其摯友布魯特斯、加西阿斯，在元老院中刺死。愷撒部將安東尼發動民變，迎接愷撒養子屋大維到羅馬城。

——五〇年代・紀元前四三年（南匈奴呼韓邪單于，率眾離河套，回歸故地），屋大維、安東尼、雷比達斯，同被推選為執政官，史學家稱「後三雄時代」。

——六〇年代・紀元前三九年（中國遠征軍擊斬郅支單于前三年），安東尼進攻埃及，被托勒密王國二十七歲女王克麗奧佩特拉所迷，流連忘返。

——六〇年代・紀元前三一年（中國美女王昭君嫁呼韓邪單于後二年），安東尼與屋大維決裂，安東尼兵敗自殺。克麗奧佩特拉打算再用她的美色迷惑屋大維，但不久就發現屋大維準備把她騙到羅馬遊街示眾，遂自殺。從紀元前四世紀亞歷山大帝國分裂出來的托勒密王國，到此滅亡。

——七〇年代・紀元前三〇年（關中大雨四十餘日，長安大亂），羅馬元老院上屋大維尊號「奧古斯都」（偉大），雖名義上不是皇帝，但既為終身元首，又世代相傳，固與皇帝無異。羅馬共和國遂成為羅馬帝國。

——九〇年代・紀元前四年（皇太后王政君徵召王莽當大司馬前三年），耶穌誕生。

紀元後

第十四章 第一世紀

〇〇年代 〇一——〇九
一〇年代 一〇——一九
二〇年代 二〇——二九
三〇年代 三〇——三九
四〇年代 四〇——四九
五〇年代 五〇——五九
六〇年代 六〇——六九
七〇年代 七〇——七九
八〇年代 八〇——八九
九〇年代 九〇——九九

從本世紀起，歷史進入紀元之後，這對研究和閱讀歷史的人是一個好消息。因爲我們習慣於從少到多計算數字，而紀元前的時間，卻必須倒着來數。如紀元後「三年到七年」，紀元前就必須說成「前七年到前三年」。進入紀元後，時間觀念，才恢復正常。至於年代，更容易計算，我們特地列出上表，以加強印象。不過，在本世紀（一）中，只包括九十九年，與其他世紀不同。我們認爲對年代採取這種劃分方式，比較更能迅速顯示時間的關係位置。

統治中華帝國的西漢王朝於本世紀〇〇年代滅亡，外戚王莽建立新王朝——這個「新」字不是形容詞，而是這個王朝的專用名詞。但新王朝是一個短命政權，代之而起的是劉姓皇族的一員建立的玄漢王朝，而玄漢王朝也只有三年壽命（比項羽的西楚王國還少二年）。最後，劉姓皇族更疏遠的一員——實際上他是一個平民，建立東漢王朝，中國再呈現大一統的雄姿。

一、新王朝與新社會政策

西漢王朝第十四任皇帝劉箕子，九歲時當皇帝，十四歲時，被他的岳父兼大司馬（宰相級）的王莽毒死。接着是最後一任皇帝劉嬰，只有兩歲。當劉嬰五歲時，即本世紀（一）〇〇年代九年，王莽的佈置已經成熟，發動宮廷政變，由這一位尚不識字的五歲頑童劉嬰，頒下用深奧古文寫成的詔書，把皇帝寶座禪讓給王莽。歷時二百一十五年的西漢王朝，到此結束。王莽命名他的政權爲新王朝。

中國歷史有一個現象，每一次政權轉移，都要發生一次改朝換代型的大混戰，野心家或英雄們各自握有武力，互相爭奪吞噬，最後剩下的那一個，即成爲儒家學派所稱頌爲「得國最正」的聖君，在血海中建立他的政權。王莽打破這種慣例，他跟戰國時代齊國的田和一樣，用和平的方法接收政權，同時也創造了一個權臣奪取寶座的程式，以後很多王朝建立，都照本宣科。西漢王朝在平靜中消失，新王朝在平靜中誕生，兩大王朝交接之際，沒有流血。

王莽是儒家學派的巨子，以一個學者建立一個龐大的帝國，中國歷史上僅此一次。他奪取政權的目的與劉邦不同，劉邦之類只是爲了當帝當王，滿足私欲。王莽則有他的政治抱負，他要獲得更大權力，使他能夠把儒家學說在政治上一一實踐，締造一個理想的快樂世界。他認爲古代社會中，人人平等，可是到了後來，互相爭奪，遂發生不平等現象。富人有很多土地，窮人則一無所有。男子淪爲奴隸，女子淪爲婢女。幸而仍保持自由，父子夫婦，終年辛苦耕種，卻不能吃飽。爲了改善這種不公平，和剷除造成這種不公平的罪惡，王莽的新政府成立後，即實施一連串左列的新社會政策：

一、土地國有　私人不准買賣，恢復一千二百年以前已廢除了的古代井田制度。八口以下的家庭，耕地不得超過九百畝，超過了的土地，一律沒收，或由地主直接分給他的鄰居或家屬。

二、耕地重新分配　沒有土地的農夫（佃農），由政府分給土地。以一對夫婦一百畝爲原則，不滿一百畝的，由政府補足。

三、凍結奴隸制度　雖沒有馬上廢止，但禁止所有奴隸婢女繼續買賣，以限制奴隸的範圍和數目不再擴大，使它最後自然消滅。

四、強迫勞動　凡無業游民，每人每年罰布帛一匹，無力繳納的，由政府強迫他勞役，在勞役期間，由政府供給衣食。

五、實行專賣制度　酒專賣，鹽專賣，鐵器專賣，由中央政府統一發行貨幣（從前任何富豪，都可製造銀錢，新政府收回這種授權）。山上水中的天然資源，都為國家所有，由政府開採。

六、建立貸款制度　人民因祭祀或喪葬的需要，可向政府貸款，不收利息。但為了經營農商事業而貸款，則政府收取純利十分之一的本息。

七、實行計畫經濟　由政府控制物價，防止商人操縱市場，以消除貧富不均。食糧布帛之類日用品，在供過於求時，由政府照成本收買。求過於供時，政府即行賣出，以阻止物價上漲。

八、徵收所得稅　一切工商業，包括漁獵、卜卦、醫生、旅館，以及婦女們家庭養蠶織布，從前都自由經營，現在新政府都課徵純利十分之一的所得稅。政府用這項收入作為貸款或平抑物價的資金。

從這些措施，我們可發現王莽所從事的是一個驚天動地的全面社會改革，十九世紀才興起的社會主義，早在一世紀時的中國，就有了構想和實踐。

二、二十一年改朝換代混戰

王莽的社會改革是偉大的措施，但他徹底失敗，他的生命和他的王朝也跟着一齊喪失。

我們可為他歸納出下列五項使他失敗的原因。

第一、王莽是忠實的儒家學派，而儒家學派的基本精神是崇古。所以王莽的眼光不是向前看，卻是向後看。他對他診斷出來的社會病態的治療，認為只要吃下古老儒書上所用的那些古藥，就可痊癒。像土地重新分配，固然很好，可是王莽堅持恢復井田，便根本無法做到。腳步向前走而眼睛向後看，僅這一點，就注定他必然跌倒。

第二、那個時代還沒有推動這麼龐大改革的技術能力，像貸款利息和所得稅，都是「純利」的十分之一，這涉及到複雜的成本會計，當時恐怕很少有人可以勝任。同時，即令有此人才，王莽更需要一個有組織的幹部集團去執行。但他仰仗的卻只是行政命令，把所有責任都加到行政官員身上，而行政官員大多數又都腐敗無恥（注意，這是中國傳統的嚴重病態，直到二十世紀，才獲得改善）。於是善政的藍圖反而變成暴政的行為，民變因之燎原般爆發。

第三、王莽沒有辦法控制喪失既得利益者的反擊。土地國有使地主怨恨，禁止奴隸買賣使奴隸主和奴隸販子怨恨，強迫勞動使貴族和一些地痞流氓寄生蟲怨恨，禁止鑄錢使富豪怨恨。這些怨恨容易掩蓋因改革而受益者的歡呼和感謝。一遇機會，就向改革反擊。

第四、王莽機械的迷信制度萬能，他認為「制度確立之後，天下自然太平」。他大部份時間都用在改革制度上，更糟的是他用儒家學派所特有的繁文縟節，不憚其煩的改官名、改地名，凡是「現代」的全都取消，一律恢復「古代」原名。改的太多，以致沒有人能夠記得住。這種改革應該是不必要的，但王莽懍遵儒家「正名」學說，卻特別認眞，而也就在這些小事件上，按下大失敗連鎖反應的電鈕。西漢政府對西南夷諸部落酋長，大都用王爵羈絆，這不過是不費一文的虛名，王莽卻改封他們侯爵。句町王拒不接受（句町國・雲南廣南），首先起兵叛變。王莽又把西漢政府頒發給匈奴汗國單于的金印「匈奴單于璽」，改爲「新匈奴單于章」。皇帝的印稱「璽」，「章」只是普通人的印，烏珠留若鞮單于氣沖牛斗，遂跟中國斷絕關係。南北兩邊大規模討伐戰事，徵兵徵糧，引起騷動與饑饉，騷動與饑饉引起遍地陳勝、吳廣式的暴動。

第五、王莽是一位學者，也是一位經濟思想家，但不是一個政治家。政治家永不會認爲自己比任何人都聰明，王莽卻恰恰認爲自己如此，因之他不能容納與他意見相異的建議，而固執的堅持自以爲高人一等的見解。所以他對句町國和匈奴汗國的反抗，採取迎頭痛擊政策。對因飢餓而搶掠的變民，採取高壓政策，遂使形勢更加惡化。

本來已經被王莽避免了的改朝換代的大混戰，在他上台之後，仍然出現。這一長期的流血，自一〇年代十七年呂母——呂家老太太起兵開始，到三〇年代三七年短命的割據政權——漢帝盧芳逃入匈奴，東漢王朝再度統一中國爲止，前後繼續二十一年。

我們選擇前十年起兵叛變的一些重要的野心家和英雄人物，列爲左表：

年	稱謂	姓名	根據地	註
一七		呂母	海曲（山東日照）	游擊海上
	（綠林兵）	王匡	綠林山（湖北隨州西南）	又分爲「下江兵」「新市兵」
一八	（赤眉）	樊崇	莒縣（山東莒縣）	游擊泰山一帶
		力子都	東海（山東郯城）	游擊徐州兗州間
一九		馬適求	鉅鹿（河北平鄉）	
二一	楚黎王	秦豐	黎丘（湖北襄樊東南）	
		遲昭平	平原（山東平原）	
二二	（平林兵）	陳牧	平林（湖北隨州東北平林關）	響應綠林兵
	柱天都部	劉縯	舂陵（湖北棗陽南）	
二三	漢帝	劉玄	宛縣（河南南陽）	
	西州大將軍・朔寧王	隗囂	平襄（甘肅通渭）	

	輔漢將軍・蜀郡太守・益州牧・蜀王・成家帝	公孫述	成都（四川成都）	
	漢帝	劉望	汝南（河南平輿西北射橋鄉）	（新王朝覆亡前）
	淮南王・皇帝	李憲	舒縣（安徽廬江）	（新王朝覆亡後）
	梁王・漢帝	劉永	睢陽（河南商丘）	
	漢帝	王郎（劉子輿）	邯鄲（河北邯鄲）	
二四	武安王	延岑	藍田（陝西藍田）	活動於漢水流域
	翼漢大將軍・海西王	董憲	郯縣（山東郯城）	
	輔漢大將軍・齊王	張步	劇縣（山東壽光南）	
	掃地大將軍・周成王	田戎	夷陵（湖北宜昌）	
	（城頭子路）	爰曾	東平（山東東平）	部眾二十萬游擊黃河下游
二五	漢帝	劉嬰	臨涇（甘肅平涼）	

	漢帝	劉秀	鄗縣（河北柏鄉北）	
	漢帝・（赤眉）	劉盆子	長安（陝西西安）	
	厭新大將軍	劉茂	密縣（河南密縣）	
	河西五郡大將軍・涼州牧	竇融	張掖屬國（甘肅金塔東）	
二六	上將軍西平王・漢帝	盧芳（劉文伯）	九原（內蒙包頭）	
	燕王	彭寵	漁陽（北京密雲）	
	淮陽王	蘇茂	廣樂（河南虞城西北）	
		董訢	堵鄉（河南方城）	
		鄧奉	淯陽（河南南陽南）	
	漢帝	孫登	上郡（陝西榆林南魚河堡）	

上表所列，僅是前十年崛起的人物。後十年中繼續崛起的，還有被稱爲「銅馬賊」「五校賊」等數個變民集團，每個集團都集結兵力達十萬百萬人之多。全國處處是變民集團建立

起來的營壘和政權，像王歆佔據下邽（陝西渭南），蔣震佔據霸陵（陝西西安東）。劉永死後，他的兒子劉紆繼位梁王。隗囂死後，他的兒子隗純繼位稱王。中國國土上，一片混戰。

三、東漢王朝建立

中國歷代民變，性質上可分爲五類。第一類是官逼民反的抗暴群眾，像呂母、鄧奉。呂母的兒子被海曲縣長誣陷，死於冤獄，她就散去家產，結交壯士，攻殺海曲縣長，然後乘船入海，成爲「海盜」。鄧奉本是劉秀的部將，但當他請假回鄉，發現劉秀的軍隊姦淫燒殺的罪惡暴行時，他號召人民反抗。第二類是飢餓的群眾，像綠林兵王匡，政府不能照顧他們，他們只好自己照顧自己。他們逃亡到比較容易活下去的地方，集結起來搶劫富人的糧食財物。饑饉在中國歷史上佔重要地位，它是大動亂大革命的原動力。第三類是自衛性的聯合，縣城和村落，爲避免劉秀軍隊之類的姦淫燒殺，往往聯合起來，武裝自衛，當力量夠大的時候，或對抗政府的政令，如隗囂；或作爲與政府合作的資本，如竇融。第四類是既得利益者的反擊，像劉望、劉永、劉玄，本來是西漢王朝劉姓皇族，因新政府的興起而降爲平民，他們連做夢都在盼望摧毀現狀，恢復過去的權勢。第五類是野心家，大野心家如公孫述、劉秀，想當皇帝。小野心家如力子都、爰曾，只求在一方面稱霸過癮。

只有政治家才會正確的處理民變問題，王莽不會。他迷信警察和軍隊的力量，認爲只靠監獄和屠殺，就可以根絕叛亂。結果是民變更多更烈。二〇年代二三年，以劉玄爲首的變民集團，攻陷固若金湯的常安（新王朝把長安改稱常安）。王莽被殺，新王朝覆亡，政權只維持了十五年。一場本可以歌頌的社會改革，化成一個悲劇，在流血中收場。

王莽死後，全國各地震懾於劉玄的皇族血統，和擊殺王莽的威望，一致擁戴他當中國皇帝。這是一件千年難逢的奇蹟，紊亂的一團糟的龐大帝國，霎時間恢復秩序。可惜劉玄所建的玄漢政府，由一群無知無識的人物組成。三個月之前他們還在荒野中大喝小叫，三個月之後忽然成爲國家領導人，他們還沒有被訓練出領導能力。於是，各地民變再度蠭起。這一個奇蹟政權，從紀元後二三年到二五年，勉強支持三年。號稱「赤眉」的變民領袖劉盆子（他們把眉毛塗成紅色，以區別敵我），攻陷長安，劉玄被殺。

混戰結果，變民首領之一的劉秀取得最後勝利。紀元後二五年，他自稱皇帝，用武力把其他變民集團，一一消滅，再度使中國歸於一統，建都洛陽（河南洛陽）。他稱他建立的王朝仍爲漢王朝，跟劉玄一樣，表示是覆亡的西漢王朝的中興。但史學家卻稱它爲東漢王朝，並追稱劉邦建立的王朝爲西漢王朝。

二十一年大混戰於三〇年代三七年結束，但給中國帶來的傷害，卻不易恢復。我們將幾個重要地區戰前戰後人口減少情形，列表作一比較，即可看出這場災難的嚴重程度。

郡名	今地	戰亂前人口（紀元二年）	戰亂後人口（紀元一四〇年）	減少
京兆	陝西西安	六十八萬二千	二十八萬六千	五八%
左馮翊	陝西高陵	九十一萬八千	十四萬五千	八四%
右扶風	陝西興平	八十三萬七千	九萬三千	八九%
右北平	內蒙寧城西南	三十二萬一千	五萬三千	八三%
敦煌	甘肅敦煌	三萬八千	二萬九千	二四%
金城	甘肅永靖西北	十五萬	一萬九千	八七%
武威	甘肅武威	七萬六千	三萬四千	五五%
西河	內蒙準格爾旗西南	六十九萬九千	二萬一千	九七%
張掖	甘肅張掖	八萬九千	二萬六千	七一%
上郡	陝西榆林南魚河堡	六十萬七千	二萬九千	九五%
北地	甘肅慶陽西北馬嶺鎮	二十一萬一千	一萬九千	九一%

朔方	內蒙杭錦旗北	十三萬七千	七千八百	九四%
代郡	河北蔚縣	二十七萬九千	十二萬六千	五五%
雲中	內蒙托克托	十七萬三千	二萬六千	八五%
遼西	遼寧義縣西	三十五萬二千	八萬二千	七七%
遼東	遼寧遼陽	二十七萬三千	八萬二千	七〇%
定襄	內蒙和林格爾	十六萬三千	一萬四千	九一%

這些減少的人，大多數都是餓死、病死，或被屠殺。其餘則不外戰死或逃亡。改朝換代型混戰，一直是中國歷史上循環性的浩劫。我們對千千萬萬死難的亡魂，尤其是那些可憐的兒童和無助的婦女，懷有深切悲痛。

四、匈奴汗國的再分裂

匈奴汗國跟新王朝反目，引起王莽的軍事行動。紀元後十年，王莽動員三十萬大軍，派遣十二員大將，分兵十二路，同時並出。可是還沒有集結完成，匈奴汗國就大規模向中國沿邊攻擊，作摧毀性的破壞。於是王莽繼續向後方徵兵徵糧，轉運千里，戰士老弱，或死或逃，田地荒蕪，饑饉四起，官吏乘機暴虐，民變不可遏止。

新王朝覆亡之際，應該是匈奴汗國復興的良機。可是天災人禍使他們不但不能掌握這個良機，反而更形微弱。四〇年代中，匈奴汗國一連幾年大旱，赤地千里，寸草不生。東方新興的強敵烏桓部落又不斷侵襲，匈奴勢力範圍萎縮至蒙古哈爾和林及以南地區，大批人畜死亡，國力大衰。更糟的是，到紀元後四八年，南部八個大部落另行推舉一位親王當單于，也稱呼韓邪二世單于。這位呼韓邪二世單于，同樣的歸降中國，請求保護。於是匈奴汗國再度分裂爲二，南匈奴汗國臣服中國，北匈奴汗國繼續與中國對抗。

到了五〇年代，北匈奴汗國進攻南匈奴汗國，南匈奴不能抵抗，向中國求救。中國政府採取三項措施：一、把呼韓邪二世單于所屬的八部人口牲畜，全部遷入長城，使他們在西河美稷（內蒙準格爾旗）一帶屯墾。二、中國特設匈奴協防司令（護匈奴中郎將），與單于共同處理匈奴內政外交事務。三、另設北疆邊防司令（度遼將軍），屯兵曼柏（內蒙達拉特旗東南），一則防止南北兩匈奴復合，一則防止北匈奴向南匈奴攻擊。北匈奴汗國當然不肯甘心，不斷南下突襲，使中國北方沿邊郡縣，白天都得緊閉城門。

本世紀（一）六〇年代之後，中國國力恢復，開始對北匈奴反攻。七〇年代七三年，大將竇固出酒泉（甘肅酒泉）西進，直到天山，佔領北匈奴汗國最肥沃的耕地之一伊吾盧（新疆哈密），留兵屯墾。另一位大將耿秉出張掖（甘肅張掖）北進，深入三百公里，直到三木樓山（蒙古王則克山），北匈奴堅壁清野，向後撤退，沒有受到重大創傷。八〇年代八五年，北匈奴汗國的七十三個小部落投奔南匈奴汗國。八七年，位於烏桓部落北方新茁壯起來的鮮卑部落（內蒙西遼河上游），也向北匈奴侵略，北匈奴在迎戰中大敗，優留單于被殺，內部混亂，又有五十八個部落共二十八萬人，進入長城，歸順南匈奴汗國。

中國乘北匈奴內外交困，及時的與南匈奴組織中匈聯軍，給予最沉重的一擊。八〇年代八九年，中國大將竇憲出朔方（內蒙磴口），北疆邊防司令（度遼將軍）鄧鴻出五原（內蒙包頭），南匈奴休蘭尸逐侯鞮單于出滿夷谷（內蒙固陽北），在涿邪山（蒙古戈壁阿爾泰山）會師，向北挺進，深入瀚海沙漠群一千五百公里，到稽落山（蒙古古爾班察汗山），終於捕捉到北匈奴主力。北匈奴主力在中國強大攻擊下崩潰，北匈奴單于（歷史上未記下他的名字）向西逃走，親王以下一萬三千人被殺，八十一個部落共二十餘萬人投降。竇憲就在燕然山（蒙古杭愛山）上，豎立石碑，紀念這次空前的勝利。

兩年後（九〇年代九一年），竇憲再派遣大將耿夔、任尙，出居延塞（內蒙額濟納旗），企圖一舉把北匈奴汗國消滅。耿夔統軍急進，在金微山（蒙古阿爾泰山）下，把北匈奴單于包圍，北匈奴再度崩潰。皇太后親王以下五千餘人，全部被俘。只北單于在混戰中突圍，向西逃走。

——這一次戰役，對中國固然重要，但對西方世界更爲重要。北匈奴汗國殘餘部落，在漠北不能立足，只得向西流亡。三百年之後四世紀時，終於侵入黑海北岸，引起推骨牌式的民族大遷移。原住在黑海北岸的西哥德部落，向西侵入多瑙河上游。原住在多瑙河上游的汪達爾部落，向西侵入羅馬帝國。羅馬帝國對這些排山倒海而來的野蠻民族，無法抵禦，而終於淪亡。

北匈奴汗國西遷後，只剩下南匈奴汗國，永遠成爲中國的臣屬。——匈奴汗國（也就是南匈奴汗國），在形式上仍繼續存在一百餘年，不過在中國歷史上不再重要。三世紀一〇年代二一六年時，它最後一位元首呼廚泉單于，從當時的王庭平陽（山西臨汾）去鄴城（河北臨漳）拜會當時中國的宰相曹操，曹操把他留下。下令將匈奴汗國分爲五部，每部各設立一個都督，直屬中國中央政府，單于名位撤銷。這個烜赫一時，立國約四百三十年的龐大國度，終告滅亡。

五、班超再通西域

中國因爲陷於改朝換代大混戰，無力西顧。西域（新疆）遂像斷了線的風箏一樣，遠離中國而去。莎車王國（新疆莎車）雄心勃勃，想乘此機會，用武力統一西域，不斷向其他國家攻擊。四〇年代四五年，車師後國（新疆吉木薩爾）、鄯善（新疆若羌）、焉耆（新疆焉耆）等十八個王國，聯合派遣王子到洛陽作爲人質，請求中國派遣總督（都護）。可是中國在大混戰之後，人口銳減，國力不足，而北方的匈奴汗國仍然雄峙，東漢政府不得不拒絕他們的請求，送諸王子回國。各國聽到消息，十分恐慌，向敦煌郡長（太守）建議：「中國不派遣總督，我們不能勉強。但是請許可王子們暫時在敦煌居住，表示中國並沒有遺棄我們，總督隨時可到，希望能阻嚇莎車的侵略。」可是，到了明年（四六），王子們耐不住敦煌的寂寞，紛紛逃回本國。莎車王國這才發現中國不會派遣總督，大爲高興，侵略更加激烈，大敗鄯善兵團，並擊斬龜茲國王。鄯善王國再請求中國派遣總督，並警告說：「中國如不派遣總督，我們無法抵抗莎車，只有請求匈奴汗國保護。」東漢政府回答說：「中國實在沒有力量相助，請貴國自行決定國策。」各國只好向匈奴臣服。

如此，經過了二十八年。

本世紀（一）七〇年代七三年，中國對北匈奴開始攻擊，大將竇固深入天山，在伊吾盧（新疆哈密）重設屯墾區，並派遣他的一位部將班超，出使西域（新疆）。北匈奴的勢力此時已根深柢固，班超首先抵達鄯善王國，鄯善最初表示非常歡迎，可是不久即行冷淡，這現象使班超警覺到一定有什麼事情發生。他的部屬責備他：「不必神經過敏，難道一個國家一輩子都沒有別的工作，而只陪伴中國使節？」班超說：「不然，智慧高的人能在危機未發生時，即觀察到危機，何況危機已經發生。我判斷一定是匈奴使節到達，鄯善王正在徬徨不定，不知道應該追隨中國？或是繼續追隨匈奴？」於是詐問招待人員：「匈奴使節來了幾天？住在何處？」招待人員吃驚說：「來了三天，住地距此十五公里。」班超召集他的全體部屬——總共只三十六人，研究對策。大家說：「我們在危急關頭，生死都聽你安排。」班超說：「不入虎穴，焉得虎子。現在只有一條路，我們乘夜攻擊匈奴使節，把他們全部消滅，使鄯善王國得罪匈奴，必須依靠中國。」於是當晚奇襲匈奴帳幕，匈奴使節團一百三十餘人，全都葬身火窟。鄯善王果然震駭，願送王子作為人質，臣服中國。這時于闐王國（新疆和田），已代替莎車王國稱霸，北匈奴汗國派有使節駐在那裏。班超到達後，于闐王的接待並不熱烈，而他的巫師跟匈奴使節勾結，表演天神附體說：「不可跟中國友好，中國使節有一匹黃馬，把牠殺掉祭我。」于闐命他的宰相向班超討馬，班超欣然應允，但要求巫師親自把馬牽走。巫師果然來了，班超把他斬首，又把宰相綑綁起來，打了數百鞭。于闐王大為惶恐，即殺掉北匈奴使節，向中國歸降。龜茲王國（新疆庫車）跟北匈奴汗國最為親密，依仗匈奴力量，攻殺疏勒王國（新疆喀什）的國王，另立龜茲籍大將兜題當國王。班超派他的部將田慮出使疏勒，兜題當然拒絕中國的友誼。於是田慮出奇制勝，把兜題劫持囚禁。班超也趕到疏勒，另立故王的侄兒榆勒當王。西域南道諸國，全部底定。

明年（七四），中國大將竇固進攻車師，前王國（交河城・新疆吐魯番）跟後王國（務塗谷・新疆吉木薩爾），先後投降。這時中國才正式派遣陳睦擔任西域總督（都護），駐紮烏壘王國（新疆輪台東北）故總督府所在地。北匈奴汗國對中國一連串的成功，十分憤怒，明年（七五），它大舉反攻，兩次進擊位於車師的中國屯墾區，都沒有獲得決定性勝利。但它的同盟焉耆王國（新疆焉耆）、尉犁王國（新疆博湖），和龜茲王國，卻突襲總督府，把陳睦殺掉，中國駐在車師王國的屯墾兵團，不得不全部潰退。這時中國新皇帝劉炟即位，對西域的慘重挫敗，感到沮喪，就改變政策。明年（七六），下令放棄西域（新疆），撤銷總督，召還所有中國使節和所有協防軍隊。

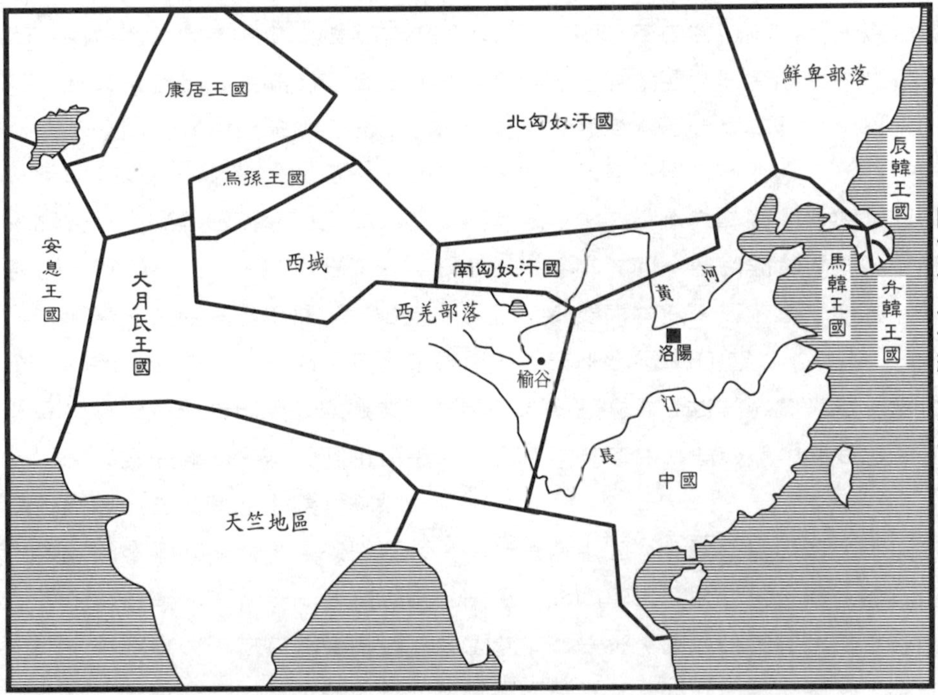
康居王國
烏孫王國
北匈奴汗國
鮮卑部落
安息王國
大月氏王國
西域
南匈奴汗國
西羌部落
榆谷
黃
河
洛陽
江
長
中國
天竺地區
辰韓王國
馬韓王國
弁韓王國

圖一五 一世紀·東漢王朝

駐在遙遠的疏勒王國的班超，也在召還之列。他臨走時，疏勒全國恐慌，大將黎弇說：「中國遺棄我們而去，我們必再淪為龜茲的奴隸。」竟行自殺。班超勉強走到于闐王國，國王以下痛哭失聲，抱住馬腿不放：「我們依靠中國，跟嬰兒依靠父母一樣，使節絕不可走。」於是班超決定抗命留下，再返疏勒王國。可是僅只數天功夫，疏勒邊境已有兩個城市投降龜茲。班超急行攻擊，殺六百餘人，才把兩城收回。中國東漢政府允許班超留下，並於不久後把他擢升為西域（新疆）總督。

在班超領導下，各國陸續歸服。九〇年代九四年，他徵調各國軍隊，向北道發動總攻，生擒焉耆王和尉犁王，帶到陳睦駐紮的烏壘王國總督府故地死難之處，斬首致祭。距陳睦之死，整整二十年。——另一位凶手龜茲王，很幸運的早已病死。

最後，紀元後九七年，班超派遣他的一位部將甘英，出使羅馬帝國（大秦）。甘英是個懦夫，他向西進發，不知道到了什麼地方，即行折回。他說他曾經抵達一個大海邊上，船夫告訴他：「遇到順風，三個月可到。遇到逆風，可能要航行兩年。旅客至少需要帶三年糧食。而且茫茫大海之中，最使人思念故鄉，很多人中途死亡。」

——有人說甘英所到的地方是波斯灣，但波斯灣即令有再大的順風，三個月也到不了羅馬。所以該地方可能是巴勒斯坦，果眞如此，那就證明甘英的報告不可靠。他到巴勒斯坦之時，正是基督教使徒聖保羅向羅馬出發之時。巴勒斯坦和羅馬之間，交通頻繁。甘英不應該躲在旅館裏只聽船夫一面之詞，連碼頭都不去一下。否則碼頭上的繁榮忙碌，會證明往返便利。班超顯然選錯了人，如果是班超本人，或另一位部將田慮，說不定當時世界上東西兩大帝國，從此直接接觸。文化的交流，用不着再等漫長的一千七百年之後的十八世紀。

六、羌戰

當中國把匈奴汗國終於征服，又在西域（新疆）恢復主權的時候，散居中國西部邊界內外的羌民族各部落，於本世紀（一）中葉之後，卻跟東漢政府之間，爆發戰爭。

羌民族與中華民族是兩個血統和兩種文化的民族。羌民族以游牧爲主，跟匈奴民族非常接近，跟務農的中華民族在生活方式上格格不入。但羌民族比匈奴民族落後，分爲千百以上的大小部落，散佈在黃河上游和渭水上游。從來不知道互相團結，只知道互相仇殺，所以始終不能集結像匈奴那樣強大的力量，更談不到建立國家組織。

紀元前二世紀八〇年代時，中國向西南夷開拓疆土，在白馬國（甘肅西和）設立武都郡。又在匈奴汗國河西走廊故地上設立敦煌、酒泉、張掖、武威四郡。於是產生兩種情況：一、中國勢力像一把利刃一樣插在匈奴汗國和羌民族之間，把他們隔開，使羌民族無法得到匈奴的援助。二、中華民族在政治軍事保護之下，積極向西移殖，把羌民族逐出故地。除少數部落外，大多數部落先後西遷，遷到青海湖以西或以南地區。

紀元前一世紀初葉，羌民族中最大的部落之一先零部落，從青海湖向東向北發展。進入中國邊界，越過湟水。到三〇年代，曾對中國作過大規模的突擊，幸好當時的大將趙充國堅決反對高壓，改用懷柔政策，一面在邊界地帶，實行屯墾，戰爭才告平息。百餘年以來，羌中華兩民族相安無事。然而，與日俱增的官員們的貪暴，中華民族與羌民族糾紛中，官員因接受賄賂的緣故，總是對中華民族偏袒。羌民族憤怒的發現，除非把地方政府官員殺盡，他們將永不能平安。於是，抗暴行動不可避免。

本世紀（二）五〇年代，第一次抗暴爆發，接連着一次又一次，一片血腥。重要戰鬥事件，有如下表：

年代	年份	羌民族	東漢政府	事件
五〇	五七	燒當部落	隴西太守　劉盱	羌攻隴西（甘肅臨洮），明年，爲大將馬武擊敗。
七〇	七七	燒當部落・吾良部落・勒姐部落・封養部落・布橋部落	金城太守　郝崇	羌攻漢陽（甘肅甘谷），爲大將馬防擊敗。
八〇	八七	迷吾部落	護羌校尉　傅育	傅育攻羌，敗死。
		迷唐部落	護羌校尉　張盱	張盱誘殺降羌，羌據大小榆谷（青海貴德西境），起兵。
	八八	迷唐部落	護羌校尉　鄧訓	鄧訓逐羌出大小榆谷。

九〇			
九二	迷唐部落	護羌校尉　聶尙	羌還大小楡谷，復叛，攻金城（甘肅永靖西北）。
九三	迷唐部落	護羌校尉　貫友	貫友攻陷大小楡谷，建逢留大河橋，羌逃亡賜支河曲。
九七	迷唐部落・塞內諸部落	征西將軍　劉尙	羌攻隴西。
九九	迷唐部落	謁者　耿譚	迷唐部落降。
一〇〇	迷唐部落・湟中諸部落	護羌校尉　吳祉	羌因逢留大河橋之故，拒還大小楡谷，再叛。

羌民族對地方政府的攻擊，是對暴政的一種武裝反抗，這必須用實例來說明事實的內容，才能了解。七〇年代七七年，安夷縣（青海平安）一位低級官員，強奪一位漂亮的羌族女子，她的丈夫無處申訴，就殺掉那官員，攜帶妻子，出塞逃命。安夷縣長大怒，他認爲羌人太違法亂紀了，率領軍隊前往追捕，結果激起羌民族各部落組織聯合兵團抵抗。八〇年代八七年，西羌總督（護羌校尉）張盱已接受迷吾部落的投降，大設筵席招待他們，卻在酒中下毒，屠殺八百餘人。這種官員的殘酷行動，促起更大的反擊。在經過不斷的互相殺戮之後，雙方終於發展成爲一種不可理喻的仇恨。九〇年代九二年，當時的西羌總督聶尙進行和解，

允許迷唐部落還居大小榆谷。酋長的老祖母親自入塞向聶尚道謝，聶尚也親自送她返回，在塞外設宴告別，十分隆重。又派遣翻譯官田汜等五人，護送她回部落。想不到迷唐酋長竟把田汜等五人逮捕，剝皮裂屍之後，接着即攻擊金城（甘肅永靖西北）。

不過，在本世紀（一），這些都限於小的衝突。每次戰鬥，羌民族方面不過數千人，東漢政府方面不過兩萬人。

七、東西方世界

——〇〇年代・九年（新王朝建立，下令土地國有，禁止奴隸買賣），羅馬帝國大將未拉斯率軍二萬人，渡萊茵河北進。日耳曼部落酋長阿明留斯迎戰，未拉斯大敗，僅二百人生還。從此羅馬北境以萊茵河爲界，不能再擴張。

——三〇年代・三〇年（東漢王朝建立第六年），耶穌釘死十字架。

——五〇年代・五四年（南匈奴汗國遷居西河美稷後四年），羅馬皇帝革老丟，被養子尼羅的母親毒死，尼羅繼位。

——五〇年代・五七年（東漢王朝第一任皇帝劉秀逝世），日本派遣使臣到中國，中日兩國交通自此開始。

——六〇年代・六八年（班超通西域前五年），羅馬大將賈爾柏自西班牙回軍，攻陷羅馬城，皇帝尼羅自殺，在位十五年（尼羅因焚燒羅馬城和用誣陷的手段屠殺無辜的基督徒，而遺臭千古）。

第十五章　第二世紀

中國歷史一向是環繞着一個圓圈盤旋：一、舊王朝統治階級腐敗滅亡。二、軍閥或變民集團乘機奪取政權，發生混戰，殺人如麻。三、混戰的最後勝利者建立新的王朝，組織新的政府，成爲新的統治階級。四、經過一段安定或繁榮的時間。五、又回到第一：統治階級腐敗滅亡。——如此這般，像走馬燈一樣，循環不已。

本世紀的中國，正走上第一第二階段。首先是外戚政治重現，接着招來中國第一次宦官時代。最後，東漢政府在一次農民大暴動後瓦解，大一統也瓦解，遍地戰火。

一、西域的喪失

西域（新疆）重返中國版圖，是英雄豪傑們千辛萬苦換取來的。本世紀（二）第三年（一〇二），總督（都護）班超退休，返回洛陽。東漢政府派遣一位看起來十分聰明的將領任尚接替，任尚向班超請益說：「我初次擔當這麼大的責任，深感難以負荷。您在外國三十年，請賜指教。」班超回答說：「塞外的中國官員，差不多在國內都犯過錯誤，才出塞立功求贖，並不都是小心謹慎、孝子賢孫型那種人。至於外國人士，更各有各的企圖。很難使他們順服，卻很容易激起他們的反抗。你的性情，十分嚴正。俗話說：『太淸澈的水沒有大魚，太嚴格的要求失去團結。』我的意思是，凡事應該求其簡單，對小過錯多加寬恕，分層負責，你只總攬大綱，不挑剔小節。」

班超跟張騫一樣，不僅是成功的冒險家，更是成功的政治家。但智慧低一級數的人，永遠不能領悟高一級數人的見解，猶如一頭牛永遠不能領悟交響樂。班超走後，任尙譏諷說：「我以爲班超有什麼了不起，原來是個平凡人物。」

只四年時間，任尙就激起西域（新疆）所有國家的叛變。任尙的總督府繼班超之後，設在疏勒王國（新疆喀什）。〇〇年代一〇六年，各國聯合向疏勒進攻，任尙不能阻擋，急向國內求救，東漢政府把他召回，另行派遣一位將領段禧繼任總督。但混亂的局勢已不可收拾，段禧轉鬥到龜茲王國（新疆庫車），不能再進。龜茲王是支持段禧的，但龜茲人民叛離他們的國王，與溫宿王國（新疆烏什）、姑墨王國（新疆阿克蘇），組織聯軍，攻擊段禧和龜茲王。段禧把他們擊敗，不過整個西域只剩下龜茲一座孤城，前瞻十分黯淡。勉強支持到明年（一〇七），東漢政府只得再撤銷西域總督，撤回所有殘留的屯墾區。

一〇年代一一九年，敦煌（甘肅敦煌）太守曹宗試探着派遣部將索班，再進入伊吾盧（新疆哈密）屯墾，鄯善王國（新疆若羌）和車師前王國（新疆吐魯番），重又歸附中國。不久，尙未向西移盡的北匈奴殘餘部落（新疆阿爾泰山南麓），跟車師後王國（新疆吉木薩爾）聯合，攻陷伊吾盧，殺死索班。鄯善王國向中國求救，中國政府正困於日益嚴重的羌戰，不能出兵。只派遣了班超的兒子班勇，擔任西域（新疆）參謀長（西域長史），進駐敦煌，遙作聲援。北匈奴的殘餘部落和車師後王國，乘這個機會，企圖進攻已成爲中國本土的河西走廊。身爲英雄之子的班勇，忍無可忍，率領六千人反擊，生擒車師後王國國王，帶到索班死難處斬首，把頭傳送到一千九百里外的首都洛陽，懸掛示眾。然後徵調各國軍隊，進攻北匈奴的殘餘部落，北匈奴大敗，向北逃走，從此再沒有出現。

然而，中國也沒有再派總督，只繼續派參謀長代理。班勇的後任，沒有一個是適當的人選。這是統治階級長期腐敗後必然的現象，根已經潰爛，便很難長出好的果實。最後一任參謀長王敬，他大概很羨慕他的前輩們的威風。五〇年代一五二年，他擊斬于闐（新疆和田）國王。于闐人民反攻，把王敬殺掉。這時，中國正陷於內爭，不能再派出使節，西域（新疆）遂再一次的跟中國脫離。但經濟文化的交往，在已經建立了數百年的基礎上，並沒有中止。

二、羌戰的擴大與慘烈

羌民族對東漢政府的抗暴行動，進入本世紀（二）後，東漢政府除了繼續採取高壓政策外，想不出別的解決辦法——唯一的解決辦法是使政治清明，這自然辦不到。於是羌戰從小的衝突，逐漸擴大爲大規模的戰爭。而且向中國本部心臟地區蔓延，直抵首都洛陽近郊。

我們將擴大後的重要羌戰，摘要列爲下表：

年代	年份	羌民族	東漢政府	事件
一〇〇	一〇一	迷唐部落	金城太守　侯霸	侯霸攻羌，迷唐部落瓦解。
	一〇二	燒何部落	（安定）	羌攻安定（寧夏固原），敗走。
	一〇七	勒姐部落・當煎部落・燒當部落・東岸部落・滇零部落	（安定）（隴西）	羌不堪官員暴虐，適逢發兵赴西域迎西域總督段禧，遂揭竿而起。
	一〇八	滇零部落・參狼部落	征西校尉　任尚	任尚攻羌，大敗，死八千人。羌遂直抵長安近郊，南下侵入益州（四川及雲南）。
	一〇九	當煎部落・勒姐部落・鍾羌部落	（臨洮）	羌攻陷數縣。
一一〇	一一〇	滇零部落・先零部落	漢中太守　鄭勤	羌攻褒中（陝西漢中西北），鄭勤戰死。
	一一一	先零部落	（河內）	羌東攻，連陷郡縣，直抵河內（河南武陟），首都洛陽震動。
	一一三	牢羌部落	護羌校尉　侯霸	侯霸攻羌於安定（寧夏固原）。
	一一四	號多部落・先零部落	護羌校尉　侯霸	侯霸攻羌於枹罕（甘肅臨夏），羌敗。

		（西陲部落）	涼州刺史　皮揚	皮揚攻羌於狄道（甘肅臨洮），死八百人。
	一一五	零昌部落	中郎將　尹就	羌攻益州（四川及雲南）。
	一一六	先零部落‧零昌部落	中郎將　任尚	任尚攻羌，陷北地（寧夏吳忠西南），殺七百人。
	一一七	狼莫部落	護羌校尉　任尚	任尚攻羌於富平河（寧夏吳忠境），羌大敗。
	一一八	狼莫部落	度遼將軍　鄧遵	鄧遵收買奸細刺死狼莫，各部落失去首領，瓦解。
二〇	一二〇	沈氏部落‧當煎部落‧燒當部落‧燒何部落	護羌校尉　馬賢	羌攻張掖、金城。馬賢攻羌，殺數千人。
	一二一	燒當部落‧先零部落‧沈氏部落	護羌校尉　馬賢	羌攻金城（甘肅永靖西北）、武威。
	一二二	虔人部落	度遼將軍　耿夔	羌攻上郡（陝西榆林南），敗走。
	一二六	鍾羌部落	護羌校尉　馬賢	羌攻隴西，被馬賢所敗，死千餘人。
三〇	一三五	鍾羌部落	護羌校尉　馬續	羌攻隴西、漢陽，被馬續擊敗。

	一三八	燒當部落	護羌校尉 馬賢	羌攻金城，敗走。
	一三九	燒當部落	護羌校尉 馬賢	馬賢攻羌，斬酋長那離。
四〇	一四〇	且凍部落・傅難部落	涼州刺史 劉秉 并州刺史 來機	羌攻武都（甘肅成縣）、金城、三輔，燒隴關。
	一四一	且凍部落・鞏唐部落	護羌校尉 馬賢	馬賢敗死，羌東攻，侵入長安近郊，放火焚燒皇帝墳墓。
	一四三	燒何部落・燒當部落	護羌校尉 趙沖	趙沖攻羌，於參䜌、阿陽獲勝。
	一四四	（諸部落）	護羌校尉 趙沖	趙沖攻羌，敗死。
六〇	一六〇	燒何部落・勒姐部落・零吾部落	護羌校尉 段熲	段熲攻羌，追至磧石山（青海阿尼瑪卿山）。
	一六一	先零部落・沈氏部落・零吾部落	護羌校尉 段熲	羌攻并州、涼州、三輔。
	一六二	沈氏部落	中郎將 皇甫規	羌攻張掖、酒泉，爲皇甫規所敗。
		滇那部落		羌攻武威、張掖、酒泉。

	鳥吾部落		羌攻漢陽、隴西、金城。
一六四	當煎部落	護羌校尉 段熲	段熲攻羌，獲勝。
一六五	（西陲諸部落）	護羌校尉 段熲	段熲攻羌，殺二萬三千人。
一六七	先零部落	使匈奴中郎將 張奐	羌攻三輔，漢軍殺死及俘擄羌人一萬餘人。
一六九	（內地諸部落）	護羌校尉 段熲	段熲攻羌，殺一萬九千人。（平息）

由上表可看出羌戰的擴大情形，不但向東方中國本部推進一千餘公里，而且每次戰役，死亡人數都達數萬之多，可推測參加戰鬥的兵力，當數倍或數十倍於此。羌民族已由消極的掙脫貪官，反抗暴政，進而發展到對中華民族全體仇視。不過，雖然如此，那個時代並沒有現代意義的民族觀念，本質上仍是單純的官逼民反。因爲政府官員貪殘凶暴的對象，一視同仁，並不分什麼羌民族中華民族。如一〇年代一一五年，先零部落攻入益州（四川），東漢政府的大將尹就率軍圍剿，對中華民族同樣姦淫燒殺，以致民間有兩句可哀的口號：「強盜來了還可活，尹就來了定殺我。」尹就只不過一次小小的軍事行動，根本沒有發生戰鬥，給人民的傷害已如此慘烈，其他較大戰役下的人民遭遇，使我們不忍想像。戰爭所到的地方，

手無寸鐵的善良農民或牧人，和他們的家禽，同遭屠殺。整個西部中國，千里一片荒涼，白骨遍野，看不到煮飯的炊煙。倖而殘存的人民，無論是羌是漢，飢餓使他們墮入吃人慘境。宰相鄧隲甚至主張放棄紀元前二世紀死人千萬，從匈奴汗國手中奪到的涼州（河西走廊），可看出當時官員的顢頇和情勢的嚴重。

連綿一百二十年之久的巨大民變，因羌民族人口太少，慘重的傷亡使他們無以為繼，有些部落幾乎滅絕。到了六〇年代一六九年，終於在東漢政府高壓手段下屈服。高壓政策取得了決定性的勝利，但付出的代價太大，包括撬開了東漢王朝覆亡的墓門。

三、外戚政治的重演

羌戰擴大聲中，外戚政治再度在東漢中央政府形成。

外戚政治於紀元前一世紀，曾導使西漢王朝滅亡。劉秀建立東漢王朝，宣稱是西漢王朝的中興，但他卻沒有能力採取有效行動以防止外戚政治的復活，反而走來走去，仍然走到外戚政治的斷橋上。

東漢王朝執政人物，可分別為三種：外戚、士大夫、宦官。外戚是古老力量，士大夫和宦官是新興力量。這三種人物互相鬥爭，構成東漢王朝全部宮廷政治史。我們用下表說明他們在鬥爭中的關係位置（皇帝下加△者，表示他並非前任皇帝的兒子，因前任皇帝沒有兒子或其他緣故，由旁支坐上寶座）。

年代	皇帝任數	皇帝姓名	即位時年齡	外戚	宦官	士大夫
（上世紀）二〇	1	劉秀	三〇			
五〇	2	劉莊	三〇			
七〇	3	劉炟	一八			
八〇	4	劉肇	一〇	竇憲（嫡母竇太后的哥哥）	鄭眾（逼竇憲自殺）	郅壽・樂恢
（本世紀）〇〇	5	劉隆	三月	鄧騭（嫡母鄧太后的哥哥）		
	6	劉祜△	一三	鄧騭（伯母鄧太后的哥哥）	李閏・江京（逼鄧騭自殺）	杜根・楊震
二〇	7	劉懿△	不詳	閻顯（堂嫂閻太后的哥哥）	孫程・王康・王國（殺閻顯，立劉保爲帝）	
	8	劉保△	一一	梁商（岳父・妻子梁皇后的父親）		張綱・朱穆・皇甫規

四〇	9	劉炳	二	梁冀（舅父・嫡母梁太后的哥哥・梁商的兒子）		
	10	劉纘△	八	梁冀（堂兄劉炳的舅父）		
	11	劉志△	一五	梁冀（堂侄劉炳的舅父）	唐衡・單超・左悺・徐璜・具爰（殺梁冀）	李膺
六〇	12	劉宏△	一三	竇武（伯母竇太后的父親）	曹節・王甫（殺竇武）	陳蕃
八〇	13	劉辯	一四	何進（舅父・生母何太后的哥哥）	張讓・段珪（殺何進）	袁紹・曹操（殺宦官殆盡）
	14	劉協△	九	伏完（岳父・妻子伏皇后的父親）		曹操

東漢王朝皇族有一個重要的特徵，即皇帝的年齡都很小。除了開國皇帝劉秀跟他的兒子劉莊外，其他皇帝，屁股坐上寶座時，最大的只不過十八歲，最小的還抱在懷裏餵奶，這個現象使外戚政治的重演，不能避免。皇帝既然幼小，當母親的皇太后自然成爲權力中心。前儒家學派意識形態和多妻的宮廷制度下，皇后很少跟別的男人接觸，倉促間掌握全國最高的權力，面臨着她必須對十分陌生的政治行動，作最後決定，她的能力和心理狀態，都無法適

應。猶如赤身露體忽然被拋到街上一樣，她恐慌而孤單，唯一可靠人物不是朝中大臣，因爲她根本不認識他們，而是她平日可以常常見到的家屬，她沒有選擇，只有這些人她才相信能夠幫助她解決問題。

從上世紀（一）末葉，年僅十歲的第四任皇帝劉肇即位時，他的嫡母竇太后，就依靠她的兄長竇憲。進入本世紀（二），一連串的娃娃皇帝出現，更加強這種趨向。第五任皇帝劉隆登極時只三個月，他的嫡母鄧太后依靠她的兄長鄧騭。第六任皇帝劉祜登極時只十三歲，他的伯母鄧太后繼續依靠她的兄長鄧騭。每一外戚，都是如此在政府中冒出來。

皇帝幼小是外戚政治的唯一基礎，所以外戚自己也盡力排斥年紀較長的繼承人，以造成非實行外戚政治不可的形勢。繼承人如果已經成年，皇太后就無法掌握他，外戚就會失去魔杖，所以沒有一個外戚不堅持擁立幼兒。第六任皇帝劉祜死後，他的妻子閻皇后升爲皇太后，她跟她的兄長閻顯，決定摒除劉祜的親生兒子劉保，而立劉祜的堂弟劉懿。這是一樁駭人聽聞的反常措施，皇位不傳親子而傳堂弟。但一看年齡便可恍然大悟。劉保那年已十一歲，而劉懿才八個月，掌握八個月的嬰兒當然比掌握十一歲的少年，時間要久的多。

外戚中當權時間最長，聲勢最烜赫的，一是以鄧太后和她的兄長鄧騭爲首的鄧姓戚族，一是以梁太后和她兄長梁商爲首的梁姓戚族。鄧姓戚族當權三十年，封侯爵的二十九人，當宰相的二人，當大元帥的十三人，當部長級高級官員（中二千石）的十四人；將領二十二人，州長（刺史）郡長（太守）四十八人，中下級官員不計其數。梁姓戚族聲勢也很大，當權也三十年，封侯爵的七人，當皇后的三人，當嬪妃的六人，當大元帥的二人，妻子女兒被封爲「郡君」（女性王爵）「縣君」（女性侯爵）的七人，娶公主的三人，將領五十七人。二大戚族的朋友、部屬，和趨炎附勢的蒼蠅政客，共同組織一個當權集團，迄立在政府之中，盤根錯節，不可動搖。

可是，外戚們大多數不知道珍惜權力，而只知道濫用權力，只知道貪汚暴虐，一味追求物質上的享受。梁姓戚族比鄧姓戚族更墮落，尤以梁冀這個惡棍，集凶惡愚頑之大成。這當然引起外戚集團以外新興階層士大夫們的抨擊，不過士大夫顯然居於劣勢，因爲魔杖握在外戚手中。失敗的士大夫最好的下場是被免職，但大多數都被砍頭或自殺。最傳奇的是杜根，他要求鄧太后把政權歸還皇帝，鄧太后下令把他裝到布袋裏，就在金鑾殿上當場撲殺。想不到杜根跟紀元前三世紀的范睢一樣，有最好的運氣，在被拖到荒野丟棄時，悠悠甦醒。但他仍假裝死亡，僵臥在那裏三天，眼中都生出蟲蛆，然後才逃到深山中一家酒店當伙計，十五年之後，鄧姓戚族失敗，才敢出面。

不但士大夫在鬥爭中會失敗，縱令皇帝自己，如果他想收回本應屬於自己的大權，他也同樣面臨危機。第十任皇帝劉纘，他九歲時，受不了梁冀的傲慢態度，說了一句「跋扈將軍」（跋扈，蠻橫之意，大概是二世紀時流行的口語，否則一個孩子不會脫口而出），梁冀立刻就把他毒死。

政權、軍權，全部控制在手，外戚似乎立於永遠不敗之地。

四、士大夫及門第的形成

士大夫，是中國社會特有的產物。某一方面類似印度的剎帝利，某一方面類似歐洲中古世紀的僧侶教士。事實上，士大夫即知識份子，在儒家學派定於一尊之後的漫長時代中，當然專指儒家學派的知識份子，有時也籠統稱之為「讀書人」，當然讀的是儒書。在當時環境，他們以作官為唯一的職業，所以更精密的說，士大夫即擔任政府官員的知識份子，包括現職官員，退休官員，和正在苦讀儒書，將來有可能擔任官員的人物。

紀元前十二世紀的周王朝中，「士」是武官，「大夫」是文官。紀元前一世紀，西漢王朝為了增加政府的新血輪，仿效戰國時代「招賢」辦法，命高級官員和地方政府，推薦「賢良方正」「直言極諫」人士，政府中非貴族血統的官員群，遂逐漸形成一個新興的士大夫階層。上世紀（一）時，東漢王朝再仿效西漢王朝，命高級官員和地方政府，推薦「茂才」「孝廉」人士，於是政府中非貴族血統的官員，即士大夫人數，更形增加，而終於凝聚成為一種力量。

在這種情形下，「推薦」成為知識份子達到作官目的的唯一手段。而推薦的標準，除了儒書學識外，還在於道德行為。在強烈的競爭下，必須有突破性的聲譽，才能引起有推薦權的人的注意。至於如何才能有突破性的聲譽，那需要出奇制勝。所以每個知識份子，都兢兢業業，追求突破記錄的至善。這使一、二世紀的社會風氣，有很大的特殊之處，為後世所罕見。

我們可把它歸納為下列五類：

一、長時期為父母服喪　孔丘和孟軻堅決主張的三年之喪，自紀元前二世紀儒家學派獨霸政權之後，即用政府力量推行。上世紀（一）初葉，新王朝更硬性規定，中級以上政府官員，必須服三年之喪。這個已經被遺忘了的古老殭屍，遂在強大的政治力量下復活。但是，當大家都服三年之喪時，三年之喪便沒有什麼稀奇了。於是有人加倍的服六年之喪；有人幼年時老爹就翹了辮子，已經服了三年之喪，等長大成人想當官時，硬要再服第二次三年之喪。更有人索性服二十年之喪。跟服喪相連的，有人簡直哭出血來，有人還眞的拒絕吃飯，骨瘦如柴。

二、辭讓財產和辭讓官爵　財產和官爵是大多數人所追求的目標，儒家知識份子追求的尤其猛烈，所以在這上面也最容易作出了驚人之舉。如分家析產時，弟兄們都堅持要最少的一份。父親留下來的爵位，本應是嫡子繼承的，嫡子卻逃入深山，而把它讓給其他庶子兄弟。更有若干知名度很高的知識份子，對政府徵召他們做官的命令，拒不接受。這種人被美稱為「徵君」——被皇帝徵召而拒絕徵召的君子，表示他們情操清高，有異於流俗。

三、尚俠尚義　儒家學派把人類所有行為性質，一分為二，一是義的行為，一是利的行為。士大夫的行為，當然應該只考慮「義」，不考慮「利」。這方面最多的表現是，寧願犧牲自己，而去為朋友報仇。有些人甚至甘冒被殺的危險，去為被處死刑的朋友收屍，或為已死的朋友送葬千里。

四、廉潔　官員的貪汚殘暴，是古中國社會最普遍的蛀害和罪惡。兩世紀中，士大夫在這上作尖銳的矯正，他們互相勉勵，以不取非份之財爲最大光榮。即令是不違法之財，也不收取，有人曾把朋友送給亡父的奠儀退回，但對於救急解困，卻毫不吝嗇。

五、對恩主絕對效忠　政府高級官員的僚屬，大多數由高級官員自行聘任。一個知識份子一旦被聘任，即踏上光明燦爛的仕途。像宰相所聘任的僚屬（三府掾），有的只幾個月便出任州長（刺史），不數年就擢升爲中央級部長。這是知識份子前途最重要的一個契機，在被推薦爲「茂才」「孝廉」後，還必須再突破被聘任這一關，否則仍只是在野之身，飛黃騰達不起來。士大夫對於聘任他的恩主，跟日本武士、歐洲騎士對他們的恩主情形一樣，不但要爲恩主冒險犯難，還要爲恩主犧牲性命。至於爲恩主服三年之喪，更平淡無奇。

上述五類行爲，並不是每一個士大夫都做得到，但他們都競爭着或眞或假的去做，並且往往做的有聲有色。當然有它的流弊，最普通的是有些人把道德行爲當作欺詐手段。像服二十年之喪的趙宣，按儒家規定，在服喪期間絕不許跟妻子同寢，可是他在二十年之中，卻生了五個孩子。又像以廉潔出名的范丹，去探望害病的姊姊，姊姊留他吃飯，他竟然堅持要付飯錢。但即令這種流弊，對社會也沒有什麼大的害處。

士大夫不久就自覺必須維護自己百般經營才得到的既得利益，於是，推薦和聘任的範圍，遂逐漸縮小。最初選擇對象時，還注重聲譽，一個與各方面都沒有關係的平民，只要有被稱讚的道德行爲，就有被推薦被聘任的可能性。後來情形發生變化，必須是士大夫家庭的一員（子弟），這個可能性才存在。一種堅強的門第觀念，因之產生。社會的縱剖面呈現無數直線行業，木匠的兒子繼續當木匠，農夫的兒子繼續當農夫，士大夫的兒子繼續當士大夫，也就是說，做官的兒子繼續做官，這就是門第。一個士大夫的門第，以其家族中做官人數的多寡和官位的大小，作爲高低的標準。像楊震，四代中出了三個宰相（四世三公）。像袁紹，四代中出了五個宰相（四世五公）。這種門第，受到社會普遍的羨慕和崇敬。

——注意「門第」這件事，它強固的維持士大夫階層於不墜，直到二十世紀初期，都在中國歷史上發生普遍的影響。

本世紀（二）中葉後，政治雖然腐敗，但設立在首都洛陽的國立大學（太學）學生（太學生），卻反而增加，老一代的士大夫需要它訓練下一代的士大夫，所以積極支持國立大學的擴充。五〇年代時，大學生已多到三萬餘人。這些準士大夫們——未來的官員，跟政府中已成爲士大夫的現任官員們，交往密切。除了談論儒家學派的五經外，不可避免的還會談論到現實政治。好像新聞記者或政治評論家，他們對人物的讚揚或抨擊，形成一種有影響力的輿論。

跟外戚、宦官相比，士大夫有外戚、宦官所沒有的高一層次的情操和抱負。外戚靠女人取得權力，宦官靠諂媚取得權力，而士大夫自稱靠道德學問取得權力，所以士大夫在本質上就對外戚、宦官輕視，再加上外戚、宦官也確實做出太多的罪惡，士大夫遂注定的要跟外戚、宦官，發生衝突。

五、宦官制度

宦官，是中國文化體系中最可恥的產物之一。

宦官發生於農業社會多妻制度。紀元前十二世紀時，農業而多妻的周部落，從西方渭水流域向東發展，滅掉商王朝，遂把這一獸性的殘酷制度，帶入中國，成爲中國傳統文化的一部份，延續了三千年，直到二十世紀，隨着帝王制度的消滅才消滅。

一個男人擁有數目龐大的妻子群之後，爲了防止她們向別的男人紅杏出牆，最好的辦法就是把她們像囚犯一樣，關閉在戒備森嚴的庭院（皇宮）之中，與世界隔絕。問題是皇宮工作並不能全部都由女人擔任，像到市場採購之類，便是一樁困擾。如果仍由女人擔任，她們勢必仍要跟男人接觸。如果由男人擔任，他們也勢必深入皇宮。這一些對作丈夫的而言，都使他不能安心。於是周部落姬姓酋長們想出一種殘忍的辦法，那就是，把男人的生殖器閹割，以供差遣，稱之爲宦官（宦人・寺人），成爲多妻制度下女人和男人間最理想的媒介，幾乎每一個貴族家庭都有需要，而皇宮中需要的數量當然更多。若干皇帝的姬妾，有時達四萬餘人，以平均一個人服侍十個人計算，可以推測到，至少保持有四千個宦官名額。

——宦官非常普遍，任何有錢人家，都可以購買。一直到十世紀，宋王朝政府下令禁止民間蓄養閹奴，宦官才爲皇帝所專有。

世界上很少男人高興閹割自己，所以宦官的來源只有兩種，一是金錢誘惑，一是強迫。即令是金錢誘惑，因爲宮廷不接受成年宦官，孩子們又怎麼懂得爲錢捨身？而收買孩子父母，對孩子來說，仍是強迫。但再窮苦的父母都不會忍心孩子被閹割，收買也者，也不過表面上僞裝。所以事實上只有一個來源，即來自哀哀無告的貧苦人家。這是中國人歷時最久的一種悲慘遭遇。詩人顧況曾有一首孩子的詩，描寫宦官的誕生：

孩子啊，你生在窮鄉
官員捉住你，把你殘傷
爲了進貢給皇帝，爲了獲得滿屋金銀
爲了要下狠心，把孩子戴上刑具，當作豬羊
上天啊，你慈悲何在，使孩子遭此毒手
神明啊，你公正何在，使官員享福受賞
爸爸送別孩子：
「兒啊，我後悔生下你
「當你初生時
「人們都勸我不要撫養
「我不忍心

「果然你遭到此悲苦下場——」

孩子告別爸爸：

「心已粉碎，流下血淚兩行

「爸爸啊，從此遠隔天壤

「直到死於黃泉

「再見不到爹娘——」

——顧況是八世紀時詩人，我們把這首詩提前在本世紀（二）介紹，以幫助我們對宦官的了解。尤其當我們年幼的孩子在身旁蹦蹦跳跳的時候，想到只不過因我們貧窮，政府官員就把孩子捉去閹割，我們會失聲痛哭。

孩子們被閹割後，即被送入宮廷，永遠與父母家鄉隔離。跟宮女的命運一樣，同是投進狼群的羔羊，無依無靠，無親無友，隨時會被殺死、虐死、折磨死。但宦官比宮女更悲慘，宮女於二十年或三十年之後，或許還有被釋放出宮的希望，宦官則永遠不能，而是終身奴隸。中國宮廷是世界上最黑暗的宮廷之一，其中有它特有的行爲標準和運轉法則。孩子們必須含垢忍辱，用諂媚和機警，以及不可缺少的好運，才能保衛自己。最幸運的，入宮後被大宦官收爲養子，在養父培植下，逐漸接近皇帝。皇帝是權力魔杖，觸及——最好是能掌握權力魔杖，才有出人頭地的機會。然而大多數孩子都在魔窟中悲慘死去，猶如無期徒刑的囚犯在監獄中悲慘死去一樣。

到此爲止，我們可以得到下列數項結論：一、宦官是自卑的，因爲他們沒有生育能力。二、宦官沒有高深知識，因爲他們沒有機會接受高深教育。三、宦官多少都懷着對常人的仇恨和報復心理，因爲他們曾因貧苦而被閹割。四、宦官缺少遠見和偉大的抱負，因爲宮廷生活極度狹窄和現實。五、宦官缺少節操，因爲宮廷輕視節操，有節操的人在宮廷中不能生存。

所以，當宦官一旦掌握大權之後，我們就不能希望他們比外戚和士大夫更高明，那超過他們的能力。

六、中國第一次宦官時代

皇帝跟外戚鬥爭，必須獲得外力支持。沒有外力支持的皇帝，脆弱的程度跟普通人沒有分別。東漢政府第十任皇帝劉纘被外戚毒死，就是一個說明。皇帝想得到外力支持，有兩種方法，一是跟士大夫結合，一是跟宦官結合。但跟士大夫結合很少可能，因爲皇帝與他們平常太過疏遠，而且也不知道誰是攀附外戚的走狗。唯一的一條路只有依靠宦官，別無其他選擇。

最先向外戚發動攻擊的是上世紀（一）第四任皇帝劉肇，跟宦官鄭眾結合，逼迫外戚竇憲自殺。接着是本世紀（二）第六任皇帝劉祜，跟宦官李閏、江京結合，逼迫繼竇憲而起的外戚鄧騭自殺。第七任皇帝劉懿逝世時，宦官孫程、王康、王國，發動宮廷政變，迎立第六任皇帝劉祜的兒子劉保登極。

——這是一個使人感慨的單調場景，第一批新貴靠女人的關係烜赫上台，昂首闊步，不可一世，不久全被拖到刑場，像殺豬一樣的殺掉。第二批新貴也靠女人的關係烜赫上台，昂首闊步，不可一世，不久也全被拖到刑場，像殺豬一樣的也都殺掉。以後第三批、第四批、第五批。我們相信外戚中也有非常聰明的才智之士，如竇憲、鄧騭，不可能毫無警覺。但權力的迷惑太大，使他們自以爲可以控制局勢。

五〇年代後，情勢更趨嚴重。外戚梁冀當權，十一任皇帝劉志，繼被毒死的十任皇帝劉纘之後，對梁冀側目而視。劉志跟五個宦官密謀採取行動，他知道面臨最大危險，生命和前途完全握在與謀的宦官之手。在密謀大計時，劉志曾把一位名單超的宦官，咬臂出血，作爲盟誓。他跟宦官已擺脫了君臣名份，成爲黑社會的弟兄。所以在殺掉梁冀，並把梁姓戚族全體屠殺了之後，劉志把參與密謀的五個宦官，一齊封爲一等侯爵（縣侯），又封另外八個宦官爲二等侯爵（鄉侯）。

從此，宦官以正式政府官員身份出現，仗着跟劉志咬臂之盟，他們的家族和親友，也紛紛出任地方政府首長。這些新貴的出身跟宦官相同，行爲也相同，幾乎除了貪污和弄權外，什麼都不知道，比外戚當權所表現的，還要惡劣。這使本來專門抨擊外戚的士大夫階層，受到更重大的傷害，他們憤怒的轉回頭來跟外戚聯合，把目標指向宦官。並且不像過去那樣，僅只在皇帝面前告狀而已。士大夫外戚聯合陣線，利用所能利用的政府權力，對宦官採取流血對抗。宦官自然予以同等強烈的反應，中國遂開始了第一次宦官時代。從一五九年十三個宦官封侯，到一八九年宦官全體被殺，共三十一年。我們把這三十一年中雙方的重要鬥爭，列出一表：

帝	年	事件	註
十一任帝 劉志	一五九	皇帝劉志，與宦官唐衡、單超、左悺、徐璜、具瑗密謀，殺大將軍梁冀。	宦官十三人封侯，第一次宦官時代開始。
		白馬縣長李雲，奏劾宦官。	李雲下獄死。
		兗州刺史第五種、河南尹楊秉，彈劾濟陰太守單匡（宦官單超侄）。	第五種逃亡，楊秉下苦工獄。
	一六〇	濟北相滕延，收捕宦官段珪僕從賓客，指控他們劫掠行旅，殺數十人。	滕延免職。
		京兆尹唐玹（宦官唐衡兄）收捕皮氏縣長趙岐家屬，指控他們觸犯重法，全部處決。	趙岐隻身逃亡。

一六二	宦官徐璜、左悺，指控護羌校尉皇甫規對西羌民變處理不當，以致大兵去後，民變又起。	皇甫規下獄，太學生三百人請願才釋出。
一六五	太尉楊秉奏劾益州刺史侯參（宦官侯覽兄）貪污殘暴。	侯參自殺，侯覽免職。
	河南尹李膺彈劾退休的北海太守羊元群（宦官的朋友）貪污。	李膺下苦工獄。
	司隸校尉韓縯彈劾太僕左稱（宦官左悺兄）請託州縣。	左稱、左悺自殺。
	山陽太守單遷（宦官單超弟），因案下獄，廷尉馮緄苦刑拷打，單遷死於苦刑之下。	馮緄下苦工獄。
	韓縯又彈劾沛國相具恭（宦官具瑗兄）貪污殘暴。	具瑗貶爲二等侯爵。
	平民劉瑜赴洛陽上書，彈劾宦官。	任用劉瑜擔任議郎。
	野王縣長張朔（宦官張讓弟）被控貪污，躲到張讓家。司隸校尉李膺把他搜出，問完口供，不先奏報，即行處斬。	
一六六	宛縣商人張汎，素與宦官友善，弘農太守成瑨收捕張汎跟他的家族及門下賓客，一齊處斬，殺二百餘人。	成瑨下獄死。
	太原太守劉瓆，收捕返鄉探親的宦官趙津，恰好遇到大赦，但仍把趙津殺掉。	劉瓆下獄死。

		山陽郡督郵張儉，路上遇到宦官侯覽的母親，指控她是盜賊，把她殺掉，又殺侯覽全家一百餘人。	山陽太守翟超下苦工獄。
		下邳縣長徐宣（宦官徐璜侄）把民女搶到家中射死。東海相黃浮收捕徐宣全家，不分男女老幼，全體苦刑拷打，徐宣處決。	黃浮下苦工獄。
		河南占卜人張成，素與宦官友善，張成的兒子殺人被捕，不久，皇帝頒令大赦，司隸校尉李膺仍把他殺掉。張成弟子牢修上書彈劾李膺豢養太學生游士，交結州郡，互相勾結，批評政府。	李膺下獄。
	一六七		李膺釋放，黨人二百餘人軟禁，褫奪公權終身，不得擔任官職。
十二任帝 劉宏	一六八	大將軍竇武、太傅陳蕃，謀殺宦官，事洩，宦官曹節、王甫，發兵反擊，囚竇太后，殺竇武、陳蕃。	宦官十七人封侯（士大夫外戚自此結合）。
	一六九	平民朱並（宦官侯覽同鄉）赴洛陽上書，告發張儉二十四人，互相標榜，共爲部黨，危害國家。	李膺、范滂下獄死，張儉逃亡，黨人或死或廢者六七百人。
	一七二	宦官侯覽有罪。	侯覽自殺。

帝	年	事件	結果
	一七九	沛國相王吉（宦官王甫養子）貪汚殘暴，每殺人，把屍體大卸八塊、放在車上，開列罪狀，周遊所屬各縣示眾，夏天屍體腐爛，用繩子穿起骨骼懸掛，周遊一遍之後，才准收葬。	
		司隸校尉陽球，彈劾宦官王甫、太尉段熲（宦官黨）。王甫父子及段熲均下獄。	陽球苦刑拷打，用土塞口，王甫父子死於杖下，磔裂屍體，懸掛城門。段熲自殺。
		尚書劉納、司徒劉郃、衛尉陽球（即虐殺王甫父子的那一位）、永樂少府陳球，密謀再用陽球當司隸校尉，以殺其他宦官，事洩。	四人下獄，全死。
	一八四	（黃巾民變）	赦全國黨人，黨錮解除，恢復公權。
		郎中張鈞彈劾十常侍，指控黃巾民變，都因此十位宦官而起。	張鈞下獄拷死。
	一八五	諫議大夫劉陶彈劾宦官。	劉陶下獄死。
十三任帝 劉辯	一八九	宦官蹇碩密圖殺大將軍何進，事洩。	蹇碩被殺。

何進密圖殺宦官，宦官誘何進入宮，斬何進。
司隸校尉袁紹發兵攻入皇宮，把宦官殺盡。第一次宦官時代結束。

宦官跟士大夫間的鬥爭，血腥而慘烈。不過要特別注意的是，上表所列宦官罪惡的資料，全都是士大夫的一面之詞，而凡一面之詞，都不一定可信。即令可信，宦官的確罪惡很重，但仍沒有士大夫的罪惡一半重，因爲士大夫都是受過高等教育的知識份子，而又一向自稱以「仁政」「道德」爲最高的政治理想。經士大夫宣傳，我們所知的，宦官的濫殺只有三件，一六〇年殺趙岐全家，一六六年射殺民女，一七九年殺人懸屍。士大夫卻殘忍得多，一六〇年，連宦官的賓客都殺。一六六年，連宦官的朋友也都殺，更殺宦官的母親。而且很多次都在政府大赦令頒佈後再殺，而且以對宦官苦刑拷打爲榮——否則的話不會自己洋洋得意記錄下來。像京畿總衛戍司令（司隸校尉）陽球，他在審訊王甫、王萌宦官父子時，親自指揮拷打，王萌向他哀求：「我們到這種地步，自知非死不可。但求你垂念先後同事之情（王萌也當過京畿總衛戍司令），憐恤我父親年老，教他少受痛苦。」陽球說：「你們父子罪大惡極，死有餘辜，妄攀同官交情，有什麼用？」王萌氣憤說：「你從當小官的時候，出入我家，像奴隸一樣侍奉我們父子。今天乘人之危，落井下石，上天不會容你。」這一下揭了陽球的瘡疤，他羞怒交集，用泥土塞住王萌的口，父子二人被活生生的拷打到死。注意陽球，他

娶的是宦官家的女兒，靠着拍宦官的馬屁而逐步升遷，但他本質仍是士大夫。這裏有一個易起誤會的現象，必須澄清。可能有人說士大夫只對宦官才如此凶暴，其實士大夫對平民也是一樣。像前所舉的那位守喪二十年，生了五個孩子的趙宣，他並沒有犯法，但宰相陳蕃卻把他殺掉。北海（山東昌樂）國相（封國行政首長）孔融，他竟把一個他認爲在父親墓前哭聲不悲的人處斬。

士大夫跟宦官鬥爭中，宦官獲勝的機會較多，因爲魔杖就在他們身旁。十二任皇帝劉宏比他的前任劉志更依靠宦官，他嘗指着兩名惡名昭彰的宦官說：「張讓是我父，趙忠是我母。」不過宦官力量的基礎並不穩固，它全部寄託在皇帝的喜怒上，隨時有傾覆的危險。像陽球殺王甫父子，只要上奏章彈劾一下，皇帝答應審訊，就可達到目的。由此可看出宦官的權力，實在不足以使人驚慌失措。士大夫階層如果稍爲講究一下方法，矯正宦官政治的弊端，比矯正外戚政治的弊端，要容易得多。可是士大夫領袖人物李膺、張儉、范滂之輩，使用的卻是一種不由分說的反宦官的狂熱，以致引起六〇年代一六六年宦官對知識份子的大迫害，和爲期十八年之久的黨錮（褫奪公權並禁離故鄉），促使整個局勢靡爛。

雙方最後一次決鬥發生於八〇年代一八九年，士大夫領袖之一的禁衛軍官袁紹，跟外戚領袖大將軍何進結合，密謀剷除宦官，何進的妹妹何太后堅不同意。於是，天下最愚蠢的陰謀詭計發生了，袁紹建議：密令駐屯在河東（山西夏縣）的大將董卓，統軍向洛陽進逼，揚言要肅清君側——討伐宦官，用以脅迫何太后。另一位禁衛軍官曹操反對，他說：「對付宦官，一個法官就行了。卻如此轉彎抹角，誘導叛變，恐怕能發不能收，天下從此大亂。」他的明智見解阻擋不住漿糊腦筋，蠢謀開始執行。宦官得到消息，把何進誘進皇宮砍頭。袁紹遂率領禁衛軍縱火焚燒宮門，攻入皇宮，對宦官作絕種性的屠殺，無論老幼，無論平常行為如何，同死刀下，有些倒楣的年紀較長的洛陽市民，因為沒有留鬍鬚的緣故，被誤會是宦官，也遭到災禍。當袁紹攻入皇宮時，宦官張讓挾持着新即位的十三任皇帝劉辯，突圍向北逃走，逃到黃河南岸小平津渡口，洛陽追兵趕到，張讓投黃河自盡。

中國第一次宦官時代，到此結束。宦官徹底失敗，但士大夫的勝利卻是悲慘的，董卓的刀子已架到他們的脖子上。

——據說只有一位宦官，對中國文化有重大貢獻，本世紀（二）〇〇年代，宦官蔡倫，發明紙張。從前寫字著書，需要用刀刻到竹片上，或寫到綢緞布帛上。竹片太重，綢緞太貴。蔡倫改用樹皮做原料，製成紙張後，於一〇五年奏報給皇帝劉肇，這是中國最早的紙張。到本世紀（二）末葉，造紙術有長足進步，已有精緻的「左伯紙」出現。

七、佛教·道教·黃巾

現在，我們敍述第一次宦官時代中所爆發的黃巾民變。它是中國最大的農民暴動之一，跟當時開始鼎盛的兩大宗教相結合，反抗暴政。

這兩大宗教，一是佛教，一是道教。

佛教據說於上世紀（一）六〇年代傳入中國（我們不妨推測，紀元前二世紀張騫通西域時，可能就帶了進來），東漢王朝第二任皇帝劉莊曾夢見一個金人。有學問的大臣就告訴他，金人是西域（新疆）的一個被稱爲「佛」的神祇。劉莊隨即派遣官員蔡愔去西域求佛，那時還沒有人知道西域的佛是由天竺（印度）傳入。蔡愔於六五年出發，兩年後（六七）返國，隨同他來的有兩位外國籍的高僧：攝摩騰、竺法蘭，和白馬馱着的佛教經典。劉莊特地在首都洛陽東郊，建造一座白馬寺，招待這兩位高僧並安置經典。不過事實上，白馬到中國的六〇年代時，佛教在中國已經大大的流行，親王劉英——劉莊的弟弟，就以信奉佛教，舉國皆知。

道教是純中國宗教，沒有人知道它確實的誕生日子。道教跟道家學派有密切關係，老莊哲學的玄虛無爲，很容易把人引入一種飄渺幻境。道家學派中有一部份人士轉變爲「陰陽家」，介乎學派與宗教之間。這種以鍊丹煉金，求長生不死藥的高級巫師，被稱爲「方士」，深受歷代帝王的歡迎。以後方士中又有一部份轉變爲唸咒畫符的人物，道教遂在不知不覺中形成。本世紀（二）三〇年代，方士中一位大亨張道陵，集神祕之大成，在四川鵠鳴山修煉。他用符咒爲人治病祈禱，稱「太平道」。追隨他的門徒，都要奉獻五斗米，所以也稱「五斗米道」。張道陵死後，兒子張衡繼承。張衡死後，兒子張魯繼承。張魯時已到本世紀（二）末葉，各地混戰，政府因他擁有群眾力量，委派他當漢中（陝西漢中）郡長（太守）。——但要到三百年後五世紀時，名道士寇謙之出世，才確定「道教」名稱，並確定尊奉李耳爲教主、道德經爲經典、張道陵爲先知。我們要特別注意，「道教」跟「道家」不同，猶如「狗」跟「熱狗」不同一樣。

羌戰於六〇年代最後一年一六九年被壓平，東漢政府勝利的代價之一是：沒有被戰爭直接波及的中原地區，因軍需孔亟，在苛捐雜稅和官員貪暴，以及地主剝削重重迫害之下，引起大規模的逃亡和民變。逃亡和民變又引起因勞力缺乏而產生的水災旱災蝗災。水災蝗災又引起農村破產，到處發生人吃人的可怕饑饉。政府中宦官跟士大夫正鬥爭的如火如荼，沒有人關心那些在死亡中掙扎的農民。農民爲了生存，遂逐漸集結在一個標幟「黃巾」之下，希望自己決定自己的命運。

黃巾標幟下農民運動領袖張角，以他的家鄉鉅鹿（河北寧晉）爲根據地，供符咒傳教，一方面稱太平道，一方面又稱彌勒佛再世，成爲佛道二教的混血兒。傳教十餘年，門徒有數十萬人。張角分全國爲三十六「方」，每方一萬人，用四句話作政治號召：「蒼天已死，黃天當立，歲在甲子，天下大吉。」甲子年是八〇年代一八四年，一八四年遂成爲貧苦農民的盼望。各地公共場所，城牆上，城門上都出現「甲子」字樣，人心振奮。

甲子前一年（一八三）年終，張角的門徒馬元義，潛入首都洛陽，聯絡宦官作爲內應，準備明年日期到時，奪取首都。可是如此龐大的組織中不可避免的會有內奸或變節份子，另一位門徒唐周，像基督教的猶大一樣，向東漢政府告密。就在一八四年一月，馬元義被捕，被最殘忍的車裂酷刑處死。根據口供的牽引，輾轉殺了一千多人，並通緝張角。張角倉促間下令起兵，一夜之間，百萬以上的農民，掀起暴動。他們用黃巾裹頭，以分別敵友。

一八四年距羌戰平息，僅十五年。東漢政府用以討伐羌部落的軍隊，恰好用以討伐黃巾。那些涼州（河西走廊）部隊在血腥中成長，強悍善戰，沒有經過訓練的農民們，無法與他們對抗，尤其是張角又恰好病死，失去領導中心。於是這一歷史性的農民暴動，只支持了十一個月，就被分別擊潰。然而，這個世界卻再也不能恢復以前的原狀了。涼州部隊開始輕視中央政府，大將之一的董卓，當中央徵召他到洛陽擔任宮廷供應部長（少府）時，他不願放棄軍權，拒絕接受。偏偏又遇到兩個漿糊腦筋何進與袁紹，利用他來脅迫何太后。

八〇年代最後一年一八九年，當洛陽追兵在黃河南岸小平津從宦官手中救出皇帝劉辯時，董卓率領大軍，適時的趕到，劉辯就在涼州兵團護駕下，返回首都洛陽。

八、三十一年改朝換代混戰

董卓到了洛陽後，他的涼州兵團馬上把洛陽控制。中央政府原來那些分屬於袁紹、曹操的禁衛軍，在涼州兵團面前，噤若寒蟬。袁紹曹操知道已無能爲力，先後逃走。董卓忽然高興的發現，他控制首都就等於控制皇帝，控制皇帝就等於控制全國。他本來只是一個地方部隊的將領，現在成了全國主宰。太快的形勢變化，使他把政治看的太過於簡單。認爲現在什麼都有了，只缺少威望，而建立最大威望的最大妙法，莫過於把舊皇帝廢掉，另立一個新皇帝。於是，他強迫劉辯退位，另立劉辯九歲的弟弟劉協上台。明年（一九〇），更把劉辯和他的母親何太后殺掉。

董卓沒有想到，蠻幹不但不能建立威望，反而引起強烈反感，等於把攻擊自己的刀柄授給敵人。果然，正苦於沒有藉口的敵人有了藉口，各地反對董卓的武力，在東方集結，推舉門第最高的袁紹當盟主，討伐董卓。董卓對洛陽是陌生的，他的根據地在關中（陝西中部），於是下令把首都遷到長安，距他進入洛陽只六個月。皇帝和人民，一齊跟蹌上道。為了徹底執行，董卓縱火焚燒洛陽，自紀元前十二世紀姬旦在洛陽築城以來，經營了一千四百年的當時世界最偉大最繁華的都市，化成一片焦土，一百公里以內，不見炊煙。居民倉促中向西搬移，既沒有計畫，又沒有準備，像押送囚犯一樣，涼州兵團夾馳道旁，奔騰鞭策，馬蹄的踐踏和飢餓疾病，使死亡相繼，洛陽長安相距直線五百公里，沿途堆滿屍體。

一個沒有政治頭腦的人偏偏坐在非有政治頭腦不可的座位上，不啻坐在毒蛇的牙齒上。董卓的暴發戶日子只有三年五個月。九〇年代一九二年，當東方戰爭膠着時，宰相級官員王允，唆動董卓最親信的部將呂布叛變，把董卓刺死，屠滅董卓三族。——關於呂布幹掉董卓的經過，民間流傳的是一個愛情故事，故事說，王允有一位美貌絕倫的女兒貂蟬。他先讓呂布跟她戀愛，等呂布入迷之後，王允卻把貂蟬送給董卓，向呂布宣稱是董卓搶了去的，激起呂布的殺機。

王允只是一個謀略家，不是一個有見識的政治家。那時皇帝的威信仍在，董卓死了之後，中央政府下令大赦，社會似乎又有恢復正常的可能性。董卓手下大將牛輔，駐防陝縣（河南三門峽），不接受命令，擊敗前往接收他軍權的政府部隊。可是，不久他就死於軍營中的一次夜驚。他屬下的三個中級軍官李傕、郭汜、樊稠，決心投降，但他們曾經在大赦令之後繼續反抗政府，所以要求政府再下一次大赦令。王允堅決拒絕，他說：「剛剛大赦過，不到一個月，怎麼可以再赦？」三個軍官當然不願親自把頭塞到刀口底下，只有叛變到底。他們向首都進軍，攻陷長安。霎時間，王允成了叛徒，就在長安城下，執行死刑。三個叛徒則成了國家正式高級官員，昂然的下令鎭壓叛徒。

——政治，有時很嚴肅很殘酷，有時也很滑稽很幽默，好像一場精彩的卡通，使人忍俊不住。

三個不成材的癟三人物，分別擔任宰相元帥，共執朝政。合作了三年，到一九五年，李傕、郭汜把樊稠殺掉，接着李傕、郭汜也反目成仇。李傕劫持皇帝劉協，郭汜劫持文武大臣，就在長安城中對壘攻殺，五個月中，死傷數萬人，長安成了恐怖與飢餓的鬼域。後來由另一位大將張濟從中調解，兩個小軍閥才同意釋放劉協和群臣，讓他們東返洛陽。

——劉協與群臣離開長安後，長安城空四十餘日，強壯的人向外逃散，老弱互相殺害煮食。二、三年之內，關中很少看見行人。長安緊接着洛陽，成爲第二個遭到浩劫的都市。

劉協和群臣剛逃出長安，兩個小軍閥才發現自己愚不可及的放掉了護身符，二人馬上又化敵爲友，聯合率軍追趕。劉協像被緝捕的盜賊一樣，拚命的逃。明年（一九六），才算逃到洛陽。洛陽早成一堆瓦礫，沒有房屋住，也沒有東西吃，高級官員們親自到野外揀柴挖菜，有些就在斷瓦殘垣間餓死。有些懷中有珠寶的，就被士兵搶劫後殺死滅口。御前會議也只能在廢墟上舉行，好像一個三流的破爛劇團，士兵們圍着觀看，臉上露着看鬧劇時的驚奇和嘻笑。

這時，中央政府的權威蕩然無存，全國被大小軍閥割據，無處不在混戰。東漢王朝劃全國爲十三個州，除兗州（山東西部）之外，混戰遍及十二個州。最主要的軍閥，有下列人物：

姓名	原任官職	割據地區駐地
公孫瓚	幽州兵團將領（奮武將軍）	易縣（河北雄縣）
呂布	涼州兵團將領	輾轉游擊，飄忽不定，最後襲據徐州（江蘇睢寧北）。
孫策	地方部隊將領（殄寇將軍）	曲阿（江蘇丹陽），勢力擴及江東地區。
劉備	徐州全權州長（徐州牧）	割據徐州時間甚短，大部份時間依靠他人，最後依靠劉表。
袁紹	冀州全權州長（冀州牧）	鄴城（河北臨漳）
劉表	荊州全權州長（荊州牧）	襄陽（湖北襄樊）

曹操	兗州兵團將領	許縣（河南許昌）
張魯	地方政府首長（漢中太守）	漢中（陝西漢中）
劉璋	益州州長（益州牧）	成都（四川成都）
袁術	中央軍將領（左將軍）	魯陽（河南魯山），後遷壽春（安徽壽縣）
公孫度	地方政府首長（遼東太守）	遼東（遼寧遼陽）
馬騰	涼州兵團將領（安狄將軍）	武威（甘肅武威）

這些軍閥有一個共同特徵，他們並非變民領袖，而全體都是政府官員，包括中央和地方政府首長或握有軍權的將領。他們表面上對皇帝十分尊敬，即令任用小小官員，也要上奏章請求批准，但實際上恰恰相反。當劉協逃回洛陽，正狼狽不堪時，沒有一個軍閥運送一粒糧食或一文金錢。袁紹一度考慮過迎接劉協到他的地盤，但他又想到那等於平空弄一個管轄自己的主人坐在自己頭上，只有傻子才幹。唯一的英雄人物是曹操，劉協逃回洛陽的次月，曹操就率領他的兗州兵團抵達洛陽。洛陽太過於殘破，無法居住，於是遷都到他的根據地許縣（河南許昌）。

等到曹操開始用皇帝名義向全國發號施令，包括下詔責備袁紹擁兵割據的時候，袁紹那漿糊腦筋才恍然覺悟到皇帝的妙用。他既失去這個機會，唯一的辦法是硬着嘴巴宣稱曹操劫持皇帝。袁紹用對付董卓的辦法對付曹操，他發動勤王軍事行動。劉協遷都許縣後四年，即下世紀（三）第一年（二〇〇），袁紹跟曹操在官渡（河南中牟東北古鴻溝渡口）決戰，從袁紹建議利用董卓逼何太后，和拒絕迎接皇帝兩件事上，可看出他的智力商數要差一截。決戰結果，他以絕對優勢的兵力而大敗。

九、東西方世界

——〇〇年代·一〇七年（班超回國後五年），日本倭奴國王師升，派遣使臣到中國，進貢生口一六〇人。

——五〇年代·一五九年（中國第一次宦官時代開始），貴霜王國迦尼色迦王，邀請佛教高僧五百餘人，集會罽賓城（巴基斯坦伊斯蘭堡西塔克西拉），統一教義，審定經文。

——九〇年代·一九二年（呂布刺殺董卓），羅馬帝國皇帝康摩達，凶暴荒淫，被元老院下毒後絞死。羅馬城禁衛軍，及不列顛、敍利亞、多瑙河等地駐軍，各擁立一帝，互相攻戰。自奥古斯都大帝屋大維（前三〇）以來的統一和平，共歷二百二十二年，到此結束。

——九〇年代·一九三年（官渡戰役前七年），羅馬多瑙河駐軍所立皇帝塞弗拉斯，削平群雄，進入羅馬城。大舉屠殺富民，把他們的財產賞賜給自己部下（從此，屠殺劫財，成爲羅馬帝國皇帝發財的傳統方法之一）。

第十六章 第三世紀

東漢王朝終於完結。

本世紀二〇年代後，中國分裂為三個國家：曹魏帝國、蜀漢帝國、東吳帝國。被稱為「三國時代」，自二二〇年至二八〇年，凡六十一年。三國時代以及三十年混戰期間，產生了中國戲劇將近十分之一的故事材料，成為中國人最熟悉的時代。一部著名的歷史小說——羅貫中著的三國演義，它發行的數量遠超過司馬遷的史記，更把這個時代的大小事件，傳播的連兒童們都知道。我們要想了解這個時代，與其閱讀正式史籍，不如去看那部小說。不過要特別小心的是，在作者筆下，曹操被歪曲為奸惡人物，諸葛亮被歪曲為會呼風喚雨，能夠占卜算卦的巫師。

三國時代於本世紀初開始，而於本世紀末葉結束，新興的晉王朝重新把中國統一。

一、赤壁戰役

以曹操為宰相的東漢政府的統一中國行動，遭遇到激烈的反抗。軍閥們當然不願中央政府恢復權力，他們很滿意割據的現狀。

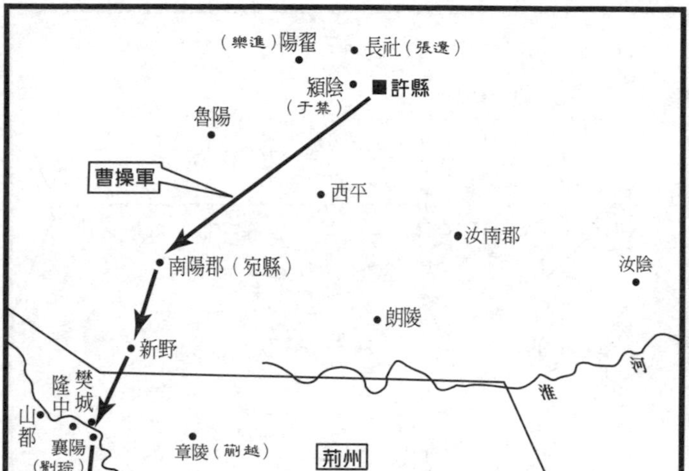

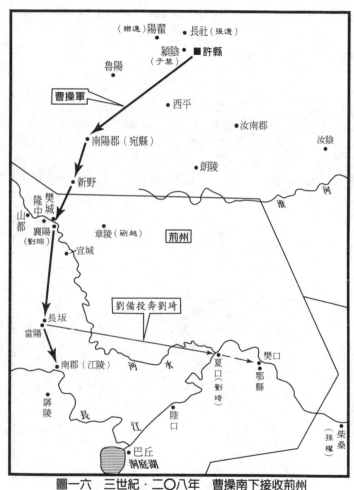

圖一六　三世紀・二〇八年　曹操南下接收荊州

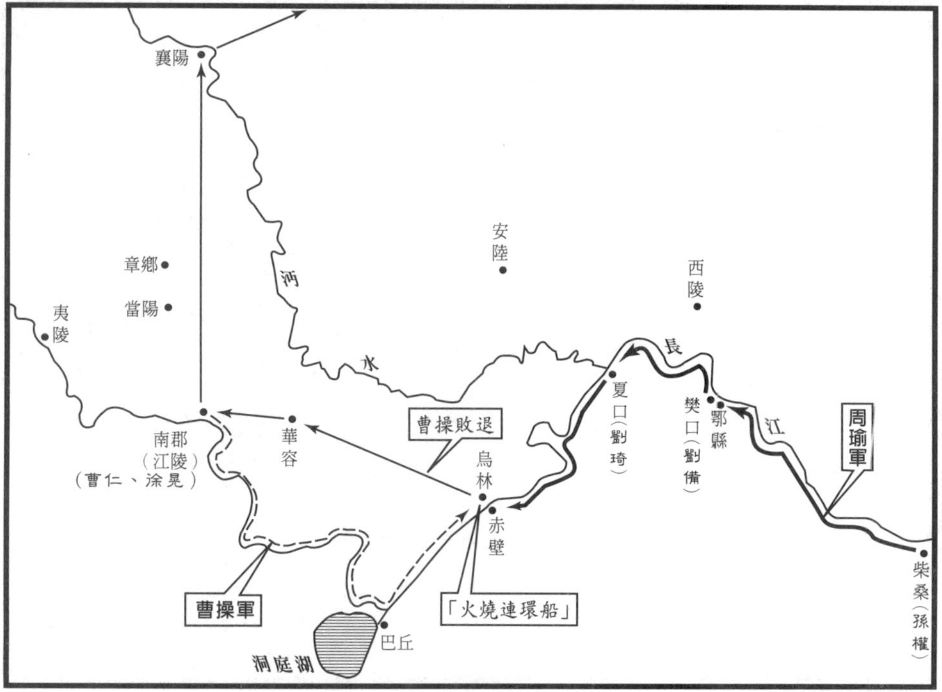

圖一七　三世紀・二〇八年　赤壁之戰

曹操擊敗了袁紹後，把黃河以北諸州，收置於中央政府控制之下。○○年代二○八年，再攻擊以襄陽（湖北襄樊）為根據地的劉表。恰巧劉表逝世，他的兒子劉琮投降。投靠劉表的一支流亡軍隊的首領劉備，當時正駐紮樊城（與襄陽隔漢水相望的城鎮），倉促南撤，到夏口（湖北武漢）跟劉表的另一個兒子劉琦會合。中央政府部隊尾追南下，打算一舉蕩平劉備和盤據在江東（鄱陽湖以東地區）的孫權——孫策已死，由他的弟弟孫權繼承。這時候，雙方的兵力，極端懸殊，政府有二十萬人（對外宣稱有八十萬），孫權充份動員也不過四萬人，劉備、劉琦聯軍只不過可憐兮兮的一萬人。劉備和孫權結盟，共同抵抗政府的攻勢。劉備進駐樊口（湖北鄂州西北樊口鎮），孫權坐鎮柴桑（江西九江），派他的大將周瑜，率領他所能投入戰場的三萬人，逆流迎戰。政府二十萬大軍，從江陵（湖北江陵）順流而下，雙方在赤壁（湖北蒲圻西北）會戰，政府軍大敗。這一戰役最大的影響是確定了分裂之局，中央政府再沒有能力集結這麼大的兵力。

——政府軍統帥曹操以絕對優勢而失利，我們檢討它的原因：一、軍中正流行傳染病，使他的士卒一半以上喪失戰鬥力。二、曹操自以為天下已定的驕傲，和由驕傲而產生的嚴重疏忽。三、運氣太壞，那時正是二○八年的嚴冬，一向都颳西風，偏偏在會戰時忽然颳起東風，使周瑜兵團得以順風火攻，把曹操的戰艦焚燬（民間傳說是，全靠劉備的智囊諸葛亮築台祭天，上天特地「借」給他這一場本不應該有的東風）。

遠在成都的軍閥劉璋，因為受到北方五斗米教教主兼漢中（陝西漢中）郡長（太守）張魯的威脅，異想天開的想出一個主意，邀請在赤壁戰役中獲勝的主角之一的劉備，爲他抵擋張魯。這是劉備做夢都夢不到的好運，他在大混戰前期，始終弄不到一個根據地，像流寇一樣，四方投奔，正是窮途末路，竟有人把可以得到廣大土地的良機送上大門，使他迫不及待的滿口答應。一〇年代二一一年，他率領軍隊進入益州（四川及雲南）。在跟張魯作過象徵性的若干次戰鬥之後，明年（二一二），他隨意的找到一個藉口，跟劉璋決裂。二一四年，他攻陷成都（四川成都），劉璋投降。

二〇年代二二〇年，曹操逝世，他的兒子曹丕立即奪取政權，把皇帝劉協趕下寶座，一百九十六年的東漢王朝滅亡。曹丕稱他的帝國爲曹魏帝國，把首都從許縣遷回已經在安定中逐漸復原的洛陽。當消息於明年（二二一）傳到成都時，劉備一向以劉姓皇族的後裔自居，於是他宣稱繼承劉協的帝位，建立蜀漢帝國。又明年（二二二），孫權在武昌（湖北鄂州；稍後遷往建業·江蘇南京）也宣佈建立東吳帝國。

三十一年改朝換代大混戰，自上世紀（二）九〇年代一九〇年袁紹在東方起兵討伐董卓，到本世紀（三）二〇年代二二〇年，隨着東漢王朝的覆亡，而告結束。

二、三國時代

三國雖然各自獨立，但消滅對方，追求統一的觀念和軍事行動，並沒有停止。他們都希望由自己統一中國，但誰都沒有這種力量。

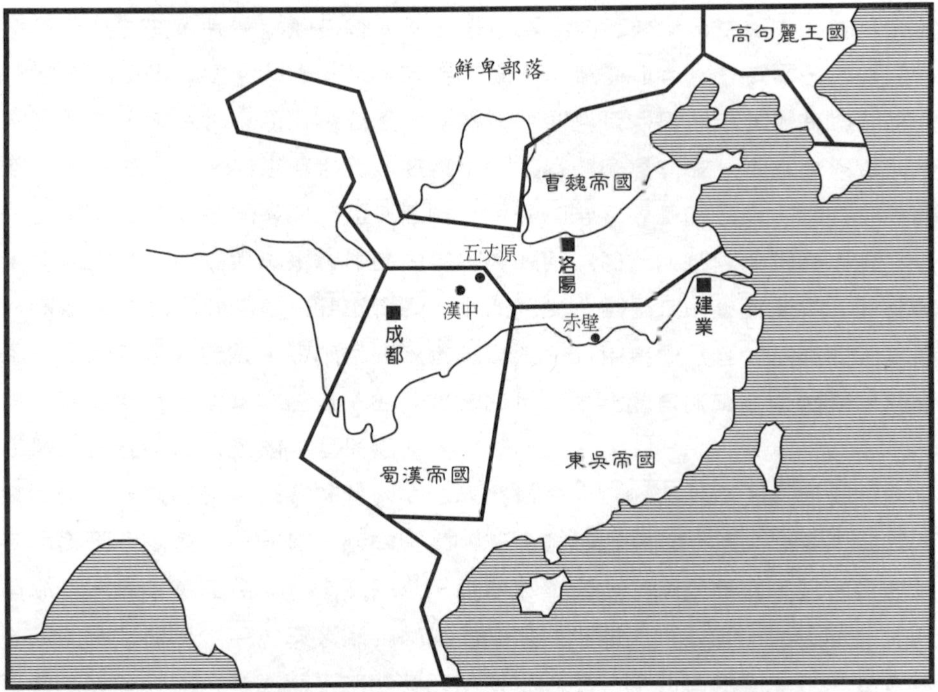

圖一八 三世紀・三國時代

曹魏帝國開國皇帝曹丕，跟他的父親曹操一樣，是一個傑出的文學家，但他缺少他父親的政治軍事才能，只能維持父親遺留下來的局面，不能再開創新局。他曾數次進攻東吳帝國，但他無法渡過長江，以致使他竟講出既沒有知識，又沒有出息的話：「天老爺開闢長江，就是爲了要分割南北。」他死了後，兒子曹叡繼位，這個瓶頸人物，比他父親還不如，好像他的帝國已經統一了世界，而且固若金湯，他每天所關心的只是建築宮殿。他死了後，侄兒曹芳在一場政變中，政權落到大將司馬懿之手。司馬懿死後，他的兩個兒子司馬師、司馬昭相繼當政，曹魏帝國遂走到末路。

蜀漢帝國開國皇帝劉備，因他最親信的大將關羽被東吳帝國殺掉，以及荊州（湖北及湖南）被東吳帝國佔領，於是向東吳帝國宣戰。但在猇亭（湖北枝江西北猇亭鎮）會戰中，被東吳帝國新起的年輕將領陸遜擊敗，一氣而死，他的兒子劉禪繼位。劉禪乳名「阿斗」，是一個老實人，任用諸葛亮當宰相，把國家整個交給他。蜀漢帝國是三國中最小最弱的一國，它的南方四郡——越嶲郡（四川西昌）、永昌郡（雲南保山）、益州郡（雲南晉寧）、牂柯郡（貴州福泉），佔蜀漢帝國面積的一半，於劉備逝世後，所有蠻族聯合叛變，歸降東吳帝國。諸葛亮首先討伐四郡，他拋棄高壓，完全採取心戰，把蠻族領袖孟獲生擒了六次，而六次都放他回去再戰。當第七次又把他俘擄，又要作第七次釋放時，孟獲深受感動，發出重誓：「從今世世，永不背叛中國。」他果然遵守他的誓言，在諸葛亮進攻曹魏帝國時，四郡不但安定如常，還貢獻大量人力和財物。

諸葛亮在沒有後顧之憂的情形下，對曹魏帝國先後發動了五次進攻。可是五次軍事行動中，卻有四次失敗。第一次二二七年出發，於明年（二二八）在街亭（甘肅莊浪）會戰中大潰。

——就在這次戰役中，大將魏延曾經建議：由子午谷（秦嶺峽谷之一）奇襲長安。可是這種冒險的軍事行動，超出了諸葛亮謹慎穩健的性格，他不會不知道軍事行動有時是必須冒險的，但他不敢嘗試。之後曹魏帝國有了戒備，也就永遠失去這個機會。

第二次仍是二二八年，諸葛亮在街亭失敗後，集結兵力，進攻陳倉（陝西寶雞），不能攻克，而糧食已盡，只好撤退。第三次二二九年，唯一的一次，把曹魏帝國所屬武都（甘肅成縣）、陰平（甘肅文縣）兩郡人民，全部遷入蜀漢帝國屯墾，這對人口稀少的蜀漢國力，是一大幫助。第四次二三一年，進攻上邽（甘肅天水），而糧食又盡，敗還。諸葛亮最大的困難是萬山叢中，糧運不繼，所以他決定改用屯墾政策。於是在第五次二三四年攻擊時，進到郿縣（陝西眉縣），沿渭水南岸，開墾耕種，作長期打算。然而就在郿縣近郊五丈原，諸葛亮逝世。這對人才缺乏的蜀漢帝國是一個致命的損失，他的軍事職務由大將姜維接充，但宦官黃皓在劉禪身旁掌握大權，姜維的能力又遠遜諸葛亮，維持殘局已很吃力，不能再有超過諸葛亮的發展，蜀漢帝國也走到末路。

東吳帝國開國皇帝孫權，當權時間最長，死的那一年（二五二）已七十一歲，距他接替哥哥孫策的位置，有五十二年之久。五十二年是一個漫長的日子，使他由英明而轉入昏庸，所以東吳帝國內部一直亂的像一堆麥稭。經過多次政變，最後一任皇帝孫皓，又是一位標準型的亡國之君。他最快樂的事是活剝人的面皮，而用鐵刷刷人的臉。他的一位大臣中風，不能言語，他認爲他是假裝的，用火放到頭上燒他，一直把病人燒死。他曾經在冬天出遊，憤怒的護駕士兵大聲喧嚷：「敵人一來，我們就叛變。」他跟劉禪是一個對比，劉禪太無能，孫皓則太有能。

三、政制・九品・淸談

三國在政治文化上的貢獻，蜀漢和東吳沒有地位。曹魏帝國掌握中國的精華地區，在短促的四十六年壽命中，有三點發展異於前代，並對後世產生長遠的影響。

第一、政制　中國自紀元前三世紀秦王朝創立九卿以來，這種政府組織，一直維持五百餘年。本世紀（三）曹魏帝國建立後，才有重大改變，政府組織成爲左表所列的形態：

皇帝		
宰相	（中樞）	尚書省
		中書省
	（輔樞）	九卿

「尙書省」在九卿制度下，本名「尙書台」，是宮廷供應（九卿之一少府）所屬的單位之一，負責收發皇帝的文件。首長稱「尙書令」，就是祕書長。職員稱「尙書」，也就是祕書。西漢和東漢王朝時，爲了增強工作效率，尙書台遷到皇宮，在皇帝身旁辦公，遂脫離宮廷供應（少府）而獨立，並且因爲接近權力魔杖的緣故，地位自然日漸重要。曹魏帝國開國後，再脫離皇宮，改稱「尙書省」，正式成爲政府中樞的行政機構，類似近代的國務院。尙書省下再分若干「曹」——「曹」，後來改稱「部」，即二十世紀現代中央政府「部」的起源。「中書省」的情形完全相同，也是宮廷供應部（少府）屬下單位之一，不過所管理的是皇帝和皇宮庶務性工作，本世紀（三）也正式成爲中樞機構，負責政策籌畫，詔命頒佈，以及向皇帝隨時提出建議。而原來的九卿，卻被擠到旁邊，因職務權力，跟尙書省各「曹」（部）重複，所以反而變成疊床架屋的人物和機構，但這個疊床架屋的九卿，卻一直保持到二十世紀初葉，專制政制結束時才被撤銷。

第二、九品 西漢王朝和東漢王朝由官員們推薦人才的辦法，曹魏帝國加以修正，改由政府專任官員負責遴選，州設「大中正」，郡縣設「小中正」。對全國知識份子（包括已任職的中下級官員），依他們的才能和道德行爲，分別評定爲九個等級，稱爲「九品」。即上上、上中、上下；中上、中中、中下；下上、下中、下下。評定等級之後，小中正呈報大中正，大中正復核後呈報宰相。宰相審定後送給尙書省，作爲任免或升降的標準，這是本世紀（三）知識份子進入政府的重要途徑，九品中正制度實行三百餘年，直到第六世紀末葉。但九品中正的流弊不久就非常嚴重，評定的標準完全脫離了「才能」和「道德行爲」，而只衡量「門第」。知識份子如果他既不是大地主而老爹又沒有做過大小之官，縱有很高的學識能力，和很高的道德聲譽，也不會被評爲上品。大地主和大小之官（二者事實上往往合而爲一）的子弟，即令不識幾個字而品德又很惡劣，仍然是上品。有門第的士大夫分別擔任大小中正，他們不允許利益外溢。於是，同一士大夫階層，又分爲二：一是世家，一是寒門。就在本世紀（三）末，已出現「上品無寒門，下品無世家」的醜陋現象。

第三　清談　曹魏帝國的始祖曹操，是一個力行實踐的政治家，他的用人行政，只要求才能，而不過問私生活。在這種情形下，只會講仁義說道德的大人先生，受到冷淡的待遇。到了司馬懿父子當權之後，凡忠於皇帝或被疑心忠於皇帝的士大夫，大批被殺。連第四任皇帝曹髦，在受逼不過，起而討伐司馬家族時，也被司馬家族包圍，一矛刺死，首都洛陽成爲血窟，士大夫陷入恐怖世界。於是這些已當了官，或尙未當官的知識份子，發明了一種最好的避禍方法，那就是完全脫離現實，言論不但不涉及政治，也不涉及現實任何事物，以免引起曲解誣陷。清靜無爲的老莊哲學，正適合這個趨勢。士大夫遂以談了很久還沒有人知道他談些什麼，是第一等學問，因爲他沒有留下任何可供當權人物逮捕他的把柄。這種純嘴巴藝術——窮嚼蛆，被稱爲「清談」，成爲士大夫主要的生活內容。在這種潮流衝擊下，被稱爲或自居爲「名士」的人物，應運而生，他們不敢對權勢直接表示不滿，但他們敢對支持權勢的「禮教」「名教」之類表示不滿。有些名士過度飲酒，有些名士裝癡裝狂，有些名士赤身露體不穿褲子，有些名士父親死了不但不服三年之喪，反而不落一滴眼淚。

恐怖氣氛在晉王朝建立後，雖逐漸和緩，但清談風氣卻沒有隨之過去。它的後遺症十分明顯，士大夫把現實生活有關的任何情事，都看作是「俗事」「鄙事」，只有窮嚼蛆才是「上等事」「雅事」，所有行政官員以不過問行政實務爲榮，地方官員以不過問人民疾苦爲榮，法官以不過問訴訟爲榮，將領以不過問軍事爲榮。結果引起全國性空前的腐爛。

四、晉王朝暫時的統一

三國時代迅速結束。

首先滅亡的是蜀漢帝國。六〇年代二六三年，宰相司馬昭當權的曹魏帝國，派遣大將鍾會，大舉南征。蜀漢大將姜維據守劍門關（四川劍閣北），戰事膠着。可是曹魏的另一位大將鄧艾，卻從陰平郡（甘肅文縣），深入萬山，開闢一條鳥道，直趨蜀漢邊境重鎮江油（四川江油）。這是從沒有人走過的原始山區，除了毒蛇猛獸外，沒有人類足跡。鄧艾兵團鑿山開洞，遇到斷崖絕壁，即身裹毛氈，翻滾而下，曲折盤旋，凡一百五十公里（魏延出子午谷奇襲長安，不過如此困難）。佔領江油後，即進入成都平原。蜀漢帝國皇帝劉禪聽說敵軍已距成都不遠，根本沒有想到抵抗，也沒有想到姜維大軍仍完整的屯在前方，就迫不及待的投降。蜀漢帝國建立只有四十三年。

其次滅亡的是曹魏帝國。司馬家族的長期執政和長期屠殺，使皇帝像豎立在玻璃球上的雞蛋一樣，任何一個小震盪，都會跌個稀爛。征服蜀漢後的第二年（二六五），宰相司馬昭逝世，他的兒子司馬炎立即下令給最後一任皇帝曹奐，教他禪讓。曹魏帝國建立只四十六年。司馬炎稱他的政權爲晉帝國，首都仍設洛陽。

——司馬炎和曹丕，都是先由老爹奠定了基礎。他們在表面上雖然是開國皇帝，卻只是坐享其成的花花公子，對醇酒和美女，要比對國家社會更有興趣和更有心得。

最後滅亡的是東吳帝國，在惡棍皇帝孫皓統治下，人人都知道非亡不可，只有孫皓不知道，而且還雄心勃勃的想消滅新興的晉帝國。曾有一位奇異的星象家爲他卜了一卦：「庚子年，青蓋入洛陽。」庚子，二八〇年；青蓋，皇帝用的太陽傘。孫皓高興的跳起來，因爲這分明指出那一年他就可以征服他的敵人。結果是晉帝國於二八〇年攻陷建業（江蘇南京），把孫皓活捉而去，果然連同他的青蓋，一齊被送到洛陽。東吳帝國建立五十九年，在三個國家中壽命最長。

八〇年代開始，中國在晉帝國——現在，我們改稱它爲晉王朝，統治下，又歸於統一。一個新興的政權，一定會比舊政權具有更高的政治能力。可是，晉王朝例外。因爲事實上政權到司馬炎手中時，已傳到第三代，猶如曹丕時已傳到第二代一樣，恰恰進入危險的瓶頸時期。司馬炎與曹丕同是花花公子，但曹丕有一個英雄父親，在老爹的薰陶下，再加上自己已具有的文化人的純潔氣質，使他雖然墮落，尙可維持一個最低水準。而司馬炎則徹頭徹尾的是一個酒囊肉袋。老爹和老祖父的恐怖政策把士大夫或殺掉或驅入清談，沒有留下一個政治家或一個稍有才能的幹部幫助他治理國家。在任何一個新政權中，開國元勳往往是一代精華，靠才幹取得尊榮。只晉王朝的開國元勳，卻是那個時代中最腐敗的一群無恥之徒。他們跟司馬炎屬於同類人物，除了知道謀求自己享受外，不知道人類還有崇高的理想和崇高的責任。宰相何曾，有一次告訴他的兒子說：「國家剛剛創業，應該朝氣蓬勃，才是正理。可是我每次參加御前會議或御前宴會，從沒有聽到談過一句跟國家有關的話，只是談些日常瑣事。這不是好現象，你們或許可以倖免，孫兒輩恐怕逃不脫災難。」何曾總算有相當見解，他已警覺到危機，但他也不過僅只警覺到而已，他自己每天僅三餐飯就要一萬錢，還嫌沒有可吃的菜，無法下筷子。而一萬錢，在當時的購買力，足夠一千人一個月的伙食，這是可怕的奢侈。所以事實上何曾也屬於專談「日常瑣事」——醇酒和美女最有勁的一員。他不可能例外，如果他不腐敗無恥，他就擠不進統治階級的窄門。至於皇帝司馬炎，他皇宮中的姬妾多到一萬餘人，以致使他每天發愁，不知道到誰那裏睡覺才好，就乘坐羊車，任憑羊停在何處，他就宿在何處，聰明的姬妾因之用鹽汁灑到竹葉上，引羊駐足。

更不幸的是，司馬炎的嫡子，合法皇位繼承人司馬衷，是一個白癡。聽見青蛙叫聲，他問：「牠們爲什麼叫？爲公？爲私？」聽見有人餓死，他大驚說：「爲什麼不吃肉？」九〇年代二九〇年，司馬炎逝世，司馬衷繼位。龐大的帝國巨輪，由白癡皇帝掌舵，這個帝國的前途，用不着跟誰打賭，就可確定它的結局了。

五、八王之亂（上）

司馬衷上台的明年（二九一），爆發八王之亂。

八王之亂，從九〇年代二九一年第一個親王司馬亮被殺，到下世紀（四）一〇年代三一一年第八個親王司馬越憂愁而死，歷時二十一年，結束了晉王朝剛剛建立起來的統一局面，把中國帶入大分裂時代。

我們用下表說明這八個親王在皇族中的關係位置：

	曹魏帝國京兆尹 司馬防			
第一代	宣帝 司馬懿			
第二代	文帝 司馬昭			
第三代	一任帝 司馬炎			
第四代	二・四任帝 司馬衷 皇后賈南風	②楚王 司馬瑋	⑤長沙王 司馬乂	

				曹魏東武城侯 司馬馗	安平王 司馬孚
		①汝南王 司馬亮	③趙王・三任帝 司馬倫	高密王 司馬泰	太原王 司馬瓌
	齊王 司馬攸			⑧東海王 司馬越	⑦河間王 司馬顒
⑥成都王 司馬穎	④秦王 司馬冏				

司馬衷的妻子賈南風，是一個聰明而又有才幹的女人。丈夫的白癡對她是一個沮喪性的打擊，於是她把興趣轉移到政治上。她有她的黨羽：賈姓戚族和一大群搖尾系統。政治能使人神魂顛倒，所以她不久就很高興丈夫是一個白癡，可以由她任意擺佈。司馬衷在她手中，不但是一個橡皮圖章，更是一個身價最高的抄寫員，當賈南風寫妥詔書時，就命司馬衷照抄

在御用的紙張上，這種御筆親書，具有最高的法律力量。

賈南風干涉政治的企圖，最初受到宰相（太傅）楊駿的阻擾，楊駿是楊太后的父親，白癡皇帝司馬衷的外祖父，而且掌握軍權。但賈南風有她的一套，二九一年，即白癡皇帝上台的次年，她取得丈夫的弟弟司馬瑋親王的合作，下詔宣稱楊駿謀反，命司馬瑋發兵討賊，把楊駿殺掉。這次政變，僅洛陽一城，死於屠滅三族的就有數千人。楊駿的位置由司馬衷的祖叔司馬亮親王接替。在祖叔當政下，賈南風這個侄孫媳婦插手政府，又發生困難。於是她再如法炮製，距楊駿被殺三個月，她仍利用司馬瑋，下詔宣稱司馬亮也謀反，命司馬瑋發兵討賊，再把司馬亮殺掉。

剷除司馬亮跟剷除楊駿所用的手段一樣——誣以謀反，不過司馬亮是皇室中最有人望的尊輩，賈南風發現可能引起強烈的政治風暴，而對司馬瑋也沒有恰當的位置可以安撫，於是霎時間她翻臉無情，把責任全部罩到司馬瑋頭上，下詔宣稱司馬瑋「矯詔」，即假傳聖旨，擅自殺戮大臣。被玩弄在手指上的司馬瑋倉促間被捕，綁赴刑場，他從懷裏掏出白癡皇帝司馬衷親筆在御用青色紙上寫的詔書，要求監斬官爲他申雪，可是政治冤獄與法律無關，他陷入的詔獄系統，不可能靠他的無辜證據解救，監斬官除了與他同時垂淚外，別無他法。

八王之亂還有更慘烈的流血，留到下個世紀。

六、東西方世界

——一〇年代・二一七年（孫權的大將魯肅病卒），羅馬帝國皇帝卡勒卡拉被刺身亡，國內戰亂爆發，五十四年中（—二七〇），皇帝三十人，僅一人善終，餘二十九人都死於非命。史學家稱「三十暴君時代」（三十暴君時代與中國的三國時代，時間上大致相同。三十暴君時代於二一七年開始，三年後二二〇年，三國時代開始。三十暴君時代於二七〇年終止，十年後二八〇年，三國時代也終止）。

——八〇年代・二八四年（東吳帝國亡後四年），朝鮮半島上的百濟王國派遣大臣阿直岐出使日本，日本應神天皇留他擔任諸皇子的教師。

——八〇年代・二八五年（鮮卑部落酋長慕容廆攻擊中國遼西郡），百濟王國再遣博士王仁出使日本，攜去論語、千字文等書，呈獻給應神天皇，中國文字自是傳入日本，並被日本採用。

——八〇年代・二八六年（八王之亂前五年），羅馬帝國皇帝戴克里先，以國土廣大，一個人不能完善治理，乃任命大將馬克西米安為奧古斯都，駐紮米蘭，治理帝國西部。他自己則駐紮小亞細亞，治理帝國東部。兩個元首並立，重心東移，導致日後羅馬帝國分裂。

第十七章　第四世紀

本世紀，中國進入大分裂時代。

大分裂時代起於本世紀〇〇年代三〇四年，終於六世紀八〇年代五八九年，縱貫第五世紀，長達二百八十六年。在大分裂時代中，又分爲兩期：前期五胡亂華十九國時代，後期南北朝時代。我們用左表說明：

大分裂時代（共二八六年）	304—589	五胡亂華十九國時代（共一三六年）	304—439
		南北朝時代（共一五一年）	439—589

八王之亂是一種爲敵報仇式的自相屠殺，愚蠢而殘酷，姓司馬的家族跟狼群沒有兩樣。它促使大一統的晉王朝由癱瘓而崩潰，飽受災難的五胡民族，乘機掙脫枷鎖。〇〇年代，兩個大的反抗力量，分別在益州（四川）、并州（山西）宣佈獨立，建立政權。接着其他反抗力量像雨後春筍一樣，遍地蠭起。結果晉王朝的殘餘的統治階層，逃到江南苟延殘喘。中國心臟的中原地帶，一片血腥。

一、八王之亂（下）

賈南風皇后暴風雨般一連掃蕩了三重障礙，才算如願以償的掌握大權。等她自以爲已經完全控制局勢時，她鬥爭的目標指向皇太子司馬遹——司馬衷跟另外一位平民出身謝姓姬妾所生的獨生子。賈南風自己只生了兩個女兒，她對司馬遹有一種感情上的厭惡。但燃起導火線的還是她賈姓戚族一些少不更事的新貴，也們瞧不起寒門女子生的兒子，由輕視而言語衝突，一經言語衝突，爲了避免後患，就非排除到底不可。本世紀（四）第一年（三〇〇），賈南風再拋出其效如神的「誣以謀反」的法寶，下詔宣稱司馬遹謀反，把他殺掉。

然而，這一次政治性冤獄卻發生了政治性反應，而且是激烈的反應。白癡皇帝司馬衷的祖叔司馬倫親王，在智囊們的設計下，號召爲皇太子報仇，發動政變。司馬倫本是賈南風手下的馬屁精之一，政治利益使他抓住機會叛變他的恩主。所以當他的軍隊進入皇宮逮捕賈南風時，賈南風張惶失措，猶如晴天霹靂。她被囚禁在專門囚禁高級皇族的金墉城，灌下滿是金屑的酒而死，賈姓戚族全被屠殺。賈南風按下八王之亂的電鈕，也被八王之亂的巨輪碾碎。

司馬倫親王毒死了賈南風皇后之後，他發現當宰相不如當皇帝。次年（三〇一），他把白癡皇帝司馬衷囚禁，自己坐上寶座。結果他的侄孫，擔任許昌（河南許昌）鎮守司令的司馬冏親王，在許昌起兵勤王，攻陷洛陽。司馬倫只過了四個月的皇帝癮，便被送到金墉城，被灌下他四個月前灌賈南風的金屑酒死掉。

司馬冏擁戴白癡皇帝復辟，使他成爲當時的英雄人物，他也自以爲功勳蓋世，十分偉大，但事實上他跟司馬倫同是蠢才。他從地方首長一躍成爲宰相，目空一切，索性坐在家裏處理政務，所有高級官員都要到他家請示，白癡皇帝司馬衷被冷淸的擺在一旁，沒有人理睬。這種作法給野心家一個反對的藉口。明年（三〇二），司馬冏的堂弟司馬乂親王發動政變，仍是誣以謀反的老把戲，把司馬冏殺掉。

司馬乂是司馬家族中唯一比較有點頭腦的人物，他如果能執政下去，至少應該是司馬家族之福。但司馬家人互相之間已恨入骨髓，非斬盡殺絕，誓不罷休。於是司馬乂的弟弟鄴城（河北臨漳）鎭守司令司馬穎親王，和遠房族叔長安鎭守司令司馬顒親王，聯合起兵，進攻洛陽。司馬顒是這場大變化的主角，他因爲自己的皇家血統太過疏遠，沒有資格出任中央政府重要職務。所以也擁護司馬穎，希望司馬穎當皇帝後，他當宰相。三〇四年，洛陽圍城中政變，司馬乂被他另一位遠房叔父司馬越親王逮捕，送到司馬顒大將張方的軍營，被張方殘忍的用炭火烤死。

司馬穎順理成章的被封爲皇太弟，成爲皇位的合法繼承人。但他的聰明才智比他的白癡哥哥司馬衷高不了多少，他不住在洛陽，而住在他鎭守司令部所在的鄴城（河北臨漳——記住這個城市，它是大分裂時代的重鎭）。鄴城距洛陽直線三百公里，他遂在三百公里外對政府作遙遠的控制。洛陽方面的憤怒，促使司馬越發動第二次政變（距他第一次謀殺司馬乂政變僅七個月），逐走司馬穎派駐在洛陽的警衛部隊，然後，帶着白癡皇帝司馬衷的御駕，親自討伐司馬穎。司馬穎管你是不是皇帝，發兵迎戰，在蕩陰（河南湯陰）把中央軍擊敗。司馬越隻身逃走，白癡皇帝司馬衷被俘擄到鄴城。

司馬穎貿貿然俘擄了皇帝，鑄下大錯。薊城（北京）鎮守司令王浚，動員以鮮卑人爲主的精銳兵團，南下勤王。鮮卑人的強悍善戰，舉世聞名，司馬穎軍隊望風而逃，他只好放棄鄴城，可是就在臨開拔的前一分鐘，因爲恐怖氣氛的重壓，他集結起來的軍隊突然一哄而散。司馬穎只剩下幾十個騎兵衛士，帶着眷屬和白癡皇帝司馬衷，向洛陽逃命，途中幾乎被鮮卑追兵捉住。遠在長安的司馬顒，命他派往援助司馬穎的大將張方，乘着這個機會，強行遷都，把白癡皇帝置於自己控制之下。

一連串使人震驚的大事，都發生在〇〇年代三〇四年，即大分裂時代開始之年。當司馬穎向洛陽逃命途中，成漢帝國和漢趙帝國，分別建立。

司馬顒既掌握了白癡司馬衷，便不再需要呆瓜司馬穎了。司馬穎的皇太弟的頭銜被撤銷，司馬顒如願以償的當了宰相，總攬大權。

然而，那位戰敗逃走了的司馬越，在中原地區重新集結兵力，號召勤王，要求殺掉強迫遷都的張方。司馬顒的才能和他的野心大不相稱，前方剛打了兩個並不關痛癢的敗仗之後，就倉惶失措起來，竟眞的把張方殺掉，向勤王軍求和。勤王軍拒絕跟一個自毀戰鬥力的對手談判，繼續攻擊，進入長安，迎接白癡皇帝司馬衷還都洛陽。這時候全國已被戰爭摧殘得破敗不堪，這個盛大的還都行列，只有一輛牛車供白癡司馬衷乘坐，其他官員只好用兩條腿走路。

——司馬穎於勤王軍進入長安時逃亡，途中被捕，押解到他曾經叱咤風雲的故地鄴城，在獄中被絞死。司馬顒也跟着逃亡，後來中央政府徵召他當宰相（司徒），他恍恍惚惚前往洛陽就職，走到新安（河南澠池），被另一位親王司馬模派人攔截，在車上也被絞死。

司馬越是八王之亂的最後一個王，他跟其他七個親王同樣的低能，沒有從躺在血泊裏的屍體上得到任何教訓。還都洛陽的明年（三〇六），他把白癡皇帝司馬衷毒死，另立司馬衷的弟弟司馬熾繼位。

——我們實在不懂他爲什麼要毒死司馬衷，依照常理，一個白癡皇帝應該是權臣最滿意的對象，沒有除去的必要。但必要不必要不是由我們下判斷，而是由當權人下判斷，司馬越一定有他自以爲非下毒手不可的理由，世界上正因爲這麼多漿糊腦筋當權，才十分熱鬧。

新皇帝司馬熾智力正常，有心把國家治理好，可是爲時已經太晚，而且司馬越也不允許除了他自己外其他任何人把國家治理好。〇〇年代最後一年三〇九年，他從前防重鎭滎陽（河南滎陽），突然率軍返回洛陽，就在司馬熾面前，把宰相部長級高級官員十餘人逮捕，宣稱他們謀反，一齊處斬。司馬熾除了憤怒外，別無他法。然而，對內凶暴並不能解除對外困境，新興起的漢趙帝國大將石勒所率領的游擊部隊，縱橫攻掠，像剪刀一樣，把首都洛陽對外的交通線，全部剪斷，洛陽遂成爲孤島，糧食不能運進來，發生空前饑荒。司馬熾下詔徵召勤王，可是沒有一個人前來赴援，擁有重兵的將領們都在忙於本身的救亡，或者已對皇帝失去興趣，像三〇四年擊敗司馬穎的薊城（北京）大將王浚，他就正在建立他自己的割據勢力，打算自己稱帝稱王。司馬越這時候才知道他所獨攬的大權，前途黯淡，只好孤注一擲。一〇年代三一〇年冬，他留下他的妻子裴妃，兒子東海世子（東海親王的合法繼承人），和一位將領，共同鎮守洛陽。他自己率領全部兵力，南下出擊，希望打通一條通往長江流域的糧道。好不容易挺進到直線一百四十公里外的許昌（河南許昌），他發現他陷在無邊無涯的叛亂駭浪之中，束手無策。明年（三一一）春，距他出兵只五個月，再前進一百三十公里，到達項城（河南沈丘），情況更是惡劣，憂懼交加，一病而亡。他的軍隊群龍無首，不敢向西北折回洛陽。反而折向東北，打算把司馬越的棺柩，護送到司馬越的東海封國（山東郯城）安葬。項城與東海相距直線四百公里，叛軍密佈，沒有人知道他們怎麼敢確定必可到達。

晉王朝這批沒有總司令的大軍，從項城出發，漢趙帝國大將石勒尾追不捨，只走了八十公里，到了苦縣（河南鹿邑），漢趙兵團合圍，先是箭如雨下，接着騎兵衝殺，晉政府十餘萬人的精銳，全軍覆沒。包括宰相王衍在內所有隨軍的高級官員和所有隨軍的親王，也全數被俘。王衍以清談聞名天下，石勒向他詢問晉政府敗壞的情形，王衍自稱他從來不想當官，當官後也從來不過問政事。然後向石勒獻媚，建議石勒脫離漢趙，自己當皇帝。其他官員和親王，並排坐在地上，大吼小叫，聲淚俱下的紛紛申辯他們對天下大亂沒有責任。石勒告訴王衍說：「你從小當官，一直當到宰相，名揚四海，卻自己說不想當官。又自己說不過問政事，簡直是天下奇聞。使國家敗壞，正是閣下這一類的人物。」下令推倒土牆，把他們全都活活壓死。

洛陽方面，一聽到噩耗，那位鎭守將領，丟下皇帝不管，只護送着裴妃和東海世子，夜半出城，向東海封國（山東郯城）逃走。洛陽城中霎時間亂的像一堆被踢翻了的螞蟻窩。都以爲跟着軍隊走，比留在洛陽要有較大的生存機會。至於東海（山東郯城）是不是安全，中途是不是安全，都不知道，人們只知道洛陽危在旦夕，脫離得越早越好。然而，就在必經之路的許昌東北洧水，這批浩浩蕩蕩的富貴群，進入石勒早已佈置好的埋伏陣地，包括東海世子在內共四十八個親王，全被生擒活捉，他們的下落沒有人知道，大概都被賣給漢趙帝國的新貴永遠爲奴。只有裴妃，她在被賣爲奴之後，輾轉再逃到江南，成爲司馬家族中最幸運的一員。

八王之亂，到此結束。但八王之亂引起的大分裂時代，卻剛剛開始。

二、大分裂時代開始

八王之亂正高潮時，中國大分裂時代前期的五胡亂華十九國時代來臨。

「胡」，跟近代的「洋」同一意義，胡人就是洋人，是古中國對中華民族以外其他民族的總稱。五胡，當時指的是：匈奴民族、鮮卑民族、羯民族、氐民族、羌民族。依古老的說法，他們都是黃帝姬軒轅的後裔。在本世紀（四）初，他們分佈情形，有如左表。不過要說明的，羯是匈奴的一支，氐是羌的一支，實質上也可以說只有三胡。

五胡	集中地區	散居地區	所屬部落
匈奴民族	并州（山西）．河套（內蒙伊克昭盟）	涼州（河西走廊）	
鮮卑民族	匈奴汗國故地（長城以北）．柴達木盆地	涼州（河西走廊）．秦州（甘肅南部）	慕容部落，宇文部落，拓拔部落，段部落，禿髮部落，乞伏部落。
羯民族	并州（山西）東南部		
氐民族	秦州（甘肅南部）	雍州（陝西中部）	
羌民族	青海湖畔．秦州（甘肅南部）。	涼州（河西走廊）．雍州（陝西中部）	

五胡深入中國，並不是由於他們的侵略，而是大多數出自中國的邀請，甚至強迫。像匈奴民族，於紀元一世紀投降中國後，中國就把他們內遷到西河美稷（內蒙準格爾旗），經過三百餘年，人口增加，居留地相對擴大。像羌民族、氐民族，當上世紀（三）三國時代中國人口過度缺少時，曾不止一次的強迫他們內遷屯墾，以增加財富兵源。他們的面貌跟中華民

族不一樣，鬍鬚較多而眼睛下凹，使用中華民族聽不懂的言語。上世紀（三）末葉，鮮卑民族酋長禿髮樹機能，氐民族酋長齊萬年，先後在秦州（甘肅南部）發動過兩次強烈的民變，因之引起人們對五胡喧賓奪主情勢的注意。其中一位中級官員（太子洗馬）江統，作徙戎論（戎，即胡），主張把五胡全部遷出中國。這當然無法辦到，把數百萬人從他們世代相傳已被認爲是自己的肥沃土地上趕走，趕到舉目荒涼的塞外，即令強大十倍的政府，也不敢嘗試。

促使五胡叛變的不是民族意識，而是晉政府的腐敗，和官員的貪汚殘暴（在敍述一世紀羌戰時，我們曾對此特別強調）。像苦縣大屠殺的主角石勒，他的遭遇就是一個最典型的說明。石勒是羯人，家庭窮苦，自幼喪父，跟母親相依爲命，在故鄉武鄉（山西武鄉），出賣勞力，爲人做苦工，維持母子不致餓死。他不識字，因爲窮苦而又卑賤，所以連姓都沒有，只有乳名，在人海中，不過一個可憐的小小泡沫。八王之亂和連續旱災，使晉政府各地駐防的軍隊糧餉，無以爲繼，幷州（山西）州長（刺史）司馬騰親王，爲了籌措糧餉，竟想出使人難以置信的卑鄙手段，他大規模逮捕胡人，販賣奴隸。無數善良守法的窮苦青年從他家人身邊和工作場所，被官員捕去，兩人共戴一枷（枷，酷刑之一，木板當中鑿洞，套到頸上），徒步越過高達二千公尺的太行山，走向五百公里外的山東（太行山以東）奴隸市場，向大商人、大地主兜售。石勒有幾次都要病死在路上，但押解人員不願豬仔減少，才幾次免於死亡。石勒從他母親身旁被捕去時，只二十一歲，千年以後我們仍可聽到那衣不蔽體的老婦人絕望的哭聲，她沒有地方申訴，因爲犯罪的就是合法的政府。石勒最初被賣給一個大地主爲奴，後來，他乘機逃亡，投奔附近一個農民暴動集團，集團的領袖汲桑，才給他起一個姓名——石勒。不久，石勒自己集結了一支軍隊，漢趙帝國封他爲將軍，命他在中原一帶游擊，他的高度才能，和晉政府官員日益的貪汚凶暴，使他的軍隊像滾雪球般越滾越多。

石勒的遭遇，充份的顯示癥結所在。即令把五胡全部遷到塞外，中華民族也會起而抗暴，事實上中華民族已經紛紛起而抗暴了，汲桑就是其中之一。

五胡亂華十九國立國時間都很短促，最短的只有三年，最長的也不過五十七年。而且並不全由五胡建立，也有中華人插足其間。忽興忽亡，錯綜複雜。我們爲它們列出一表，使先有一個輪廓印象。表中加△記號的，指最重要的數國。

五胡十九國表：

世紀	年代	開國年	國別	開國君主	民族	首都	亡國年	年數	亡於
本世紀（四世紀）	○○	三○四	成漢帝國	李雄	氐	成都（四川成都）	三四七	44	晉
			△漢趙帝國	劉淵	匈奴	平陽（山西臨汾）	三二九	26	後趙

一〇	三一九	△後趙帝國	石勒	羯	襄國（河北邢台）	三五一	33	冉魏
二〇	三二〇	前涼王國	張茂	中華	姑臧（甘肅武威）	三七六	57	前秦
三〇	三三七	△前燕帝國	慕容皝	鮮卑	鄴城（河北臨漳）	三七〇	34	前秦
五〇	三五〇	△冉魏帝國	冉閔	中華	鄴城	三五二	3	前燕
	三五一	△前秦帝國	苻健	氐	長安	三九四	44	西秦
八〇	三八四	△後燕帝國	慕容垂	鮮卑	中山（河北定州）	四〇七	24	北燕
		西燕帝國	慕容泓	鮮卑	長子（山西長子）	三九四	11	後燕
		△後秦帝國	姚萇	羌	長安	四一七	34	晉
	三八五	西秦王國	乞伏國仁	鮮卑	金城（甘肅蘭州）	四三一	39*	胡夏

	三八六	後涼王國	呂光	氐	姑臧(甘肅武威)	四〇三	18	後秦
九〇	三九七	南涼王國	禿髮烏孤	鮮卑	樂都(青海樂都)	四一四	18	西秦
		北涼王國	一任王 段業	中華	張掖(甘肅張掖)	四三九	43	北魏
			二任王 沮渠蒙遜	匈奴				
	三九八	南燕帝國	慕容德	鮮卑	廣固(山東青州)	四一〇	13	晉
下世紀(五世紀) 〇〇	四〇〇	西涼王國	李暠	中華	敦煌(甘肅敦煌)	四二一	22	北涼
	四〇五	西蜀王國	譙縱	中華	成都(四川成都)	四一三	9	晉
	四〇七	胡夏帝國	赫連勃勃	匈奴	統萬(陝西靖邊)	四三一	25	吐谷渾

			北燕帝國	一任帝 高雲	朝鮮	和龍（遼寧朝陽）	四三六	30	北魏
				二任帝 馮跋	中華				

＊註：西秦王國於四〇〇年被後秦帝國併呑，於四〇九年復國。

三、三國並立

依照上表所列，我們順序敘述。

五胡亂華十九國中，最先建立的是成漢帝國。略陽（甘肅秦安）是氐民族集中地之一。上世紀（三）末，北中國大饑饉，千里枯槁，餓殍滿道，略陽氐人扶老攜幼，向南逃生。輾轉進入益州（四川），分散各郡縣，或給人做傭工，或經營小本生意。本世紀（四）第二年（三〇二），亂的一團糟的晉政府忽然下令，要流亡各地的難民，全部遣返故鄉。益州州長（刺史）羅尚，既昏又貪，認爲發財的機會來了。一面嚴令氐人在限期內離境，一面設立關卡，把氐人所攜帶辛辛苦苦積蓄的一點財物，全部沒收。憤怒的氐人這時得到八王之亂繼續擴大，故鄉仍然饑饉的消息，於是他們面臨選擇：一是回到略陽餓死，一是留下來被晉政府殺死，一是叛變。他們選擇了叛變，推舉酋長之一的李特爲領袖，武裝起來，向羅尚進攻。

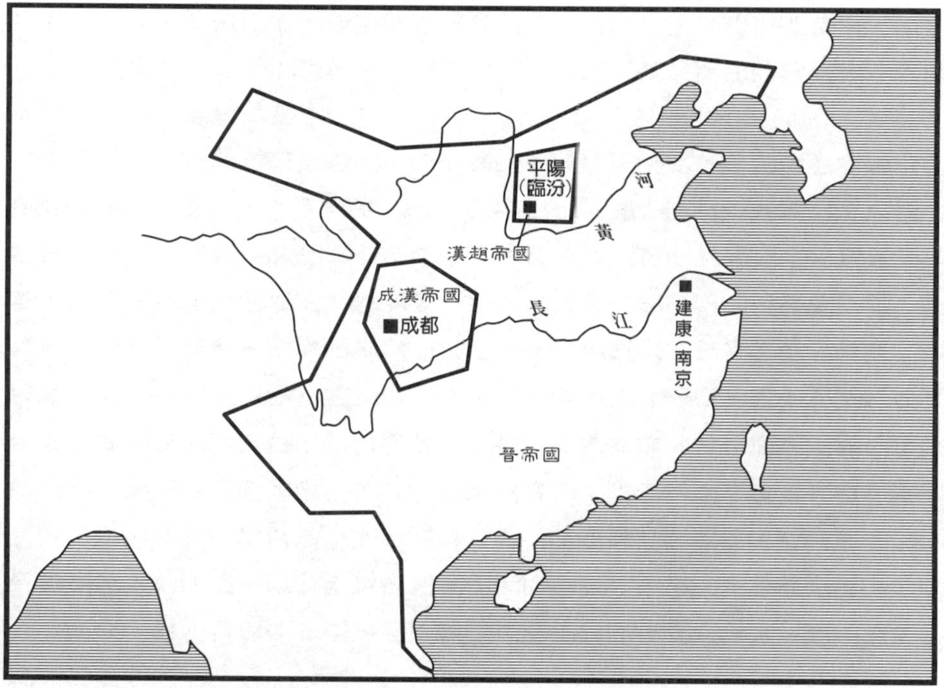

圖一九　四世紀〇〇年代・三國並立

李特不久戰死，他的兒子李雄在三〇三年攻陷成都，羅尚逃走。三〇四年，李雄在成都宣佈建立成漢帝國。

但是，給晉政府致命創傷的不是遠在西南邊陲的成漢帝國，而是繼起的另一個變民集團所建立的漢趙帝國。這我們要追溯到匈奴汗國最後一任君主呼廚泉單于，上世紀（三）二一六年，呼廚泉單于赴鄴城（河北臨漳）晉見當時宰相曹操時，曹操把他留下，劃分匈奴汗國為五部，每部設一個都督，匈奴汗國從此滅亡。百餘年來，匈奴人跟中華人雜居通婚，絕大多數已經中華化。以單于為首的貴族階級，本姓攣提，現在自稱是漢王朝公主的後裔，所以改姓為劉。本世紀（四）初，一位左賢王的孫兒劉淵出現，鎮守鄴城的皇太弟司馬穎任命他當匈奴五部大都督，也就是實質上的單于。但他跟其他匈奴的高級貴族一樣，限制居留在鄴城，不能離開。三〇四年，當薊城（北京）將領王浚勤王，率兵南下時，劉淵乘機向司馬穎建議說：「王浚鮮卑兵團有十餘萬人，鄴城部隊恐怕不能抵抗。我願為你效勞，動員匈奴五部兵力，共赴國難。」司馬穎大喜，放他回去。劉淵回到左國城（山西離石北），立即集結五萬餘人。但司馬穎已經崩潰，南奔洛陽。劉淵嘆息說：「司馬穎眞是一個奴才。」遂即宣佈獨立，建立漢趙帝國。

劉淵嘆息司馬穎是奴才，其實劉淵自己並不比奴才高明到那裏去。他侷促於并州（山西）南部一隅，東遷西遷，最後定都平陽（山西臨汾），始終不能擴張。假如不是大將石勒的游擊戰略把晉王朝的內臟挖空，劉淵可能歸於覆沒。劉淵於當了皇帝後不久逝世，經過一場奪位鬥爭，他的兒子之一劉聰繼位。

——中國歷史上呈現一種現象，那就是改朝換代型的混戰，大概總在三十年或四十年左右。如果超過這個時限太久，割據將變成長期性的。漢趙帝國不能乘新生的力量把晉政府一舉消滅，戰爭就不可能停止。

晉政府皇帝司馬熾在司馬越留守部隊護送裴妃及東海世子，逃出洛陽後，像被遺棄的孤兒一樣，無依無靠，哭天天不應，哭地地不靈，洛陽城裏饑饉更嚴重，殘餘下來的居民互相刺殺，吞吃對方的屍體。司馬熾想逃往東方的倉垣（河南開封東南），投奔一位向他表示效忠的大將，但當他和若干高級官員和眷屬，徒步走到銅駝街時——從皇宮正門直通洛陽南門，是當時中國第一條最繁華的街道。街上已長滿荒草，飢餓的群眾向他攻擊。他大聲喊叫他是尊貴的皇帝，而攻擊更加激烈，大概瘋狂飢餓的群眾想到皇帝更肥，司馬熾只好退回皇宮，坐以待斃。不久，漢趙帝國大軍雲集，洛陽在毫無抵抗下，悄悄陷落，司馬熾被俘。劉聰問他：「你們司馬家骨肉之間，爲什麼自相殘殺的這麼厲害？」司馬熾說：「漢趙帝國受天命而興，司馬家的人不敢勞動你們動手，所以自己先替你們剷除。」這段話相當沉痛。劉聰封司馬熾爲侯爵，卻要他穿上平民衣服，遇到宴會時，又教他跟奴隸們混在一起，給客人斟酒，但後來仍把他殺掉。

司馬熾被殺後，他的侄兒司馬業，一個十四歲的孩子，被一批野心家帶着逃到長安，宣佈登極。但長安跟洛陽一樣，也早成爲一個孤島，關中連年大饑饉，使長安比洛陽還要殘破，這個數百年來一直是中國首都的區域，只剩下九十餘戶窮苦人家和四輛牛車。窘困到這種程度，根本無法生存。小朝廷勉強維持四年，到了三一六年，漢趙帝國兵臨城下，司馬業只好投降。劉聰打獵時，教司馬業手執兵器，在前開路。去廁所時，又教司馬業給他搧扇子，然而最後仍是殺了他。

——本世紀（四）〇〇年代和一〇年代，中國境內三國並立：漢趙帝國、成漢帝國、晉帝國。——在晉政府不能控制全國的時候，我們不再稱它爲王朝。

四、五國並立

五胡亂華十九國都是短命王國，主要原因是，統治階級一開始就嚴重的腐敗，不知道珍惜他們的政權，加給它不是它所能負擔的斲喪，使它一旦進入瓶頸，甚至還沒有進入瓶頸，即行粉碎。我們用猴戲來說明，班主必須珍惜他衣食生命所寄託的猴子，假如不斷使牠飢餓，鞭打牠，甚至亂刀砍牠，牠恐怕只有死翹翹。五胡亂華十九國充滿了不珍惜猴子的班主，當他們把猴子虐待死時，他們自己也只有跟着死，而且是慘死。

虐待猴子最尖銳的是漢趙帝國第三任皇帝劉聰，他的帝國即令在一連殺了兩個晉帝國的皇帝之後，版圖仍小的可憐，誠如他的大臣張賓所言：「不過漢王朝的一個郡而已。」但劉聰荒淫凶惡的程度，即令大一統的暴君們都會震驚。在皇宮中，僅只正式皇后，就有五位，姬妾多達一萬餘人，常常幾個月不出皇宮，不跟群臣見面，一心一意營建宮殿和搜羅美女。

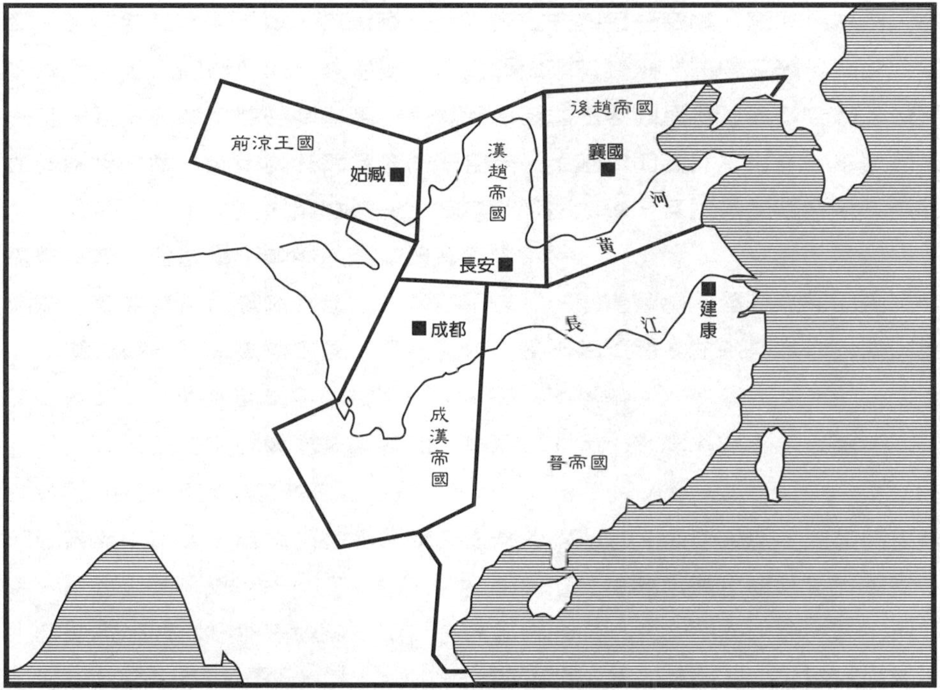

圖二〇 四世紀二〇年代初期・五國並立

在誣陷他弟弟劉乂親王謀反的一案中，千萬高級幹部於挖眼火烤酷刑後處死，首都平陽（山西臨汾）幾乎空了一半。三一八年，劉聰逝世，兒子劉粲比他父親更荒唐更凶暴，即位後第一件事就是跟五位年齡都還不滿二十歲的皇太后（也就是他父親劉聰的五位皇后），日夜姦淫，不問國家大事。不到兩個月，他的岳父（也是他父親的岳父）宰相靳準，殺掉劉粲。不但殺掉他一個人，而且把劉姓皇族，不管男女老幼，全部屠殺。劉姓皇族墳墓，包括劉淵、劉聰的在內，全部剖棺焚屍。

——靳準爲什麼發動這場政變，是歷史上的一個謎。從他殺人掘墓行爲，可了解他對劉姓皇族怨恨入骨。但爲什麼怨恨入骨，沒有人知道。

政變發生後，鎭守襄國（河北邢台）的大將石勒，和鎭守長安的親王劉曜，分別向平陽進軍。靳姓家族無論男女老幼也被如法炮製，全部屠殺。劉姓皇族已經死盡，平陽已殘破的成爲荒城，劉曜繼任皇帝，把首都遷到長安。

明年（三一九），石勒派了一個代表團到長安，向劉曜獻禮致敬。石勒名義上雖然是漢趙帝國的大將，但漢趙政府並拘束不住他，石勒自己擁有一支龐大善戰的部隊，漢趙帝國一半以上的土地是石勒從晉帝國手中奪取，而且由他控制的。所以他派代表團入朝，象徵中央政府的穩固。劉曜自然大喜過望，下詔封石勒爲趙王，正副代表，也都封爲侯爵，厚厚的賞賜，送他們回去。可是，代表團中有一個猶大型的小職員，願留在長安，爲了表功，他向劉曜打小報告說：「石勒所以進貢，並不是效忠中央，而是另有其他的陰謀，目的在探聽中央虛實。代表團早晨返回，石勒晚上就發兵攻擊了。」劉曜那個簡單的頭腦，一霎時震怒起來，把已踏上歸途的代表團追回，不由分說，全體處斬。

這又是一件無法理解的事，世界上從沒有用激怒的方法能夠阻止對方攻擊的，只有劉曜認為能夠。代表團中只剩下副代表逃命回去，石勒立即宣佈獨立，脫離漢趙政府，在他軍事力量所及地區，建立後趙帝國。

後趙帝國建立的明年（三二〇），西北邊陲晉帝國的涼州（甘肅武威）州長（刺史）張寔逝世，他的弟弟張茂繼位後，悄悄的稱王，於是又出現了一個扭扭揑揑，既不敢明目張膽的叛變，卻又做出叛變之事的前涼王國。前涼的獨立沒有明顯的日期，由地方割據發展為獨立政權，往往如此。

——本世紀（四）二〇年代初期，中國境內五國並立：漢趙帝國、後趙帝國、成漢帝國、前涼王國、晉帝國。

漢趙帝國和後趙帝國先天的仇深似海，不能和平共存。二〇年代三二八年，在洛陽爆發決戰，兩國皇帝親自出陣。然而，石勒如果是猛虎，劉曜則只能算是一頭豬。當石勒小心翼翼佈置戰場的時候，劉曜卻每天跟他的親信賭博飲酒，凡是勸他接近軍務，多體恤戰士的，都被認為妖言惑眾，一律處斬。決戰開始時，劉曜拚命喝酒，已經沉醉如泥，上馬之後，為了表示他從容不迫，再度喝了又喝。於是兩軍一旦接觸，他就墜馬被擒。明年（三二九），他的兒子也被擒，父子同時處決。漢趙帝國短短二十六年，是五胡亂華十九國最先滅亡的一

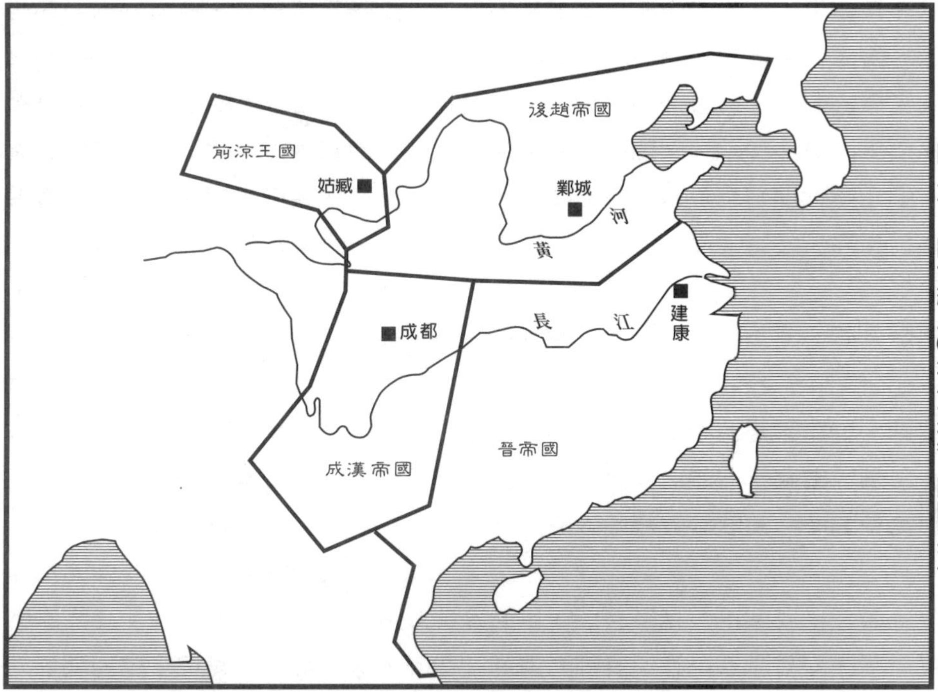

圖二一　四世紀二〇年代末期・四國並立

國。

——本世紀（四）二〇年代末期，中國境內四國並立：後趙帝國、成漢帝國、前涼王國、晉帝國。

五、晉帝國偏促一隅

當一〇年代三一七年，長安陷落，晉帝國皇帝司馬業被俘時，鎮守建康（江蘇南京）的親王司馬睿，他是司馬業的堂叔，宣佈繼位。在地圖上看，晉帝國仍擁有淮河以南廣大的南中國地區。但那時候長江以南還沒有開發，跟十九世紀的非洲腹地一樣，一片蠻荒，廣州（廣東及廣西）、交州（越南北部）一帶，更遍地毒蛇猛獸，行人稀少。版圖固然很大，資源和兵源卻十分貧乏。司馬睿雖然口頭上吶喊要北伐復國，但他內心並不願意救出那個可憐的侄皇帝，而把自己從寶座上擠下來，所以他滿足他的小朝廷局面。曾有一位將領祖逖，集結流亡的鄉民，組成一支反攻部隊，要求政府發給武器糧秣。司馬睿不能、也不敢公開的拒絕祖逖反攻，但他卻恐懼祖逖反攻成功，因之只發給他一些朽敗的武器，糧秣則完全沒有。但祖逖仍然出發，在橫渡長江時，他敲着槳楫說：「我如果不能恢復中原，便像長江一樣，永不再返。」他經過大小數十戰，好不容易在與後趙帝國鄰界地方建立一個據點，司馬睿卻派了一位親信大臣當他的上司管轄他，祖逖憂鬱而死。

當權人物如果自私無能，一定激起內變。司馬睿又猜忌鎮守武昌（湖北鄂州）的大將王敦，引用另一批親信大臣跟他抗衡。王敦比祖逖的反應，強烈十倍，因爲他握有當時晉帝國最大的兵力。於是，他起兵東下，宣稱要肅淸君主身旁的奸臣。三二二年，攻陷建康，把司馬睿所有的親信大臣殺了個淨光，但仍維持司馬睿的帝位。就在當年，司馬睿一病而死，兒子司馬紹繼位。三二四年，司馬紹下詔討伐王敦，王敦再起兵東下，這一次他決心取消司馬家的統治。但他沒有上一次那麼好的運氣，在圍攻建康（江蘇南京）時，他病卒軍營，軍隊潰散。

司馬紹只當了三年皇帝，於三二五年逝世，他的五歲兒子司馬衍繼位，由二十餘歲的年輕母親庾太后抱着孩子聽政，庾太后的兄長庾亮當宰相。庾亮跟鎭守歷陽（安徽和縣）的大將蘇峻不睦，他下令徵調蘇峻當農林部長（大司農），在動亂的時代裏，沒有一個將領肯心甘情願的放棄軍權，蘇峻不能例外。他上報告說，寧願調到北方邊界靑州（山東北部）與敵人作戰。庾亮硬是不准，蘇峻遂起兵叛變。三二八年，蘇峻攻陷建康，庾亮逃走，他的妹妹庾太后自殺。不過蘇峻在不久之後的一次戰役中，坐騎忽然跌倒，被勤王軍射死，內戰才告一段落。

晉帝國除了不斷的打內戰，還面臨着另一個形勢，即北方大批流亡客，跟江南土著人士之間，發生嚴重的衝突。這些流亡客大多數由一個家族集團或一個鄉里集團組成，他們並不以逃難者自居，反而以征服者自居。到達一個地方，立即着手開墾荒地，或藉着政治力量，向土著的耕地侵蝕，更壟斷山川湖泊，成爲當地的新主人。我們舉一個不著名的小地主孔靈符為例，作為說明。孔靈符身無一文的逃到江南，但不久就在永興（浙江蕭山）擁有一個周圍十六公里的龐大莊園，包括二百六十畝農田，兩個山嶺，和九所菜園。孔靈符不過是一個官員的弟弟而已，本身還不是官員。我們可以合理的推斷其他千萬個孔靈符，和千萬個比孔靈符更有勢力的人，所加到土著身上的迫害。

南遷的晉政府實質上是一個流亡政府，由一些在北方倖而沒有被殺，又倖而逃到江南的士大夫組成，統治一個他們根本不了解的世界。稍久之後，流亡政府漸變為殖民政府，土著人士在政府中沒有地位，且受到輕視。土著人士也用輕視來回報，稱呼流亡客人為「傖人」，意思是沒有教養的俗漢。主客互相仇恨的結果，引起不斷的摩擦，甚至流血。最早發生於三一五、三一六兩年的民變，殺死吳興（浙江湖州）郡長（太守），就是土著人士的武裝反抗。

至此，晉帝國不能反攻復國的原因，至為明顯。一個沒有民眾基礎，而又不停內鬥的流亡政府，像用火柴搭起來的亭台樓閣，能維持現狀，已是老天爺保佑了。

六、北中國的大混戰

後趙帝國開國皇帝石勒於三〇年代三三三年逝世，這個傳奇人物，是五胡亂華十九國中最英明的君主之一，他如果早日南征，晉帝國可能抵禦不住，他會統一中國。但年齡衰老使他壯志消磨，他死後，兒子石弘繼位，石勒的侄兒石虎把石弘殺掉，自己上台，自襄國（河北邢台）遷都鄴城（河北臨漳）。

石虎上台後不久，三三七年，晉帝國最東北邊陲的平州（遼寧）州長（刺史），鮮卑酋長之一慕容皝，在棘城（遼寧義縣）建立前燕王國（他的兒子慕容儁改爲帝國）。但晉帝國雖然失去東北，卻很實惠的收回西南。四〇年代三四七年，大將桓溫進攻成漢帝國。決戰時發生一件只有童話裏才有的插曲，當晉軍抵達成都城下時，成漢兵團猛烈抵抗，流箭直射到桓溫馬前，桓溫嚇得魂不附體，急急下令退卻。可是不知道什麼原因，擊鼓軍士卻糊裏糊塗擊出進擊的鼓聲，晉軍猛烈反撲，成漢兵團潰敗，最後一任皇帝李勢投降，立國四十四年的成漢帝國，到此滅亡。

後趙皇帝石虎，比劉聰更凶暴百倍，他跟一條毒蛇一樣，腦筋裏只有兩件事，一是性慾，一是殺戮。他在首都鄴城（河北臨漳）以南開闢了世界上最大的狩獵圍場，任何人都不許向野獸擲一塊石頭，否則就是「犯獸」，要處死刑。官員們遂用「犯獸」作爲敲詐勒索的工具，一個人如果被指控犯獸，就死定了或破產定了。石虎不斷徵集美女，有一次一下子就徵集三萬人，後趙政府官員強盜般的挨家搜捕，美女的父親或丈夫如果拒絕獻出他的女兒妻子，即被處決。僅四〇年代三四五年，就爲此殺了三千餘人。當美女送到鄴城時，石虎龍心大悅，凡有超額成績的地方首長，都晉封侯爵。但等到這暴政引起人民大規模逃亡時，石虎又責怪那些新晉封侯爵的地方首長不知道安撫人民，一律斬首。爲了容納這些美女，石虎分別在鄴城、長安、洛陽，三大都市，興建宮殿，動員人民四十餘萬，日夜不停的工作。石虎又宣稱要進攻晉帝國，下令徵兵，家有三個男人的徵兩人入營，製造盔甲的工匠就有五十餘萬人，製造船艦的工匠也有十七萬人。這些工匠三分之二在徵調途中被水淹死或被因田畝荒涼而出沒無常的野獸所呑食。士兵比工匠更苦，後趙政府不但不供應糧食，每五個士兵還要獻出一輛牛車、兩頭牛和十五斗米。人民賣子賣女來供奉石虎的揮霍，等到子女賣盡或沒有人再買得起時，世界上最和平善良的中國農民，便全家自縊而死，道路兩側樹上懸掛的屍體，前後銜接。

石虎很愛他的兒子，他曾經大爲詫異的說：「我實在弄不懂司馬家爲什麼互相殘殺，像我們石家，要說我會殺我的兒子，簡直不可思議。」他的長子石宣封皇太子，次子石韜封親王，這一對弟兄凶暴行徑，不亞於老爹。三四八年，石宣討厭石韜宮殿的樑木太長，派人把石韜刺死，並且準備把老爹同時幹掉，提前登極。石虎的反擊迅速而殘忍，他率領妻子姬妾和文武百官，登上高台，把石宣綁到台下，先拔掉他的頭髮，再拔掉他的舌頭，牽着他爬到事先準備好的柴堆上，砍斷手足，剜去眼睛，然後縱火燒死。石宣所有的妻子姬妾兒女，全都處斬，石宣的幼子才五歲，作祖父的石虎十分疼愛，老淚縱橫的抱在懷中，當行刑官來拖孩子時，孩子拉着祖父的衣服大哭，小手不肯放鬆，連衣帶都被拉斷，但終被硬拖去殺死。太子宮的宦官和官員，都被車裂。太子宮衛士十餘萬人，全部放逐到一千二百公里外跟前涼王國交界處的金城（甘肅蘭州）。

石虎的瘋狂獸性，爲他所屬的整個羯民族帶來滅種惡運。他五歲孫兒臨死的一幕，使他一病不起。明年（三四九），即行逝世。兒子石世登極三十三天，被另一個兒子石遵殺掉。石遵登極一百八十三天，又被另一個兒子石鑒殺掉。石鑒登極一百零三天，又被他的大將冉閔殺掉。冉閔是中華民族，他下令說：「凡殺一個胡人，官員升三級，士兵升牙門將。」僅只首都鄴城地區，被屠的就有二十萬人，包括羯民族所有親王大臣和販夫走卒。人民對石虎暴政所蘊藏的憤怒，報復到整個羯民族身上，這報復是可怖的，羯民族從此在中國消失。石鑒的弟弟石祇，在故都襄國（河北邢台）繼位，支持一年。明年（三五一），被部下所殺。後趙帝國建立三十三年，在血腥中滅亡。

冉閔於三五〇年殺掉石鑒後，在鄴城建立冉魏帝國。但他只是個項羽型人物，有軍事頭腦而沒有政治頭腦，所以他無法接收後趙帝國遺留下來的空間，只能控制鄴城以南部份地區。被石虎徵調駐防在枋頭（河南淇縣東南淇門渡）的氐民族部落酋長苻健，乘着混亂局勢，率領他的部隊，向西進入關中。明年（三五一），就在長安宣佈獨立，建立前秦帝國。而遠在東北邊陲屬於鮮卑民族的前燕帝國，也乘着中國本土沸騰，大舉南下。再明年（三五二），跟冉魏帝國在廉台村（河北無極）決戰，冉閔馬倒被擒。大概爲了替胡人報仇，前燕帝國把冉閔打了三百鞭之後斬首。遂進圍鄴城，鄴城饑饉，那些被石虎千方百計搜羅來的數萬美女，不是餓死，就是被飢餓的士兵烹食。鄴城很快的陷落，短命中更短命的冉魏帝國，只有三年。前燕帝國遂把首都遷到鄴城，和前秦帝國東西對峙。

——本世紀（四）五〇年代，中國境內四國並立：前燕帝國、前秦帝國、前涼王國、晉

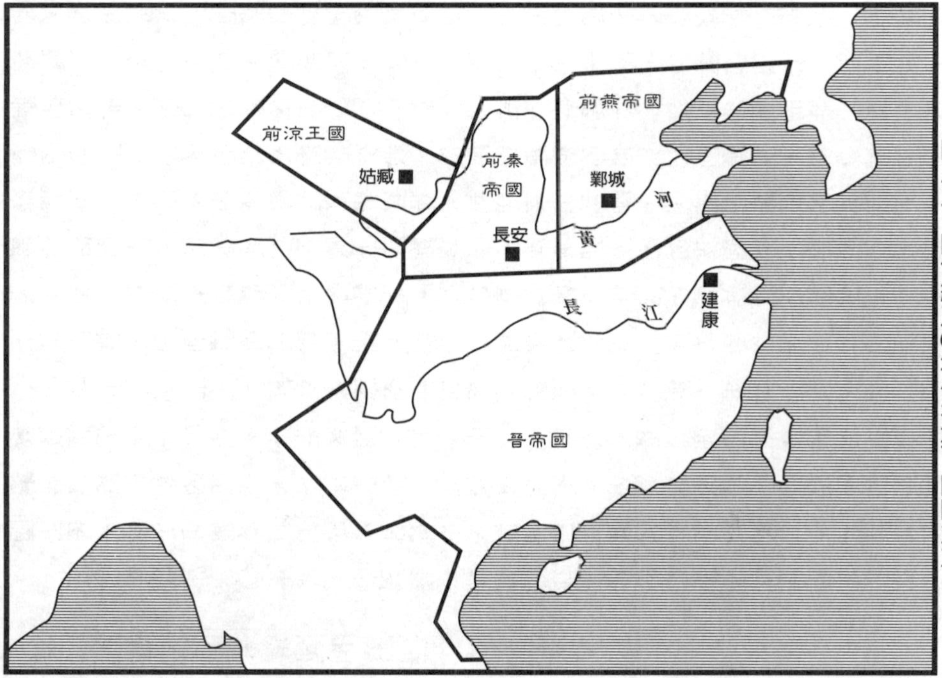

圖二二　四世紀五〇年代初期・四國並立

帝國。

七、前秦帝國的茁壯

五〇年代和六〇年代，中國有一段將近二十年的和平。就在這短暫的和平期間，前秦帝國出現一位足可媲美石虎的暴君苻生，這個自幼瞎了一隻眼的二十一歲青年，身旁不離鐵錘鋼鋸刀斧之類的凶器，一言不合，就親自動手。大宴群臣時，凡是不酩酊大醉的人，苻生就教弓箭手一一射死。苻生嘗問他的大臣：「你看我是一個怎麼樣的君主？」被問的人惶恐說：「陛下是聖主。」苻生大怒：「你諂媚我呀。」處斬。再問別人，那人謹慎的回答：「陛下是仁君，只刑罰稍爲重一點。」苻生同樣大怒：「你誹謗我呀。」也處斬。他命宮女與男人性交，親自率領群臣在旁觀看。又命宮女與羊性交，看她能不能生下小羊。又把牛馬驢羊等活活剝皮，使牠們在宮殿上奔跑哀鳴。或者把人的面皮剝下，再教他表演歌舞。苻生殺的高興時，把政府中所有的高級官員，包括宰相元帥，統統在謀反的罪名下處決。又殺掉他的妻子梁皇后，他的舅父勸他少殺，他用鐵錘擊碎他舅父的頭頂，腦漿迸裂。苻生因只有一隻眼的緣故，所以最忌諱「少」「無」「缺」「傷」「殘」之類的話。有一次他問宮廷御醫（太醫）人參的功用，御醫回答說：「雖然少少一點，力量卻很大。」苻生下令把御醫雙眼挖掉，然後斬首。他常用的刑罰有四種：砍斷雙腿、拉碎胸骨、鋸頸、剖腹。然而可驚的還是他頒佈的一份著名的苻生詔書，詔書上說：「我當皇帝，乃受上天之命，坐的是祖宗傳下來的寶座。既然身為天下元首，自把人民當作子女一般愛護。可是我自即位以來，不知道有什麼地方不對，竟有人信口誹謗，歸惡政府。我所殺的都是證據確鑿的叛徒，數目不滿一千，怎麼能說殘忍？街市行人，擁擠如常，怎麼能說紛紛恐懼逃亡？我現在嚴重宣告，只要是合理合法、合正義合眞理的事，我仍一本初衷，全力以赴，繼續負起我對國家的責任。」

一個人到了這種不可理喻的地步，任何正常方法都會失效。五〇年代三五七年，苻生的堂弟苻堅，率軍闖入皇宮，把苻生殺掉。苻堅也是五胡亂華十九國最英明的君主之一，前秦帝國在他治理下，走上軌道。他任用中華民族一位平民出身的王猛當宰相，是他最大的成功。自從盤古開天闢地，到十九世紀為止，中國偉大的政治家，可憐兮兮的只有六位：管仲、公孫鞅、諸葛亮、王猛、王安石、張居正。王猛是其中之一。他們對國家的貢獻是：特權階級受到抑制，貪污腐化減少，行政效率提高，社會由紊亂而有秩序，國家由弱而強。所以前秦帝國迅速的茁壯，雄厚的國力使苻堅躍躍欲試的向外擴張，第一個目標當然是東鄰的前燕帝國。

不過，促使前秦前燕兩國大戰的，卻由於晉帝國的北進。南遷後的晉帝國一直忙於內爭，國力奄奄一息。平民崛起的大將桓溫，於四〇年代三四七年滅掉成漢帝國，收復益州（四川）寧州（雲南）廣大領土，使政府受到鼓舞。三四九年，後趙帝國崩潰，晉帝國褚太后的父親褚裒，認為天賜良機，率領大軍向中原反攻，這個紈袴的冬烘老朽，根本不是建立功業的人物，出兵後不久就被冉閔的大將李農擊潰，幾乎全軍覆沒。五〇年代三五三年，前燕帝國基礎還沒有穩固，晉帝國那些腐爛士大夫一致崇拜的隱士出身的大臣殷浩，再乘機率領大軍向中原反攻。但剛剛出發，他的前鋒部隊即行叛變，回戈攻擊，他也幾乎全軍覆沒。兩次狼狽的軍事行動，證明晉帝國實在已敗壞到不可救藥的程度。然而，到了六〇年代三六九年，桓溫以二十年前滅國的威望，第三次向中原反攻。

前燕帝國那時候的皇帝慕容暐，只有二十歲，國家大事由他母親可足渾太后和宰相慕容評主持。晉軍節節勝利，前燕不能抵擋，慕容評慌了手腳，打算放棄鄴城（河北臨漳），退回老巢龍城（遼寧朝陽）。慕容暐的叔父慕容垂親王自告奮勇迎戰，慕容評一面命慕容垂出兵，一面向前秦帝國求救，應許擊敗敵人之後，把虎牢關（河南滎陽西北）以西包括洛陽在內地區，割讓酬謝。這時晉軍已渡過黃河，挺進到鄴城南九十公里的枋頭（河南淇縣東南淇門渡）。慕容垂奮勇抵抗，派出奇兵切斷晉軍漫長的糧道。現在輪到桓溫慌了手腳，只好撤退，一直安全的退到襄邑（河南睢縣），尾追在背後的前燕兵團合圍，晉軍大潰，死三萬餘人。接着前秦援軍也到，晉軍再度大潰，又死一萬餘人。

前燕帝國轉危為安，可足渾太后和慕容評立刻作了兩項自以為很明智的決定：第一、慕容垂已成為民族英雄，對皇帝的寶座——至少對宰相這個位置，是一個潛在威脅，決定把他剷除。慕容垂得到消息，深夜逃亡，投奔前秦帝國，苻堅親自到長安郊外迎接他，待作上賓。第二、當前秦帝國索取虎牢關以西土地時，慕容評口齒伶俐的回答說：「有國有家的人，守望相助，事屬平常，沒有人說過割地的話。」苻堅不甘心受愚弄，戰爭即行爆發。

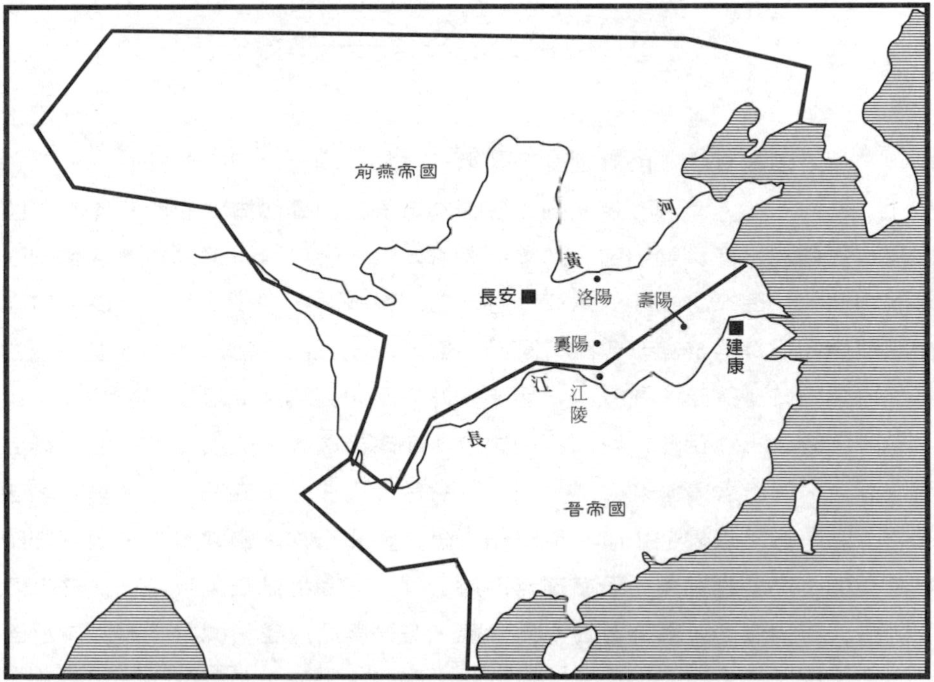

圖一三　四世紀七〇年代・二國並立

前秦元帥王猛，前燕元帥慕容評，各統本國兵團，在潞川（山西潞城）決戰。前燕兵團三十餘萬人，以鮮卑人爲主，本是一支勁旅。可是慕容評卻是天下最奇異的統帥，他對睫毛前的危機毫不在意，卻在防區之內，派兵把守山隘河渡，向砍柴汲水和渡河來往的鄉民，大收捐稅。不久他就狠狠的發了大財，錢帛堆積如山。王猛聽到後，忍不住失笑（任何人聽了都會失笑，只有當事人覺得乘機改善一下生活，是一件嚴肅的事，沒有什麼可笑的）。決戰佈置妥當，七〇年代第一年三七〇年的冬天，前秦兵團發動總攻，前燕兵團在意料中的一潰而散。鄴城接着陷落，慕容暐被俘。前燕帝國建立三十四年，匆匆而亡。

苻堅遂即轉向西北前涼王國，六年後的三七六年，他派兩位使節去姑臧（甘肅武威）作和平談判。前涼最後一任國王張天錫，把兩位使節綁到姑臧城外，亂箭射死，以表示他誓死抵抗侵略的決心。不過，凡是靠流別人的血以表示出來的東西——不管是決心或是忠貞，都不可靠。前秦兵團不久抵達，張天錫雖然誓死，卻不願眞死，反而向前秦兵團投降。前涼王國建國五十七年，是短命王國中最長命的一國。

——本世紀（四）七〇年代，中國境內兩國並立，前秦帝國在北，晉帝國在南，隔淮河對峙。

八、淝水戰役——歷史的命運

前秦帝國宰相王猛於三七五年逝世，這對苻堅的影響，猶如紀元前七世紀管仲逝世，對

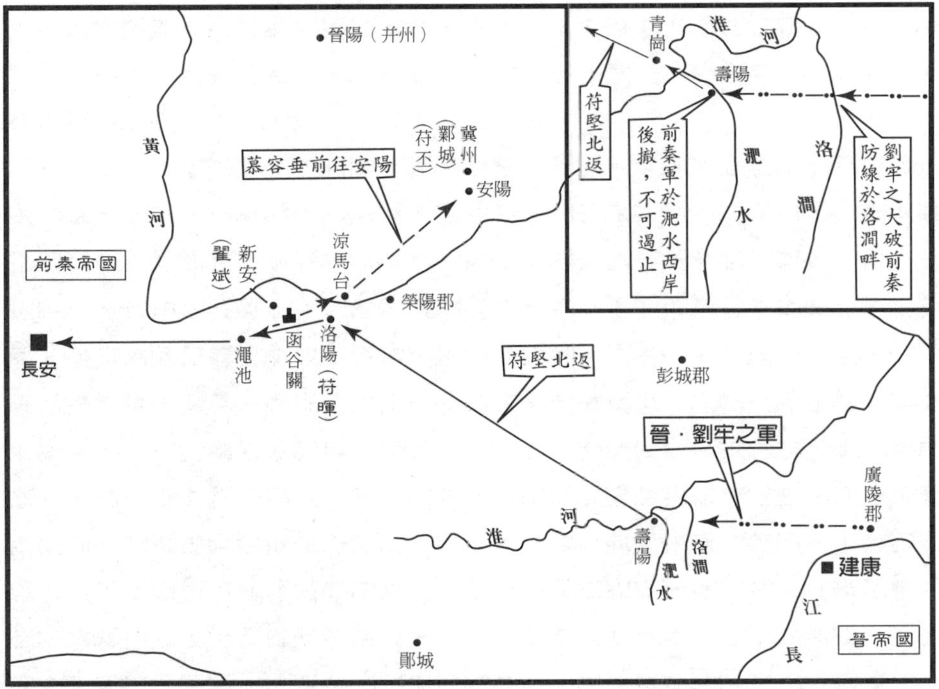

圖二四 四世紀・三八三年十月 淝水之戰

姜小白的影響一樣。管仲臨死時向姜小白所作的建議，姜小白大大的不以爲然。王猛臨死時向苻堅所作的建議，苻堅也大大的不以爲然。王猛警告苻堅說：「國家的死敵不是晉帝國，而是雜處在國內的鮮卑人和羌人，他們的首領又都在政府中身居要職，有些更掌握兵權。我們最大的隱憂在此，必須早日糾正。」臨終時再強調這個警告：「嚴防鮮卑，嚴防羌。」但苻堅是一個胸襟開闊，從不猜忌人的人。這種高貴的情操必然產生一種觀念，認爲只要誠心待人，對方一定誠心待我。所以他對那些投降或被俘的帝王將相，從不殺戮。甚至如鮮卑親王慕容垂，羌部落酋長姚萇，反而引爲知己，寵愛有加，授給他們高等官爵和很大權柄。苻堅的錯誤並不在此，而是在王猛逝世之後，他實施的一項重大的決策。即把祖居關中的氐民族，分批隨同出鎮的貴族，前往全國各地駐防。在氐人大量遷出之後，苻堅卻把前燕故地的鮮卑人，大量移入關中。前秦帝國是氐民族建立的，苻堅的意思可能是想使數量上居於劣勢的氐民族控制全國每一個重要據點，作爲一種安定力量。而把鮮卑人和羌人置於天子闕下，便於鎮壓同化。這構想是正確的，問題是，當中央政府力量強大時，控制據點即等於控制全面，但一旦中央政府力量瓦解，據點便等於虛設，只有被個別吞噬的命運。至於同化，那需要時間，至少五十年一百年，才能收到效果。

苻堅統一北中國後，下一個目標是統一全中國——這是任何分裂時代，每一位英雄豪傑都具有的願望。八〇年代三八三年，苻堅南征，命他的弟弟苻融率領步騎聯合部隊二十五萬，擔任先鋒。苻堅親率步兵六十萬、騎兵二十七萬的主力部隊，隨後續進，總共一百一十二萬人。縱在一千六百年後的二十世紀來看，這也是一個雷霆萬鈞的數字。大軍從長安出發，直指晉帝國邊境重鎮壽陽（安徽壽縣）。

消息傳到建康（江蘇南京），像大地震一樣，晉帝國大小官員一個個面無人色，宰相謝安更目瞪口呆，賴以抗敵救亡的大將謝石，和先鋒謝玄，總共只有兵力五萬人。派遣緊急赴援壽陽的將領胡彬，也只有水軍五千人。用這一小撮膽戰心驚的部隊去抵禦一百一十二萬能征慣戰的強敵，其結果比雞蛋去碰石頭，還要明顯。人心惶恐，不可終日。謝安不是靠才幹而是靠門第取得高位的，謝石是謝安的弟弟，謝玄是謝安的侄兒，政府大權，久在謝姓家族之手，皇帝司馬昌明不過是個木偶。謝玄向謝安請示軍機，謝安連他自己都不知道應該怎麼辦，只茫然說：「另外有命令。」在意料中的當然不會有什麼另外命令。謝玄請人再去請示，謝安索性出城遊山玩水，以躲避必須答覆的壓力，一直玩到深夜才回。遠在上明（湖北松滋）的大將桓沖，派遣三千精兵，入衛建康（江蘇南京），謝安把他們遣回說：「首都已有準備。」其實首都根本沒有準備，謝安也從沒有找過任何人商量如何準備。像一隻把頭埋在沙堆裏的鴕鳥，謝安只把頭埋在宰相府裏，不敢向現實張望。然而，他跟其他顢頇人物有一點不同，他有空前的好運氣。

謝石、謝玄既然在最高當局那裏，得不到什麼指示，只好統軍出發。將到淝水（東淝河），不敢再進。這時壽陽（安徽壽縣）陷落的噩耗傳來，軍心沮喪。提前出發救援壽陽的胡彬水軍，失去目標，向後撤退，而糧道又被切斷，胡彬向總司令謝石告急：「敵人強勁，我軍無食，此生恐難相見。」偏偏這個傳令兵又被前秦兵團的巡邏隊擒獲，晉軍虛實，完全暴露，可以說一切不幸都落到搖搖欲墜的晉帝國頭上。前秦兵團先鋒司令苻融看了胡彬的告急文件，向苻堅報告說：「晉軍既弱又少，一擊即破。我們必須迅速行動，才能一舉把它的主力摧毀，免得逃脫。」苻堅這時才行軍到距壽陽一百七十公里外的項城（河南沈丘），接到報告後，立即命大軍隨後急進，自己率領輕騎兵八千人，晝夜奔馳，趕到壽陽跟苻融相會。遂即派遣部長級官員朱序，向謝石招降。朱序原是晉帝國雍州（湖北襄樊）州長（刺史），被前秦帝國俘擄，他心中始終懷念故國。他祕密告訴謝石：「前秦如果百萬大軍集結完成，恐怕無法抵擋。但現在他們大軍在後，壽陽城內，只二十餘萬人，你最好立即行動，如果能先擊敗先頭部隊，對他們士氣是一個打擊。然後再和大軍決戰，才有勝利希望。」謝石決定照朱序的話孤注一擲，向淝水挺進。前秦兵團在淝水北岸構築工事，謝石派人告訴苻融：「你們領兵深入，當然為了求戰，現在隔河相峙，好像作長久打算，豈不有失初意。請向後稍退，讓我們渡河。」強敵當前，弱小的一方竟敢渡河，只有天絕其魄的人才選擇此一死法。苻堅告訴苻融說：「等他半渡，我們用鐵騎衝擊，使他無一人生還。」於是，答應謝石的請求，下令退卻。

——紀元前七世紀城濮戰役時，發生過「退避三舍」的故事。晉國軍隊在楚王國強大兵力之前，後撤四十五公里，營陣嚴整，楚軍尾追不捨，始終無法突擊。晉國君主姬重耳在高處下望，看見他的部隊井然的秩序，感慨說：「這都是元帥郤縠的功勞，有軍如此，任何敵人都能克服。」

現在一千零十五年後，前秦帝國也敵前退軍，而且是一種在絕對優勢下誘敵深入的謀略退軍。敵人既弱又少，還隔了一條使敵人不能立即發動攻擊的淝水，理應十分安閒而從容不迫。可是前秦帝國卻缺少一位郤穀，退卻令下，前秦兵團向後移動，想不到這一移動就像山崩地裂，不可遏止。我們有理由相信，苻堅這個退卻命令，是他直接向全軍頒發的，所以全軍同時行動，亂哄哄的變成排山倒海般狂奔，以致失去控制。謝石乘着敵人洶湧後退之際，毫無困難的渡過淝水，閃電般展開攻擊。苻融親自出馬，繞着大軍邊沿掠陣，企圖阻止他的軍隊後退，可是坐騎忽然栽倒，竟被亂兵踐踏而死。朱序乘機在後高呼：「秦兵大敗了。」前秦兵團本來是主動撤退的，到此竟一潰而不可收拾，互相奪路，向北逃命。苻堅隨着亂軍逃走，幾乎被流箭射死。

這是著名的淝水戰役，其實並沒有「戰」，而只有「役」，前秦帝國不是戰敗，而是退敗。我們固可事後在前秦帝國內部找出必敗的原因，但在晉帝國內部，我們卻找不出必勝的原因。我們只好相信即令是國家巨變，或在致千萬人於死的戰爭中，都有命運的影響，至少晉帝國靠命運得以免去覆亡。一種不能預見，不可想像的衝擊介入，產生的連鎖反應，能使歷史的巨輪停頓或轉向。赤壁戰役（二〇八）使中國統一延緩七十年，淝水戰役使中國統一延緩兩個世紀。

九、八國並立

對強大的前秦帝國而言，淝水戰役僅是一次戰場上的失敗，更僅只是一次先頭部隊的失敗，國家主力毫無損傷。依正常情況判斷，苻堅可以立刻發動再一次攻擊，再糟也不過跟赤壁戰役之後的曹操一樣，兩國繼續對峙。可是，前秦帝國包括的民族太複雜了，作爲國家主幹的氐民族，爲數既少，而又分散四方。帝國像建立在沙灘上，淝水戰役使它傾斜。以後一連串錯誤的適應，使它倒塌。

淝水戰役的當年（三八三），苻堅隨着敗兵逃到洛陽，他親自統率的那些尚未到達淝水的大軍，也聞風潰散。鮮卑籍大將慕容垂向苻堅建議，國家新敗，黃河以北人心浮動，最好派他前去宣慰鎮撫。苻堅很感謝他，派他前往。慕容垂於渡過黃河後，三八四年正月，立即號召前燕帝國的鮮卑遺民復國，稱他的帝國爲後燕帝國。

新近被遷到關中（陝西中部）的鮮卑人，聽到慕容垂的消息，在另一位親王慕容泓領導下，集中華陰（陝西華陰），組織政府，稱西燕帝國。苻堅命他的兒子苻叡當元帥，羌籍大將姚萇當參謀長，討伐叛徒。西燕帝國不過是一群烏合之眾，但苻叡卻大敗陣亡。姚萇派遣兩個軍事參謀官向苻堅報告請罪，苻堅一向是寬宏大量的，卻忽然褊狹起來，大怒之下，把那兩個軍事參謀官殺掉。姚萇當然恐懼，他率領他的以羌人爲主的部隊，向北方逃走。逃到北地（陝西耀縣）跟他同族的其他酋長會合，索性叛變，建立後秦帝國。

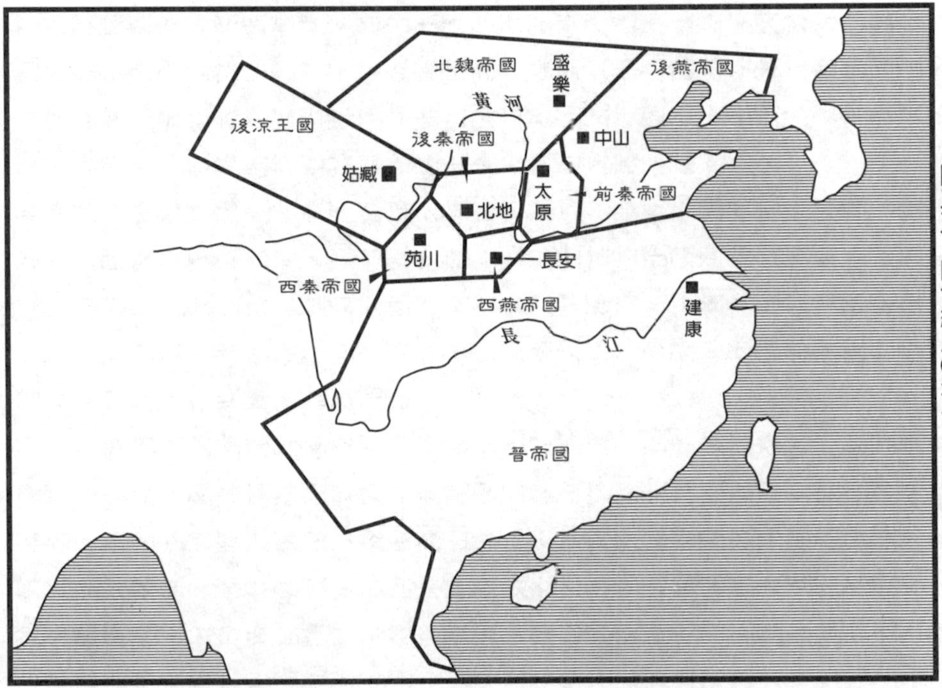

圖一五　四世紀八〇年代・八國並立

明年（三八五），前秦帝國瓦解的速度加快。西燕帝國在戰敗苻叡後，改變主意，暫時放棄東歸的念頭，進圍長安。關中（陝西中部）氐民族既然大量遷出，苻堅不能再集結更多的武裝部隊，只好留他的兒子鎮守長安，他自己突圍向西，計畫到南安（甘肅隴西）一帶氐民族老根據地，動員兵力，再回來解救長安。可是大饑饉使長安不能固守，他一離城，就告陷落。苻堅西行到五將山（陝西岐山北），被後秦帝國的巡邏部隊截獲，送到新平（陝西彬縣）石佛寺。姚萇向苻堅索取皇帝傳國玉璽，苻堅大罵他忘恩負義，姚萇就把他縊死。姚萇於二十年前在綁赴刑場處斬時，被當時還是親王的苻堅救下來。所以連後秦的羌人部隊，都爲這一代偉人的悲劇，流下眼淚。

苻堅死後，他的兒子苻丕在晉陽（山西太原）繼位，但前秦帝國已走到盡頭。居住苑川（甘肅榆中）另一支鮮卑民族的一位酋長乞伏國仁，在勇士堡（甘肅榆中）獨立，建西秦王國。又明年（三八六），淝水戰役前夕，苻堅派往征服西域（新疆）的氐民族大將呂光，於征服西域後勝利歸來，走到姑臧（甘肅武威），聽到苻堅死亡的消息，歸途又被新興起的西秦王國遮斷，於是他就在姑臧當起王來，建立後涼王國。

同年（三八六），五胡亂華十九國之外的另一國——由漠北鮮卑酋長拓拔珪建立的代王國（稍後改稱北魏帝國），在遙遠的塞外盛樂（內蒙和林格爾）悄悄崛起，它是一個微不足道的簡陋政權，臣服後燕。但它不屬於五胡亂華的十九國，因爲它的壽命比任何一國都長，長達一百七十一年，在大分裂時代後期的南北朝時代，擔任主要角色。

——本世紀（四）八〇年代，中國境內八國並立：前秦帝國、後燕帝國、西燕帝國、後秦帝國、西秦帝國、後涼帝國、北魏帝國、晉帝國。

一〇、九國並立

前秦帝國瓦解，北中國的混戰遍及每一角落，兵燹和大饑饉，縱橫千里，都是枯骨。人與人之間互相殘殺，煮食對方的屍體——這種悲慘的命運在中國歷史上太多太多了。

九〇年代三九四年，前秦帝國掙扎到最後一任皇帝苻崇，被西秦王國所滅，建國四十四年。同年，放棄長安，東進到長子（山西長子）建都的西燕帝國也被後燕帝國所滅，建國十一年。然而，三年之後（三九七），從後涼王國又分裂出兩個王國：鮮卑民族的南涼，和匈奴民族的北涼。中國境內，仍八國並立。

北魏帝國在塞北悄悄崛起，是一件當時沒有人看到眼裏的大事。它向後燕帝國進貢，以求得到保護。後燕帝國最初也確實盡到了宗主國的責任。可是後燕的開國皇帝慕容垂年紀日老，跟外界的接觸也日少，由他那花花大少型的皇太子慕容寶掌握大權。三九一年，北魏帝國開國君主拓拔珪派他的弟弟拓拔觚，到後燕首都中山（河北定州）朝覲，慕容寶向他索取良馬，拓拔珪拒絕。慕容寶就把拓拔觚扣留不放（這使我們想到紀元前六世紀九〇年代楚王國宰相芊囊瓦）。兩國關係，自此破裂。慕容寶對蕞爾小國的北魏竟不肯屈服，覺得大喪面子，他用種種方法在老爹面前挑撥，到了三九五年，已經昏聵了的慕容垂終於被激怒，命慕

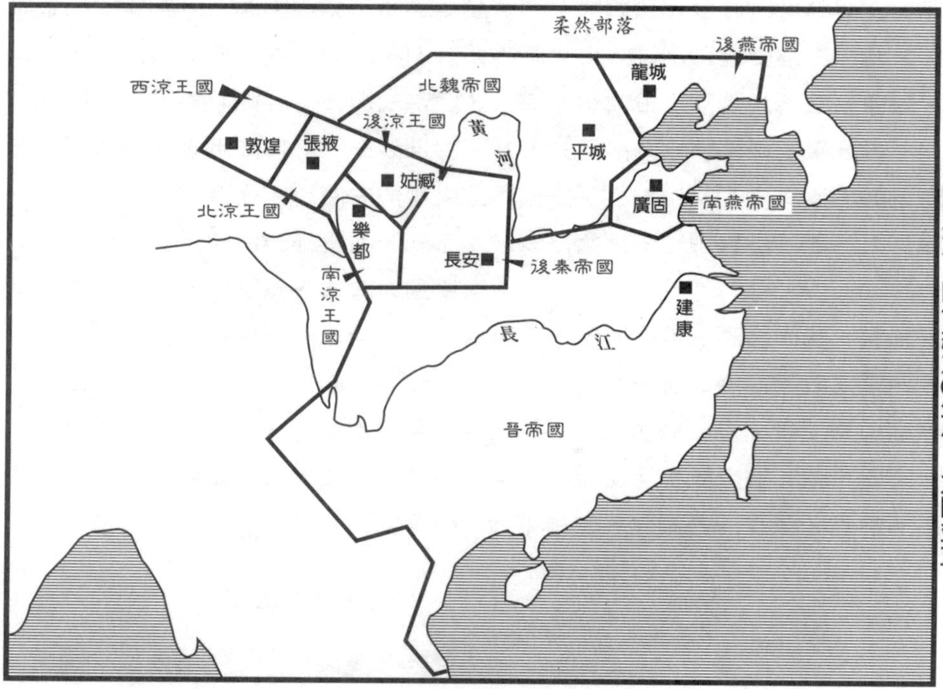

圖一六　四世紀九〇年代・九國並立

容寶率領九萬精兵，討伐拓拔珪。拓拔珪採取堅壁清野戰略，慕容寶長驅直入，行軍四百餘公里，如入無人之境，一直抵達黃河北岸，不見敵蹤。但與首都中山的聯絡，卻被拓拔珪的奇兵切斷，得不到後方消息。拓拔珪又教人散佈謠言說，本已患病的慕容垂，已經死亡。慕容寶疑懼不安，最後只好撤退。退到參合陂（山西陽高）時，拓拔珪的大軍追及，合圍總攻，後燕兵團崩潰，一半戰死，一半投降。拓拔珪對太多的降卒感到恐懼，於是紀元前三世紀長平關戰役慘劇重演，降卒全被坑殺。僅慕容寶和幸運的數千人逃回。

慕容寶不甘心失敗，慫恿老爹復仇。明年（三九六），慕容垂帶病出征。大軍到參合陂（山西陽高），去年死難的八萬餘戰士，只剩下堆積如山的白骨。軍士們哭父哭兄，聲震天地。慕容垂慚痛交集，病更沉重，不能再進，就命退軍，中途死掉。帝位由慕容寶繼承，慕容寶只有囚禁毫無抵抗力的拓拔觚的能力，沒有應付危局的能力。北魏帝國乘機反攻，不到一個月，就把後燕帝國所屬的華北大平原，全部佔領。慕容寶驚恐中放棄中山，奔回他這支鮮卑部落的根據地龍城（遼寧朝陽）。鄴城鎮守人將慕容德親王，是慕容垂的弟弟，勉強支持了兩年，到三九八年，也不得不放棄那個孤立據點，退到南方的滑台（河南滑縣）。他既痛恨慕容寶昏庸誤國，而又失去慕容寶的消息。於是，就在滑台宣佈獨立，建南燕王國，不久再改爲帝國。

本世紀（四）九〇年代，中國境內九國並立：後燕帝國、南燕帝國、後秦帝國、後涼王國、南涼王國、北涼王國、西秦王國、北魏帝國、晉帝國。

二、東西方世界

——〇〇年代．三〇五年（石勒被賣爲奴），羅馬帝國皇帝戴克里先辭職，退隱於故鄉薩羅那，帝座戰爭爆發。

——〇〇年代．三〇六年（白癡皇帝司馬衷由長安還都洛陽），羅馬帝國駐不列顛軍團司令君士坦都逝世，部將擁立他兒子君士坦丁稱帝，回軍進攻羅馬城。

——一〇年代．三一二年（苦縣戰役的次年），君士坦丁和他的士兵宣稱看見天空懸掛十字架，上有「佩此者勝」諸字，軍心大振，遂陷羅馬。

——一〇年代．三一三年（祖逖擊楫渡江），君士坦丁大帝頒佈有名的米蘭詔書，宣佈信教自由。

——三〇年代．三三〇年（漢趙帝國滅亡的次年），君士坦丁大帝自羅馬城遷都拜占庭城，改名爲君士坦丁堡，即今土耳其伊斯坦堡。

——七〇年代．三七四年（前涼王國滅亡前二年），北匈奴汗國經三百餘年的西移，侵入黑海北岸，引起民族大遷移。

——七〇年代．三七六年（前涼王國滅亡），原住黑海北岸的西哥德部落，侵入羅馬帝國巴爾幹境，羅馬帝國允許他們定居，但官員貪暴，西哥德人無法忍受，起兵叛變。

——七〇年代．三七八年（前涼王國滅亡後第二年），羅馬皇帝未楞斯親征西哥德，戰於西得里亞那堡，未楞斯兵敗被殺。大將狄奧多修斯繼位，割下米西亞省與西哥德。

——八〇年代・三八〇年（淝水戰役前三年），狄奧多修斯大帝下令關閉全國其他神廟，定基督教為國教。

——九〇年代・三九五年（參合陂戰役），狄奧多修斯大帝逝世，長子阿卡第建都君士坦丁堡，史稱東羅馬帝國。幼子韓諾留建都拉溫那，史稱西羅馬帝國。

第十八章　第五世紀

南中國的晉帝國，像一個纏綿病榻的老人，雖然拖延了一段出人意外長的時間，但終於死去。本世紀二〇年代，政權被它的宰相篡奪。——南朝。

北中國分崩離析一百三十六年，於本世紀三〇年代，被後起的鮮卑小國北魏統一。——北朝。

大分裂時代前期五胡亂華十九國時代結束，大分裂時代後期南北朝時代開始。

北朝的北魏帝國，一直很穩定。而南朝繼續動盪，接替晉帝國的南宋帝國，於半世紀後，也被它的宰相篡奪，另建南齊帝國。

南北朝時代諸國的興亡和關係位置，我們列如左表：

世紀	年代	南朝
本世紀(五)	二〇	南宋
	三〇	
	四〇	
	五〇	
	六〇	
	七〇	
	八〇	南齊
	九〇	
下世紀(六)	〇〇	南梁
	一〇	
	二〇	
	三〇	
	四〇	
	五〇	
	六〇	陳
	七〇	
	八〇	
	九〇	

北朝	
北魏	
東魏	西魏
北齊	北周
隋	

一、十一國並立

五胡亂華十九國混戰，到了末期，更趨激烈。

本世紀（五）的第一年（四〇〇），遠在西部的西秦王國被日益強盛的後秦帝國併吞。同年，北涼王國內部分裂，中華民族大將李暠在敦煌（甘肅敦煌）建西涼王國。後涼王國本來擁有廣大的版圖，但一再被內部爆發的反抗力量所分割，最後只剩下彈丸之地，四鄰全是不共戴天的仇敵。又逢連年旱災，僅首都姑臧（甘肅武威），就餓死數十萬人。最後一任國王呂隆，不能支持。四〇三年，主動的向後秦帝國獻出土地投降。這個氐民族的短命小國，建立政權只十八年。

兩年後（四〇五），晉帝國的益州（四川）發生兵變，擁戴一位謹慎小心的中級軍官譙縱，成立西蜀王國。所有創業的君主或叛徒，多少都有一點冒險精神，只譙縱例外，他聽說變兵要擁戴他稱王時，嚇得要死，跳到河裏自殺。被救出來後，又向變兵磕頭乞命，但變兵不接受他的要求。

再兩年後（四〇七），後秦帝國的匈奴籍大將劉勃勃叛變。劉勃勃的父親劉衛辰，是一個部落酋長，被北魏帝國所殺，部落也被消滅。劉勃勃隻身逃到長安，後秦國王姚興任命他當大將。劉勃勃跟石虎是同一型的人物，忘恩負義，凶惡殘暴。後秦跟北魏連續苦戰十餘年，不斷的失利，終於發現，如果再消耗下去，只有滅亡。於是跟北魏帝國和解，兩國皇室之間，並結爲婚姻。劉勃勃宣稱他跟北魏是血海世仇，反對這項和解。所以率領着後秦交給他統率的後秦部隊，在朔方地區（河套）獨立，建立胡夏帝國。但劉勃勃只敢不斷攻擊他的恩主後秦，卻不敢碰一下他的血海世仇北魏，因爲北魏比後秦強大。

胡夏帝國建立的同年（四〇七），退縮到東北一隅的後燕帝國，在一場政變中滅亡。它最後一任皇帝慕容熙，是花花大少慕容寶的弟弟，比慕容寶更不成材料。這一年，慕容熙的妻子苻皇后病死，他下令政府官員都要大哭，派遣衛士巡查察看，凡沒有眼淚的，都予嚴厲處罰，官員們只好用辣椒刺激淚腺。出葬時，慕容熙赤着雙脚，徒步扶柩走十多公里。苦於暴虐的龍城（遼寧朝陽）人民乘機叛變，在高句麗籍大將高雲的領導下，關閉城門，拒絕他返國。慕容熙率軍攻擊，被捉住處死。慕容垂千辛萬苦建立起來的這個後燕短命帝國，只有二十四年。高雲就坐在慕容家的寶座上，建立北燕帝國。

又兩年後（四〇九），本世紀（五）首年（四〇〇）因被後秦帝國征服而滅亡了的西秦王國，乘着後秦帝國被劉勃勃不斷騷擾，自顧不暇之際，在它的故地復國。

——本世紀（五）〇〇年代，中國境內十一國並立：後秦帝國、西秦帝國、胡夏帝國、

圖二七　五世紀〇〇年代・十一國並立

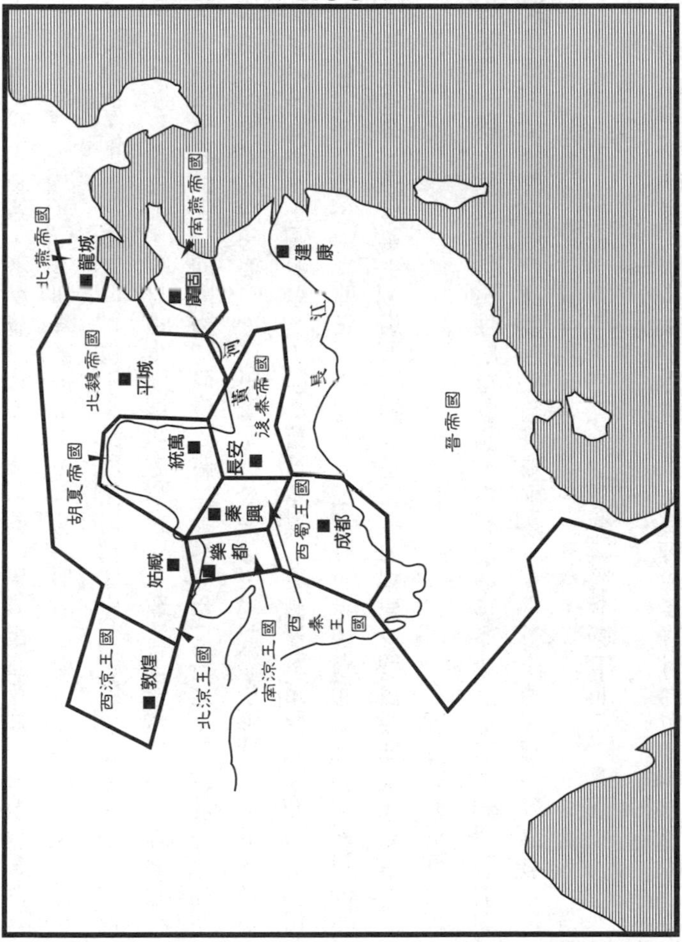

南涼王國、北涼王國、西涼王國、北魏帝國、南燕帝國、北燕帝國、西蜀王國、晉帝國。這是五胡亂華十九國時代最亂的頂峰，十九國已全部登場。以後不再有新國興起。

二、短命王國相繼滅亡

晉帝國一直上氣不接下氣，淝水戰役除了保護它沒有被扼死外，對它沒有絲毫幫助，反而使統治階層把謝安那種致命的顢頇，解釋爲胸有成竹和從容不迫。士大夫就更不務實際，政府也更腐敗黑暗。

司馬家的血液可能不清潔，所以晉帝國的皇帝，不是白癡，就是早夭。第二任皇帝司馬衷的白癡，已聞名世界。上世紀（四）九〇年代三九六年，第十六任皇帝司馬德宗即位，他白癡的程度比司馬衷還要嚴重。司馬衷還會問：「爲什麼不吃肉？」司馬德宗連這句話都不會說，甚至連飢飽冷熱都不知道。政府大權由三十三歲的叔父司馬道子主持，司馬道子每天沉湎在美酒和女人堆裏，再把政府大權交給他的兩個助手王國寶和王緒，這兩個酒肉政客，不自量力，企圖驅逐若干地方上已根深柢固的軍事首長。明年（三九七），駐防京口（江蘇鎮江）的大將王恭起兵，指名討伐王國寶、王緒。司馬道子屈服，把兩個人殺掉。從此司馬道子不再相信外人，而只相信他的兒子——十六歲的司馬元顯。把權力交給這樣年齡的一個大孩子，等於把糖衣砒霜交給一個兒童，如果不被毒死，簡直是沒有天理了。司馬元顯掌握權力後不久就發現權力的可愛，第一個念頭就是排除老爹。有一天，乘着老爹沉醉，司馬元顯教白癡皇帝司馬德宗下令把老爹的宰相和兼任的京畿總衛戍司令（揚州刺史），全部免職。司馬道子酒醒之後，才知道被兒子出賣，人發脾氣，但已無法改變。

本世紀（五）第三年（四〇二），司馬元顯二十一歲，正是大學生目空一切的時代，他把自己帶上高潮。駐防江陵（湖北江陵）的人將桓玄，拒絕司馬元顯的命令，司馬元顯就自己擔任大元帥，統率海陸大軍，討伐桓玄。桓玄也是一個靠父親餘蔭取得高位的花花公子（他是桓溫的幼子）。問題是，兩個花花公子鬥爭，紈袴氣質較少的一方獲勝。桓玄大軍順長江東下，司馬元顯軍敗，被桓玄捉住，綁到船頭上，連同他的父親司馬道子，一齊處斬。

桓玄以征服者姿態進入建康（江蘇南京），作了幾個月的宰相。於四〇三年冬，把白癡皇帝司馬德宗廢掉，自己繼位，建立楚帝國。可是桓玄的頭腦不能跟他的野心配合，他的歷史任務只是引導劉裕出場。劉裕是一個江南土著出身，家庭貧寒的中級軍官，他起兵勤王。桓玄一敗再敗，最後放棄建康（江蘇南京），撤退到他的根據地江陵，但仍被勤王軍殺掉，他的皇帝夢只做了六個月。白癡皇帝司馬德宗復辟，劉裕掌握大權。

劉裕的野心跟桓玄同樣大，但他知道事業的艱難，必須有不斷的軍事勝利，才能在那個專看門第的社會，樹立威望。七年後，一〇年代四一〇年，他進攻南燕帝國，南燕建國十一年，到此滅亡。鮮卑貴族三千餘人，就在他們首都廣固（山東青州）被殺，末任皇帝慕容超則被送到建康（江蘇南京）處斬。三年後（四一三），劉裕派遣他的大將朱齡石進攻西蜀王國。大軍還沒有到成都，國王譙縱就驚恐逃走，在樹林中上吊，西蜀王國壽命只有九年。

西蜀亡國的明年（四一四），北方的南涼王國被西秦王國併吞。南涼最後一任國王禿髮傉檀，是全國最崇拜的人物。所以南涼的王位不是傳給兒子，而是傳給弟弟，目的就是要傳到他身上。想不到禿髮傉檀小聰明太多，大智慧太少，小國寡民而窮兵黷武，等於埋葬自己。最後一戰是禿髮傉檀親征乙弗部落（青海湖西），大獲全勝，擄掠了大批人口牲畜。西秦王國卻抓住他後方空虛的機會，一舉攻陷它的首都樂都（青海樂都），禿髮傉檀凱歌歸來的部隊，在中途聽到消息，一下子潰散。他無可奈何的投降西秦，被西秦毒死，南涼王國立國短短的十八年。

兩年後（四一六），劉裕動員晉帝國全國兵力，進攻後秦帝國。後秦帝國是小國中的大國，一度威震西北，西秦王國曾被它併吞，南涼王國也曾向它稱臣。可是劉勃勃的胡夏帝國在北方一直向它蠶食，後秦國王姚興——他本來是皇帝的，後來改稱國王，表示謙遜。他御駕親征，屢次攻擊劉勃勃，屢次都被擊敗，沿邊全部殘破。然而最致命的傷害還是姚興的一些兒子們，爲了爭奪王位，展開八王之亂那種爲敵報仇式的互相殘殺。四一六年二月，姚興逝世，長子姚泓繼位，恢復皇帝的稱號。帝位比王位更使那些皇子皇孫發狂，一個接一個叛變，精銳部隊全消耗在內戰之中。八月，劉裕大舉進攻，明年（四一七）八月，攻陷長安，姚泓被俘，連同皇子皇孫，全體送到建康（江蘇南京），一一砍頭。這個謀殺苻堅的國家，立國三十四年。

到目前爲止，劉裕是一位英雄，晉帝國國威在他手中達到百年來的高峰，下一步當然是掃蕩其他殘餘的割據政權，恢復舊有河山。這是一個可以了解的震撼，遠在西北的北涼王國的國王沮渠蒙遜，就爲此陷於歇斯底里狀態，當後秦亡國消息傳到姑臧（甘肅武威）時，他的校對官（門下校郎）劉祥恰巧有事見他，大概臉上顯着愉快的表情，沮渠蒙遜大怒說：「你聽見晉軍反攻關中，心裏很高興，是吧。」立即把劉祥處斬。

可惜，劉裕只是半截英雄。他的英雄事業，到此爲止。他的目標不是統一中國，而是皇帝寶座。

三、五胡亂華十九國結束

劉裕於攻陷長安後，留下他十一歲的兒了劉義眞和一部份軍隊鎭守。他自己統率大軍返回建康（江蘇南京），準備篡奪晉帝國的政權。但他一離開，在北方虎視眈眈的胡夏帝國，就進攻長安，劉裕留下的軍隊全部覆沒，死亡二十萬人。長安只收復了一年四個月，爲此短暫勝利，付出如此可怕的代價。劉義眞躲在草叢中逃出來，劉裕除了爬到建康（江蘇南京）城牆上，向西北遙望流涕外，不能再有任何作爲。

劉裕於一〇年代四一八年毒死了白癡皇帝司馬德宗，立他的弟弟司馬德文繼位。兩年後（四二〇），再把司馬德文罷黜。不絕如縷的晉帝國終於壽終正寢，立國一百五十六年。晉帝國的滅亡，給今後的歷史帶來了血腥的範例，從前新興政權對亡國失位的君主，一向都保留他們的性命。劉裕不然，對他們則一律殺掉。這種殺戮開始成爲一種傳統，亡國失位的君主跟不祥的蛇蠍一樣，必須撲滅。

於是劉裕當了皇帝，稱他的帝國爲南宋帝國。——南朝四個短命王國中的第一個。

北中國也發生變化，北魏帝國狂風掃落葉的力量，開始收拾五胡亂華十九國紛亂的殘局。北涼王國首先作它的前驅，於四二一年，滅掉它的鄰居西涼王國，西涼王國只二十二年。

二〇年代四二二年起，北魏帝國即不停用兵。先把目標對準新興的南宋，把南宋從晉帝國繼承下來的黃河南岸地區和若干重鎮，包括滑台（河南滑縣）、碻磝（山東茌平），全部佔領。明年（四二三），再深入黃河以南，攻陷虎牢（河南滎陽西北）、洛陽，邊界向南推進一百公里。

四年後（四二七），北魏向西發展，進擊胡夏帝國，攻陷那個號稱永不會陷落的首都統萬城（陝西靖邊北白城子）。胡夏皇帝赫連昌逃到上邽（甘肅天水）。次年（四二八），赫連昌在作戰時馬倒被俘，他的弟弟赫連定逃到平涼（甘肅華亭）繼位。

——赫連昌的父親劉勃勃，本來姓劉（事實上本來姓欒提），但劉勃勃當了皇帝，左右有了大批搖尾人物之後，他就忽然覺得偉大起來，改姓赫連，又教其他貴族改姓鐵伐。他說，赫連的意思是「赫然與天神相連」，鐵伐的意思是堅硬如鐵，隨時可以攻擊別人。

三年後，三〇年代四三一年，西秦王國與胡夏帝國，同年滅亡。西秦滅了南涼，即與北涼接壤。北涼王國滅了西涼，無後顧之憂，刀鋒轉向西秦，西秦王國不能抵抗，一直向後退避，退到南安（甘肅隴西），最後一任國王乞伏暮末向北魏獻出土地，請求歸併。但等到北魏派遣軍隊來接收時，他又捨不得國王的榮耀，相信「否極泰來」的格言，認為局勢終會好轉，又對北魏拒絕。這時向西逃亡的胡夏皇帝赫連定乘北魏兵團返回之際，圍攻南安，南安在居民餓死一半以上之後陷落，西秦王國前後共三十九年。乞伏暮末和全體貴族五百餘人，全數被赫連定屠殺。

赫連定的凶暴拯救不了自己，數月後，他率領胡夏帝國殘餘的匈奴部眾和新俘擄的西秦鮮卑部眾，約十餘萬人，向西進發，企圖進入北涼王國，奪取土地，再建立政權。在渡河的時候，被青海湖地區鮮卑民族的吐谷渾汗國截擊，全軍潰散，赫連定被吐谷渾生擒，獻給北魏，在首都平城（山西大同）砍頭。胡夏這個與天神相連的帝國，只維持二十五年。

——本世紀（五）三〇年代初葉，中國境內只剩下四國並立：北魏帝國、北燕帝國、北涼王國、南宋帝國。

五年後（四三六），北魏兵團進攻北燕，北燕最後一任皇帝馮弘不能抵抗，便放棄首都龍城（遼寧朝陽），裹脅着全城人民，逃到高句麗王國（朝鮮平壤），北燕立國只三十年。馮弘跟紀元前三世紀齊王國國王田地一樣，他到了高句麗之後，高句麗王高璉，仍然很尊敬他。但馮弘卻以出巡屬國的天子自居，倨傲如昔，而且在高句麗境內建立自己的獨立政府，發施號令。高璉的反應很簡單，派人把馮弘幹掉。

又三年後，三〇年代最後一年（四三九），北魏兵團再進攻北涼，北涼亡。北涼是五胡十九國中最後滅亡的一國，立國四十三年。

北涼王國滅亡，使中國統一，五胡亂華十九國時代結束。一百三十六年當中，幾乎一支軍隊就建立一個帝國。驀然間一批人集結在一起，馬上組織政府，封官拜爵，發表文告，自稱聖君賢相。還沒有等到人民弄清楚是怎麼回事，它已煙消雲散，只留下無數屍體和無數哭泣的孤兒寡婦。結局是，匈奴民族、羯民族、氐民族，幾乎全部滅絕，羌民族領導階層也幾乎全部滅絕。四族的殘餘人口，被人數眾多的中華民族所吞食，消失的無影無蹤。鮮卑民族只剩下北魏帝國的一支，等到下世紀（六）末，這一支也全部中華化。從此，中國本土再沒有發生過少數民族問題。而大批流亡客的南遷，使人口稀少的南中國，得到充實，逐漸開發。這是非常重要的，到二百年後第七世紀的唐王朝，能有那麼大的擴張力量，就靠富庶江南的支援。

四、南北朝

北魏統一北中國，與南宋南北相峙，南北朝時代開始。

北魏帝國於二〇年代佔領南宋帝國黃河以南地區時，正逢南宋開國皇帝劉裕逝世。到了三〇年代，劉裕的兒子劉義隆決心恢復固有疆域。四三〇年春天，劉義隆任命到彥之擔任總司令，大舉北伐。北魏因春天冰解雪融，不利於騎兵馳騁，所以放棄虎牢、洛陽等一連串的重鎮，向後撤退。南宋兵團渡過黃河追擊，失土全部收回，全國歡騰，尤以劉義隆最爲得意，因爲他用的是一種奇異的遙控指揮法，才獲得如此盛大的成功。建康（江蘇南京）距洛陽

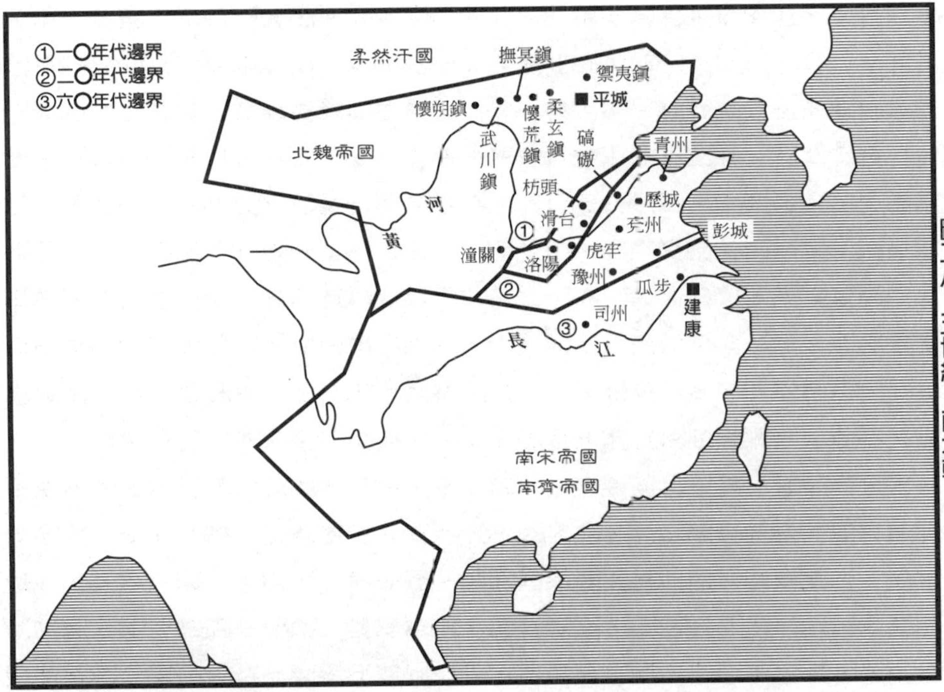
①一〇年代邊界
②二〇年代邊界
③六〇年代邊界
柔然汗國
撫冥鎮
禦夷鎮
平城
懷朔鎮
懷荒鎮
柔玄鎮
武川鎮
北魏帝國
碻磝
青州
枋頭
歷城
滑台
兗州
黃
河
彭城
①
潼關
洛陽
虎牢
豫州
②
瓜步
建康
司州
③
長
江
南宋帝國
南齊帝國

圖二八　五世紀・南北朝

航空距離七百公里，地面路徑約一千四百公里左右，最快的加急驛馬也要五六天才能到達。劉義隆從小就生在女人圍繞的深宮之中，卻直接指揮一千公里外血肉橫飛的戰鬥，不但指揮大兵團，甚至指揮小部隊。戰場情況，瞬息萬變，卻必須向一千公里外請示而且必須再得到命令，才能反應。北伐的大獲全勝，證明劉義隆天縱英明，智慧超人。不過，高興的日子沒有多久。冬天來臨，黃河凍結，華北大平原冰封，北魏發動反攻，南宋不能抵抗，遙控指揮法更使前方部隊陷於混亂，於是，全軍覆沒，所收回的土地，再全部失去。

十五年後四〇年代四四五年，北魏帝國的杏城（陝西黃陵），發生大規模民變，變民領袖蓋吳，派人向南宋帝國求援。劉義隆大喜，雖距離更遠，不能實際上有所幫助，但仍頒發給蓋吳很多空白詔書，要他封官拜爵，在北魏國內製造反抗力量。蓋吳失敗後，北魏皇帝拓拔燾搜到這些詔書，大爲憤怒。五〇年代第一年（四五〇），拓拔燾南征，圍攻懸瓠（河南汝南）以示報復，攻擊了四十二天，不能攻下，始行撤退。可是這次軍事行動卻引起劉義隆的錯誤判斷，認爲敵人的實力不過如此。上次所以失敗，是將領們沒有遵照他英明指示的緣故，遂決心作第二次北伐。命他的弟弟劉義恭親王當總司令，進駐彭城（江蘇徐州）。再命主戰最力的兩位大將蕭斌當總指揮，王玄謨當先鋒，從歷城（山東濟南）沿黃河西上進攻。先攻陷碻磝（山東茌平），然後由王玄謨向西進攻滑台（河南滑縣）。大軍經過的地方，人民紛起響應，有的送米麵，有的送日用品，川流不息的扶老攜幼，投向大營。不幸的是，王玄謨是一個汚穢人物，他所以主戰，表面理由冠冕堂皇，眞實理由則只是想利用戰爭發財，而現在發財的機會來了。他把歸附的義民們拆散，分別分配給他的嫡系部隊，每家發一匹布作犒賞，卻命每家繳八百個大梨，運到江南販賣（眞難得他有這麼好的商業頭腦）。人們對祖國政府大失所望，已來的設法逃走，未來的不再投奔。南宋兵團回到三十年前還是自己的故土，本來如魚入水，現在水已乾涸，自八月到十月，滑台不下，而嚴冬已至。北魏皇帝拓拔燾親統大軍，從首都平城（山西大同）南下赴援，戰鼓與胡笳互動，聲聞百餘公里，先頭部隊才到枋頭（河南淇縣東南淇門渡），距滑台尚有二十公里，王玄謨已心膽俱裂，不敢迎戰，急解圍後退，被追兵衝擊，再一次的全軍覆沒。只剩下王玄謨在少數衛士保護下，逃回碻磝，所徵收的大梨，大概也不要了。

這一次劉義隆當然繼續遙控指揮，爲了補救上一次的疏漏，這次更加精密。將領們出發時，劉義隆不但對行軍食宿有嚴格的規定，就是交戰日期和交戰時刻，都必須等他從建康（江蘇南京）深宮中發出指示。前線已經崩潰，劉義隆還下令給蕭斌，命死守碻磝（山東茌平）。大將沈慶之向蕭斌說：「碻磝決守不住，守必全軍犧牲。北魏勢將從滑台渡黃河南下，長江以北，恐怕都要陷入敵手，我們即令守得住碻磝，不過一個孤立據點，也沒有作用。不如早日撤退到彭城（江蘇徐州），充實長江以北我軍的實力。」蕭斌聽從他。

不出沈慶之所料，拓拔燾從滑台渡黃河南下，繞過城市，穿越原野，直抵長江北岸，就在瓜步（江蘇六合南）渡口，構築陣地，與建康（江蘇南京）隔江相對。劉義隆爬上石頭城（建康西軍事要塞），向北眺望，看見北魏軍威的強大，不禁面無人色。拓拔燾雖然派人伐木造船，揚言渡江，但他深恐彭城（江蘇徐州）的南宋兵團攻擊他的後背和切斷糧道。所以到了明年（四五一）春天，即行撤退，把憤怒發洩到戰區那些沒有來得及逃走的農民身上，男人全被殺死，女人全被擄掠北去。對嬰孩兒童，就用槊矛刺穿肚腸，舉到空中盤旋舞動，當作遊戲。從黃河到長江，縱深五百公里，只有斷瓦殘垣，而無人跡。歸子由南方歸來，都找不到舊巢，牠們再不會了解人間爲什麼會發生這麼大的浩劫。南宋帝國第二次北伐，在人民哭聲中結束。

明年（四五二），北魏皇帝拓拔燾被宦官宗愛謀殺，經過一番爭奪帝位的鬥爭，十三歲的孫兒拓拔濬繼位。劉義隆聽到消息，認爲是千載難逢的復仇良機，不顧國家殘破的嚴重和絕大多數高級官員的反對。因爲格言上說：「成大事者，不謀於眾。」他下令作第三次北伐，分三路進軍：東路攻碻磝（山東茌平），中路攻洛陽，西路攻潼關，而他自己遙控指揮如故。東路軍在圍攻碻磝時，被北魏兵團從地道中潛出擊潰，其他兩路大軍不敢再進。第三次北伐就這樣虎頭蛇尾結束。劉義隆憤怒說：「想不到將領們竟如此懦弱無能，我恨不得用白刃逼他們衝鋒。」一個低能的領導人物，永遠把失敗的責任推到部屬身上。

然而，十五年後，南宋帝國受到更大的打擊。六〇年代四六六年，鎮守彭城（江蘇徐州）的大將薛安都，因跟一位叛變失敗的親王感情親睦，恐怕牽連被殺，舉城向北魏帝國投降。南宋當時的皇帝劉彧，命大將張永，進攻彭城。北魏應戰，張永兵團大敗，在潰奔途中，士兵僅被凍死的就有三萬餘人，張永的手指腳趾都被凍掉。北魏大軍在後尾追，一連攻陷懸瓠（河南汝南）、項城（河南沈丘），組織地方政府，併入北魏版圖。劉彧命大將沈攸之反攻，再度大敗，沈攸之身負重傷。兩年後（四六九），南宋孤懸在敵後的青州（山東青州）、冀州（山東濟南）、兗州（山東魚台），也一一陷落。所喪失的土地，南北四百公里，東西八百公里，這個廣大疆域，再不能收復。南北兩個帝國，從此以淮河爲界。

五、南宋帝國的暴君

南宋帝國短短的六十年壽命中，共九任皇帝，而六任皇帝是暴君：第二任劉義符，第四任劉劭，第五任劉駿，第六任劉子業，第七任劉彧，第八任劉昱。歷史上只有這個政權擁有這麼多暴君，恰恰佔全部君主的三分之二。

第一任皇帝劉裕死後，他的兒子劉義符就因過度荒暴被託孤的大臣們罷黜而殺掉。劉義隆是劉義符的弟弟，他在第三次北伐失敗的明年（四五三），被他的兒子劉劭所殺。弑父凶手坐上金鑾殿後，採用血腥手段鎭壓反抗，但不久仍被他弟弟劉駿擊敗處斬。劉駿的凶暴不亞於他的哥哥劉劭，而性情更爲卑劣。皇宮裏有一個小型博物館，劉裕把他貧賤時給人當傭工使用的燈籠麻繩之類的東西，陳列在那裏，目的是讓他的後裔子孫們觸目心驚，因而體念祖先創業的艱苦，戒愼恐懼，特別警惕。劉駿即位後不久，前去參觀，隨駕群臣齊聲讚揚，可是劉駿卻羞愧難當，認爲是莫大恥辱，指着老祖父劉裕的遺像說：「他不過一個莊稼漢，混到這個地位，豈不有點過份？」他竟會有這種反應，在墳墓裏的老祖父恐怕大出意外。

六〇年代四六四年，劉駿逝世，十六歲的兒子劉子業繼位，他的母親王太后病重將死，派人喚他，他說：「病人住的地方鬼多，我怎麼能去？」王太后大怒喊：「拿刀來剖開我的肚子，怎麼生出這種畜生？」劉子業疑心他叔祖劉義恭對他不利，親自率領軍隊到劉義恭家，把劉義恭和他的四個兒子，一齊殺死，然後支解四肢，剖出腸胃，又挖掉眼睛，泡在蜂蜜裏，名「鬼目粽」。劉子業把姑母新蔡公主接進皇宮，收爲姬妾，而把姑父殺掉。他對所有的叔父都不放心，索性把他們集中起來，在宮中囚禁，隨意毆打，或者在地上拖來拖去。其中三位叔父：劉彧、劉休仁、劉休祐，都很肥胖，劉子業特地製造一個大竹籠，把他們裝到裏面，封劉彧爲「豬王」，劉休仁爲「殺王」，劉休祐爲「賊王」。而對劉彧尤其憎惡，每頓飯都把劉彧的衣服剝光，教他像豬一樣用嘴去木槽裏吞食。有十幾次，劉子業要殺劉彧，都靠劉休仁伶俐的諂媚解救。有一個官員的妻子懷孕，劉子業把他接到皇宮，準備她生下男孩，就立爲太子。正當這個時候，劉子業忽然大怒，命人把劉彧綁起手足，用棍子抬起來送到廚房殺豬。劉休仁在旁陪笑說：「豬今天不會死。」劉子業更大怒，劉休仁說：「要到皇子降生殺豬時，豬才會死。」劉子業大爲高興，劉彧才死裏逃生。劉子業把所有王妃公主，召到皇宮，命他左右親信，輪流姦淫。他的嬸母江妃拒絕，劉子業打她一百皮鞭，並把她三個兒子處斬。又教宮女裸體在院子裏追逐，一個宮女不肯，立即砍頭。晚上，夢見一個女子向他咒罵，明天就找到一個跟夢中女子面貌相似的宮女殺掉。晚上，又夢見被殺的宮女向他咒罵。於是女巫說皇宮裏有鬼，劉子業就手執弓箭，到處射鬼。等到射鬼已畢，專門管理衣服的宦官壽寂之，乘左右無人，拔刀而上。這個凶惡的大孩子急向後逃跑，口中連喊「寂寂」，但終於被追上砍死，只有十七歲，正是高級中學畢業班的年齡。「寂寂」是什麼意思，沒有人知道。我們猜想，可能是呼喚「寂之」求饒，因過度恐懼，發音不能完整。

劉子業死後，豬王劉彧被劉休仁等一些親王，擁上寶座。劉彧本來性情很溫和，也很敦厚，所以才心廣體胖。然而，權力變更人性，無限權力無限的變更人性。劉彧當了皇帝之後，不久就變成另外一種人。首先他把兄長劉駿的二十八個兒子，全部殺掉。接着再把同他一塊在劉子業手中共患難的弟兄，也全部殺掉，包括自幼跟他感情最篤，而又屢次救他性命的弟弟劉休仁在內。劉彧把劉休仁喚入皇宮，逼他服毒之後，下了一道詔書宣佈罪狀說：「劉休仁結交禁軍，圖謀叛亂，我不忍當眾殺他，只向他嚴厲詰責，他慚愧恐懼，自行服毒。」

七〇年代四七二年，劉彧逝世，兒子劉昱繼位，年僅十歲，還不能做出太大的壞事。可是，到了四七七年，他十五歲時，劉彧遺傳的劣根性完全暴露。劉昱不喜歡宮廷的拘束生活，只喜歡穿着短衫短褲，四出遊蕩，累了就躺到街邊休息。他絕頂聰明，除了不會做皇帝外，其他什麼都會，像剪裁衣服、縫製帽子，以及各種很難演奏的樂器，一經學習，即行精通。他最初很樂意跟街市上販夫走卒打交道，當別人不知道他是誰，因而跟他發生爭執，辱罵他時，他感到很新奇的欣然接受。但不久就擺起架子，隨從的人都帶着刀槍，一出宮門，即宣佈戒嚴，來不及躲避的，無論是人或是家畜，一律格殺。首都建康（江蘇南京）幾乎成爲廢墟，千家萬戶，晝夜閉門，街道像墓道一樣寂靜。劉昱身邊不離鐵釘鐵錐，一天不殺人，就不快樂。有一次他率領衛士去殺杜幼文等三位部長級官員，連同懷抱中的嬰兒，都被剖開腸肚，剁爲肉醬。又有一次他闖進禁衛軍總監部（領軍府），看見禁軍總監（中領軍）蕭道成正在睡午覺，肚子很大，深感興趣，引滿弓箭要射，左右急忙勸解說：「大肚子固然是個好靶，可是一箭射死，以後就再也沒有了，不如改用草箭，射了還可再射。」劉昱於是改用草箭，一箭正中肚臍，大笑說：「我這一手如何。」這一手當然很好，蕭道成遂決定除掉他。劉昱短促一生的最後一天是牛郎織女相會的七月七日，衛士楊玉夫乘劉昱睡覺，用劉昱床前殺別人的佩刀，砍下劉昱的頭，獻給蕭道成。

劉昱死後，十一歲的堂弟劉準繼位。兩年後（四七九），劉準十三歲。蕭道成奪取政權，命劉準下詔把皇帝寶座禪讓給自己。劉準害怕，當舉行禪讓大典，需要他親自出席表演時，他逃的無影無蹤。蕭道成派部將率軍進宮，預備使用暴力。王太后嚇得要死，親自帶着宦官搜索，終於在佛堂把孩子找到。劉準哭說：「要殺我嗎？」部將說：「不殺你，只是請你搬家，你們姓劉的當初對姓司馬的，也是如此。」劉準流淚說：「願生生世世，再不生帝王家。」南宋帝國立國六十年，到此滅亡。

蕭道成即位後，改稱南齊帝國。並遵照劉裕創立下的亡國失位之君非死不可的傳統，把包括劉準在內的劉裕子孫，全部處決。

六、南齊帝國的暴君

蕭道成的南齊帝國，只二十四年，卻搞出七任皇帝。七任皇帝中，三任是暴君：第三任蕭昭業，第五任蕭鸞，第六任蕭寶卷。但直接間接加到人民的傷害，卻比南宋更重。——中國暴君，以本世紀（五）爲最多。在北方列國中，暴君也有聲有色。像後燕帝國慕容盛、慕容熙。後涼王國呂隆。南燕帝國慕容超。胡夏帝國赫連勃勃、赫連定。北魏帝國拓拔珪、拓拔燾。北涼王國沮渠蒙遜。北燕帝國馮弘。西秦王國乞伏熾磐。跟南朝的九人加在一起，共二十人。這個數字比羅馬帝國的三十暴君時期，雖然稍遜一籌，但也可驚。如果稱本世紀（五）爲中國的暴君世紀，也不爲過。

九〇年代四九三年，南齊第二任皇帝蕭賾逝世，皇太子蕭長懋早死，由二十一歲的皇太孫蕭昭業繼位。蕭昭業有足夠的聰明，使他做出種種成功的表演。他老爹死時，他大大的悲痛，在別人面前，尤其悲痛的厲害。可是一回到自己房子，就大大的快樂。接着請楊姓女巫用法術詛咒祖父速死，以便自己提前當皇帝。祖父蕭賾不久果然臥病，蕭昭業入宮侍奉，給他妻子寫信時，一連寫了三十六個小「喜」字，作一個圓圈環繞着一個大「喜」字。但在奄奄一息的老祖父跟前，他卻滿面愁容，未曾開口，先流下眼淚。蕭賾深爲感動，拉着孫兒的手，叮嚀說：「你想念阿爺的話，要好好的做。」蕭賾死後，蕭昭業第一件事就是重重的賞賜楊姓女巫，以獎勵她咒死祖父的功勞。然後，把那些曾經跟他競爭帝位的弟兄叔伯，分批屠殺。蕭昭業揮霍無度，每次賞賜親信，都在百萬以上。他常對錢恨恨的說：「我從前想你十個都沒有，今天如何？」不到半年，國庫一空。宰相蕭鸞，是開國皇帝蕭道成哥哥的兒子，蕭昭業的叔祖。蕭昭業幾次要殺蕭鸞，幾次都在猶疑不決時被人勸阻。四九四年，蕭鸞發動政變，殺掉蕭昭業，立蕭昭業的弟弟蕭昭文當皇帝。只四個月，蕭鸞再殺掉蕭昭文，取得帝位。

蕭鸞是一個小動作特別多的邪惡人物，他的帝位在當時法理上是站不住的，因爲他的皇族血統太疏遠。爲了根絕後患，他把蕭道成和蕭賾的子孫，屠殺罄盡。每逢他晚上焚香禱告，嗚咽流涕時，左右的人就知道明天一定有大規模流血。最可注意的是發生在九〇年代四九八年他死前的那一次，一口氣殺掉蕭鉉等十個親王。殺掉之後，才命有關單位告發那十個親王謀反，要求處死。奇妙處就在這裏，蕭鸞接到報告後，不但沒有批准，反而義正詞嚴的大加申訴，批駁不准。有關單位於是站在神聖的法律立場，冒着皇帝震怒的危險，再度請求，堅持前議。蕭鸞這才迫不得已，向法律屈服。

——這是蕭鸞的小動作之一，但此事至少可給我們一個啓示，即任何史料，都不能僅因它來自第一手或當事人，只聽片面之詞，便認爲絕對正確。我們如果根據前項批駁不准的詔書，判斷蕭鸞是一個善良的人，或判斷十親王那時候還活着，就鑄成錯誤，而這正是邪惡人物所盼望的。

蕭鸞於屠殺十親王之後逝世，十六歲的兒子蕭寶卷繼位。蕭寶卷性格內向，很少說話，不喜歡跟大臣接觸，只喜歡出宮閒逛，可是卻不允許任何人看到他。每次出宮，都先行戒嚴，爲了預防有人從門縫偷看，凡他經過的街道，兩旁房舍，都要空出來。皇家衛隊前驅的鼓聲一響，平民就像聽見緊急空襲警報，狂奔而出，向四方逃命。蕭寶卷每個月都要這樣出遊二十多次，而且方向無定，忽南忽北，忽東忽西。尤其是夜遊，霎時間鼓聲震動屋瓦，燭光照天，衛士塞滿道路，平民從夢中驚起，出奔躲避。偏又處處戒嚴，不能通行。男女老幼，左奔右跑，哭號相應，不知道御駕到底從什麼地方經過。有一個孕婦來不及逃走，被蕭寶卷看見，下令剖腹，母子齊死。又有一個害病的老僧，無力逃避，躲在草叢裏，蕭寶卷下令射箭，老僧遂死於亂箭之下。

蕭寶卷是本世紀（五）暴君中殺人最多的一個，他那邪惡的老爹常提到蕭昭業對自己猶疑不決的往事，告誡他說：「動作要快，不要落到人後。」蕭寶卷深記這個教訓，所以殺人時疾如閃電。猜忌一動，殺機即起；殺機一起，即刻行動，不作任何考慮，也無任何預兆或跡象。這種恐怖政策，在蕭寶卷即位的兩年內，亦即本世紀（五）最後一年（四九九）及下世紀（六）第一年（五〇〇），就連續激起四次巨大兵變。第一次發生於四九九年，蕭寶卷的堂兄蕭遙光親王，起兵進攻皇宮，失敗。第二次發生在同年，大將陳顯達起兵從江州（江西九江）進攻建康，失敗。這兩次兵變迅速的被敉平，更增加蕭寶卷的氣焰，認爲天意民心都站在他這一邊，屠殺更變本加厲。

七、北魏帝國遷都與中華化

北魏是鮮卑拓拔部落建立的帝國，比起同族慕容部落建立的那些亂七八糟的前燕後燕南燕西燕諸燕帝國，文化程度要低。所謂國家，在酋長們意識裏，不過是擴大的部落。所以北魏的官員，都沒有薪俸，完全靠向人民貪污勒索，而且手段極為凶暴。所以北魏的民變，是中國歷史上最多的一個王朝。一直到本世紀（五）八〇年代四八四年，北魏才開始發給官員薪俸，距開國已九十九年。

北魏皇帝跟十九國五胡籍大多數帝王一樣，始終具有部落的遺習和野蠻人的殘忍。——注意，中華民族的暴君跟其他少數民族的暴君，方法上和程度上，有很大不同。但北魏也靠這種衝力，使北中國歸於統一。不過等到北中國統一時，北魏已連綿不斷的從事五十四年戰爭，開國時所有的精銳部隊和群眾中崛起的將領，大部份都已消耗。而且從塞北一小塊苦寒局面膨脹到華北平原的龐大領域，統治階級已深感滿意，安於南北對峙的現狀。所以一連四次對南宋帝國的攻擊，在性質上都是防衛性的，並沒有統一全中國的偉大志向。

本世紀（五）七〇年代，第七任皇帝拓拔宏即位，他是北魏帝國第一個受有良好教育的君主，當然受的是純中華化的教育，因為鮮卑沒有文字。這使拓拔宏對中華民族文化，盲目崇拜，認為中華民族一切都是進步的、好的，而他自己鮮卑民族一切都是落伍的、壞的。崇拜一旦由理智的尊敬升級到感情的信仰，他就自顧形慚，拒絕承認中華民族有缺點而鮮卑民族有優點。因之，拓拔宏決心使他的民族全盤接受中華民族的文明。——拓拔宏對中華民族文化的崇拜，如癡如狂。南齊帝國使節蕭琛、范雲，晉見拓拔宏時，拓拔宏跟兩人談論很久，然後對群臣說：「南朝多好臣。」大臣李元凱氣的發抖，高聲回答：「南朝多好臣，一年一換皇帝。北朝無好臣，百年一換皇帝。」弄的拓拔宏面紅耳赤。

全盤中華化，第一步是遷都，從鮮卑人居多數的平城（山西大同），遷到南方六百公里外中華民族居多數的洛陽。這是一件大事，拓拔宏在推行中華化運動中是孤立的，只有他的弟弟拓拔勰親王，在他逼迫下不得不幫助他。遷都大事，拓拔宏明知道無法獲得支持，於是，他乞靈於詐術。九〇年代四九三年，他動員南征，宣稱要進攻剛剛成立十五年的南齊帝國。親統三十萬大軍，從首都平城（山西大同）出發。北魏此時距開國已一百零七年，漫長的歲月使暮氣已深，貴族們已到了第三代第四代，早習慣於生活的享樂，根本忘了南方還有敵人，更沒有擴張國土的雄心，對這項突如其來的軍事行動，內心充滿畏懼。好不容易抵達洛陽，又遇連綿大雨，士氣更爲低落。拓拔宏卻恰恰選擇降雨最大的一天，披甲上馬，命繼續前進。親王大臣們圍上來，苦苦請求取消這次進擊。拓拔宏最初拒絕，後來表示讓步，但是，他說：「我們大張旗鼓，南下征討，卻如此不明不白的結束，向國人如何交代。一定要休兵的話，不如遷都洛陽，也可自圓其說。」親王大臣反對遷都，但更反對南征。兩害取其輕，他們勉強同意遷都。

拓拔宏所以把遷都放在全盤中華化的第一步，一方面固然爲了加速吸收中華文化，更主要的一個原因是心理的，他不願僅僅作夷狄的君主，還要作中國人的君主。要想作中國人的君主，就必須把政府設在中國正統國都所在地。

國都既定之後，接着是一系列的中華化措施：

一、禁止穿鮮卑傳統衣服，改穿中華裝。

二、規定中華語爲帝國的法定國語，禁止說鮮卑話。年齡超過三十歲的人，學習不易，准許繼續使用鮮卑話，但三十歲以下的人，必須使用中華語。

三、取消鮮卑姓，改爲中華姓。拓拔宏自己改姓「元」（我們以後稱他爲元宏），其他如「勿忸于」改姓「于」、「獨孤」改姓「劉」，「丘穆陵」改姓「穆」，「步六孤」改姓「陸」，凡一百一十八姓，都由複音節改爲單音節或雙音節。

四、從平城（山西大同）遷都洛陽的人，就成爲洛陽人，死亡之後，就葬在洛陽，不准歸葬平城。對一個崇拜祖先的民族，祖先墳墓是重要的向心力。

五、鼓勵鮮卑人跟中華人通婚。

這五項措施，證明鮮卑民族仍有蓬勃的生命潛力來吸收高級文化，只有僵硬待斃的民族，才用種種藉口，拒抗改變。但是下面的兩項措施，元宏卻作了錯誤的選擇：

第一，元宏把五胡亂華十九國時代中受到徹底破壞的士大夫門第制度，用政治力量恢復，並使它跟政治制度結合。在本來等級疏闊的鮮卑人的社會結構中，生硬的製造出新的門第。鮮卑貴族姓氏，稱為「國姓」，最尊貴的有穆、陸、賀、劉、樓、于、稽、尉，共稱「八姓」。中華民族則以郡為單位，每郡選定作官人數最多而官位又最高的姓氏，稱為「郡姓」，最尊貴的有范陽（河北涿州）盧姓、清河（河北清河）崔姓、滎陽（河南滎陽）鄭姓、太原（山西太原）王姓，隴西（甘肅隴西）李姓，共稱「五姓」。廣大的被統治的平民，則屬於「庶姓」。國姓郡姓有國姓郡姓的門第，這門第代代相傳，成為世家。世家子弟們的唯一出路，就是做官，政府官職，永遠被他們掌握。庶姓既沒有門第，更建立不起來世家，天生的是被統治階級，縱有極大的學識和才能，也只能當低級職員，不能升遷。有頭腦的一些大臣曾為此跟元宏爭論，但元宏堅持原則：政府用人，只問門第，不問才能。而門第世家，又分為六等：

第一等，膏粱門第。三世中有過三個宰相（三公）。

第二等，華腴門第。三世中有過三個院級首長（尙書令、中書令、尙書僕射）。

第三等，甲姓門第。三世中有過重要部部長（尙書）。

第四等，乙姓門第。三世中有過次要部部長（九卿）和州長（刺史）。

第五等，丙姓門第。三世中有過顧問官或國務官員（散騎常侍、太中大夫）。

第六等，丁姓門第。三世中有過副部長級官員（吏部員外郎）。

每一等級的子弟，都有它的做官標準和保障。像副部長級位置，必須由第一等膏粱子弟或第二等華腴子弟擔任。州政府祕書長（長史）和郡政府祕書官（主簿），必須由四姓（甲乙丙丁）子弟擔任，身爲平民的庶姓人士，絕對無份。

第二，元宏把中華民族儒家學派的主要精髓——禮教，全部接受。鮮卑來自荒漠，有游牧民族自己的生活方式，當然比較簡單，但是直率親切，樸實可愛。元宏以從農業社會貴族階層孕育出來的意識形態的禮教眼光觀察，自然認爲簡單就是落後，直率就是粗野，親切就是失禮。元宏非常欣賞儒家學派的繁文縟節，所以首先改變他的宮廷和政府的組織結構，皇帝和官員們的威嚴與日俱增，皇帝與親王大臣的關係，隨着宮廷制度的建立，而越來越疏遠。親王大臣跟部屬，下級官員跟人民，也日漸隔絕。於是統治階層的生活，不可避免的日趨糜爛。其次是婚喪儀式，也跟着複雜不堪，鮮卑人從前死了父母，他可照常供職。中華化之後，他就必須辭職，回家守喪三年。除非他是一個大地主，否則就會立刻陷於飢餓。所以大部份官員必須瘋狂貪汚，積蓄足夠的財富，以備父母死亡後度六年的失業日子。

這兩項是中國文化最糟的部份，元宏卻當成寶貝。在本世紀（五）還看不出，到了下世紀（六），他的帝國就要付出代價。

八、奇異的寄生集團

當北朝士大夫的門第世家制度，獲得重建時，南朝這個根本就沒有受過打擊的制度，正在蒸蒸日上。

南朝諸國繼承了晉帝國政權，同時也繼承了晉帝國的社會結構。由九品中正而日盛的門第世家，隨着大批流亡客，於上世紀（四）移殖到江南。但並不是所有的門第世家都能保持原狀，像何、杜諸姓，晉政府南遷後就默默無聞，因爲門第世家建築在官位上和土地上，是「官」和「地」的結合產品，一旦無官無地，門第世家也就消滅。流亡客中的豪族，稱爲「僑姓」，江南土著中的豪族，稱爲「吳姓」。僑姓中以王、謝、袁、蕭最爲尊貴。吳姓中以顧、陸、朱、張最爲尊貴。政權既然握在僑姓之手，吳姓地位當然比僑姓要低。

門第世家制度，在歷代帝王大力支持下，日趨嚴格和精密。一姓之中，還要再分等級，像王姓，因大宗小宗之故，住在建康（江蘇南京）烏衣巷的一支，尊貴中尤其尊貴，誠所謂「萬王之王」。所以平民出身的庶姓官員根本不可能升遷到中階層，吳姓固然可能升遷到高階層，但不能升遷到最高階層。南齊帝國第一任皇帝蕭道成曾經考慮任用張緒當國務院右最高執行長（尚書右僕射），宰相王儉反對，他說：「張緒固然是適當的人選，但他是土著吳姓，不可以居這麼高的地位。」大臣褚彥回抗議說：「晉帝國也曾任用過顧和、陸玩當宰相。」王儉說：「晉帝國是一個沒落王朝，不足效法。」蕭道成只好作罷。

王儉不過一個例子，流亡僑姓對土著吳姓的讓步，有一定的限度。對於普通平民出身的庶姓，態度當然更爲嚴厲。高級門第世家爲了鞏固自己的既得利益，他們用婚姻作爲手段，結成一個堅強而奇異的士大夫集團。寧可使自己的女兒嫁給門當戶對的白癡，也不跟平民庶姓通婚。假如有人跟平民庶姓通婚，那會使全體士大夫震動，不惜借政治力量予以破壞。身爲高門第世家，但比較貧窮的王源，貪圖巨額聘金，把他的女兒嫁給富陽（浙江富陽）富豪滿家，「滿」是標準的平民，更是標準的庶姓。身為大臣的沈約，就大動干戈的向皇帝正式提出彈劾，他說：「禮教凋零，世家墮落。」認為對世道人心和國家命脈，都有嚴重傷害。

高等門第世家既結合成一個集團，遂成為士大夫中的士大夫。跟平民庶姓的距離，越來越遠，甚至以跟平民庶姓結交為莫大恥辱。我們用下列兩個例證，說明此一現象：

一件是，本世紀（五）初南宋帝國時，皇帝劉裕最親信的大臣王宏，他雖然姓王，卻是庶姓的王。劉裕告訴他：「你如果想當士大夫，必須王球允許你跟他在一起共坐才行。你不妨說奉我的命令，前去試試。」王球是當時宰相，當王宏在他身邊要坐下時，王球用手中的扇子阻止他：「你不可以坐。」王宏狼狽逃回，劉裕抱歉說：「我也沒有辦法。」

另一件是，南齊第二任皇帝蕭賾最寵信的大臣紀僧眞，向蕭賾請求：「我的出身不過本縣武官，請陛下准許我當士大夫。」蕭賾說：「這事由江斆作主，求我沒有用，你可去找他。」江斆是司法部部長（都官尚書），紀僧眞前去拜訪，剛要坐下，江斆立刻命僕人把自己的座位搬開。紀僧眞向蕭賾訴屈，蕭賾說：「士大夫不是皇帝可以委派的。」

——事實上恰恰相反，士大夫正是皇帝委派的結果，像王球、江斆之流的門第世家，兩代下來不給官做，身份地位便全化為烏有。

再一件是，路太后的侄兒路瓊之，拜訪中書令（宰相級）王僧達。路瓊之的父親曾經當過王家的侍衛，所以他不僅是庶姓門第，而且還是僕人門第。王僧達並不因他是大臣，姑母又是皇太后而尊重他。在路瓊之告辭後，王僧達命人把路瓊之坐過的小板櫈扔掉，以表示他的輕蔑。不過這一次端架子的結果不太理想，路太后的反應很激烈，吩咐她兒子劉駿把王僧達逮捕絞死。

士大夫是一種世襲的沒有封爵的貴族，北魏帝國元宏所恢復的制度，即以南朝現行制度爲藍圖，比着葫蘆畫起來大瓢。這種貴族唯一的職業是做官，以門第和世家的高低，確定官職或能力的高低。南宋帝國時，甲姓門第的子弟，二十歲成年後第一次任職，就要當中央政府科長級官員（祕書郎）。這種情形自然產生一種結果，即他們十分珍惜自己的門第和世家。他們固然高立於廣大的平民庶姓之上，同時也旁立於政府和國家之外。是一個只享權力，既沒有義務，也沒有道德責任的純勢利的寄生集團。平時他們不繳納任何賦稅，戰時他們不服任何兵役或勞役，而只站在勝利者的一邊，幫助維持安定局面，並從而做官，用政治力量維護他們的既得利益。

士大夫不但輕視平民庶姓，而且還數典忘祖的輕視君主、政府、國家。君主被殺被逐，以及改朝換代，無論晉帝國也好，南宋帝國也好，南齊帝國也好，或其他任何政權，興亡盛衰，都漠不關心，而只關心自己的門第世家。所以士大夫從不忠於任何君主或任何政府，更不忠於國家。因爲任何效忠都有導致犧牲的危險，他們不需要效忠，照樣可以掌握權柄，所以他們只忠於自己的門第世家就夠了，因爲門第世家就是自己的政治權勢、社會地位，和經濟財富的能源。

九、佛道二教的發展

佛道二教於紀元後第二世紀在中國萌芽時，出於一種法術符咒方式。佛教最初傳入，力量微弱，所以一直依附在道教之下，好像是道教的一個支派。這種情形延續二百餘年，雖然得到很多人信仰，但它沒有經典的基礎。上世紀（四）高僧竺佛圖澄，受到後趙帝國暴君石虎的最大尊敬，對佛教的推廣，有很大貢獻，但他所以獲得尊敬，完全靠他的神蹟。

任何時代，苦難中的人民，只有兩條路可走。一是對暴政反抗，一是藉宗教信仰，尋求未來的幸福。自從二世紀黃巾農民大暴動以來，中國境內從沒有停止過戰爭。從事戰爭的人投入戰爭，沒有從事戰爭的人，如婦女兒童和老年人，大多數都投入宗教，希望神靈能賜給在戰場上作戰的孩子們和在家的家人們平安。因爲信佛的人太多，以致石虎一度考慮下令只准皇帝和貴族信佛，平民不准信佛。

本世紀（五）第四年（四〇三），龜茲王國（新疆庫車）高僧鳩摩羅什，抵達後秦帝國首都長安，後秦國王姚興尊奉他爲國師。之後的十三年中，他把後秦帝國化成一個佛教帝國，人民十分之九都成了佛教徒。對佛的崇拜雖不能拯救帝國的滅亡，但鳩摩羅什翻譯的佛經，有三十部之多。在此之前，雖然也有譯經，都屬殘篇，到鳩摩羅什才正式完成佛經的體系，使佛教呈現出它的莊嚴面目。

道教產生早於佛教傳入，可是到本世紀（五）二〇年代，名道士寇謙之才建立起來正式結構。北魏帝國皇帝拓拔燾、宰相崔浩，都是虔誠的道教徒。因之北魏帝國遂成爲一個道教帝國，皇帝登極時，都採用道教儀式，由道士祝福。佛教在中國從沒有達到過這種頂峰。

信仰都具有排他性，佛道二教必然的要發生衝突。本世紀（五）四〇年代四四六年，正是杏城（陝西黃陵）民變的次年，拓拔燾駐軍長安，在佛寺中發現武器。這是一個很好的藉口，他立刻指控佛教徒跟杏城變民領袖蓋吳，共同謀反，下令全國（這時他已統一了北中國），焚燬所有的廟院。和尚尼姑，不論老少，一律處斬。這場屠殺，是佛教史上著名的「三武之禍」的一禍（拓拔燾號稱太武皇帝）。不過拓拔燾的孫兒拓拔濬卻信奉佛教，五〇年代四五二年即位後，佛教即行復興。

——三武之禍的其他二禍：一、下世紀（六）七〇年代五七四年，北周帝國第三任皇帝宇文邕（號稱武皇帝）禁佛。二、九世紀四〇年代八四五年，唐王朝第十八任皇帝李炎（號稱武宗皇帝）禁佛。但第二次沒有流血，第三次則道教以及當時盛行的其他宗教，如景教、祆教等，同受惡運。

在南中國，佛道二教沒有引起政治干預。二教在民間各自發展，各有相當成功。道教的五斗米派得到廣大群眾信奉。佛教則出現一位傳奇人物——釋法顯。

道教是中國宗教，經典在中國。佛教是印度宗教，經典在印度。而佛教派系之多和經典之多，在世界各宗教中，高居第一位。所以那時中國每一位高僧都盼望能到釋迦牟尼誕生的聖地印度，尋求原始經典。釋法顯是後秦帝國人，於上世紀（四）最後一年（三九九），從長安出發，經過西域蔥嶺，進入北天竺（北印度）。北天竺對佛經只有口傳，沒有文字記錄。於是再向南行，於本世紀（五）四〇四年，即鳩摩羅什到長安的次年，釋法顯也到了中天竺（中印度），學習梵語梵文。六年後（四一〇），釋法顯攜帶十一種佛經，從師子王國（錫蘭島）乘船返國，他本打算先去廣州，不料在海中遇到颶風，於四一四年，竟把他的船吹到廣州以北兩千公里外的牢山（山東青島）。牢山屬青州（山東青州）管轄，青州那時尚是晉帝國的領土，釋法顯無法回到後秦帝國首都長安，只好到晉帝國首都建康（江蘇南京）。釋法顯是中國歷史上第一位外國留學生，而且最爲成功和最有貢獻，當鳩摩羅什在北中國翻譯佛經時，釋法顯在南中國也翻譯佛經。

因爲譯經的緣故，佛教對中國文化，有劃時代的影響，中國不但吸收了新思想——士大夫仍然在清談，但已改變了內容，從前是談老莊，現在則談佛。而且迫使中國的方塊漢字，第一次暴露出它的缺點：字彙貧乏和音節單調，梵文表達出來的很多事物，包括思想和意境，漢文往往不能表達。於是大量新創的字彙產生，如「菩提」「涅槃」「剎那」之類，純是梵文的音譯，爲漢文注入新的血液。因譯經而創造出的新文體，即半文言半白話的混合體，對中國文學更是一個很大的衝擊，使得下世紀（六）之後，白話文終於脫離文言文而單獨出現。若干高僧不能書寫，只能口述，一些沒有受過官僚專用的文言文訓練的門徒，將他們的談論，用樸實的文體記載下來，遂成爲一種格言式的「語錄體」。——這種語錄體以後被儒家學派廣泛採用，它的妙處是，只需要片段的言語就可造成一個學者，不必辛苦的去建立思想的和邏輯的謹嚴體系。

在言語上，中國人受方塊漢字的拘限，不能向多音節發展，而單音節必然的產生大量的同音字，大量同音字的漢字，只宜於用來書寫，不適合用來宣讀，而佛經是需要向聽眾宣讀的。形勢促使他們改用白話文外，又必須在音調上補救。前面所提到的那位爲保衛士大夫門第而戰的沈約和他的朋友，根據梵語的啓示，爲中國的方塊漢字，定出四聲——平上去入，中國言語在音調上遂比以前豐富。

一〇、東西方世界

——一〇年代·四一〇年（南燕帝國滅亡），西哥德部落攻陷羅馬城，屠殺焚燒，血流滿街，除基督教會財產外，劫掠一空。西羅馬帝國撤回駐不列顛佔領軍入援，盎格魯部落與撒克遜部落，乘虛侵入不列顛，建立七小王國，互相攻伐。

——二〇年代·四二七年（北魏攻陷胡夏帝國首都統萬城），高句麗王國自丸都（吉林集安）遷都平壤，國勢全盛。與百濟王國、新羅王國，鼎立朝鮮半島，爲朝鮮三國時代。

——三〇年代·四三五年（北燕帝國滅亡前一年），匈奴汗國可汗阿提拉即位，所至焚掠燒殺，草木不生。歐洲大恐，西羅馬帝國尤甚，稱之爲「上帝之鞭」。

——三〇年代·四三九年（北涼王國滅亡，五胡亂華十九國時代終），汪達爾部落在北非建汪達爾王國。

——五〇年代・四五五年（南宋皇帝劉義隆被弑後第二年），汪達爾王國攻陷羅馬城，大掠十四晝夜，擄走西羅馬帝國皇后公主以下三萬餘人。

——七〇年代・四七六年（南宋暴君劉昱被殺前一年），西羅馬帝國亡。

——八〇年代・四八六年（北魏帝國遷都洛陽前八年），法蘭克部落侵入高盧（法國），建法蘭克王國，改高盧爲法蘭西亞，史學家稱墨羅溫。

第十九章 第六世紀

本世紀初，南朝南齊帝國亡於兵變。南梁帝國代之而起，又被內憂外患所迫，萎縮成為北朝的附庸。陳帝國又代之而起，割據局面遂到尾聲。北朝北魏帝國在民變中凋謝，分裂為東西兩個帝國。不久，東帝國被北齊篡奪，西帝國被北周篡奪。而北齊又被北周併吞，北周帝國接着又被它的皇親國舅楊堅篡奪，改稱隋帝國。

本世紀八〇年代，隋帝國征服南朝，大分裂時代告終。中國又歸於統一，而且是長期的統一。

一、南梁帝國的北伐

南齊帝國皇帝蕭寶卷於本世紀（六）第一年（五〇〇）激起他登極以來第三次兵變，大將崔景慧圍攻台城（皇城），被另一位大將蕭懿撲滅。可是蕭寶卷不久又把蕭懿殺掉，於是第四次兵變，也是最後一次兵變爆發。蕭懿的弟弟雍州（湖北襄樊）州長（刺史）蕭衍，在襄陽叛變，率軍順長江東下。蕭衍在江陵（湖北江陵）另立蕭寶卷十四歲的弟弟蕭寶融當皇帝。但蕭寶卷並不在意，他在皇宮中，用黃金鋪地，鑿成蓮花，教他最寵愛的妃子潘玉奴走在上面，讚美說：「步步生蓮花。」爲支持此項步步蓮花的黃金，國庫爲之枯竭。蕭衍叛軍於本世紀（六）第二年（五〇一）十月，挺進到首都建康（江蘇南京）城下，完成包圍。蕭寶卷鎮靜如昔，三次兵變都被敉平，他相信第四次兵變沒有理由例外。所以他在圍城中專心忙碌擴建他的宮殿，民間有一棵好樹木或一株好竹子，都被毀牆拆屋，移植入宮。他的左右親信中有幾個比較清醒的，看出局勢嚴重，希望蕭寶卷能安靜下來。其中一人乘着蕭寶卷坐騎忽然驚嘶的機會，向他進諫說：「我看見你父親，他很不高興，責備你總是出宮遊蕩。」蕭寶卷大怒，拔出佩刀，尋找他老爹的鬼魂。既然尋找不到，就用草縛一個他老爹的人像，斬首，把頭掛到宮門口，昭示全國。將領們請他拿出宮中財物犒軍，蕭寶卷跳起來喊：「爲什麼只教我花錢，敵人來了難道只殺我？」一個人被無限權力作弄到如此程度，使人嘆息。到了十二月，蕭寶卷正在殿上無憂無慮的作樂聽歌時，城防司令官王珍國率軍殺入皇宮，一個宦官一刀砍中他的膝蓋。蕭寶卷仆倒在地，另一位中級軍官（中兵參軍）張齊從旁再砍一刀，斬下這個只十九歲的年輕人的頭顱，迎接蕭衍入城。

明年（五〇二），蕭衍命蕭寶融下詔禪讓，南齊帝國只二十四年就告結束。蕭寶融和蕭姓皇族，當然不能逃過亡國失位君主的命運，像豬一樣被屠淨光。

蕭衍的國號是南梁，他即位後不久就雄心勃勃，打算統一中國。南齊二十四年之間，跟北魏保持國際和平，邊界無事，蕭衍打破這個局面。

〇〇年代五〇五年，蕭衍命他的弟弟蕭宏親王當總司令，統軍北伐。只不過四年前，蕭宏還是南齊帝國一個平民庶姓的微不足道的低級職員（功曹史），可是他既當了親王，權力就是能力了，他遂成為大兵團的最高指揮官，渡過淮河，進入敵境。但他心中卻十分恐懼，推進了十數公里，到達洛口（安徽懷遠），即不敢再進。明年（五〇六），北魏反攻部隊陸續集結，蕭宏更加神魂不安，幾次都要撤退，被一些將領苦苦留住。可是，一個暴風雨的晚上，營中發生夜驚，稍為熟習軍旅生活的人都知道，夜驚是平常的事。蕭宏卻心膽俱裂，竟拋下他所統率的大軍，祕密乘坐小艇逃走。等到天亮，將士們才發現失去元帥，全軍立刻崩潰，搶先渡淮河南奔，互相爭奪殘殺，死傷五萬餘人，卻連敵人的影子都沒有看見。然而最奇異的是，蕭宏高官貴爵如故。

蕭衍不承認失敗，九年後一〇年代五一四年，他決心奪取壽陽（安徽壽縣），壽陽是北魏帝國突入淮河南岸的一個軍事重鎮。蕭衍命在壽陽下游一百三十公里處的浮山（安徽五河）附近，建立橫斷水壩。計畫水壩築成後，淮河上游水位提高，壽陽即被淹沒。這個方法很好，但問題在於那個水壩，它必須能夠承受水庫的壓力。工程部門官員提出警告說，淮河的河床，盡是泥沙，飄忽流動，水壩基礎，必不可能穩固。但蕭衍堅持自己的見解，於是開始施工。動員二十餘萬人，從淮河南北兩岸，分別興築，向中流合攏。五一四年十一月開工，五一五年四月完成。想不到剛剛完成，水庫的水只積蓄一點點，水壩即行崩潰。幸虧春雪還沒有融解，損失不大。可是，蕭衍不接受這個教訓，下令重建，從五一五年四月，到五一六年四月，歷時一年零一個月，第二次完成，長約四公里半。這是一個驚人的長度，即令在一千五百年之後的二十世紀，也是世界上最長的水壩之一。

最初，北魏帝國對這個水壩十分恐慌，準備出兵攻擊築壩工人。但宰相李平了解水性，認爲水壩絕承受不住水庫的壓力，不必出兵，它會自然解決。所以北魏連壽陽居民都沒有疏散，倒是蕭衍卻忙碌起來，在壽陽附近山頭，安排災民收容所，準備壽陽陸沉時收容逃出來的災民。水壩完成後五個月，九月份來臨，淮河水位暴漲，水庫盈滿。於是，天崩地裂般一聲巨響，遠在一百五十公里以外都聽得見，水壩第二次崩潰。建立在壩上的軍營，和沿淮河下游兩岸的村落，總共十餘萬人，包括將士和睡夢中的婦女兒童，爲了蕭衍一個人愚昧的一意孤行，全被洪水捲走，葬身東海。

歷史上很少創業的君主，像蕭衍這樣的顢頇。

二、二〇年代——北魏遍地抗暴

北魏帝國自上世紀（五）九〇年代遷都之後三十年間，是帝國的鼎盛時期。北魏在文化上最大的貢獻書法和浮雕，都集中在這三十年間完成。中國碑帖中，「魏碑」最爲著名，就是因爲它的書法有不同凡響之處，北魏流行一種肥胖型書法，但骨骼均勻，肌肉結實，使方塊的漢字充份表現出它的華貴美。至於浮雕，是佛教最興盛時的產品。佛教在本世紀（六）達到以前從未有過的巔峰，帝國全境有僧尼二百餘萬人，廟院三萬餘所——僅洛陽一地就有一千三百六十七所。信徒們除了到廟院燒香捐獻祈福外，還用雕刻佛像的方法祈福。北魏帝國的佛像雕刻，是最高的一種藝術成就。聞名世界的龍門懸崖（又名伊闕，洛陽南二十公里）上的佛像浮雕，有數萬個之多（直到現代，沒有人查清它的數目），鬼斧神工，使人嘆爲觀止。若干巨像的一個手指，就跟普通人一樣大小。這浮雕一直保持到二十世紀，仍矗立在那裏，供後人憑弔。

但帝國鼎盛時期的同時，也孕育了帝國滅亡的種子。

第一，北魏帝國爲了抵禦北方新崛起的野蠻民族柔然汗國的南侵，沿邊建立了六個最重要的軍事重鎮，稱爲六鎮，即懷朔鎮（內蒙固陽）、武川鎮（內蒙武川）、撫冥鎮（內蒙四子王旗）、懷荒鎮（河北張北）、柔玄鎮（內蒙興和北）、禦夷鎮（河北赤城）。這六鎮在建都平城（山西大同）時，駐紮着全國最精銳的部隊，士強馬壯。貴族子弟，以在六鎮服役爲榮，六鎮遂成爲帝國的生命線和主要安定力量。自遷都洛陽，六鎮逐漸淪爲荒漠的邊陲，被目光如豆的當權人物遺棄在腦後。尤其元宏雷厲風行他的門第制度，同是一家人，隨政府遷到洛陽的人成爲國姓郡姓高門第的世家，生下來就有富貴。而留在六鎮爲國殺敵捐軀的人，卻成爲平民庶姓低門第的寒門，淪爲防衛司令官（鎮將）的奴婢，受到非人的虐待。他們不能升遷，不准出境，不准讀書，不准與高門第人士通婚。太多的暴政使邊民對北魏政府痛恨入骨。有眼光的大臣如軍區司令部祕書長（大都督長史）魏蘭根，曾不斷指出其中危機，但沒有人理會。邊民除了叛變外，無法拯救自己。

第二，政府宮廷的組織和權力，日益擴張，當權人物除了擁有無限尊嚴外，還必須擁有無限財富，才能保持和發揮無限尊嚴。於是不久就跟三世紀末晉帝國崩潰前夕一樣，官員們互相以窮奢極侈誇耀。宰相元雍，僅女婢就有五百餘人，男僕就有六千餘人。另一位親王元琛，他的馬槽都是銀製的，飲食器具都是西域（新疆）進口的外國貨。他曾感慨說：「我不恨沒有見過石崇，只恨石崇沒有見過我。」石崇是晉帝國的一位州長級官員，靠貪汚和殺人掠貨成爲富豪。太多的元雍、元琛，必然官逼民反，人民除了殺官自救外，只有被殺。

本世紀（六）一開始，就陸續發生抗暴行動。進入二〇年代，民變更如同雨後春筍。我們且將二〇年代重要的民變列爲一表，說明人民憤怒的程度。所列都是農民革命，加△號者屬於兵變，兵變也多因不堪暴政而起。

年份	領導人物	發生地區	發展情況	註
五二〇	元熙	鄴城（河北臨漳）	親王元熙起兵討伐宰相元乂，兵敗被殺。	△
五二一	韓祖香	南秦州（甘肅成縣）	南秦州氐民族部落韓祖香等聚眾起兵。	
五二三	懷荒鎮民	懷荒鎮（河北張北）	柔然汗國來攻，鎮民請糧，懷荒鎮將于乂不肯給，鎮民攻殺于乂叛變。	

五二四	破六韓拔陵	沃野鎮（內蒙杭錦旗北）	鎮民破六韓拔陵攻殺鎮將，聚眾叛變。此爲變民主力之一，六鎮全部陷落，四方響應，歷時十餘年。	
	胡琛	高平鎮（寧夏固原）	鎮民赫連思聚眾叛變，推敕勒部落酋長胡琛爲王，四出攻掠。	
	夏州民	夏州（陝西靖邊）	夏州、東夏州（陝西延安）、涼州（甘肅武威）、豳州（甘肅寧縣），民變紛起。	
	莫折大提	秦州（甘肅天水）	州長（刺史）李彥殘暴，州民薛珍聚眾攻殺李彥，推莫折大提爲王。莫折大提不久病死，子莫折念生繼位，稱帝，遣兵四出。	
	于菩提	涼州（甘肅武威）	州民于菩提囚禁州長（刺史）宋穎，叛變。	
	張長命	南秦州	州長（刺史）崔遊誘殺降人，州民張長命攻殺崔遊，起兵響應莫折念生。	
	乞伏莫于	秀容（山西朔州）	肆州（山西忻州）民乞伏莫于攻殺地方政府首長。	

五二五			
	萬于乞眞	秀容	牧人萬于乞眞攻殺交通部長（太僕卿）陸延，聚眾叛變。秀容酋長爾朱榮攻殺萬于乞眞。（爾朱榮因而被北魏政府任命爲車騎將軍、六州討虜大都督，始露頭角。）
	趙天安	涼州	于菩提死，州民趙天安命宋穎當涼州州長（刺史），續抗政府軍。
	劉安定	營州（遼寧朝陽）	州民劉安定擒州長（刺史）李仲遵，據營州叛變。
	就德興	營州	劉安定被殺，州民就德興統眾東走，稱王。
	曹阿各拔	夏州	曹阿各拔同他的弟弟曹桑生，聚眾擒夏州州長（刺史）源子雍，叛變。
	張映龍	雍州（陝西西安）	巴蜀（四川省）人張映龍，聚眾攻雍州，兵敗散走。
	汾州胡人	汾州（山西隰縣）	汾州胡人叛變，北魏政府命親王元融討伐。
	杜洛周	上谷郡（河北懷來）	柔玄鎮（內蒙興和北）民杜洛周於上谷聚眾叛變。

	梁景進	河州(甘肅臨夏)	引莫折念生軍圍河州，敗走。	
	二荆西郢群蠻		荆州(河南鄧州)、東荆州(河南泌陽)、西郢州(河南泌陽西)，群蠻皆起兵，大者萬家，小者千家，各稱王侯。洛陽以南，道路不通。	
	劉蠡升	汾州	汾州山胡部落酋長劉蠡升，據山西省南部，稱帝，歷時九年有餘。	
	元法僧	徐州(江蘇徐州)	徐州州長(刺史)元法僧叛變，稱帝，兵敗，投奔南梁帝國。	△
五二六	鮮于修禮	定州(河北定州)	於定州左城聚眾叛變。	
	斛律洛陽	平城(山西大同)	斛律洛陽與另一變民領袖費也頭牧子相結，聯軍攻陷故都平城。	
	鮮于阿胡	朔州(內蒙固陽)	據城叛變。	
	陳雙熾	絳郡(山西絳縣)	聚眾叛變，稱王。	

年份	人物	地點	事件	
	葛榮		鮮于修禮爲部將所殺，葛榮再殺部將，稱帝，游擊華北諸州郡，集結到百萬部眾。	
	范陽民	范陽郡（河北涿州）	擒幽州（北京）州長（刺史）王延年，響應杜洛周。	
	劉樹	齊州（山東濟南）	攻陷州郡，屢敗北魏政府軍。	
五二七	岐州民	岐州（陝西鳳翔）	擒州長（刺史）魏蘭根，響應莫折念生。	
	叱干麒麟	豳州（甘肅寧縣）	聚眾據州城，響應莫折念生。	
	東清河郡民	東清河郡（山東淄博南）	變民群起。	
	潼關民	潼關（陝西潼關）	據潼關叛變，洛陽至長安路斷。	
	蕭寶寅	長安	大將蕭寶寅據長安叛變，稱齊帝，兵敗後奔万俟醜奴。	

	趙顯德	東郡（河南滑縣）	殺東郡郡長（太守）裴烟，稱都督。	
	劉鈞	東廣川郡（山東鄒平）	聚眾叛變，稱大行台。	
	房項	昌國（山東淄博）	聚眾叛變，稱大都督。	
	劉獲、鄭辯	西華（河南西華）	聚眾叛變，稱王，跟南梁帝國相結。	
	薛鳳賢	正平郡（山西新絳）	與同族薛修義，起兵進攻蒲坂（山西永濟）。	
五二八	李洪		聚眾叛變，攻燒鞏縣（河南鞏義）、伊闕之間，洛陽以東路斷。	
	邢杲	北海郡（山東濰坊）	聚眾叛變，聲勢浩大。北魏皇帝元詡曾下詔親征，但不敢出發。	
	劉舉	濮陽郡（山東鄄城）	光州（山東萊州）人劉舉起兵，稱皇武大將軍。	

	万俟醜奴	高平鎮	本是胡琛部將，胡琛被破六韓拔陵誘殺，乃統餘眾，稱帝。	
	續靈珍	蕃郡（山東滕州）	聚眾叛變，攻郡城，跟南梁帝國相結。	
	韓樓	幽州（北京）	聚眾叛變，攻陷州城，鄰近諸州，紛紛響應。	
五二九	元顥	洛陽	親王元顥引南梁軍，攻入洛陽，稱北魏正統皇帝，兵敗被殺。	△
	王顥祖	上黨郡（山西長治北）	聚眾叛變，稱王。	

三、北魏帝國的分裂

北魏帝國有一個野蠻傳統，可能來自紀元前一世紀西漢王朝第七任皇帝劉徹的啓示。劉徹將立他的兒子劉弗陵當太子時，先把劉弗陵的母親鉤弋夫人殺掉，預防她將來以皇太后的身份，干預政治。北魏帝國把這個偶然事件，明定爲一種制度。所以在北魏宮廷中的慘劇，也比其他王朝爲多。每當選立太子時，年輕母親即被迫服毒，哭聲響徹內外。一直到本世紀

（六）初，第八任皇帝元恪立他的兒子元詡當太子時，元詡的母親胡貴嬪本應處死，但元恪不忍心這樣做。一百餘年的野蠻習俗，才告廢止。元恪於一〇年代五一五年逝世，元詡即位，年才六歲，胡貴嬪順理成章的當了皇太后，掌握政府大權。

年輕貌美的胡太后當權後的行爲，對她丈夫元恪的善意立法，實是一種尖銳諷刺。這位一百年以來第一個出現的貨眞價實皇太后，卻用事實證明那野蠻習俗確實有其存在必要。胡太后自從當權，除了大肆營建佛寺和佛像外，幾乎全部精力都用在傷害帝國上。二〇年代如火如荼的遍地抗暴，大多數由她激起，或由她觸發。洛陽孤立在黃河南岸，已經進退失據，可是像蛆蟲一樣的政客們仍擁擠在權力魔杖的四周，鬥爭不休。五二〇年，宰相元乂發動政變，把胡太后囚禁，但元乂比胡太后更爲貪暴。五年後（五二五），胡太后反擊，把元乂殺掉，重新掌握政權。她唯一的反省是再不能信靠外人，只能信靠她的兩位情夫孫儼和徐紇。對各地民變，採取嬴胡亥、王莽一樣的政策，即用雙手掩住自己的耳朵。凡入朝官員，胡太后向他們詢問消息時，大家知道她想聽什麼，所以異口同聲回答：「小股盜賊，不過一些社會敗類，地方政府自會肅清，用不着聖慮。」胡太后在印證了她的觀察正確後，就更肆無忌憚。五二八年，元詡的妃子生了一個女兒，胡太后宣稱生了一個男孩，大赦天下，以示慶祝。元詡這一年已十九歲，覺得老娘勢將把帝國帶上毀滅，計畫把她那兩位炙手可熱的情夫逐走。環顧左右，他選中了鎮守晉陽（山西太原）的大將爾朱榮。這跟二世紀八〇年代一八九年，東漢王朝宰相何進選中鎮守河東（山西夏縣）的大將董卓一樣，歷史開始重演。元詡命爾朱榮向洛陽進兵，用以脅迫他母親胡太后。爾朱榮率軍南下，到了上黨（山西長治北），不知道什麼緣故，元詡又命他停止。但消息仍然洩露，胡太后跟兩位情夫遂把元詡毒死。——無限權力能把人變的禽獸不如。在權力鬥爭中，父親殺兒子，兒子殺父親，已不足爲奇；而今竟出現母親殺死親生之子，而且是獨生之子。

胡太后毒死親生之子，不僅凶惡殘忍，而且愚不可及，她挖掉自己生命的根。中國不像歐洲，在中國，妻子和女兒在法理上不能繼承帝位。元詡死後，既然已經宣佈過生了個男孩，男孩當然要繼任爲下屆皇帝，可是胡太后知道無法隱瞞，只好馬上再宣佈，所謂皇子，本是皇女，而另立元詡的族侄，剛生下來才三個月的元釗當皇帝。這種重大的事件竟如此兒戲，胡太后把政治看的太簡單了。爾朱榮首先發難，一面宣言要追查皇帝元詡的死因，一面不承認胡太后政府，另行擁立元詡的族叔元子攸當皇帝，向洛陽進攻。胡太后派出去迎擊的軍隊反而投降爾朱榮，於是情夫逃走，洛陽陷落，胡太后和嬰兒皇帝，被爾朱榮裝到竹籠裏，投到黃河溺死。距她毒死親生兒子，只兩個月。

接着爾朱榮請政府全體官員到郊外迎接新皇帝元子攸，把文武百官誘到河陰淘渚（黃河洛陽間地名）之後，用騎兵團團圍住，宣佈罪狀說：「國家所以衰亂，你們應負責任。」下令屠殺，在騎兵蹂踐下，包括北魏帝國第一奇富的宰相元雍在內，兩千餘高門第世家的高級貴族和高級官員，全被殺死和踏死，政府爲之一空。這是人民對腐敗的當權官員的一種報復，也是庶姓對門第士大夫的一種報復，自然使人心大快，但也爲社會帶來恐怖，元子攸和殘餘的貴族士大夫，更如芒刺在背，認爲必須把它拔除。這個火藥庫局面，維持兩年，到了三〇年代五三〇年，元子攸把爾朱榮誘進皇宮殺掉。

元子攸殺爾朱榮之前，曾愼重考慮到爾朱榮強大的私人部隊叛變的可能性。他研究二世紀九〇年代的往事，當時東漢王朝宰相王允殺了董卓後，因拒絕大赦董卓的部將李傕、郭汜，才激起叛變。元子攸認爲大赦和鐵劵（用鐵鑄成保證永享富貴並遇罪赦免的詔書），可使他不重蹈這個覆轍。

——問題是，社會科學與自然科學不同，歷史發展與化學方程式不同。同一刺激，因人、因時代，和因環境的不同，反應也異。所以人們在覓取歷史啓示或教訓時，必須特別小心。

爾朱榮惡耗傳出後，爾朱榮的妻子斬關逃出洛陽，在城外集結爾朱家族散佈各地的武裝部隊，開始攻城。他們對元子攸的大赦令嗤之以鼻，對送出來的鐵劵更是輕蔑，告訴使節說：「爾朱將軍擁戴皇帝，有天大的功勳，都被謀害。兩行鐵字，又有什麼用處？」洛陽不久陷落，元子攸被叛軍絞死，距他殺爾朱榮僅三個月。

爾朱榮家族的一些將領，只不過一群暴徒，比河陰慘案被殺的那些官員，更爲腐敗貪虐。一個曾經追隨破六韓拔陵叛變，後來投降爾朱榮，被爾朱家族任命當冀州（信都·河北冀州）州長（刺史）的高歡，看出爾朱家族的沒落，就於元子攸被殺的明年（五三一），在信都起兵，聲言討伐叛逆。

明年（五三二），爾朱家族戰敗。高歡進入洛陽，立元子攸的族侄元修當皇帝。

高歡是中華人，但世居六鎮之一的懷朔鎮（內蒙固陽），是一個典型的窮苦邊民。六鎮以鮮卑民族爲主，元宏的中華化政策還不能影響到那麼遠，所以高歡在文化上徹頭徹尾是一個鮮卑人，能說流利的鮮卑語。他沒有受過教育，事實上他根本不識字，但他在艱苦中訓練自己，使自己成爲一個英雄人物。對他一手扶植起來的皇帝元修，他盡到最大的禮敬。不過元修當皇帝時才二十三歲，性格輕狂浮躁，沒有弄清楚自己的處境，極端不滿意自己的權力受到限制。跟元子攸一樣，他也想恢復皇帝應有的無限權力。於是他和鎮守長安（陝西西安）的大將宇文泰祕密相結。五三四年，乘高歡遠在晉陽（山西太原），元修從洛陽出發，西奔長安，投靠宇文泰。

高歡另立一位親王之子十一歲的元善見當皇帝，因洛陽距長安太近，就把首都遷到鄴城（河北臨漳）。北魏帝國遂有兩個政府，而各以正統自居。史學家稱鄴城政府爲東魏帝國，稱長安政府爲西魏帝國。

——元修的結局大出意外，他奔馳到長安，宇文泰以最隆重的場面迎接他，他以爲他現在可以享受無限權力的樂趣了。但對一個帝王而言，無限權力一旦喪失——尤其是經過兩代以上長久的喪失，就永不可能收回，猶如一條毒蛇，毒牙損失之後，就永不可能復生。高歡比較寬厚，至少不干涉元修的私生活。宇文泰不然，他把醜名在外、跟元修一直同居的元修的幾位姊妹，全部驅逐出宮，並把其中之一的明月公主殺掉。元修暴跳如雷，要對宇文泰下

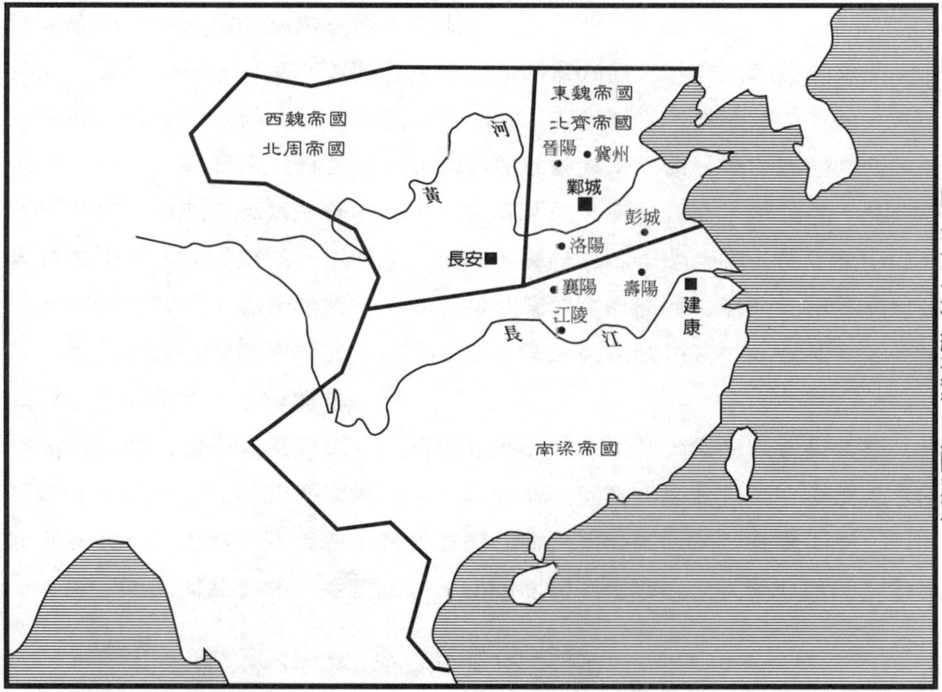

圖二九　六世紀初葉・三國並立

手，宇文泰毫不猶豫的就把元修毒死。距他滿懷希望從洛陽逃出，只五個月。

四、蕭衍父子引起的南中國混戰

四〇年代五四七年，高歡逝世，這個英雄人物最大的缺點是縱容他的兒子們驕傲橫暴，無法無天。他的長子高澄繼任父親宰相的職位。遠在黃河以南鎮守潁川（河南長葛）的大將侯景，是高歡幼年時代的貧賤伙伴，他平素一向厭惡高歡那些不成材的兒子，那些兒子們自然也瞧不起父親手下的部將。高澄剛剛繼位，侯景就宣佈脫離東魏政府，連同他管轄下的黃河以南十三個州，一併歸降南梁。

南梁帝國開國皇帝蕭衍，自從北進政策屢次失敗之後，不敢再談統一，把注意力轉向國內，在國內演出一連串鬧劇——先後四次捨身同泰寺。同泰寺是當時首都建康（江蘇南京）最大的廟院，僧侶有數千人。五二七年，蕭衍到同泰寺進香，忽然脫下皇帝的龍袍，穿上僧侶的袈裟，當起和尚來。當了三天，才行回宮。這是他第一次捨身，還算平靜。可是兩年後的五二九年，蕭衍第二次到同泰寺捨身時，就蓄意詐欺，他不但當和尚，而且堅決拒絕回宮。僵持了七十三天之久，大臣們終於明白了他的意思，就捐錢一億萬，把「皇帝菩薩」從同泰寺「贖」了出來。蕭衍食髓知味之餘，接着是四〇年代五四六年第三次捨身，五四七年第四次捨身，每次的價格都是錢一億萬。

蕭衍在政治上的成功，全靠僥倖，是一種被浪潮推湧到浪頭上的人物。但他一旦掌握大權，就開始自我肥大，形勢上的因素全被抹殺，對自己的智慧能力和道德水準，作過高的估價。事實上他自私而又庸劣，對於境界稍高的見解，便不能領略。他不殫其煩的一再捨身，而不覺得別人在一旁渾身肉麻，就是例證。他極醉心「仁慈」「寬厚」的美名，所以皇親國戚士大夫無論有多大的罪惡，都不予追究。但對於普通平民，他卻有猙獰的一面，一個人被認定犯罪時，父母妻子都受到連累。一個人逃亡，全家都逮捕下獄，無一點寬假。

侯景歸降，正是蕭衍第四次捨身的那一年（五四七），如果不是侯景，他恐怕明年還要捨身，捨個沒有完。侯景的歸降，跟紀元前三世紀韓王國上黨（山西長子）守將馮亭歸降趙王國一樣。凡沒有根的福都是危險的，趙王國的後果可作前車之鑑。但黃河以南十三州十一萬方公里的土地，有三個台灣島那麼大，以蕭衍的智力商數，他不但無力拒絕，而且早已被誘惑得神魂飄蕩。於是，跟趙王國一樣，他接受了這個燙手的山芋，宣佈把十三州併入版圖。

東魏帝國立即對侯景發動攻擊，侯景退到懸瓠（河南汝南）。蕭衍不能不派軍支援，他命侄兒蕭淵明當總司令，會同侯景的部隊，進攻彭城（江蘇徐州）。然而蕭淵明跟蕭宏一樣，也是認爲權力即能力的人物，在距彭城九公里的寒山地方，被東魏擊敗，不但全軍覆沒，蕭淵明也被捉去。侯景退到渦陽（安徽蒙城），抵抗不住東魏的追兵，也全軍覆沒。領着數百名親軍，眼看着十三個州化爲雲煙，而且連棲身之處都沒有，不知道投奔何處才好。最後，他進襲壽陽（壽陽於三〇年代，南梁乘北魏帝國內顧不暇時奪取，改爲南豫州），把代理州長（監州事）韋黯驅逐。蕭衍對侯景驅逐地方政府首長，不但沒有責備，沒有懲罰，反而即行任命侯景當州長（州牧），侯景大喜過望。不過他對蕭衍的昏庸，也留下深刻印象。

蕭淵明被俘後，高澄請他寫信給蕭衍，建議兩國和解，蕭衍覆信應允。農林部長（司農卿）傅岐警告說：「高澄既沒有戰敗，爲什麼求和？明明是反間之計，希望刺激侯景。侯景如果起疑，定生變化，我們不可跳進這個圈套。」蕭衍當然不會採納，兩國使節，遂開始往來。侯景果然恐懼，他上奏章說：「兩國如果和解，恐怕我不能免高澄毒手。」蕭衍保證說：「我是天下之主，豈會對人失信，你要深知我心。」侯景假冒高澄名義寫了一封信給蕭衍，提議用蕭淵明交換侯景。蕭衍這時露出眞面目，覆信說：「你早上送還蕭淵明，我晚上就送還侯景。」侯景的悲憤是可以想像的，他集結兵力，從壽陽南下，直指首都建康（江蘇南京）。蕭衍聽到侯景叛變，大笑說：「我折根樹枝就打死他。」侯景於四〇年代五四八年八月起兵，如入無人之境的渡過長江，於十一月抵達建康，百道攻城。南梁帝國各路勤王軍隊，在親王和親信統率下，雲集城外，每天跟美女飲酒歡宴，不敢作戰。蕭衍把皇帝詔書繫到風箏上，命他們進攻解圍，可是沒有人聽他的命令。明年（五四九）三月，建康陷落。五月，八十六歲的蕭衍，被活活餓死。死時只剩下他一個人孤獨的躺在床上，想討一盃蜜水，很艱難的喚了兩聲「荷荷」而後斷氣。這是他最後的聲音，跟劉子業最後的聲音「寂寂」一樣，沒有人知道它的含意。蕭衍的死距他接受侯景歸降只有兩年，距他折根樹枝只有九個月。

蕭衍的兒子之一蕭繹親王，於五〇年代五五二年在江陵（湖北江陵）繼位，他是本世紀

（六）暴君之一，知識水準很高，但知識水準不等於智慧水準，更不等於靈性水準。他在登位之前，第一件要作的是消滅那些可能跟他爭奪帝位的兄弟叔侄。鎭守長沙（湖南長沙）的侄兒蕭譽親王，是蕭衍的嫡長孫，在宗法制度上，比小宗蕭繹更接近寶座。蕭繹派遣大軍攻陷長沙，殺掉蕭譽。蕭譽的弟弟蕭詧，鎭守襄陽（湖北襄樊），派軍救他的兄長，被蕭繹擊敗。襄陽是一個手掌大的地方，不能抗拒蕭繹的壓力，蕭詧便連同土地，歸降北方的西魏帝國。蕭繹在終於殺光了他所能殺的假想敵之後，才命他的大將王僧辯，東下進攻盤據建康（江蘇南京）已四年之久的侯景。侯景兵敗，在逃竄途中被他的親信部將用矛刺死。大亂總算平息，蕭繹稱帝。可是南中國已殘破不堪，人民連年來爲了躲避兵災旱災和蝗災，紛紛逃入山谷湖澤，挖掘草根樹葉充飢。饑饉和疾病，使人隨時隨地都會倒斃。遍山遍野，屍體相接。百萬富豪人家，穿着綢緞，帶着稀世珠寶，臥在錦繡帳內，輾轉餓死。東西千餘公里，只見莽莽白骨，不見人蹤炊煙。

——有一件事是關於士大夫門第的故事。侯景在壽陽（安徽壽縣）時，曾向南朝最尊貴的王、謝二姓求婚，蕭衍說：「王謝門第太高，不能匹配，不妨向朱姓張姓以下試試看。」侯景大笑說：「什麼門第？我教他們作我的家奴。」他果然做到了。侯景進入建康後，王謝二家被屠殺和所受的羞辱最慘，幾乎滅絕。二姓的門第和世家，從此消失。

蕭繹不斷戰勝，使他目眩神搖，忘了他自己的脆弱。五五四年，他寫了一封十分傲慢的信給西魏帝國宰相宇文泰，要求重劃邊界。宇文泰失聲說：「天老爺要毀滅一個人，誰都救不了他。」即命于謹當總司令，蕭詧當前導，大舉南下。當西魏遠征軍已經入境時，蕭繹還故意表現他雍容的氣度，將領們一面戒備，一面全副武裝到金鑾殿上聽他講解李耳的道德經。西魏遠征軍不久抵達江陵，只幾天功夫，江陵城破，蕭繹平常總是要求別人爲國而死，臨到他時，他卻屈辱的投降求生。不過投降之前，蕭繹作了幾件事：第一件是，江陵獄中囚犯，約有七千餘人。圍城之際，城防兵力不足，軍方請求把他們釋放，充作戰士，這是古代習慣使用的辦法。蕭繹不但不准，反而下令一律格殺。幸而獄吏還沒來得及執行，城即陷落。第二件是，蕭繹把所收藏的十四萬册圖書，放火全部焚燬。許多絕版珍本，都成灰燼，中國文化受到一次無法補償的損失。蕭繹所以遷怒於書，是他認爲書害了他。國破家亡，全是讀書太多的緣故。第三件是，蕭繹在焚書時，表演了一個小動作，他拔劍砍柱，嚎叫說：「文武之道，到今天爲止。」意思是文武百官沒有拚死保護他，是放棄了他們神聖的責任。另一個意思是，從紀元前十二世紀周王朝創業人姬昌（綽號文王）和開國君主姬發（綽號武王），一脈傳遞下來的中國正統，因他的失敗，而告結束。

這三件小事暴露了蕭繹不可救藥的愚惡，不過他所受到的懲罰也很適當。西魏遠征軍故意把他交給恨他入骨的仇人蕭詧，蕭詧對這位失去毒牙的毒蛇叔父，作報復性的侮辱之後，用沙袋把他壓死。蕭詧在西魏支持下，繼位南梁皇帝。

然而，蕭繹手下的大將王僧辯，遠在建康（江蘇南京），還擁有大軍，拒絕承認蕭詧這個傀儡皇帝。他迎接蕭繹的十三歲的兒子蕭方智到建康，準備立他當皇帝。這時，剛剛奪取東魏帝國政權的北齊帝國，抓住機會，派遣大軍，把被俘已八年之久的蕭淵明送回，要求繼承帝位。蕭淵明是開國皇帝蕭衍哥哥的兒子，血統上根本沒有繼承帝位的可能性，但護送他的北齊兵團，一連幾場勝利，彌補了這個缺點，王僧辯只好接受。可是蕭淵明的皇帝只當了四個月，王僧辯的部將陳霸先兵變，殺掉王僧辯，把蕭淵明逐下寶座，擁立蕭方智繼位。

陳霸先跟上世紀（五）初葉推翻桓玄的劉裕，是同一類型人物。他的政治號召是：「蕭衍的子孫雖多，但能擊敗侯景的，只蕭繹一人，爲什麼廢掉他的兒子？」然而，到了五五七年，陳霸先卻命蕭方智下詔禪讓。禪讓之後，又把蕭方智殺掉。距他慷慨起義，誓死效忠蕭姓皇族，只有兩年，比劉裕還迫不及待。自此，南梁帝國只剩下江陵一小塊土地，在蕭詧統治下，作爲北周帝國（西魏帝國的篡奪者）的尾巴國，不再重見於歷史舞台。

陳霸先改國號爲陳。本世紀（六）五〇年代，中國境內四國並立，除了南梁帝國談不到算一個帝國外，陳帝國力量最弱。

五、北齊北周倏興倏滅

當南朝在混戰中改朝換代時，北朝也在混戰中改朝換代。

高澄於侯景攻陷建康的那一年（五四九），被他的廚師刺死，由患癲狂的弟弟高洋接任宰相。東魏皇帝元善見天眞的歡呼：「上天保佑，皇家權威可以重振了。」可是高洋的來勢更爲凶猛。明年（五五〇），高洋命元善見禪讓，改國號爲北齊。

假使世界上有瘋子集團建立的國家，北齊帝國就是了。高洋在金鑾殿上設有一口鍋和一把鋸，每逢喝醉了酒，必須殺人才能快樂。而他從早到晚都在喝醉，所以他必須從早到晚不停的殺人。宮女宦官和親信每天都有人慘死在他盛怒之下。最後遂由司法部門把判決死刑的囚犯，送到皇宮，供高洋殺人時之用，後來殺的太多，死囚不夠供應，就把拘留所裏正在審訊中的被告充數，稱爲「供御囚」。不但送到皇宮，即令高洋出巡時，供御囚也跟着高洋的屁股後，只要三個月不死，即作爲無罪釋放。當高洋幼年時，宰相高隆之對他曾經不太禮貌，現在記起前恨，下令把高隆之殺掉。忽然更恨起來，把高隆之二十多個兒子喚到馬前，馬鞭在馬鞍上輕輕一扣，衛士群刀齊下，人頭同時落地。宰相李暹病故，高洋親去李暹家祭弔，問李暹妻子：「想不想妳的丈夫？」回答說：「結髮夫妻，怎不想念？」高洋說：「既然想念，何不前往。」抽出配刀，把她的頭砍下，扔到牆外。高洋非常寵愛一位妓女出身的薛貴嬪，又跟她的姊姊私通。有一天，到她姊姊家吃酒，姊姊求高洋給她父親一個大官，高洋大怒，教衛士把她懸掛起來，用鋸鋸死。又有一天，忽然想起來薛貴嬪曾經跟別的男人睡過覺，又把她殺掉，把血淋淋的人頭藏到懷裏參加宴會，在宴會高潮時，掏出來拋到桌子上，全席大驚失色。高洋又把她的屍體支解，用腿骨做一個琵琶，一面彈一面唱：「佳人難再得。」出葬時，高洋跟隨在後面，蓬頭垢面，大聲哭號。

高洋凶性發作時，對親娘也一樣看待，有一次曾把他母親婁太后坐的小矮櫈（胡床）推翻，使老太婆跌傷。又有一次他大發脾氣，宣稱要把母親嫁給鮮卑家奴。高洋到岳母家，一

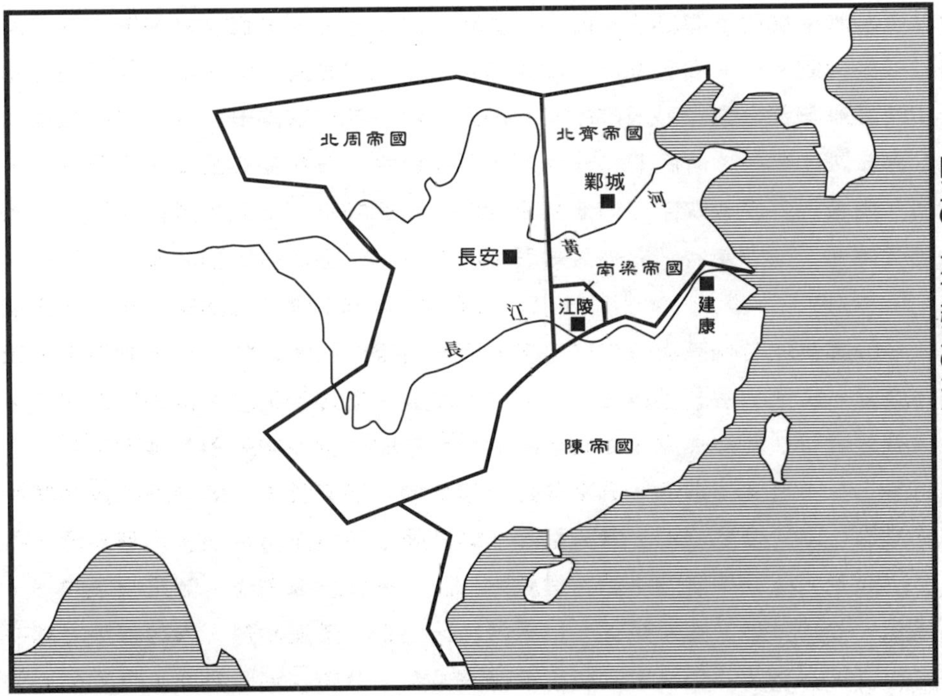

圖三〇　六世紀五〇年代・四國並立

箭射中岳母的面頰，吼叫說：「我喝醉了連親娘都不認識，妳算什麼東西。」再把已滿臉流血的岳母打一百鞭。高洋把平日經常規勸他的兩個弟弟高浚和高渙，囚到地窖鐵籠之中，高洋親自去看他們，縱聲高歌，命二人相和，二人既懼又悲，唱出歌聲，聲音顫抖。高洋聽了，不禁流下眼淚，然後提起鐵矛，向二人猛刺。衛士們群矛齊下，兩個弟弟用手抓住鐵矛掙扎，號哭震天，不久就被刺成一團肉醬。連同鐵籠，一齊燒燬。高洋最後作的一件事是，把北魏帝國元姓皇族，全部屠殺，嬰兒們則拋到空中，用鐵矛承接，一一刺穿。

高洋的暴行不是孤立的，整個北齊帝國的官員，幾乎全有高洋般的獸性。這個微不足道、只不過二十八年的短命政權，卻擁有世界上最野蠻的刑事訴訟法。法官審理案件時，把耕田用的鐵犁燒紅，教被告赤足站在上面。或者把被告的兩臂伸到車輪之中，用火炙烤。在這種酷刑之下，當然要什麼口供就有什麼口供。

北齊帝國建國六年後的五五六年，西魏帝國宰相宇文泰逝世，十五歲的兒子宇文覺繼任宰相，三十五歲的侄兒宇文護輔政，也教西魏最後一任皇帝拓拔廓禪讓。明年（五五七），宇文覺即位，改國號為北周。北魏立國一百七十一年而亡。北周帝國也是短命政權之一，而且建國之初，宮廷中就接二連三發生政變。首先是宇文覺想排除專權的堂兄宇文護，宇文護反把宇文覺殺掉，立宇文覺的哥哥宇文毓繼位。五六〇年，宇文護又把宇文毓毒死，另立宇文毓的弟弟宇文邕繼位。宇文邕是一個英明的君主，他等到政權確實可以控制的時候，即殺掉宇文護，然後向東方亂成一團的北齊帝國虎視眈眈，尋覓征服良機。

高洋於五五九年逝世，十五歲的兒子高殷繼位。高洋的弟弟高演，把高殷殺掉，自己繼位。高演比較頭腦清醒，但只當了一年餘皇帝，即行病死，弟弟高湛繼位。高湛的狂暴荒淫，不亞高洋。然而集高家劣根性之大成的，卻是高湛的兒子高緯。高緯最驚人的一件事是，誣陷他最忠心的宰相和軍事天才大元帥斛律光謀反，屠滅三族。北周皇帝宇文邕聽到斛律光的死訊，高興的跳起來，下令大赦，以慶祝敵人這樁冤獄。宇文邕最畏懼的人既被清除，他可以實行他統一北中國的計畫了。七〇年代五七六年，北周大舉向北齊進攻，包圍晉州（山西臨汾）。年方二十歲的高緯，親自從北方二百公里外的晉陽（山西太原）南下救援。救兵如同救火，理應刻不容緩，可是他率領重兵，卻沿途停頓，同他最寵愛的妃子馮小憐四出打獵。晉州告急文書，雪片飛來，宰相高阿那肱說：「邊疆小小交兵，是平常之事。主上日理萬機，偶爾乘暇遊獵，我們不應輕率轉奏。」等到晉州失守，他才不得不向獵場中的高緯報告。高緯想馬上回營，但馮小憐要求再殺一圍，於是就再殺一圍。一圍的時間，從人馬鷹犬展開，到驅逐合攏，少則一日，多則二日三日。北周就利用這一圍時間，加強晉州城防工事。

一圍之後，高緯抵達晉州城下，北齊兵團仍很強悍，日夜攻城，把城牆攻陷了一個十幾步的缺口。正要衝進去的時候，高緯卻下令暫停，請馮小憐前來參觀這個肉搏的壯觀場面。馮小憐對鏡化妝，不能馬上就來。等到化妝已畢，花枝招展來了，北周軍已堵住缺口，無法攻入，這樣僵持了一個月，北周皇帝宇文邕親率援軍到達，兩國在晉州城外決戰。高緯與馮小憐並騎站在高岡上觀看，雙方大軍剛剛接觸，殺聲震天，馮小憐心驚肉跳，失聲說：「敗了敗了。」一個親信大臣在旁說：「主上快走。」高緯魂不附體，拍馬就逃。北齊兵團遙遙望見，鬥志全失，霎時崩潰。高緯逃回首都鄴城（河北臨漳），還生出花樣，傳位給八歲的兒子高恒。明年（五七七）春天，北周兵團到達，攻陷鄴城，高緯向東逃走，想投奔南朝的陳帝國，但一臉忠貞的宰相（右丞相）高阿那肱暗中早已投降北周，要把他獻出作爲晉見禮物，所以用巧言花語使高緯打消南奔的念頭，等北周追兵趕到，高緯遂被擒獲。這個只二十八年的短命北齊帝國，在人間製造了無數罪惡之後滅亡。

——高緯被送到長安，封爲侯爵。九個月後，像他誣陷斛律光謀反，屠滅三族一樣。北周皇帝宇文邕也誣陷高緯謀反，所有高姓皇子皇孫，全被處斬。馮小憐淪落爲奴，給人舂米。其他貴不可言的皇后公主，流落到益州（四川成都），貧窮無依，靠着在街頭賣「取燈」（古時一種火柴）爲生。

北周帝國統一了北中國之後，下一個目標當然是統一全中國。但併吞北齊的明年（五七八），宇文邕逝世。二十歲的荒唐兒子宇文贇繼位，宇文贇跟南齊暴君蕭昭業同一類型，平常老爹管教嚴格，他只好非常規矩。一旦老爹去世，世界上就再沒有一個力量能拘束他。宇文贇在寶座上凶暴肆虐了九個月後，把帝位傳給七歲的兒子宇文闡。而他自己因荒淫過度，於二十二歲時死掉。死掉的明年（五八一），他的岳父楊堅，從孤兒寡婦手中，輕易的把政權接到手中。然後效法宇文皇族當初屠殺西魏元姓皇族的前例，把宇文皇族也全部屠殺。北周帝國建立二十五年，距宇文邕征服北齊，氣勢如虹的日子，不過四年。

六、大分裂時代終結

楊堅的國號是隋，他繼承了北周強大的國力，一俟內部安定，即開始統一全中國之戰。八〇年代五八七年，楊堅徵召南梁帝國最後一任皇帝蕭琮入朝，在蕭琮到了長安後，即下令把南梁撤銷，南梁立國八十六年。

明年（五八八），楊堅向陳帝國發動總攻。

陳帝國是南北朝唯一沒有出過暴君的政權，但它最後一任皇帝陳叔寶，卻是聲名最響亮的昏君之一。他喜愛宮廷生活，每天沉湎在酒和女人之中，而不問國家大事。他最寵愛的姬妾有八人，在經常舉行的宮廷宴會上，每次都邀請十餘位詩人，跟八位美女雜坐在一起，飲酒作詩，互相贈答。再挑選最艷麗的數首，譜成歌曲，由千餘宮女歌唱。其中以〈玉樹後庭花〉〈臨春樂〉爲最有名，內容都是讚揚八位美女的美麗和風情。八位美女之中，陳叔寶尤其寵愛兩位：張麗華和孔貴嬪。其中張麗華更是美人中的美人，秀長的頭髮可以垂到地面，光彩煥發。她性情寬厚而絕頂聰明，政府中大小事件，都瞭如指掌。陳叔寶頭腦不清，凡事不太了了，批閱公文時，張麗華就常坐在他膝上指點。於是大臣透過宦官，跟她勾結，從事買賣官爵和製造冤獄。宰相孔範，更與孔貴嬪結爲兄妹，引進一批很有才華但不識大體的官僚，像玩弄木偶一樣，玩弄陳叔寶。

五八八年，楊堅命他的次子楊廣當元帥，宰相（尙書左僕射）高熲當元帥府祕書長（長史），動員五十二萬兵力，向陳帝國進軍。陳叔寶聽到消息，大笑說：「王氣在建康（江蘇南京），北齊侵略過我們三次，北周侵略過我們兩次，都被擊敗，楊堅爲什麼不接受歷史教訓？」孔範在旁打邊鼓說：「長江本是天險，自古隔着南北，敵人豈能飛渡？邊將貪功，往往誇張戰報。我總嫌我的官位太小，敵人如果眞的過江，我早就封侯了。」有人報告消息說，隋軍戰馬大批死亡，孔範憤怒的喊：「那些都是我們的馬，爲什麼讓牠們死？」陳叔寶的信心因孔範的丑角動作而日益加強。明年（五八九）正月，隋軍在大霧中渡過長江。陳軍潰散，建康（江蘇南京）陷落。陳叔寶正在金鑾殿上坐朝，聽到敵人入城，急向後逃。大臣攔住他，建議他衣冠整齊，在正殿上等候變化。陳叔寶大驚說：「刀槍之下，非同兒戲，我自有妙計。」他的妙計是，跑回後宮，躲進景陽殿一口深井之中。隋軍入宮搜索，在井上呼喚，不見回答，揚言要向井中投擲石頭，這才聽到應聲。士兵們拋下繩索把他拉出來時，震驚怎麼如此沉重，等到拉出井口，才發現竟然有三個人，除了陳叔寶外，還有張麗華和孔貴嬪。就在同時，士兵搜查皇宮，在陳叔寶床底下，發現很多將領們向政府告急的十萬火急文書，還沒有拆封。陳帝國立國只三十三年。

——陳叔寶被送到長安，封爲公爵，陳姓皇族也都無恙。只有隋軍大將王頒，是王僧辯的兒子，進入建康（江蘇南京）後，把陳霸先的屍體從墳墓中掘出，打數百皮鞭，成爲中國歷史上第二次鞭屍事件。孔貴嬪的下落不知道，張麗華的下落是個悲劇。隋軍參謀長高熲認爲她應該負陳帝國亡國的全部責任，竟把她砍頭。楊廣久已羨慕她的花容月貌，派人傳令留她性命。高熲拒絕說：「從前姜子牙蒙面殺蘇妲己，這種禍水，絕不可留。」楊廣大怒：「古人有言，無德不報，我將來會報答閣下。」下世紀（七）楊廣當了皇帝後不久，就把高熲同樣砍頭，妻子兒女沒入官府爲奴，爲這位絕代美女復仇。

陳帝國亡後，大分裂時代後期的南北朝時代，同時終結。中國在隋政府之下，又歸統一。中國人民經過二百八十六年的離亂隔絕，和互相仇恨之後，恢復同一國度的手足之情。而且大分裂像一個大火爐。中國境內各民族結合成一個新的中華民族，從此再沒有鮮卑、匈奴、羯、氐、羌之分。這個新的中華民族因含有新的血液，充滿了生命的活力。

——這次重歸統一，再次顯示漢字的凝聚力。歐洲自上世紀（五）西羅馬帝國滅亡後，四分五裂的現象，並不比中國大分裂時代更嚴重。歐洲人民和若干雄才大略的君主與天主教教皇，也都懷着再統一的願望。可是歐洲失敗而中國成功。即令是一個民族，如果分離過久，因言語和文字的不同，都會成爲兩個截然不同的國家。羅馬帝國拉丁文是一種拼音文字，一旦土地隔絕，言語相異的人，各自用字母拼出各自的言語，不同的各種文字，遂紛紛出現。各地區人民，不可避免的差距日增。我們可以說，自從紀元前腓尼基人發明拼音字母，歐洲就注定了不能統一。中國境內的言語分歧，比歐洲更甚。可是中國沒有字母這個工具，不能用拼音的方法製造各自的文字。在廣大遼闊的中國領域之內，中華字像一條看不見的魔線一樣，把言語不同，風俗習慣不同，血統不同的人民的心聲，縫在一起，成爲一種自覺的中

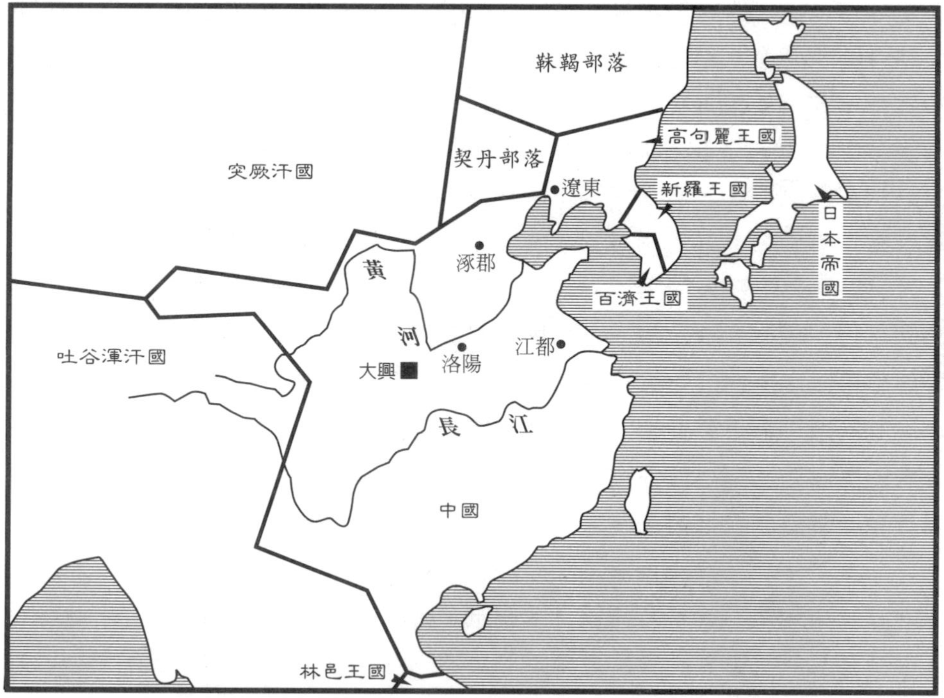
鞨部落
契丹部落
突厥汗國
高句麗王國
遼東
新羅王國
日本帝國
涿郡
百濟王國
黃
河
洛陽
江都
大興
吐谷渾汗國
長
江
中國
林邑王國

圖三二 隋王朝

國人。雖然長久分裂，都一直有一種心理狀態，認爲分裂是暫時的，終必統一。所以國與國合併之後，人際之間，馬上水乳交融。不像歐洲，合併之後的國家或民族，立刻就發生言語文字上爆炸性問題。因之我們有一個推斷，假定拉丁文也是方塊字而不是拼音字的話，歐洲早已統一爲單一的國家。

七、突厥汗國崛起沙漠

中國雖然統一，但外患來自北方如故。

匈奴汗國於二世紀破滅後，塞北瀚海沙漠群地帶，成爲眞空。發源於東北地區的烏桓部落和鮮卑民族諸部落，紛紛侵入。等到這些部落或被併吞，或南下進入中國本土建立王朝帝國後，拓拔部落所屬的柔然部落，乘虛興起。

柔然部落於上世紀（五）〇〇年代四〇二年，建立柔然汗國，跟北魏帝國不斷發生戰爭。柔然汗國的文化水準比北魏更低，所以沒有留下像匈奴汗國那麼多史蹟。北魏帝國鮮卑兵團的戰鬥力一向很強，但對柔然汗國卻無法施予有效打擊。北魏一連幾個皇帝都親自統軍北伐，深入沙漠，但始終不能獲得決定性的勝利。只要大軍一退，柔然立即跟蹤而至。所以北魏帝國無可奈何之餘，就爲它起了一個醜陋的名字「蠕蠕」，形容他們像毛蟲一樣無知。

然而，柔然汗國所屬居於金山（新疆阿爾泰山）的一個匈奴血統的突厥部落，日漸茁壯。柔然汗國最初不在意這個叛亂集團，但不久就被它連連擊敗。突厥部落酋長阿史那（姓）

土門（名），於本世紀（六）五〇年代五五二年，稱伊利可汗，建突厥汗國。三年後（五五五），伊利可汗的兒子木杆可汗，大舉進攻柔然汗國，柔然兵團潰散，第十八任可汗郁久閭（姓）鄧叔子（名），投奔當時的西魏帝國。突厥木杆可汗向西魏施用壓力，堅持索取郁久閭鄧叔子的人頭。西魏宰相宇文泰不得已，把郁久閭鄧叔子以及隨他一齊投降的部屬，共三千餘人，交給突厥使節，就在長安城外，被突厥使節全部屠殺。第十九任可汗郁久閭菴羅辰向西逃亡，以後再沒有消息。柔然汗國立國約一百五十四年而亡。

我們可看出突厥汗國在興起之初，即足夠強大，西魏帝國不得不向它屈服，爲它殺降。突厥在滅掉柔然汗國後，即完全統治匈奴汗國的故地，東方跟新崛起的契丹部落接壤，西方到蔥嶺、中亞。北齊、北周都沒有力量跟它抗衡，只好競爭呈獻珠寶財貨和公主美女，希望獲得援助。木杆可汗驕傲的說：「我在南方有兩個孝子賢孫，我想要什麼，他們就會送什麼。」隋王朝統一中國後，仍不能馬上擺脫它的威脅。

可是，突厥民族卻缺少建立一個穩定的國家的能力，在汗國之內，同時竟並存着兩個或數個可汗，元首固稱可汗，特別大的部落酋長也稱可汗。這等於一個國家有數個元首，不能避免的一定會發生內鬥，和因內鬥太多而導致汗國瓦解。爲了辨識，我們稱元首可汗爲大可汗，酋長可汗稱小可汗。

突厥汗國開國後不久，就爆發意料中的內鬥。隋王朝皇帝楊堅對突厥採和親政策，但他的目的不是和解而是分化。楊堅把安義公主嫁給小可汗之一的突利可汗，突利可汗遂偏向中國。本世紀（六）最後第一年（五九九），當大可汗都藍可汗準備攻擊中國大同城（內蒙烏拉特前旗東北）時，突利可汗向中國報信告警。都藍大可汗大怒，跟另一小可汗達頭可汗，聯合攻擊突利可汗，突利可汗部眾潰散，投奔中國。楊堅改突利可汗爲啓民可汗（啓民，在突語中是智慧健壯之意），那時安義公主已經去世，楊堅再把義成公主嫁給他，又在朔方地區（河套）築大利城（內蒙和林格爾），劃出河套地區三萬方公里，安置啓民可汗陸續來歸的部眾。另派邊防軍駐屯黃河北岸，防禦都藍大可汗和達頭小可汗的攻擊。——這跟紀元前一世紀匈奴呼韓邪單于投奔中國後的情形，幾乎完全相同。

都藍大可汗不久被他的部下所殺，達頭可汗繼位當大可汗，先後數次進攻啓民可汗，都被中國邊防軍擊退。啓民可汗對中國的感激，出自內心。

八、東西方世界

——二〇年代・五二七年（南梁皇帝蕭衍第一次捨身同泰寺），東羅馬帝國皇帝查士丁尼即位。

——二〇年代・五二九年（蕭衍第二次捨身同泰寺），查士丁尼法典完成。

——三〇年代・五三三年（北魏軍閥爾朱家族戰敗，全滅），羅馬法典摘要、查士丁尼法制完成。

——三〇年代・五三四年（北魏皇帝元修自洛陽出奔長安，帝國分裂爲東西），東羅馬大將貝利沙留滅汪達爾王國，收北非入版圖。

——五〇年代·五五三年（西魏乘南梁內亂，襲取益州【四川】），貝利沙留攻克羅馬城，滅東哥德王國，收義大利半島入版圖。東羅馬帝國重振國威，幾乎恢復未分裂前羅馬帝國疆域和光榮（非常像劉裕連滅西蜀、南燕、後秦）。

——六〇年代·五六二年（陳帝國建國第六年），突厥汗國與波斯王國，南北夾攻嚈噠王國（阿富汗），嚈噠亡。突厥若干部落開始向西移殖，為現代土耳其人始祖。

——六〇年代·五六五年（陳帝國建國第九年），查士丁尼大帝逝世，東羅馬帝國的復興大業中止。收復的土地，陸續喪失。

——六〇年代·五六八年（陳帝國建國第十二年），倫巴部落侵入東羅馬帝國義大利境，於北部建立倫巴王國。社會秩序混亂，基督教羅馬城主教，漸代替羅馬帝國皇帝，成為安定力量，世人開始尊稱他為教皇。

——七〇年代·五七一年（斛律光冤獄前一年），㈠穆罕默德誕生。㈡日本欽明天皇逝世，敏達天皇繼位。高句麗王國使節呈遞國書，三日無人認識，唯中國人王辰爾認識，敏達天皇大悅，下詔褒獎。是為「烏羽之表事件」。

——九〇年代·五九二年（大分裂時代終止後第三年），日本崇峻天皇被大臣東漢直駒刺死。欽明天皇的女兒豐御食炊屋姬繼位，稱推古天皇。

國家圖書館出版品預行編目資料

中國人史綱 / 柏楊作. -- 初版. -- 臺北市：
遠流，2002〔民91〕
冊：　　公分. --(柏楊歷史研究叢書：第1部)(柏楊精選集：31-32)

ISBN 957-32-4751-8(全套：精裝). --ISBN 957-32-4752-6(上冊：精裝). --ISBN 957-32-4753-4(下冊：精裝)

1. 中國 - 歷史

610　　　　91016034

Amy Alcott's GUIDE TO WOMEN'S GOLF

Amy Alcott
With Don Wade

A PLUME BOOK

PLUME
Published by the Penguin Group
Penguin Books USA Inc., 375 Hudson Street,
New York, New York 10014, U.S.A.
Penguin Books Ltd, 27 Wrights Lane,
London W8 5TZ, England
Penguin Books Australia Ltd, Ringwood,
Victoria, Australia
Penguin Books Canada Ltd, 10 Alcorn Avenue,
Toronto, Ontario, Canada M4V 3B2
Penguin Books (N.Z.) Ltd, 182-190 Wairau Road,
Auckland 10, New Zealand

Penguin Books Ltd, Registered Offices:
Harmondsworth, Middlesex, England

Published by Plume, an imprint of New American Library,
a division of Penguin Books USA Inc.
Previously published in a Dutton edition.

First Plume Printing, May, 1993
10 9 8 7 6 5 4 3 2 1

LIBRARY OF CONGRESS CATALOGING-IN-PUBLICATION DATA
Alcott, Amy.
[Guide to women's golf]
Amy Alcott's guide to women's golf / Amy Alcott with Don Wade.
p. cm.
ISBN 0-452-26853-2
1. Golf for women. I. Wade, Don. II. Title. III. Title: Guide to women's golf.
[GV966.A43 1993]
796.352—dc20 92-40398
CIP

Printed in the United States of America
Original hardcover design by Barbara Huntley

Amy Alcott's GUIDE TO WOMEN'S GOLF

"The most articulate woman in golf—if not one of the most articulate personalities in the world of sports today."

—Jim McKay, ABC Sports

"She is a complete—and a very smart—player."

—Dave Marr, ABC Sports

AMY ALCOTT is one of the most charismatic and accomplished female golfers in the world. Joining the LPGA Tour just two weeks after her eighteenth birthday, she has won thirty-three professional tournaments, including five majors, the U.S. Open, Canadian Open, and three Nabisco Dinah Shore championships. Requiring only one more official win to qualify, Amy is the most likely next candidate for the prestigious LPGA Hall of Fame, where she will join an elite group of only twelve other women golfers. Amy Alcott lives in Santa Monica, California.

DON WADE is a senior editor for *Golf Digest*. He has been writing winning columns and articles with Amy Alcott for twelve years. He has also co-authored *Ken Venturi's Stroke Savers* with Ken Venturi and *Sam Snead's The Lessons I've Learned* with Sam Snead. Don Wade lives in Stamford, Connecticut.

To my mother, Lea, who gave up her beautiful flower garden for the creation of the Alcott Golf and Country Club, and for her endless support, encouragement, and love.

To my father, Eugene Yale, who didn't play golf but always let me know there were no barriers against what his little girl could do.

To my brother and sister, Bruce and Leslie, for their understanding and support over the years.

To Walter Keller, my teacher, for nurturing my talent and for his dedication.

To all my fans and friends for being there.

To the game of golf, which gave me an arena that constantly challenged me.

And to my grandfather—a man I never met—who taught us all to "Always go with the right foot."

CONTENTS

ACKNOWLEDGMENTS

I'd like to thank Linda Giaciolli, my business agent, for being on my team all these years. I'd like to thank Don's agent, Chris Tomasino of RLR Associates Ltd., who nurtured this book from its inception and never lost either faith or interest, and Gary Luke, the former executive editor at New American Library who became intrigued by women's golf and believed this is the right book at the right time. I'd also like to thank Dinah Shore, both for her kind introduction and for everything she's meant to golf—and to me. I am grateful to Steve Szurlej, senior staff photographer at Golf Digest/Tennis, Inc., who got these photos right the first time. Finally, I'd like to thank my partner in this book, Don Wade. Our friendship over the years has meant so much to me. Only a game like golf could bring two such characters together. Thanks, Don, for your professionalism, knowledge, and devotion to your craft. More importantly, thanks for all the shared and hearty laughs.

FOREWORD
By Dinah Shore

I didn't really begin playing golf until David Foster, whose company, Colgate, sponsors of my TV show, asked me to host an LPGA tournament they were planning to sponsor. I was flattered, of course, but I thought he'd made one little mistake. I didn't play golf. "You must mean a tennis tournament," I protested to the very British, very charming Mr. Foster. "I'm a tennis player, not a golfer."

But David did mean golf, and so I began a crash course in playing this game that I've come to love so much. That course becomes more intense a month before tournament tee-off time each year, and it is still continuing. You never stop learning in this sport. Once you think you've got one part of it licked, another part goes—at least it does with me. Let my long irons work, and my woods go; let my putting pick up, and my short irons go; and so on. It's not a very forgiving game.

Actually, though I never played it as a child, my roots in golf go back to my mother. Golf was one of the greatest joys in her life, and when I think about her playing golf in Tennessee, I marvel at her guts. After all, there weren't a lot of women golfers back home in those days. I wonder what she'd think if she saw how many women are playing the game today. I know she'd be just as thrilled as I am.

I've seen so many changes since our first tournament. There's so much greater exposure and recognition for the women and their skills, and there are so many wonderful players today.

I have a very warm spot in my heart for the women who compete in, and who have won, our tournament. I think their skill, talent, and personalities have helped make it special. Amy Alcott has all of these qualities. Amy won in 1983 and again in 1988, but I first got to know her in the late seventies when she appeared on my television show. I had her explain some of the fundamentals of golf, and I was impressed by how analytical and articulate she was. She really understands what golf is all about, and that comes through in this book.

Amy is always telling me that there are no shortcuts to improvement. She still plays with her "babies," the same irons she's used for sixteen years. I'm lucky if there are three clubs in my bag that have lasted a year. I know she's right about the shortcuts, but I still believe in miracles.

I was lucky in receiving some great instruction when I started playing, but it would have been great to have had a book like Amy's to help me. So many people give me advice, that it's mind-boggling. I find myself praying I hit a great shot not only because I want to play well, but because I know if I don't, somebody is going to give me a "lesson." I think I've had more good tips on a driving range or on the course than there are people playing. So much advice is confusing, to say the least. If that happens to you, I think this book can help keep you on the right track—or get you started on it in the first place.

Amy is rather unpredictable. You never know what she is going to do or say next. Some players seem like robots, but when those green eyes of Amy's start to sparkle you can tell something's up. She's impish and absolutely filled with the joy of the game, and she handles its inevitable frustrations as well as anyone I've ever seen. She has emotions—highs and lows—but you're more likely to see her highs.

She is a great friend and a terrific individual, but sometimes I'm flabbergasted at some of the nuttier things she does. For instance, when she won our tournament in 1988, she and her caddie dove into the pond at the 18th hole. It's full of mud hens, mud, ducks and other euch! I was so happy they survived, I promised her that the next time she won I'd dive into the pond instead.

In spite of that, I hope Amy keeps winning and never changes. I also hope that this book helps you play golf—and love golf—the way Amy does. It's the way the game should be played.

INTRODUCTION
By Don Wade

I have to admit right from the start that I have a weakness for freckle-faced women from Southern California. I married one, and wrote this book with another.

The truth is that my relationship with Amy Alcott goes far beyond this book. I met her when I first came to *Golf Digest*. I interviewed her for a piece, and was taken by her candor, insights, and humor. Nothing she's said or done since has changed my initial impression: Amy is one of the truly unique and refreshing people in this or any other walk of life.

I can't speak for life at other magazines, but at *Golf Digest* a curious phenomenon develops between players and editors. We tend to adopt each other. Once you establish a rapport with a player, he or she more or less becomes yours. You work with them on stories. They become trusted and valued sources. They become your friends. It might not be what the cosmic thinkers lurking around journalism schools like to teach, but it works.

Amy and I have been together for longer than I'd like

to admit. Let's just say that over the course of our friendship she's won almost everything worth winning, and I've had three kids. She's headed for the Hall of Fame. The kids are sending their old man around the bend.

In that time, I've seen the side of Amy that the public doesn't see. We've shared jokes and gossip. We've commiserated about life on the road and the trials and tribulations of being "thirty something." We've shared highs and lows, good times and bad. I've come to know the player and the person, and I greatly admire both.

Amy is a gamer. When she won the 1980 U.S. Women's Open, she beat runner-up Hollis Stacy by nine shots in some of the worst heat and humidity I've ever encountered.

"Amy's win in the Open was one of the great wins of all time," says ABC golf commentator Dave Marr, the 1965 PGA champion. "First of all, nobody wins the Open by nine shots. But to win it the way she did was outstanding by anyone's standard."

And at a time when shotmaking is becoming a lost art, she stands out as a virtuoso. She doesn't just play golf, she paints Picassos out there. When I did a piece for *Golf Digest* on shotmaking and shotmakers, I asked former PGA champion Bob Rosburg if there were any on the LPGA tour.

"One," said the candid and outspoken Rosburg. "Amy. She's the only one, but she's as good as they come anywhere."

To play at a world-class level requires a single-mindedness that boarders on selfishness. The demands are so high and the margin for error and complacency so small, that it's little wonder those who would be champions live golf to the virtual exclusion of a "normal" life.

There is that side to Amy, make no mistake about it, but there's also the side that has her going out of her way to promote charities and to help those who need her. Her annual charity tournament at Riviera to fight MS is legendary. She knows she caught a big break in life, and she knows there are a lot of people out there that could use even a small break. She does what she can.

Amy has a virtual lock on the Hall of Fame, and is already pondering life after golf. She'd like to design courses, and I think she'd be a natural. She's destined to own a restaurant. I was with her one night in High Point, North Carolina, when she tried valiantly to talk the owner into selling J. Basil Nobiles and moving it to Los Angeles. Her idea of heaven most certainly includes breakfast at Patrick's Roadside Pub in Santa Monica.

I don't think she'll ever retire completely, or even do it any time soon, but her curiosity about the real world is insatiable and her desire to get on with life after the tour is real. She's got a good feel for the business and corporate worlds and is itching to get on with the next challenge. When the day comes, I'll be saddened because the LPGA will miss The Kid, and I'll have to find someone new to have dinner with on tour.

Sam Snead once said that Bobby Jones was the type of man you'd like your son to become. "That," said Sam, "is about the highest compliment you can pay to a man."

Well, I've got a young daughter, Darcy, and if she wants to grow up and be like Amy Alcott, that's just fine with me. She's already got a pretty good swing for a five-year-old. We just need to work on the freckles.

1

Why This Book at This Time?

I love golf. I've loved it from the very first time I was exposed to the game. I remember watching golf on television as a kid and being awed by the beauty of the courses and the skill of the players. For the longest time I thought that all the good golfers were either named Sam, Ben, Labron, Kermit or Pards. I had heard of Sam Snead and Ben Hogan, but I thought every other golfer I saw on television was named Pards because the players were always saying, "Nice shot, Pards" or "You're away, Pards."

Once I started playing, I was wrapped up in how challenging the game is. Every day meant a new discovery, and very often, a new frustration, but I loved them equally. I was hooked, and the fact that golf was something I was good at but could also do alone made the game appeal to both the shy side and the outgoing side of a little girl.

After a pretty good amateur career and fifteen years on the LPGA tour, I think I finally have something to say about the game. I have some pretty strong opinions about how it should be learned and how it should be played, and why it's not just a sport but a way of life for so many millions of people around the world.

The time is right for this book for another reason. Women are taking up golf in numbers unheard of just a few years ago. Almost half the new golfers in America are women, and the same is true around the world. As women become more successful in business or find they have more free time, golf is attracting millions of them—and I couldn't be happier about it.

It's sad, but not unexpected, that most of the golf instruction that has been handed down over the years has been by and for men. That makes sense, in that most of the golfers and golf professionals have been men. But as I say, that's changing and changing pretty fast, which is why I think this book will be so important for so many golfers, both new ones and those who have been playing the game for a while. There's something here for everyone.

Men and women play by the same rules, but women play a different game. We just don't have the strength that most men have, so timing and tempo become more important. We also don't have the length of most good men players, so we need to have good short games as well as the ability to play longer shots with accuracy. That's why I think this book will also be valuable for senior golfers, as well as kids just taking up the game.

Even though programs such as Title IX have done wonders to open up sports for women, I know that for many women golf is their first serious attempt at a sport. Let me tell you this: It's about time, and you couldn't have picked a better sport.

Golf is a lot like life. It will test your patience. It will dazzle and baffle you with highs and lows, successes and frustrations. Just when you think you've got it all figured out, the game jumps up and reminds you that nobody ever quite gets it. The game is bigger than anyone who plays it. Golf will build your confidence one day, and then shatter it the next. It's happened to me. It will happen to you. It happens to everyone, from the greatest champions to the worst hackers—and yet we all keep coming back.

As I said, I love golf. I love the pressure and excitement of being in the final group on the last day of the U.S. Open, with every success and failure played out and magnified in front of millions of people. And yet, as much as I love that, I love every bit as much being out on the course, alone with my Sunday bag and my thoughts, feeling the sun on my face and the breeze at my back. Golf has been a friend, true and loyal, through all my good times and bad.

It is such love of the game that protects golf. It remains untarnished because those who play it know how very special it is, and has been, since the first Scots began knocking around the linksland of their mother country to today. May it always stay this way. I think it will.

I hope this book helps make you a better golfer, but just as important, I hope it helps new golfers understand just what this most magical of games is really all about.

It's not about winning, although winning is great. As Will Rogers said, "It's great to be great, but it's better to be human." It's not about money, although for me golf has been the perfect way to make a living. It's not even really about being a fine player, although that's the goal we all strive for. To me, golf is a unique bond that unites

Amy's Favorites

FAVORITE CLUB

It's an old 7-wood I've had since I was 14. It's my secret weapon. Over the years it's saved me from a lot of trouble. I really think this is an excellent club for golfers of every size, shape, and handicap.

everyone who plays this game, and loves this game, and wants to see it preserved for future generations.

I always go back to something Ernie Banks, the Chicago Cubs' Hall of Famer, once told me as we played in a pro-am. He summed up in one short sentence what golf has meant to me. "My dear," he said, smiling warmly. "What a beautiful life you have." Ernie's right, and I owe so very much of it to golf.

Amy's *Playing Lesson*

WINNING UNDER ADVERSITY: THE 1980 U.S. OPEN

I guess I'd have to say that winning the 1980 U.S. Open was one of my most satisfying victories, both because it's our national championship and because I won it under such difficult conditions.

We played at Richland Country Club in Nashville, and the temperature neared 110 degrees each day. A reporter asked Marlene Hagge who she thought would win and Marlene answered, "Whoever finishes." She wasn't far from the truth, in that we had ten players who withdrew because the heat and humidity was just too intense.

I knew that the key to playing well was going to be patience. I just had to believe that everybody was suffering as much as I was, and I knew that if I could just keep my wits about me I had a good chance of winning.

I never hit more than ten balls before a round. I kept covering my head with cool, wet towels, and I stayed in the shade as much as possible. Still, on the last day I didn't really think I could hang on. I don't remember much about the front nine, but on the 9th green I began to feel delirious. I came close to passing out.

I knew I had a very comfortable nine-shot lead, and I began talking to myself. "Amy, you used to putt into tin cans and pretend they were for the U.S. Open. You may never have this chance again. Just hang in. Please, just hang in and let the chips fall where they may. Just don't give up."

I walked as slowly as I could for the rest of the round. My hands were so swollen they felt like baseball mitts. I had no feel at all, but I did have a big lead and so I tried to just play one shot at a time.

As I came to the last hole, a 360-yard par 4, I knew that if I could just hang on I'd win. I had a ten-shot lead over Hollis Stacy, and she wasn't in any better condition than I was.

I topped my drive, but instead of becoming flustered I just decided to do whatever I could to finish the hole. I hit an 8-iron, followed by a 9-iron to within 25 feet of the hole. As we approached the green, Hollis looked at me and said, "Don't fifteen-putt."

The lesson is that when you're playing in bad conditions, try to keep on an even keel and remember that everyone is in the same position. I don't mind playing under adversity (it's how I got my nickname, Amy Adversity) because I think it gives me an edge—although I never want to play in conditions like that again.

Amy's Favorites

FAVORITE NON-GOLF CAREER
Short-order cook, dog-show judge, or a blues singer. Now try to figure that out!

2

Fundamentals

I've never understood people who claim that you don't have to be a good athlete to be a good golfer. Golf takes patience, hand-eye coordination, concentration, good nerves, and a fair amount of strength. A person with all of these qualities would surely get my vote as an athlete.

Sam Snead and Ted Williams were good friends and truly remarkable athletes—two of the best America has ever produced. One day they were out fishing and they got into an argument about which sport required more skill, golf or baseball.

"How hard can golf be?" Williams asked. "You hit a ball that's just sitting there and you're hitting it with a flat stick."

"Well, that's true," Sam replied. "But golfers have to play their foul balls."

That was that. Still, you can have all of the athletic ability in the world and still not be able to break par. On the other hand, a person with only limited skills can really get a lot out of his or her game. The great equalizer is fundamentals.

With good fundamentals you can build a solid game—a game you can have total confidence in. Without them, however, you'll never be truly consistent. Sure, you'll have good rounds, maybe even great rounds. You might even get lucky and string a few of them together to win a tournament, but the honest-to-God's truth is that somewhere, sometime, your game will break down from a poor foundation, and when it does, it will take a long time to get it back in working order.

I was incredibly fortunate as a kid because my parents made sure I got proper instruction right from the start. Walter Keller, my life-long teacher, constantly stressed how important it was that I learn the basics before I started trying to get fancy. At the time, I might have wished I was doing a little more playing and a little less practicing, but every time I'm under tournament pressure today, I'm thankful Walter is such a good teacher.

I know that many of you reading this book are either beginning golfers or people who have been playing for a while, but have never really had proper instruction in the basics of the game. For that reason, I think it's important that you pay particularly close attention to this chapter. You might want to go back over it a few times, making notes as you go along that you can bring to the course.

Some Advice on Taking Advice

Before we go any further, I want to give you a good piece of advice: take most of the advice you get with a grain of salt. People mean well. They really do want to help, especially if you're just starting out, but that help is not always correct.

Harvey Penick is one of the finest teaching professionals in America. He has spent his entire career at the Austin Country Club. Over the years he's developed some very good players—such as Ben Crenshaw, Tom Kite, Betsy Rawls, and Sandra Palmer—as well as players of every skill level. Mr. Penick says that a pretty girl has the toughest time learning to play because everybody wants to give her lessons.

My first rule is to find a professional nearby that you have confidence in and stick with that person's instruction. As politely as possible, I think much of the other advice you get should be ignored. After all, there are reasons that professionals are professionals. They've devoted themselves to studying not only the game and the swing, but individual abilities. The best teachers are those who can find a way to communicate with their students and relate to their needs. They develop strong rapports that last for years. Not everyone has the same talent, time, devotion, and ability to learn. What works great for one player won't work at all for another. Often it's simply a matter of semantics—finding just the right words to explain what you're doing right or wrong. If you can keep all of that in mind, and avoid having "rabbit ears," I think you'll find it a heck of a lot easier to learn this game. Just learn the basics, and then trust your game.

The Grip: The Crucial Fundamental

A good grip is the single most important fundamental. Think about it for a second. Only one part of your body actually comes in contact with the club: your hands. I'm amazed by people who worry about whether the left arm or right arm, left side or right side, controls the golf swing. To me, that's just a lot of mumbo-jumbo. Your hands are crucial to building a good, one-piece swing, because your hands hold the club. How much simpler could it be?

I'm not saying that there are other considerations when it comes to building a sound, repetitive swing. We'll get to all of those in good time. But for right now, I want to focus on helping you find a good grip.

I would say that at least 80 percent of the golfers I see in our pro-ams have poor grips. One of the reasons is that they haven't had correct instruction, and another is that a good grip feels awkward at first. For most people, it feels weak. The majority of amateurs like to get their hands twisted well to the right—in a strong position—because they think it gives them more control and power. The reality is that this type of grip forces them to make compensations in their swings, and inevitably those compensations break down, usually under pressure.

When Ken Venturi—the 1964 U.S. Open champion and now a golf analyst for CBS Sports—was a young man growing up in San Francisco, he was one of the best amateurs in the country. A friend arranged for Ken to play a round with Byron Nelson. Ken played very well, easily breaking par.

When they finished, Ken expected Byron to be pretty impressed. Instead, Byron told him he had a few changes he'd like to see Ken make, beginning with his grip, which was pretty strong.

"I believe I can make those changes," Ken said. "How long do you think it will take for me to get used to my new grip?"

"About six months, if you really work at it," Byron replied.

I've included this story, not to scare you off, but to help you understand just how important it is for any new player to use a correct grip right from the start. I also wanted to stress just how important other good players believe a proper grip really is.

For me, a grip should give you both feel and control. It should also allow your hands to work together as a team. There are three basic types of grip. Let's run through them and look at their pros and cons.

THE VARDON GRIP

The development of this grip (see Fig. 1), which is also known as the overlapping grip, is credited to the great English professional Harry Vardon. With this grip, the little finger of your right hand rests on top of the notch formed between the pointer and middle fingers of the left hand. Many people mistakenly think that you place your little finger on top of the forefinger, but this is uncomfortable and doesn't give as much control.

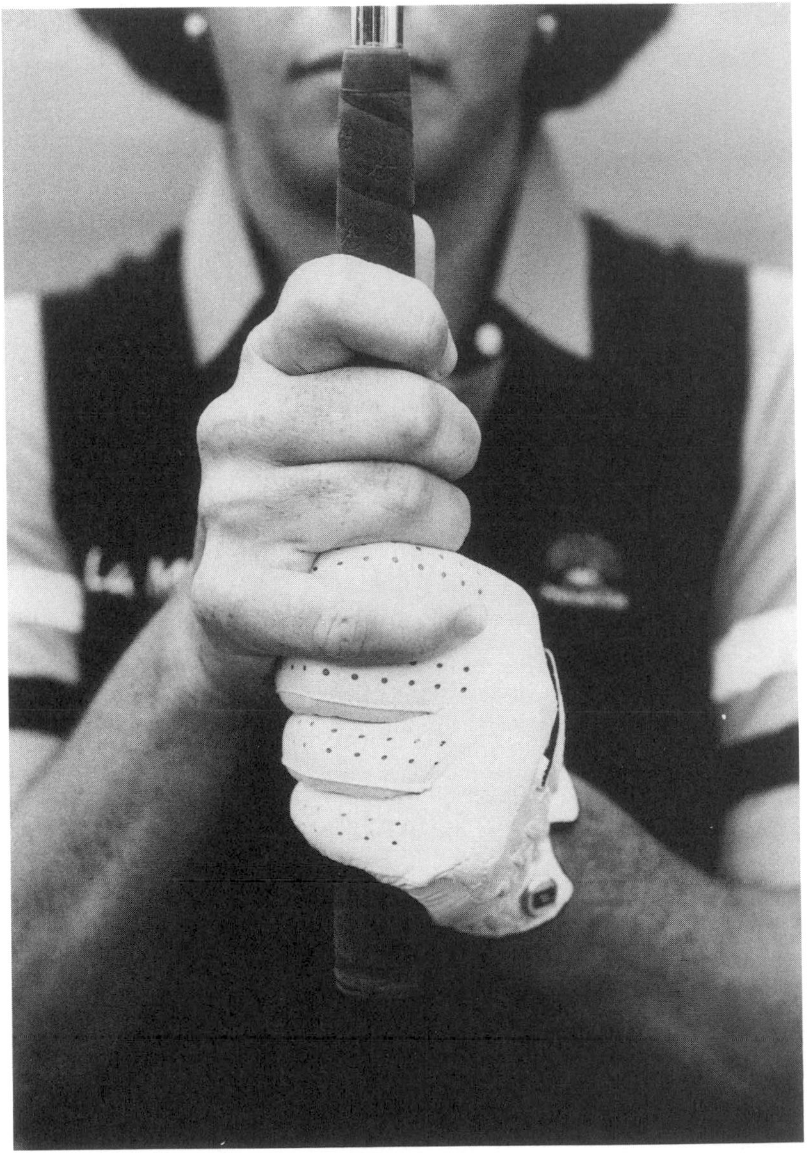

Fig. 1 *THE VARDON GRIP—This is the most popular grip. The little finger of the right hand fits into the slot between the forefinger and middle finger of the left hand, allowing the hands to work together.*

THE INTERLOCKING GRIP

This is the grip I use, and I think it's an outstanding grip for women, juniors, or anyone with small hands. I also think it's a good grip for people whose hands might be weakened with arthritis or other ailments. With this grip (see Fig. 2), you actually interlock the little finger of your right hand with the forefinger of your left. It's true that by taking your forefinger off the club you are giving up a little bit of feel, but I really think that by having your hands work together, which this grip allows you to do so well, you more than make up for any marginal loss of feel.

Over the years a lot of great players have used this grip; Jack Nicklaus, Nancy Lopez, and Tom Kite, just to name three. It's the most popular grip on the LPGA tour. I think if you give it a fighting chance, you might find that it works for you, too.

THE BASEBALL GRIP

Sometimes called the ten-finger grip, with this option you don't do any overlapping or interlocking (see Fig. 3). You just put all ten fingers on the club. A lot of people use this grip when they start out, and in theory I guess it should be pretty good. After all, with ten fingers on the club you ought to have the most control and feel. In reality, though, what happens is that it allows your right, or dominant hand, to take over and almost guarantees that your hands will not work as a unit.

In the final analysis, you have to experiment and find which grip works best for you. Whichever one you choose, there are certain basics they all have in common.

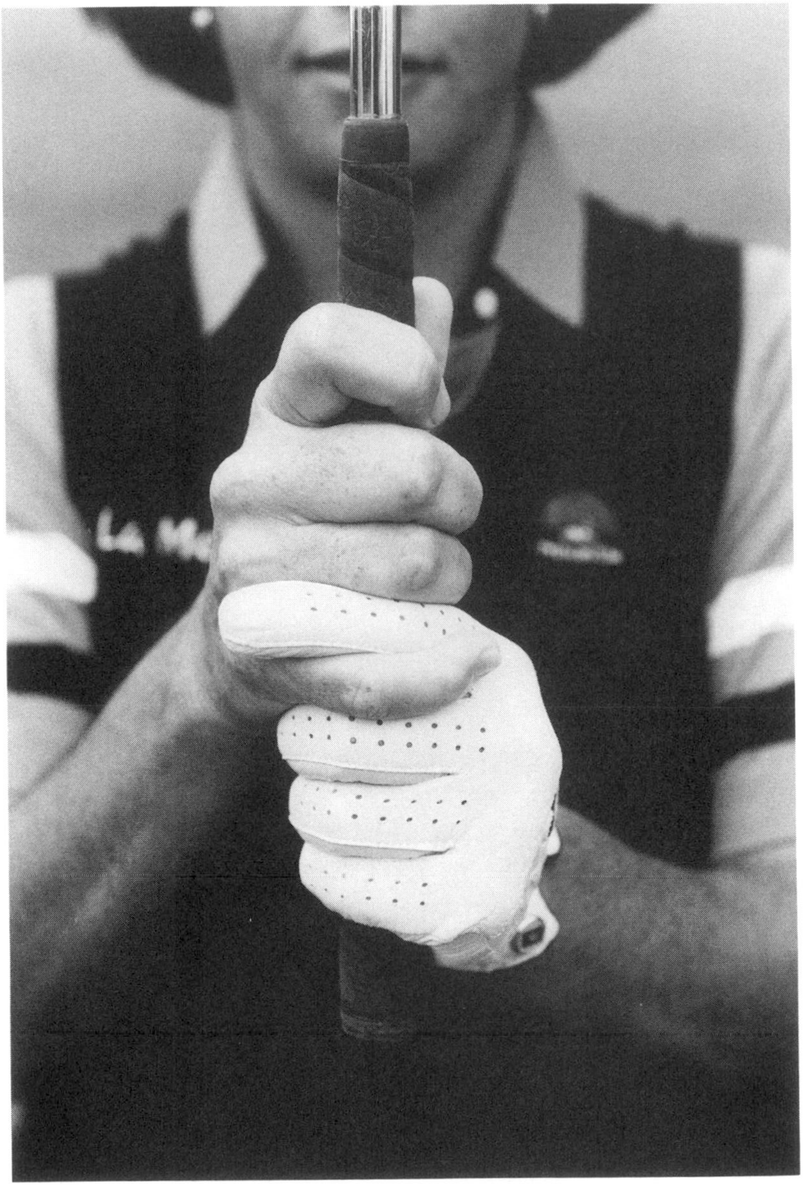

Fig. 2 *THE INTERLOCKING GRIP—This is the grip I use and it's a very good grip for women, juniors, or other players with small hands.*

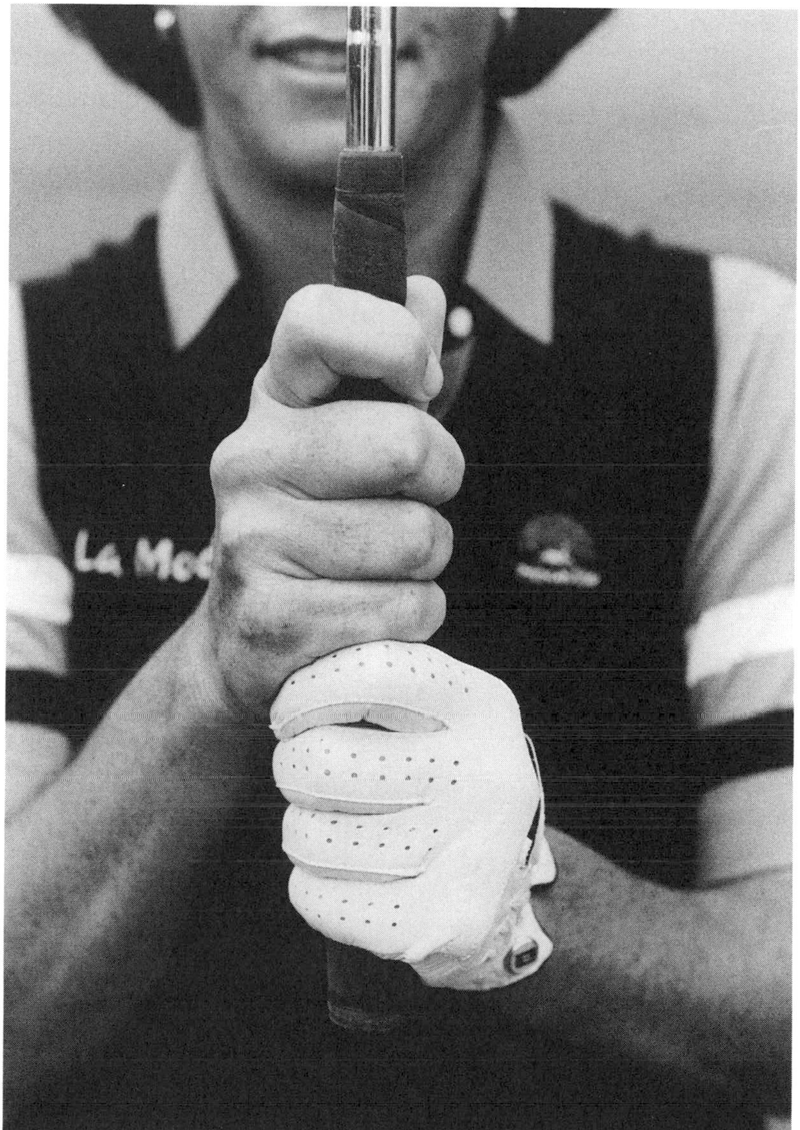

Fig. 3 *THE BASEBALL GRIP—This is sometimes called the 10-finger grip, since every finger is on the club. It's not a very popular grip because it makes it difficult for the hands to work together.*

For both feel and control, you want to hold the club in your fingers, not your palms. Your fingers have more strength and they are much more sensitive. Just think about some of the daily chores you face. If you have to take a lid off a jar, do you hold it in your fingers or palm? You instinctively grip it with your fingers because that's where the strength is, right?

As far as actually placing your hands on the club (see Figs. 4–7), the conventional wisdom has always been that the Vs formed by the thumbs and forefingers of each hand should point toward your right shoulder. That's a pretty good place to begin, but it might take some experimenting on your part from there. As you get stronger and better, you might shift the Vs slightly to the left. I certainly would never have them pointed more to the right, and it's crucial that they both point in the same direction. A good way to ensure this is by fitting your left thumb along the lifeline that runs at the joint below the pad of your right thumb. Think of it as placing your thumb in a slot, and don't let it come out of that slot. That's one good way of keeping your hands working together.

I have three suggestions I think can help you a ton when it comes to developing a good grip, and they all involve things you can do away from the course. First, build up the strength in your hands. Every good shotmaker I know has strong hands. Without strong hands you cannot begin to control the club, either in the full swing or in those delicate little pitch shots around the greens. I hate to say this, but over the years people have said that women pros have better short games than the guys on tour. "Women have better feel," they say. Not so, I'm afraid,

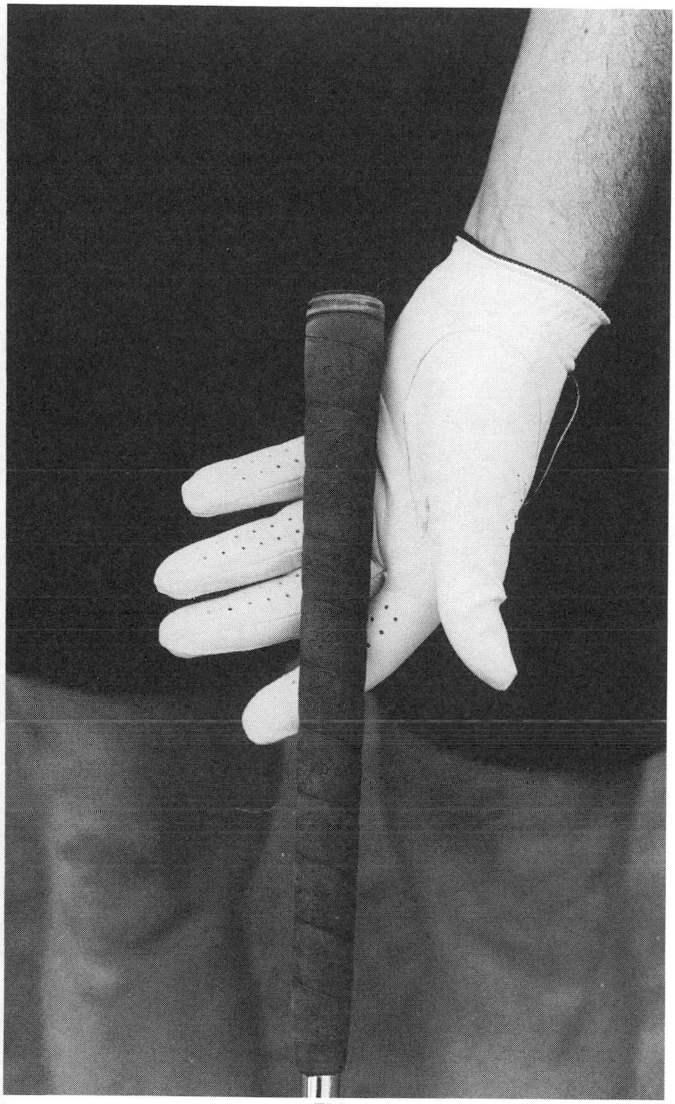

FIG. 4

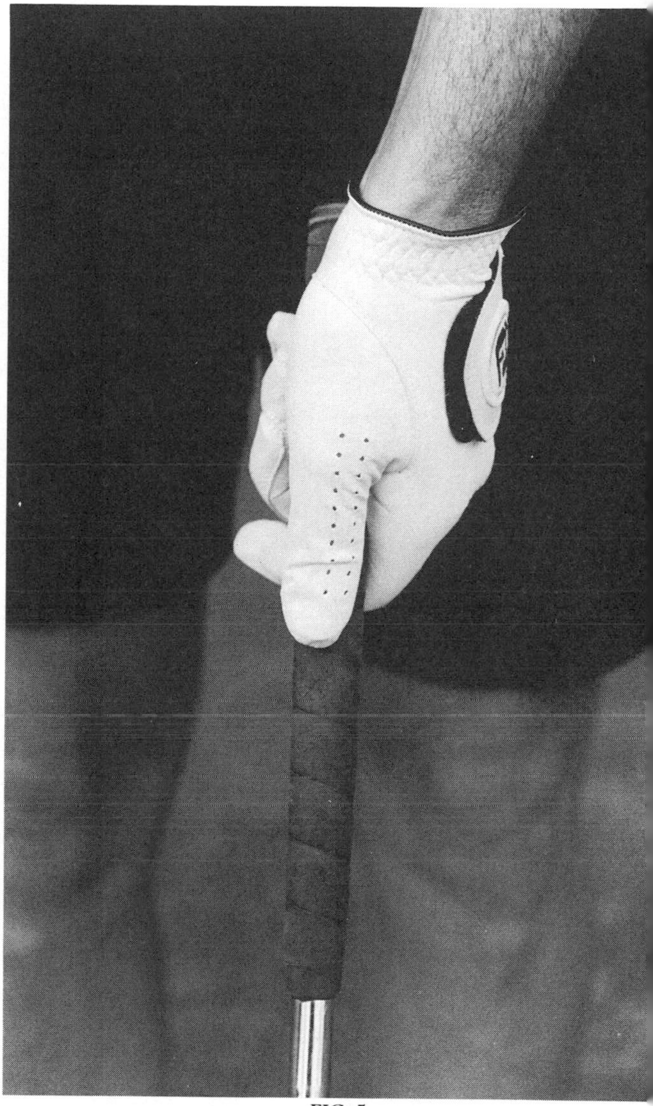

FIG. 5

Figs. 4–7 *In a good grip, the club should rest in the fingers instead of on the palm, since the fingers have more feel and strength. For most people, the V's formed by the thumbs and forefingers should point to a spot between your neck and right shoulder.*

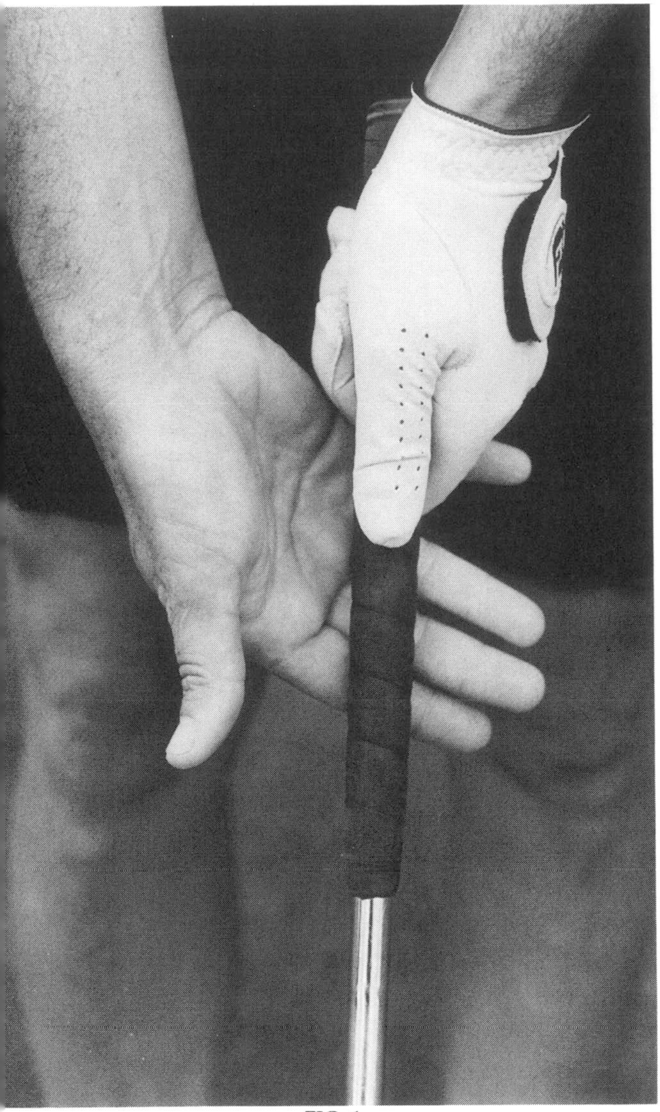

FIG. 6

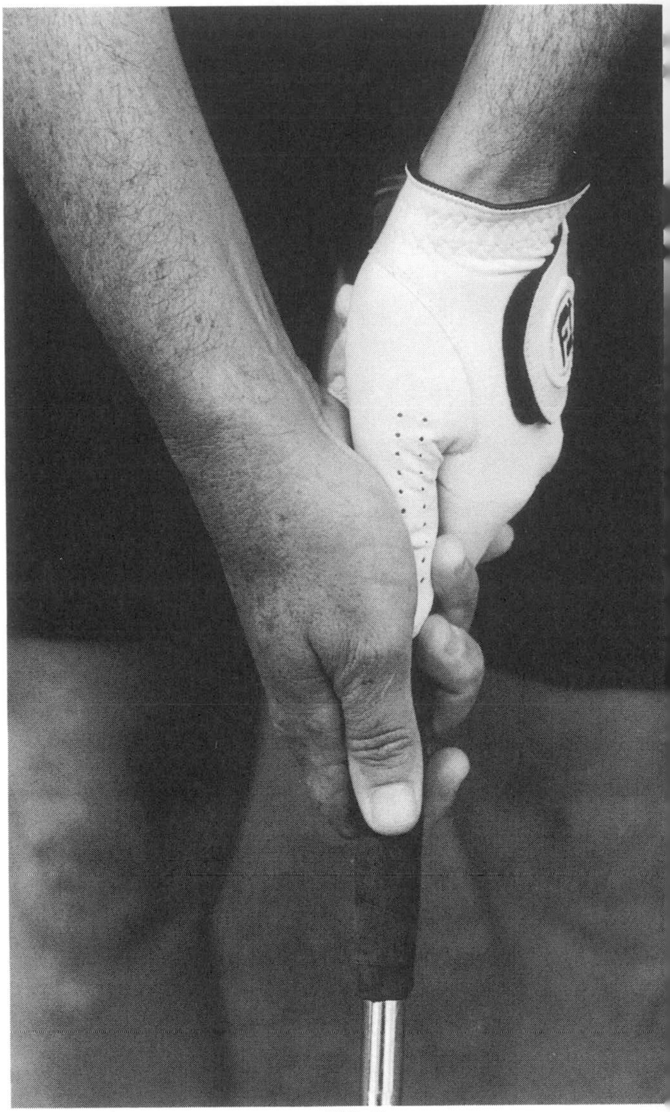

FIG. 7

because most women don't have the strength in their hands—and especially their fingers—to pull off the little touch shots. Of the ones who can, we all have strong hands. Do whatever you can to build up your hand strength.

There are hand exercisers on the market, but I'd save my money and just try squeezing tennis balls. Even doing things around the house, such as gardening (pulling weeds), can work wonders.

Second, golf is a two-handed game, but unfortunately there aren't many people around who are ambidextrous. For years, people have said that the best golfers are those who are actually left-handed, but who play right-handed. They point to Ben Hogan as an example.

Well, the truth of the matter is that Ben Hogan never was, isn't now, and never will be a lefty. But like so many great athletes, he trained his left hand to be almost as strong and sensitive as his right. Look at a basketball player like Larry Bird. Through hard work he's almost as good with his left hand as his right.

My advice is to do as much with your weaker hand as possible. Even little things such as brushing your teeth with your left hand can help increase both strength and awareness.

Later, in the shotmaking section of this book, I'll explain why the left hand, as the control hand, is so important. But for right now, just trust me, and get busy trying to bring your left hand into the game—and into your daily routine.

Finally, when it comes to golf, familiarity breeds confidence. The more you practice something, the more comfortable and natural it becomes. That's why I suggest that people get a club that's just a grip on the end of a short piece of shaft. In the evenings, when you're watching television (or anytime you have a free moment), practice gripping and regripping the club. Make sure you get that club in your fingers and really feel it. Remember, a good player grips the club. The poor player is just holding on for dear life.

Grip Pressure: Light Makes Right

I'm going to let you in on one of my secrets. When I'm under the gun in a tournament, and the pressure is really starting to grind, that's when I'm at my best. I feel like I have an edge because the pressure of being in contention is a tremendous high. The adrenaline starts to flow and all of my senses are heightened.

When I'm in this position, I have one key thought: light grip pressure, especially with my right hand. I don't think about anything else because I've learned that if I grip the club lightly, my tempo is smoother and slower and my swing flows naturally.

Now compare that with the people I see in our pro-ams. Sure, they're nervous. Why not, they're under a lot of pressure. But instead of a light grip pressure, they've got a death grip on the club. Their hands and forearms are like bricks. Heck, sometimes you can even see the veins bulging out of their arms. Feel? None. Tempo? Fast and getting faster. Chances of pulling off the shot? Two: slim and none.

When I see this I go up, make a little joke to try to relax them, and then tell them to grip the club the way you'd hold a tube of toothpaste that didn't have a cap. You want to hold it tight enough to keep it from dropping out of your hands, but not so tight that the toothpaste goes squirting out all over the place.

You'd be amazed how quickly they improve. The tension eases, they swing slowly and smoothly, and generally make pretty good contact because they allow the club to *swing* naturally. I like to think it's my jokes, but it's probably the toothpaste tube thought—although I could tell you some beauties.

The bottom line on grip pressure is this: if you can actually feel the club throughout your entire swing, then half the battle is over. It means that you are not only holding the club lightly enough to have good feel, but you are swinging at a tempo that is slow enough to let you stay in control. With good feel and tempo working in your favor, you're already able to give half the field two a side.

The Stance: Building from the Ground Up

Too often people overlook the stance when either teaching or learning the swing. They treat it like an afterthought: "Oh sure, the stance. Well, just put your feet shoulder width apart. Now let's get on with the good stuff."

Sorry, but nobody's getting off that easy around here. What does "shoulder width" mean? Does it mean the inside of your feet are shoulder width apart or is it the outside of your feet? And does it mean that a man who weighs 225 pounds needs a stance as wide as a woman who weighs 120 pounds? And what about a tall, thin person as opposed to a short, wide one? Or the stance for a driver as opposed to an 8-iron? See what I mean?

Here's my rule: you need a stance that is wide enough to support the weight and motion of your swing, but that is narrow enough to let you make a good turn and use your legs properly throughout the swing. It should also allow you to see a line to your target. Period. How easy is that?

Following this rule, obviously you need a wider stance for a driver than an 8-iron because it's a longer swing, which generates more force and motion. By experimenting and watching good players, I think you'll find that a good rule of thumb is that the shorter the club, the narrower the stance. Also, as the clubs get shorter the lies become more upright, as does the swing. For that reason, you'll see many players open their stance slightly with the short irons. In other words, they pull their left foot back slightly at address. This helps you see the line more clearly, and also helps get your hips out of the way early in the swing.

Ball Position: Remember Byron's Rule

Byron Nelson once made a statement that everyone should keep in mind, even if it means going to a hypnotist: "You can't stand too close to the ball."

You can, of course, but his point was that nobody ever does. It's human nature to stand away from the ball because that feels more powerful. The truth is that by standing too far from the ball, you not only lose power because you can't strike the ball solidly, but you lose sight of the target line.

Right from the beginning, I've always addressed the ball with my hands over my left pant cuff or ankle. I'll slightly alter this position to hit the ball either higher or lower than normal, but for most shots I've found that this is the ideal position for consistent ball-striking (see Figs. 8–9).

Occasionally people will ask me if I believe the club and the left arm should be in a straight line, which has been a popular piece of advice for a long time. I prefer to imagine my arms and the club forming a Y, with my arms fully extended but not tense. I think this is a lot easier image to remember.

Another good rule of thumb is that if you just barely pass your hand between your hips and the butt end of the club, then you are standing the proper distance from the ball. Any extreme variation from this distance requires you to make unnatural adjustments in your swing—sort of like in-flight corrections in a rocket launching—which really narrows your margin for error.

Take an "Athletic" Stance

Once you've gotten a feel for the proper stance width and ball position, it's time to move on to an area that really shouldn't be as much of a problem for golfers—especially

FIG. 8

FIG. 9

Figs. 8–9 *At address, your stance should support the weight and motion of your swing while still allowing you to make a full turn. The end of the club should be just far enough from your body to allow you to pass your hand between the grip and your body. I like to set my hands over my left ankle as a guide.*

women golfers—as it is, and that's how you actually address the ball.

Until recently, men have had an edge in learning to play because they had so much experience playing other sports as kids. I've always thought that qualities such as concentration, hand-eye coordination, patience, and tempo carried over in all sports, and they certainly are important in golf. Very often the best golfers turned out to be good in a variety of other sports.

I'm glad to say that I've seen more good athletes joining the LPGA tour today than at any time in my fifteen years as a professional. That's a big development, and it's due in large part to Title IX, the federal legislation that did so much to encourage schools to provide athletic facilities and opportunitics for women. Now, I look at a player such as U.S. Womens Open Champion Betsy King, and I can see how Title IX paid off. Betsy played a lot of sports as a kid, and chose golf as a career. You can just tell from watching her play that a lot of her natural athleticism has carried over from other sports.

When you address the ball, you want to stand in what I call an "athletic" stance. You need to stand tall to the ball because this allows you to both see and set up to your target line. It also allows you to make the most fluid, effortless swing possible. Too often I see players hunched over the ball, which restricts their swing.

My suggestion is that you address the ball the same way you would stand if you were ready to dive into a pool. You want your knees flexed and your back fairly straight. Another good analogy, if you spend more time in the clubhouse than the pool, is to feel as though you were about to sit on a barstool.

The key is to keep your knees flexed throughout the entire swing. This does two things that are very, very important. First, it allows your legs to act as the shock absorbers for the swing. Keeping your knees flexed helps keep you from bobbing up and down during your swing. Very often, when I see people hit a shot either fat or thin, it's because they didn't keep their knees flexed.

Second—and I can't stress this enough—your legs are the motor of your swing. In a good swing, the legs control the timing and the pace of the swing. In a good swing the legs, arms, and club all move at a coordinated pace. If one element gets too fast, the rhythm and timing is destroyed. That's why it's so important to have good footwork, shifting the weight to the right on the backswing and then moving it back to the left on the downswing, much like a pitcher striding towards the plate as he delivers his pitch, or a batter striding towards the ball in his swing. But remember, it's a weight shift, not a sway. (See Figs. 10–29.)

Figs. 10–29 *Here are two views of my swing with a driver. The biggest mistake I see people making with a driver is trying to swing too hard. The secret to distance is making solid contact, and that means swinging within yourself. I concentrate on making a "one-piece" backswing, with my body, arms, and club moving back together. I set the club at the top of my backswing, then drive into the hitting area with the clubhead moving from inside the target line. I concentrate on "reaching for the sky," since this key helps me swing through the ball, not at it.*

FIG. 10

FIG. 11

FIG. 12

FIG. 13

FIG. 14

FIG. 15

FIG. 16

FIG. 17

FIG. 18

FIG. 19

FIG. 20

FIG. 21

FIG. 22

FIG. 23

Notice that my weight is evenly distributed, my knees are comfortably flexed, and my arms hang easily. I'm neither reaching for the ball nor cramped too close to it. I take the club-head back directly from the ball and turn my shoulders fully at the top of my swing.

FIG. 24

FIG. 25

FIG. 26

FIG. 27

My left arm controls the downswing, as you can see here. I feel as though I'm pulling the club into the hitting area, and then fully extending through impact. Notice how my hands and the clubhead move toward the target and then the sky for a full, high finish.

FIG. 28

FIG. 29

Timing: My 1-2-3 Key

Rhythm and timing can make or break a golf swing. You can get by with less-than-perfect mechanics if you have good rhythm, because you will have time to recover. This is true for every club in the bag, from the driver to the putter. On the other hand, a poor tempo can ruin even the best swing, because it will make it incredibly difficult for all parts of the swing to work together.

Everyone has a rhythm that's right for them. There are some people who do everything in a hurry, while others are so laid back it makes you wonder how in the world they even get out of bed in the morning. The same is true in golf; some people play fast and swing fast, others are deliberate beyond belief.

I'm a person who hates to waste time, both on and off the course. And while I wouldn't say that I have a fast swing, it sure is a heck of a lot quicker and shorter than Beth Daniel's swing. That doesn't make mine right and hers wrong, it's just that we've both discovered a tempo that works for us, and when we're playing our best, we play at that pace. Very often, a player's tempo is determined by build. A tall, lean player such as Paul Azinger will have a longer, slower tempo than a shorter, more heavily muscled player such as Tom Watson. As I said, no one tempo will work for everyone, but I have a thought that might work pretty well for the greatest number of golfers.

When I was learning to play, Walter Keller had me study Sam Snead's swing as a model. Sam probably has the best tempo in the business. Watching him swing—whether it's a driver or a pitching wedge—is like watching a metronome: one is the forward press; two is the left arm, the club and your weight move back together, and three driving through the ball to a nice, high finish.

This 1-2-3 key is one of the most basic and fundamental keys I have to offer. I hold onto it like a life preserver whenever my swing is in threat of being derailed or I'm under pressure, and I try very hard to keep this tempo in every aspect of my game, from the full swing to my short game to my putting. Here are two practice tips to help you engrain my 1-2-3 thought into your game.

Amy's Favorites

FAVORITE ROUND

I shot a 65 in the last round of the 1984 Lady Keystone to come from seven shots back and win.

First, try swinging to this tempo without a club. Simply assume your regular address position with your arms hanging freely at your sides, your hands out in front of you about waist high. Swing back and forth, slowly at first, making sure that your weight shifts freely to the right on the backswing and to the left on the downswing. At the same time, count aloud 1-2-3 while swinging to the count. Once you get the hang of it, you can slowly begin picking up the pace of your swing until you are at a comfortable tempo—but never a tempo that causes you to get out of the 1-2-3 rhythm. (See Figs. 30–32.)

Second, after you've become comfortable with this count, begin hitting practice balls to the count. Begin with a short iron, either a pitching wedge or a 9-iron. Concentrate on making a smooth swing while counting 1-2-3 aloud. If you're too self-conscious to count aloud, count quietly to yourself. The key is developing a swing to that tempo—a swing you can count on when the going gets tough.

Figs. 30–32 *My "One, Two, Three" drill not only helps teach a proper swing tempo, but it's a great key to keep in mind under pressure. On "One," I make my forward press and begin my backswing. "Two" takes me to the top of my swing, and on "Three" I'm making contact. Try counting aloud as you swing, and I think you'll find this drill will work for you, too.*

FIG. 30

FIG. 31

FIG. 32

If your timing is off, or your swing feels rushed under pressure, try to feel that you have all the time in the world, and wind your swing up one extra notch on the backswing. On the downswing, remember to swing through the ball, not at it.

My final fundamental key is one that I mentioned briefly a little bit earlier: keep the club moving towards the target and reach for the sky. I think it's crucial to make solid contact on every shot, whether it's a drive or a putt, but too often this can cause players to become "ball-bound." The golf swing is just that—a swing. You swing through the ball, you don't hit at the ball. It's a crucial difference. People who hit at the ball tend to either look up at impact or quit on the shot. Either one is bad, and both can be cured if you try to keep the clubhead moving toward the target and feel as though you're reaching for the sky on your follow-through. (See Figs. 33–47.)

I have a good drill that I use to remind me to keep the clubhead moving toward the target. I line up two rows of tees about eight inches apart and place the ball between the two rows. I practice hitting the ball without knocking down the tees. This forces me to keep the clubhead moving along the target line. I do this with every club in the bag, from the driver to the putter, because this is one of those fundamentals that doesn't vary from club to club. It's an excellent drill for practicing your putting, chipping, or full swing.

My tee drill is also good for another crucial reason: it helps you concentrate on actually seeing the ball. Even if you are just taking up the game, I'm sure somebody has told you to keep your eye on the ball. It's one of the most

Figs. 33–47 *Every good ball striker shares the ability to keep the clubhead moving toward the target through the 18 or so inches that make up the hitting area. Here's a drill that will help you learn to do just that. Place the ball between two rows of tees set about eight inches apart. Beginning with a short iron, practice swinging through the tees and hitting the ball, working your way up to the longer clubs.*

FIG. 33

FIG. 34

FIG. 35

FIG. 36

FIG. 37

FIG. 38

FIG. 39

FIG. 40

FIG. 41

FIG. 42

FIG. 43

Here's another view of my six-tee drill. From this angle you can see how practicing this drill helps you learn to accelerate the clubhead through the hitting area and toward the target. This can greatly improve your accuracy as well as help you make solid contact time after time.

FIG. 44

FIG. 45

FIG. 46

FIG. 47

At impact, you can see that my club is right between the tees, and I'm still looking at where the ball was. Too often I see players "look up" to see where the ball is headed, which can cause poor ball-striking.

fundamental keys in any sport. It's a simple fact that it's a heck of a lot easier to hit something you're really seeing.

Too often people tend to look up to see where the ball is going. Resist the temptation and keep your head down a split second longer. Whatever shot you're hitting—from a drive to a putt—it helps if you concentrate very hard on seeing the ball. In fact, you should concentrate so hard that you attempt to see the ball being struck by the club, swinging up to the sky to a nice high finish. Don't quit on the shot, take control of it!

Amy's *Playing Lesson*

EXPECT THE WORST: THE 1978 ELIZABETH ARDEN CLASSIC

In the last round I had finished the 72nd, and final, hole—a difficult par 5 highlighted by two water hazards—with a two-shot lead. The only person with a chance of catching me was Sandra Post, who was playing the 18th.

As I sat in the scorer's tent going over my card, I knew that Sandra had 220 yards over water to the green. I also knew she wasn't going to lay up and play for second place. When I heard the crowd's roar, I knew she had hit a good shot. In fact, it was a great shot: three feet from the hole for a potential eagle 3 and a tie.

I began getting mentally prepared for the play-off then and there. I told myself that Sandra never misses putts like this, no matter how much pressure she's under. I thought about the first play-off hole and how I wanted to play it.

By the time Sandra actually tied me, I was ready to go. Usually, in this situation, the person who forces the tie has the edge when it comes to momentum, but I had done everything in my power to get myself ready.

I won the playoff on the third extra hole, and the biggest reason I won was that I didn't allow myself to get down after Sandra eagled the last hole. That's just the way golf is. It's unpredictable, and it's very much a game of highs and lows, ups and downs. The trick is trying to chart a middle course so that you avoid the real big swings in confidence. One way to do that is to always assume that your opponent is going to pull off a miracle—and believe that you can do the same thing.

3

The Short Game: Saving Strokes the Easy Way

A good short game is the great equalizer. It can help you salvage a score on those days when you're hitting the ball poorly. It can help you play more aggressively, because it allows you to recover when you try to attack a difficult pin placement and wind up missing the green.

I think that a good short game is particularly important for women because we really get a raw deal on most courses. Women have to play from tee markers that make the holes impossibly long. Until recently, architects designed courses to test the skills of men players. They added women's tees as an afterthought but they rarely, if ever, placed the tees in positions that made the holes play equitably for both men and women. Putting the women's tee markers 15 or 20 yards in front of the men's markers isn't really accomplishing much in terms of fairness. If the average man and woman are playing an average par 4 and they both hit good drives, the man is probably going to be left with a middle iron for his approach while the woman is going to be hitting a fairway wood.

Is this fair? Clearly it's not, but even though things are changing and courses are being designed or reworked to make tees more equitable, my best advice is to try to learn to hit the ball farther—which we'll get to in another chapter—and get to work on your short game.

Chipping and Pitching: Feel Through Fundamentals

I play by feel, particularly around the greens. But before you can play by feel you must have good, solid fundamentals that you have practiced until they become second nature to you.

When I was a kid growing up in the suburbs of Los Angeles, my parents sacrificed our front yard for the good of my golf game. We sunk soup cans in the yard and my father built a small sand bunker so that I could practice. I'd get my fundamentals from my pro, Walter Keller, in the morning and spend the afternoon practicing them at the Alcott Golf and Country Club—and believe me, that practice has paid off a hundred times over in the pressure of tournament play.

In the following pages we'll go through the basics for building a short game you can have confidence in, but I can't stress enough how important it is that you invest plenty of time in practicing. I'd even go so far as to say that for every hour you spend practicing your full swing, you should spend two hours on your short game. It's that important, and it deserves that much attention. I see a lot of talented young players come out on tour and leave their future on the practice tee. They beat balls until their hands are numb, but never work on their short games. As a result, they often have the best swings in the world but can't make a decent number because they can't score around the greens. Remember, the whole point of playing this game is making the best score possible, and because at least half your strokes are taken from 50 yards in, doesn't that tell you which shots you should be working on?

Getting Down to Basics

Let me try to clear up some confusion right at the start. A lot of people seem confused by the terms chipping and pitching. Here's my explanation: A chip is a shot that spends more time on the ground than in the air. A pitch is just the opposite. But while the shots are slightly different, the fundamentals for playing them are very similar. (See Figs. 1–4.)

My first rule is to get comfortable over the ball. If you're uncomfortable, you're bound to be tense, and tension is something you should avoid at all costs. (See Figs. 5–8.)

FIG. 1

FIG. 2

FIG. 3

FIG. 4

Figs. 1–4 *When chipping or pitching the ball, a tip to remember is to play the ball back in your stance and set your hands well ahead of the ball. Hit down on the ball and concentrate on making solid contact.*

FIG. 5

FIG. 6

FIG. 7

FIG. 8

Figs. 5–8 *I strongly suggest playing all your pitch and chip shots from an open stance, since this clears your hips out of the way and allows you to hit down crisply on the ball.*

I like to play these shots from a slightly open stance, with my left foot pulled back from the target line. Most good players chip and pitch from an open stance for two reasons. First, this stance gets your hips out of the way before you even begin the shot. Second, an open stance allows you to see the line you want to hit the ball along more easily than you can from a closed stance. I think if you experiment and try hitting shots from closed, square, and open stances, you'll find that you'll be more comfortable and hit more good shots from a slightly open stance (see Figs. 9–12).

I don't recommend altering your grip for any of these shots, in that a good grip is one that allows you to hit every shot in the bag. I do, however, strongly suggest that you change your ball position. Earlier, I mentioned that I think all full shots should be played with the ball off your left heel. But on these short shots, it's very important that you make crisp, solid contact with the ball. It's almost as if you are pinching down on the ball, trapping it. To do this, I suggest you address the ball so that it is back in your stance, somewhere between the middle of your stance and your right foot. At the same time, set your hands well ahead of the ball at address. By putting your hands ahead and the ball back, you've preset yourself to hit a nice, descending blow on the ball. Too often, people try to sweep the ball off the ground, which leads to mishits and inconsistency. Remember, golf is a game in which you hit down to make the ball go up. That may not make sense at first, but if you keep that old saying in mind, it will help improve your play.

To prove to yourself how simple chipping the ball

Amy's Favorites

FAVORITE PGA TOUR PRO

I really like Tom Watson's game and his approach to golf, and I always admired David Graham because I think he got so much out of his game. All in all, though, Lee Trevino is the guy I respect the most. He's a total golfer. You can't find a weakness in his game. None.

FIG. 9

Figs. 9–12 *When hitting a pitch shot, the biggest mistake most amateurs make is taking a backswing that is too long, and then failing to accelerate the club through impact. My tip is to only take as long a swing as you need to get the job done.*

FIG. 10

FIG. 11

Notice that my hands are ahead of the clubhead at impact. This allows me to "trap" the ball with a descending blow and helps me make consistent, solid contact—the key to good chipping and pitching.

FIG. 12

can be if you have the correct fundamentals, try this: Take an 8-iron and address the ball from a slightly open stance, with the ball back and your hands ahead. Now simply take your right hand off the club and play the shot one-handed. Swing the club back straight away from the ball, then pop the clubhead down squarely on the back of the ball, making sure that the grip end of the club stays ahead of the clubhead throughout the stroke.

Earlier, in the section on full-swing fundamentals, I stressed the importance of tempo. It's every bit as important when it comes to chipping and pitching the ball.

I like to imagine a metronome ticking to a 1-2 beat when I'm playing these shots. When I'm practicing, or if I'm under pressure, I'll say to myself, "One-two, back and through; one-two, back and through." I find that this helps me hit the shot with a good tempo, which goes a long way toward insuring solid, consistent contact. (See Figs. 13–16.)

Chipping and pitching the ball is also like the full swing in that it's very important that you keep the clubhead moving toward your target for as long as possible. That's why the tee drill I explained on page 49 is such a versatile drill. When I have a pro-am partner who has difficulty chipping, I'll show her this drill and it never fails to help her improve quickly—and dramatically.

Figs. 13–16 *Here's another use for my tee drill. When you're practicing your chipping or pitching, set the ball between the tees and then concentrate on accelerating the clubhead at the target. And don't look up until the clubhead has passed the last two tees.*

FIG. 13

FIG. 14

FIG. 15

FIG. 16

Visualization: See the Shot You Want to Hit

The players with the best short games not only have the best fundamentals, they have the best imaginations. They can see the shot they want to play before they even pull the club from their bag (see Fig. 17). They visualize all of the options: whether the shot should come in high and soft or low and running; whether it will break to the left or right, and how much break they should allow for; and whether the shot will be downhill and fast or uphill and slow. Once they see and weigh all of the alternatives, they go ahead and select the right club to pull off the shot.

It's very helpful, especially for beginning golfers, to approach a chip or pitch shot as though you were going to toss the ball to the hole. Commonsense will tell you the type of ball flight that's required. If you have a lot of green to carry, it's best to throw the ball in low so that it can run to the hole. On the other hand, if you have a short distance to the hole, you'd toss the ball higher into the air so that it would land softly and stop sooner.

Most people figure this out through experience, but where a lot of golfers make a mistake is in their club selection. No matter what type of shot they face, they use their "favorite" club. There is a certain benefit to this type of thinking, in that a favorite club does help instill a certain amount of confidence, which counts for a lot in golf, but the trade-off is that by sticking with just one club, you're forced to make a bunch of different swings. I suggest sticking with one basic swing and let a variety of

Fig. 17 *When facing shots around the green, it helps if you're comfortable using a variety of clubs, rather than using just one club and altering your swing.*

clubs do the work for you. If you face a high, soft shot, go with a lofted club. If you need to roll the ball a fairly long distance, drop down to a 6- or 7-iron. The key is to make the same swing with whatever club you choose, and that can't help but make you more consistent—and eventually more confident.

Whatever type of shot you face, I have two pieces of advice I think will really help. First, always go with the least-lofted club possible. There are three variables in any shot around the green: height, speed, and spin. The height of the shot helps determine how far the ball will run after it lands on the green. The speed of the shot, which is a combination of how hard you hit it and the speed and contour of the green, is also something you have pretty good control over. But spin is inconsistent, and difficult to predict and control. I suggest you eliminate the spin factor as much as possible. To do that, I suggest you hit the shot that gives you minimum air time and maximum ground time.

My second suggestion is to always chip and pitch to a spot on the green where you want the ball to land. This goes back to visualizing the shot you face. As you see the shot in your mind's eye, you'll see the spot where the ball has to land in order for it to wind up close to the hole. Once you've established that spot, landing the ball there, at the proper speed, should be your only concern.

One final thought about chipping and pitching the ball. Very often people watch professional tournaments and they see the players hitting these shots with sand wedges. We're able to really nip the ball and put tremendous spin on the shot, getting the ball to check up quickly.

It's impressive, and yet when amateurs try it they often blade the ball over the green.

One reason is that the sand wedges we use are specially ground so that they can be used for these shots, as well as from the sand. In my case, I carry two sand clubs—one for pitching and one for sand play. Unless you are a very talented player, I'd recommend carrying two sand wedges as well as a pitching wedge. This will give you plenty of options around the green, and will give you the right club to execute these shots with.

Putting: The "Other" Game

Ben Hogan has been quoted as saying that there are two games of golf: ball-striking and putting. I know just what he means. Sometimes golf can be the most maddening of games. You hit a great drive and a great second shot and then toss them both down the drain by three-putting the hole. It drives you crazy.

I'm not sure why it is, but a lot of the really great ball-strikers were relatively poor putters. Someone once asked Sam Snead why he missed so many short putts and he came up with a heck of an answer: "Maybe it was because I had more of them than anyone else," he said, and he was probably more than a little hot when he said it.

I know my putting has never been as good as the rest of my game, mostly because I never really liked practicing putting as much as I loved hitting full shots and those little shots around the greens. I guess that's been true for other good shotmakers, who are artistic people at heart.

Still, the truth is that pretty much half the strokes in any round are putts, and if you have any hope or desire of becoming a good player, you've got to learn to put the ball in the hole. And the other truth is that there's no one right way to putt. It's the most individualistic part of the game. My basic rule going in is that you should make yourself as comfortable as possible—within certain limits. God knows there's already enough stress involved in this part of the game.

THE GRIP

Earlier, in the section on fundamentals, I talked about the three basic grips. When it comes to putting, there are many more than three to choose from. When you get right down to it, almost everyone has a slightly different grip.

Right from the start, you need a grip that is comfortable and allows you to really feel the clubhead. You want both hands to be able to work together as a unit, without one hand having control of the stroke. To help ensure this, you want your hands in balance (see Fig. 18). By that I mean that if your left, or top hand, is turned to the left in a weak position, you want your right hand turned to the right pretty much to the same amount. I favor this type of grip, with my left hand turned to the left, since it minimizes the amount of wrist break during the stroke. As

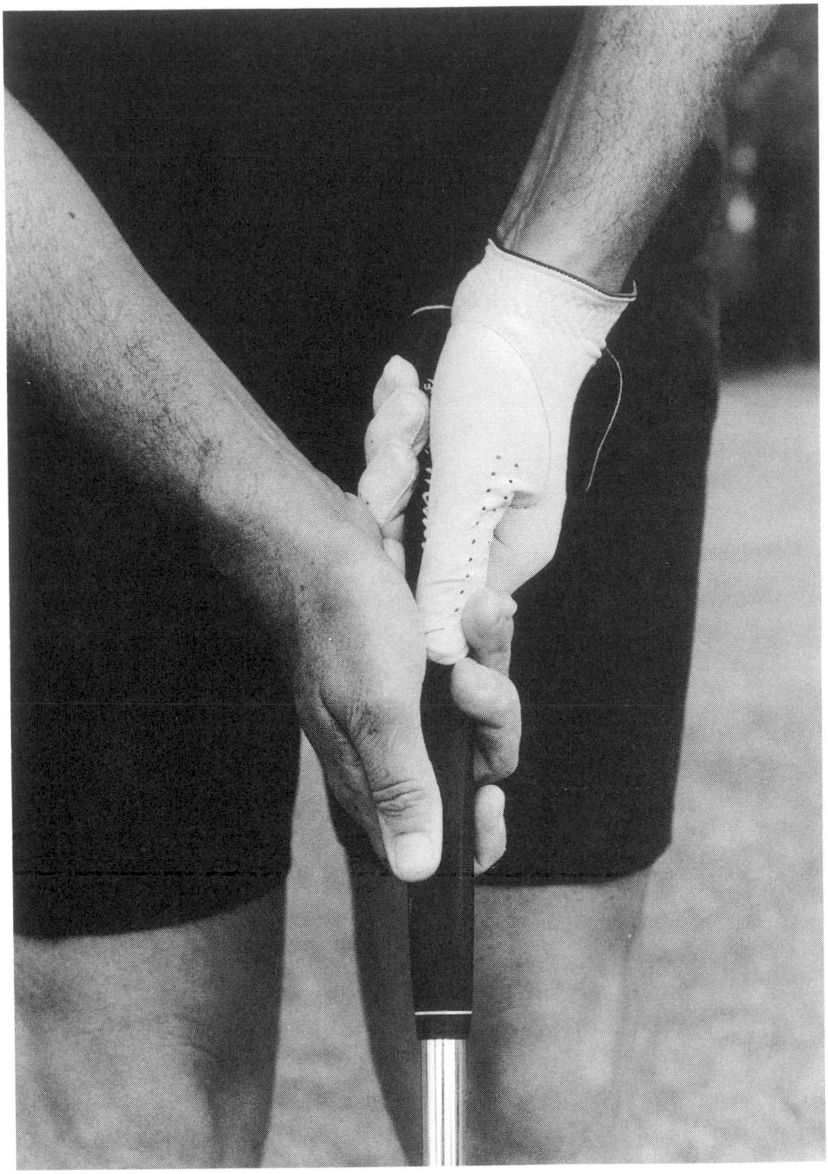

Fig. 18 *The key to good putting is a grip that allows your hands to work together with a light pressure. Gripping the club tightly reduces your feel and touch.*

much as possible, I like to see people develop a putting stroke that is controlled by their arms and shoulders, rather than the small muscles of their hands, since those muscles tend to get twitchy under pressure.

I also like to stress the importance of a light grip pressure when it comes to putting. More than any other part of the game, putting demands good feel, and you can't feel a thing if your hands are trying to squeeze the life out of your club. When I see someone setting up to putt and their forearms are rock hard, I know they don't have a prayer of making the putt.

BALL POSITION

Again, this is a matter of personal preference. Whatever position allows you to see the line and make consistent, solid contact, is the right one for you; and to tell you the truth, your ball position might vary slightly during the course of the round. Most good putters position the ball so that their eyes are either right over the ball or slightly inside the target line (see Figs. 19–22). If your eyes are outside the target line there's a good chance you'll pull most of your putts to the left of the hole. Here's a good test: Address the ball as you would to hit a putt, then simply drop a second ball from the bridge of your nose. If the ball lands outside the target line, then your ball position is too close to your feet. Move back just a bit, and I think you'll see a lot of improvement in a little time.

FIG. 19

FIG. 20

FIG. 21

FIG. 22

Figs. 19–22 *Putting is the most individualistic part of the game. No two people putt alike. My two best suggestions are to get comfortable over the ball, and make a stroke that allows you to hit the ball squarely time after time. For me, that means putting from an open stance, and making a compact but aggressive stroke.*

STANCE

Again, my first rule is that you should find a stance that lets you feel as comfortable as possible. If you try to force yourself into a "right" stance, you're bound to become uncomfortable, and that leads to tension. Putting from a slightly open stance is preferable. First of all, it allows you to see the target line more clearly and easily. Second, it gets your hips and shoulders out of the way, which helps you make a stroke that keeps the putter moving on a straight line.

At the very least, I'd say to putt from a square stance, with both feet parallel to your target line. Over the years there's been a fair number of good putters who played from a square stance, and there's been a ton of good putters who played from an open stance. I can count the number of good putters who played from a closed stance on one hand. That should be a pretty convincing argument for at least giving my suggestion a fighting chance.

SOLE YOUR PUTTER

I know, I know, there are guys like Isao Aoki and Seve Ballesteros who putt with the toe of the putter higher than the heel. If you have their type of talent, go right ahead and putt that way yourself, but the rest of the world will be a heck of a lot better off if they find a putter that sits squarely on the ground, in that this makes it easier to make solid contact time after time.

Most styles of putters are made in a variety of lies, from fairly flat to upright. If you find a putter you like, but the lie isn't quite right, take it to a pro shop. Changing the lie of a putter is easy to do, and it can really help. One other thought that might help: the flatter a putter's lie, the easier it is to get wristy with your stroke. If your stroke is wristier than you'd like, you might try a putter that's slightly more upright.

THINK "ONE-TWO, BACK AND THROUGH"

Some good putters have very long, flowing strokes. Ben Crenshaw is a good example. Others have shorter, more compact strokes that "pop" the ball. I'd fall into that category.

Whatever type of stroke you have, the key is to putt with a good tempo, making a stroke that accelerates through the ball. I like to think of my putting stroke as a metronome. I think "one" on the backswing, and "two" on the forward swing (see Figs. 23–25). When I'm practicing, I actually say to myself, "One-two, back and through," and it helps get my stroke back in shape.

One reason I favor a shorter stroke is that there's less tendency to quit on the stroke. So often I see players who take a backswing that's far too long for the length of putt they face. As a result, they decelerate, and usually wind up making poor contact with the ball. My advice is to make a shorter stroke, accelerate through impact, and keep that blade moving toward your target (see Figs. 26–28). One other tip: When you have a short putt, there's a temptation to look up and see if the ball is headed for the hole.

FIG. 23

Figs. 23–25 *A common fault among all golfers is making a backswing that is too long for the putt they face. As a result, they don't hit the ball crisply. By setting two tees down as guides, you learn to develop a shorter, more aggressive stroke.*

FIG. 24

FIG. 25

FIG. 26

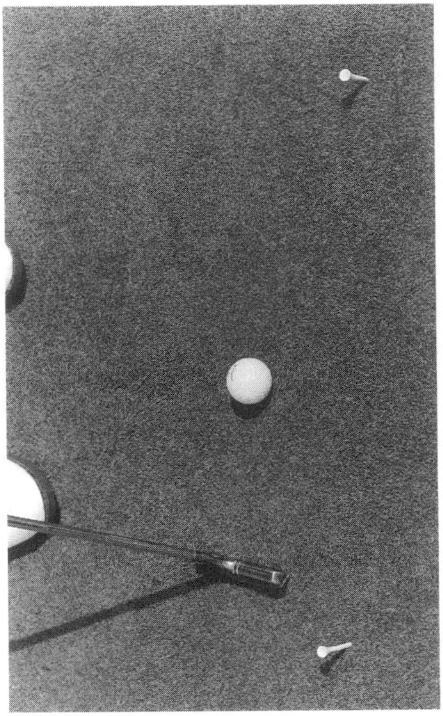
FIG. 27

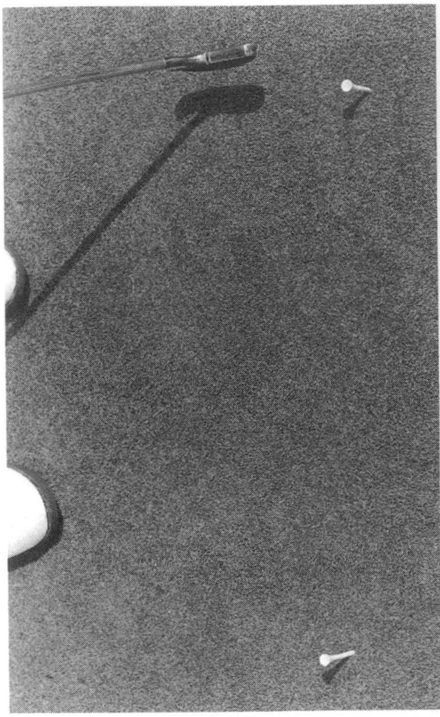
FIG. 28

Figs. 26–28 *When using this two-tee drill, think of the putter as a metronome, counting, "One, two, back, and through," as you practice.*

When you look up, the putterhead gets pulled off line and more often than not you miss the putt to the left of the hole. Keep your head down and still throughout the stroke. (See Figs. 29–36.)

Sand Play: It's Easier Than You Think

Occasionally, people will be watching a tournament and hear a player say "Get in the bunker" after they've hit their

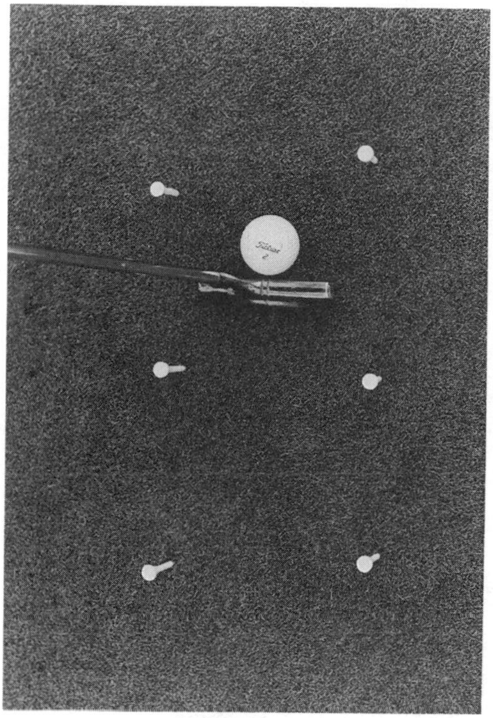

FIG. 29

FIG. 30

Figs. 29–36 *My tee drill is also an excellent way to refine your stroke, since it forces you to keep the clubhead moving on a path toward the target at all times.*

FIG. 31

FIG. 32

FIG. 33

Don't worry about keeping the club face "square to the target" on your backswing. Just concentrate on keeping it moving between the rows of tees and accelerating through the hitting area.

FIG. 34

FIG. 35

FIG. 36

The beauty of this drill is that it allows you to develop a stroke you can trust, instead of one you're always tinkering with under pressure.

approach shot. For most amateurs, those are four words they'll never say in their life. The last place they want to be is in a bunker. But if you understand the basic mechanics of the shot, it really is pretty easy. In fact, there are a lot of times when the rough around the green is so severe that a bunker is a better place to play from (see Fig. 37).

The first rule is that you must have a good sand wedge. The truth is, most amateurs are losing the Battle of the Bunkers because they are playing with some of the worst equipment imaginable. Their clubs are either too heavy or too light, and most don't have either enough bounce or loft.

Until Gene Sarazen invented the sand wedge, people had to pitch the ball from bunkers with what amounted to a pitching wedge. Because these clubs have a narrow flange, they dug into the sand rather than sliding through it and under the ball. This made bunker shots very difficult because you never knew how the club was going to react when it hit the sand.

Amy's Favorites

FAVORITE SITE
Rochester has the best galleries on tour. People really appreciate our play. Hershey has great galleries, too, as does Raleigh and Palm Springs.

Fig. 37 *Playing from the bunkers terrifies most weekend players, but it really shouldn't if you know the proper fundamentals and are willing to practice.*

Sarazen wondered what would happen if you added weight to the sole of the club, making the leading edge higher than the trailing edge (see Fig. 38). The added weight and the shape of the flange, he reasoned, should help the club slide through the sand, throwing the ball up and out of the bunker. After a lot of experimentation, he came up with what we know as the sand wedge— and he made a tough game a little bit easier. Because this is such an important club, let's run through the various points that go into making up a good sand club.

Fig. 38 *In order to play out of sand, you must have a wedge with a wide flange or bottom. The trailing or rear edge of the flange should be lower than the leading edge to allow the club to cut through the sand.*

BOUNCE

Bounce is the combination of the width of the flange and the angle between its leading and trailing edges. A club with a lot of bounce is one with a wide flange and a large angle between the leading and trailing edges.

As a general rule, better players don't need as much bounce on their wedges because they can control the clubhead a little better than the average player. Also, the softer and more powdery the sand, the more bounce you need. That being the case, if you play a lot of golf in the south, you'll need a club with more bounce than you would if you play most of your golf in the north, where the sand is heavier and courser.

As I said, really good players are able to use a club that has very little bounce. This not only gives them more flexibility in playing shots from the sand, but allows them to use a sand club to hit approach shots from the fairway. The truth is, though, that in order to use a club that will do this type of double duty, you have to have a lot of ability and a lot of time to practice. That's why I like to suggest, as I mentioned previously, that people do what I do, which is to carry two sand clubs—one for bunker shots and one for hitting pitch shots.

WEIGHT

For a club to slice through sand, or through heavy rough, it has to have a fair amount of weight. The problem is that many people wind up with clubs that are just too heavy for them to control. I think this is particularly true for women and seniors. If you feel that your club is too heavy, it might be worthwhile taking it to a pro shop and having a little weight drilled out of the flange.

LOFT

Sand wedges come in a wide variety of lofts, ranging from 55 degrees to over 60. I think that something in the range of 56 or 57 degrees is right for most people, because by opening the blade to play the shot, you effectively add loft to the club anyway.

I do think that many people would benefit from dropping a long iron from their set and adding a third wedge. Long irons are too tough for most people to hit in the first place, and by adding a third wedge you can in short order cut down on strokes around the green.

There are two other points I want to make concerning sand wedges. The first concerns the grip. Because sand wedges are not normally sold as part of a set of irons, very often people will have a sand wedge with a different style or thickness of grip than their other clubs. It just makes sense to have all of your grips look and feel the same. The other factor is the stiffness of the shaft. Different people have different preferences. Some people prefer a slightly softer shaft, while other players like a shaft that is a little stiffer than the rest of their irons. My sand wedges have the same shafts as my other irons, but I think that as you get to be a better player it's something worth experimenting with.

Playing the Shot

Here's the first thing you have to remember about playing from the sand. The club never touches the ball. Instead, it slides under the ball, and the sand throws the ball up and out of the bunker. Since the club doesn't touch the ball, a sand shot gives you a much greater margin for error than any other shot you play. Just believing that should make the shot easier for you.

If I could give a person one piece of advice when it comes to hitting a bunker shot it would be to open the clubface, and then open it a little more (see Figs. 39–40).

FIG. 39

FIG. 40

Figs. 39–40 *To play a high, soft shot from the sand, the club face should be open, or turned to the right. This increases the loft on the club and makes it easier for the clubhead to slide through the sand and cut under the ball.*

By opening the blade you make it easier for the clubhead to slide under the ball without digging into the sand, actually adding loft to the club; so it stands to reason that the higher and softer the shot you need to hit, the more you should open the blade. On the other hand, if you are facing a longer bunker shot, you need to close the blade slightly. (See Figs. 41–55.)

It's also important to play this shot from an open stance, with your left foot pulled back off the target line. By doing this, you not only clear your hips and shoulders out of the way, but make it possible to execute the necessary outside-to-inside swing that will further help get the ball up quickly and softly. A good way to practice this swing path is to first visualize a line running from your left foot to your right foot, and then to try to swing the clubhead along a path that parallels that line. Again, the more you open your stance, the higher and softer you'll be able to hit the ball out of the sand.

The common advice for a bunker shot is to try to hit a couple of inches behind the ball. I tell people to think about spanking the sand out from under the ball, and then reaching for the sky as you finish your swing.

Once you get the hang of this basic bunker shot, you'll discover that when opening your blade and stance you need to aim slightly to the left of your target because the ball will come out slightly to the right of your stance line.

Amy's Favorites

FAVORITE DINNER COMPANION

If I could pick anyone in history to have dinner with, it would be Katharine Hepburn for a woman and Ansel Adams for a man. They strike me as the most interesting people I've ever heard of.

Figs. 41–55 *Here are two views of a sand shot. Notice that my stance and the blade of the club are both open. I take the club back outside my target line and cock my wrists early. I swing down, sliding the clubhead under the ball, cutting a slice of*

FIG. 41

FIG. 42

sand out. It is the sand that throws the ball up into the air. I make a good finish, indicating that I've accelerated through the sand. Also note that my body is aimed left of the target but that the club face is aimed toward the spot where I want the ball to land.

FIG. 43

FIG. 44

FIG. 45

FIG. 46

FIG. 47

From this angle it's easy to see how I take the club head back away from the ball on an outside swing path, cocking my wrists quickly. I slide the clubhead under the ball, carving out a slice of sand. It is the sand which throws the ball out, not the club face—which gives you a nice margin for error.

FIG. 48

FIG. 49

FIG. 50

FIG. 51

FIG. 52

FIG. 53

FIG. 54

FIG. 55

Specialty Shots

SPINNING THE BALL

People love to watch players zip a shot out of the sand, have it bounce once, twice, and then check up close to the hole. To pull this shot off, you need a perfect lie from fairly firm sand. The more you want the shot to check, the closer you must slide the club under the ball, which makes this a pretty risky shot unless you've given it plenty of practice (see Figs. 56–62).

THE BURIED LIE

Golf isn't fair. It was never supposed to be. Sometimes you'll hit a shot and it will plug in the sand. That's especially true if you play a lot of your golf down south, where the sand is as fine as sugar.

A buried lie limits your options. The first and most important rule is to get the ball out. To play the shot, you need to square up both your stance and the blade because you want to make sure the clubhead digs down behind the ball rather than bouncing off the sand and blading the ball.

There shouldn't be much of a follow-through with this shot; it's really more of a punch-type shot. You have to realize that the ball is going to come out low and running (see Figs. 63–69).

FIG. 56

Figs. 56–62 *Everyone loves to watch a good player spin the ball out of the sand. To hit this shot you must have a perfect lie. Open your stance and the club face, and swing the clubhead under the ball from outside the target line. The thinner the slice of sand you cut from under the ball, the more spin you'll impart . . . but the greater the risk of hitting the ball thin. It's a shot you really need to practice.*

FIG. 57

FIG. 58

FIG. 59

FIG. 60

FIG. 61

FIG. 62

FIG. 63

Figs. 63–69 *When facing a buried lie, work your feet well into the sand, square up the club face, and concentrate on driving the clubhead into the sand directly behind the ball. The ball will come out without much spin, but you will at least be able to get the ball out of the sand.*

FIG. 64

FIG. 65

FIG. 66

FIG. 67

FIG. 68

FIG. 69

THE UPHILL OR DOWNHILL LIE

There are two things to keep in mind when facing one of these shots. First, you want to take the most solid stance you can, because it's crucial that you not slide on this shot. You need to stay as steady over the ball as possible. (See Figs. 70–77.) Second, you want to set your shoulders so that they mirror the slope. This will help you shape your swing so that it traces the slope. In other words, if you're facing a downhill lie, you want to swing along the slope for as long as possible, with a fairly open clubface. This shot will not have much height, which means it will run.

Playing from an uphill lie is actually a pretty easy shot. You drive the clubhead in under the ball (see Figs. 78–85). The slope will help get the ball up, and while it might not have much spin, the height of the shot will help it land softly.

PLAYING FROM WET SAND

When sand is wet, heavy, and compacted it requires a pretty good touch—and maybe a change of clubs. In these conditions, you must guard against the clubhead bouncing off the sand, blading the ball. You really need to play this shot almost like a pitch, catching the ball as cleanly as possible. While I play this shot with a sand wedge, a number of players will choose a pitching wedge because its sharp leading edge and lack of bounce will help the club dig into the sand rather than bouncing off it.

One final piece of advice when you find yourself in a bunker—or any other hazard. Don't ground your club. If you do, it's a penalty.

FIG. 70

Figs. 70–77 *When you have a downhill lie in a bunker, the first thing you must do is build a solid stance so that you don't slide forward on the shot. Set your shoulders along the angle of the slope, since this will help you stay down on the shot, reducing the risk of hitting a thin shot.*

FIG. 71

FIG. 72

FIG. 73

FIG. 74

FIG. 75

FIG. 76

FIG. 77

Figs. 78–85 (following pages) *When the ball comes to rest on an upslope, there's no reason to panic. It's actually a fairly easy shot. Set your feet into the sand and adjust your shoulders so they parallel the slope of the bunker. Square the club face, and drive the club into the sand behind the ball. The shape of the slope will help pop the ball into the air, and it will land softly on the green.*

FIG. 78

FIG. 79

FIG. 80

FIG. 81

FIG. 82

FIG. 83

FIG. 84

FIG. 85

Amy's

Playing Lesson

GET MAD AND GET EVEN: THE 1976 LPGA CLASSIC

1976 was my second year on tour. I had already won once, in 1975, and was dying to prove that win wasn't a fluke.

I was nineteen at the time, and paired with Jane Blalock on the final day. Jane was at the height of her career and we came to the final hole at Forsgate Country Club in New Jersey all square.

Jane drove her ball into the left rough and I was in the middle of the fairway. Jane played first, knocking her approach 25 feet past the pin. Now it was all up to me, and I was so scared and nervous that I was actually shaking.

The fact is, that while I had won before, I hadn't been

in this position often enough to feel comfortable. I was choking and I knew it.

Then a funny thing happened. I remembered a story one of my sponsors, Bob William, had told me years before. One year he was following Ben Hogan at the Los Angeles Open at Riviera. A reporter was walking with Hogan, asking him one question after another. Finally, Hogan had heard enough.

"Damn it, Jack, do you have to ask me everything," he said to the reporter, his cold blue eyes narrowing.

Later Hogan explained to Bob that there was method in his anger.

"Sometimes," he said. "you just have to get mad at something." What he meant is that under pressure you can use anger to defeat fear and timidity.

I decided to give it a try. I didn't have any other choice, finding myself too nervous to take the club out of the bag.

"Damn it," I said to myself. "I'm a good player and I know I can beat Jane on her best day. I've got 146 to the hole and I know just the shot I need to play."

I took out a 6-iron and hit the sweetest little cut/punch shot you'll ever see. It ended up six feet below the hole. I made a pretty jerky stroke on my putt, but the ball fell in the left side of the hole for the win.

Under pressure, you need to be able to focus your attention on the job at hand. If getting mad helps you do that, fine, but just remember the old saying: Don't get mad, get even.

4

Shotmaking: Putting the Basics to Work

For me, the greatest fun in golf has always been shotmaking. To be able to pull off a shot under pressure is what this game is all about. There are four basic shots you need to be able to hit: a fade; draw; knock-down or punch shot; and a high, soft shot. All shotmaking is a variation of these shots. Before we get into the fundamentals of hitting these shots, let me make two points.

First, a lot of people suggest changing your grip to hit these shots. For example, they suggest strengthening your grip to draw or hook the ball, or weakening it to fade or slice the ball. I disagree. If you have a good grip, then you don't have to alter it. A good grip will let you hit any shot in the bag.

Second, it's very helpful—even crucial—to visualize the shot you're trying to hit. As you prepare to hit the shot, try to feel what your swing should be like. By "seeing" your shot and "feeling" your swing, you give yourself a big edge in actually being able to bring the shot off successfully (see Figs. 1–5).

Figs. 1–5 *It's good to begin every shot with a similar pre-shot routine. I begin by standing behind the ball, visualizing the shot I want to play, and picking out an intermediate target a foot or so in front of the ball, on the target line. Once I've established this target, I walk into my stance, placing the club-head behind the ball and building my stance. Once I've taken my stance, I look back and forth from the target to the ball, again visualizing the shot I want to play.*

FIG. 1

FIG. 2

FIG. 3

FIG. 4

FIG. 5

The Basic Shots

HITTING A FADE

Being able to make the ball turn from left to right is a big plus because it's such a safe shot. It tends to fly higher than a draw, and will stop faster. That makes it a good shot to hit when you must get a drive into play, or are trying to attack a tight pin placement.

To hit a fade, the first key is to open your stance, pulling your left foot back off the target line. Take the club back slightly to the outside of your target line. This promotes an outside-to-inside swing path, which allows the clubface to cut across the ball, putting a clockwise swing on the ball. (See Figs. 6–21.)

FIG. 6

Figs. 6–21 *Hitting a shot that spins from left to right is easier than most people think. My first rule is to set up with an open stance: that is, with my left foot pulled back off the target line. Take the clubhead away from the ball outside the target line, and on the downswing feel as though the clubhead is sliding across the back of the ball, putting a clockwise spin on the ball. One last thought is to hold on firmly with your left hand, not letting your wrist break down until well after the ball has been struck.*

FIG. 7

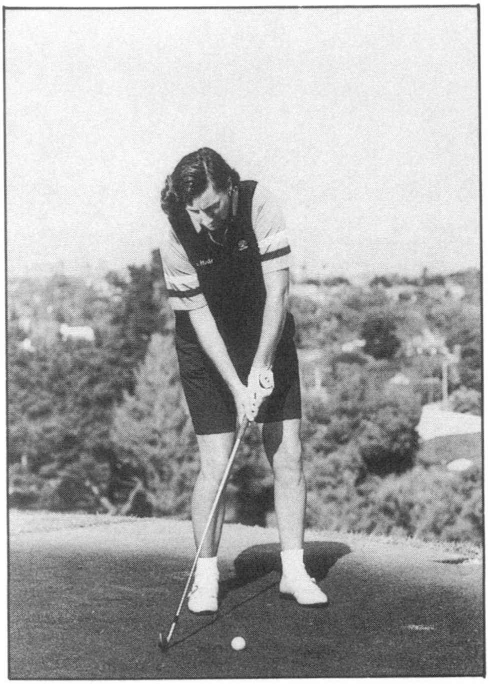

FIG. 8

FIG. 9

FIG. 10

FIG. 11

FIG. 12

FIG. 13

FIG. 14

FIG. 15

FIG. 16

FIG. 17

FIG. 18

FIG. 19

FIG. 20

FIG. 21

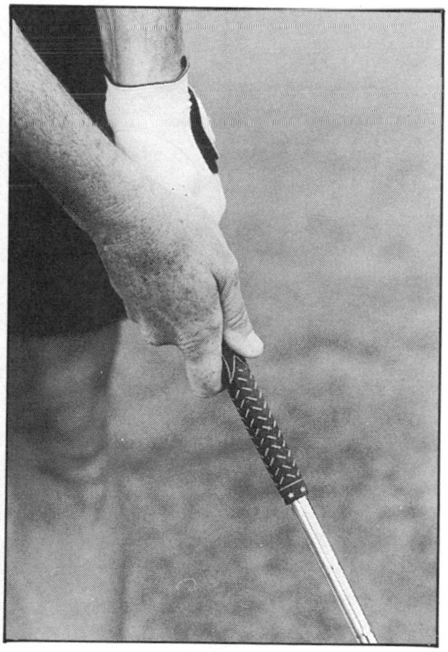
FIG. 22

As I said earlier about the grip, I think the left hand is the key to hitting all of these shots. When you hit a fade, you should have the feeling that your left wrist doesn't break down. You want to hold your wrist firm throughout the shot (see Fig. 22).

Fig. 22 *Notice how my wrists have not released following impact. This is the position you should strive for when hitting a fade or slice.*

HITTING A DRAW

A draw is a more powerful shot than a fade. In fact, many people feel that a draw is the ideal ball flight. I certainly think that it is for most women, in that it helps give us a little more distance.

To draw the ball, you want to do pretty much the opposite of what you did to hit a fade. You close your stance by pulling your right foot back off the line. Take the club back inside the line, and at impact, feel that you are rolling your left wrist over. The speed and degree that you roll your wrist will determine how much the ball will turn over. (See Figs. 23–39.)

When drawing the ball, remember that it will travel farther than a fade or a straight shot, and it will run a bit more when it lands.

Figs. 23–39 *When turning the ball from right to left, or drawing the ball, the first key is setting up with a closed stance: that is, a stance with your left foot drawn closer to the target line than your right foot. This encourages you to take the club back to the inside, and also deliver the clubhead to the ball from the inside. Unlike a fade, where you resist releasing at impact, to draw the ball you want to release fully, turning your hands over at impact and putting a counterclockwise spin on the ball. The faster your hands turn over, the more the ball will spin.*

FIG. 23

FIG. 24

FIG. 25

FIG. 26

FIG. 27

FIG. 28

FIG. 29

To hit a draw, I close my stance and take the club away to the inside of the target line, cocking my wrists early in the swing.

FIG. 30

FIG. 31

FIG. 32

FIG. 33

FIG. 34

FIG. 35

FIG. 36

FIG. 37

FIG. 38

FIG. 39

At impact, I roll my left wrist, allowing the toe of the clubhead to pass over the heel. This "turning over" puts right-to-left or draw spin on the ball.

THE PUNCH SHOT

When you face a shot into the wind, or when you're under pressure and want the safest possible shot, that's when being able to knock the ball down really pays off. This is a compact swing, but it's not a fast swing. The harder you hit the ball, the more spin you put on it and the higher it flies.

To hit this shot, you play from a square stance, but the key move is to move the ball back in your stance, somewhere between the middle of your stance and your right foot. Make a three-quarter swing, and punch down on the ball. Don't worry about reaching for the sky on your follow-through. All you want to think about is trapping the ball cleanly. This is also a good shot to hit if you find your ball has settled into a divot. (See Figs. 40–46.)

FIG. 40

Figs. 40–46 *The "Punch" or knock-down shot is my bread and butter shot. It's a safe shot when you're in trouble or under pressure. Play the ball back in your stance and concentrate on making solid contact by simply trapping the ball with a descending blow. It sometimes helps if you think about this shot as a longer version of a pitch shot.*

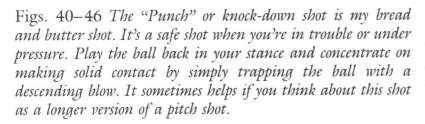

FIG. 41

FIG. 42

FIG. 43

FIG. 44

FIG. 45

FIG. 46

THE HIGH, SOFT SHOT

To get the ball up quickly, you need to hit a variation of the fade. Position the ball forward in your stance, off the left heel. Open your stance slightly to get your hips out of the way. Pick the club up sharply on the backswing and hit down on the ball with a sharply descending blow. You want to think of your swing as a V—and don't forget to reach for the sky on your follow-through. (See Figs. 47–54.)

Figs. 47–54 *To hit a soft, high shot you begin by moving the ball forward in your stance, since this has the effect of actually adding loft to the club. Open your stance slightly, and make a V-shaped swing, hitting the ball with a descending blow—and reach for the sky on your follow-through.*

FIG. 47

FIG. 48

FIG. 49

FIG. 50

FIG. 51

FIG. 52

FIG. 53

FIG. 54

HITTING FAIRWAY WOODS

Most women—in fact, most golfers—would do themselves a big favor if they just got rid of their long irons and added a third wedge and a couple of fairway woods.

Fairway woods seem to be easier to hit because they don't look as intimidating as long irons. They also help get the ball up in the air easily because the clubs have more weight along the sole.

There are really two types of fairway wood shots. It all depends on your lie. If you have a good lie, you should try to sweep the ball off the turf. To do this, simply position the ball off your left instep, taking the club away from the ball both low and slowly. (See Figs. 55–59.) If

Figs. 55–59 *Learning to play a fairway wood shot is particularly important for women, since they often face long approach shots into greens. With a good lie, play the ball just left of the center of your stance. Take the club back low and slow away from the ball, and give your swing plenty of time to accommodate the added length of the club.*

FIG. 55

FIG. 56

FIG. 57

FIG. 58

FIG. 59

you have a poor lie, you need to trap the ball. To ensure this, simply move the ball back toward the middle of your stance. You then pick the club up a little quicker on the backswing and pop down on the ball. (See Figs. 60–63.)

Let's face it, as most women don't have distance to spare, fairway woods are more important for us than they are for most men. You're going to be hitting a lot of them in the course of the round, simply because most courses play so long. Any club used that often deserves a fair amount of practice.

Figs. 60–63 *When you face a fairway wood shot from a poor lie, the secret is simply moving the ball back in your stance and hitting down on the ball, unlike a shot from a good lie, which allows you to sweep the ball. The ball will pop into the air and land softly.*

FIG. 60

FIG. 61

FIG. 62

FIG. 63

Playing from Awkward Lies

PLAYING FROM AN UPHILL LIE

This is actually a pretty easy shot. Like any awkward lie, however, you want to make sure you have a solid stance (see Figs. 64–66). The last thing you want to do is move around on this shot. Because it is a common tendency to fall to the right, you want to brace yourself with your right leg.

The other key for this shot is to align your shoulders to the slope and move the ball back in your stance. Because of the slope, you'll reach the bottom of your swing arc earlier than you would with a level lie. To determine the bottom of your swing, make a couple of practice swings, then position the ball where the club hits the ground. This shot will fly a little higher and tend to go to the left, so make sure you allow for the added distance when you make your club selection.

Figs. 64–66 *When facing an uphill lie, widen your stance slightly and brace your weight against your back leg. It's very important that you not slide on this shot. Take a few practice swings to establish the bottom of your swing, and allow for the ball's natural inclination to go to the left off this lie.*

FIG. 64

FIG. 65

FIG. 66

PLAYING FROM A DOWNHILL LIE

This is a harder shot. Again, the keys are a firm stance and shaping your swing to fit the slope (see Fig. 67). You want to feel that your swing is actually following the shape of the slope. Take plenty of practice swings so that you are comfortable over the ball and have a feel for the path of the swing.

This shot will fly a little lower than normal and it will tend to go to the right. It's a tougher shot than most, and a weaker shot, but it's not impossible.

FIG. 67

Fig. 67 *When the ball is resting on a downhill lie, you must again take a stance that will center you over the ball. Play the ball back in your stance, and adjust your shoulders to mirror the slope of the hill. The ball will want to go to the right from this lie, so you must allow extra room when aiming the shot.*

BALL ABOVE YOUR FEET

Occasionally you'll face a shot when the ball comes to rest on a mound or hillside. This forces you to make a swing that is closer to a baseball swing than a golf swing (see Fig. 68).

The first thing you need to remember is that the ball will fly sharply to the left from this lie, so you must allow for it, even if that means laying up short of the green. To play the shot, you must choke down on the grip. You might even try opening the blade slightly to reduce the distance the ball jumps to the left.

You need to make several practice swings to become comfortable with the shot, but you must be careful not to

Fig. 68 *When the ball is well above your feet, you must remember that it is certain to jump to the left at impact. The key to playing the shot is choking down on the grip for added control and realizing that there's only so much you can do with this shot. Play this shot conservatively and don't risk getting yourself in greater trouble with the next shot.*

move the ball because that will cost you a penalty stroke. For the same reason, you probably shouldn't ground your club behind the ball if it rests on a severe slope.

BALL BELOW YOUR FEET

This is a slightly harder shot, especially if the ball is well below your feet. The key is to flex your knees and widen your stance to get down to the ball, and to keep them flexed throughout the shot (see Fig. 69). This will help prevent topping the ball.

Like every awkward shot, you need to make a few practice swings to get comfortable over the ball. Remember that the ball will go to the right, and will be a slightly weaker shot.

Fig. 69 *When the ball is below your feet, my best tip is to widen your stance and flex your knees. Make several practice swings, taking great care to keep your knees flexd throughout the shot.*

PLAYING FROM THE ROUGH

When facing a shot from the rough, your first rule should be to get the ball out, even if that means taking a sand wedge and just knocking the ball back into the fairway. The worst mistake is getting greedy and leaving the ball in the rough.

If you're facing a relatively short shot, go with the sand wedge because the added weight and wide flange will help the clubhead cut through thick grass (see Figs. 70–74).

FIG. 70

Figs. 70–74 *When the ball is in the rough, your first consideration must be the lie. It will dictate just how much you can get out of the shot. If it is a bad lie, take your sand wedge and simply get the ball back into play. The shot requires an open stance, a sharply descending blow, and a firm grip pressure.*

FIG. 71

FIG. 72

FIG. 73

FIG. 74

If you have a longer shot, and the distance gives you the option of hitting a fairway wood, always go with the wood. The design of the club and the added weight along its sole helps get the ball up and out of grass. With an iron, there's a tendency for the grass to tangle around the hosel of the iron, resulting in the clubhead turning over. That's why you see so many low, running hooks out of the rough.

You want to make solid contact with the ball, and a slightly steeper swing arc will help you do that. Think about picking the club up sharply on the backswing, really accelerating the club through the hitting area, then reaching for the sky on your follow-through. (See Figs. 75–78.)

One other thing to keep in mind when playing from the rough: when you hit the ball the grass will come between the clubhead and the ball, causing the ball to come out with less spin. These fliers, as they're called, are like spitballs in baseball. They'll run farther than a normal shot and they won't have any action on them when they land. When you're facing a flier, remember to take at least one club less than normal. For example, a 6-iron instead of a 5.

Figs. 75–78 *When facing a long shot from the rough, I recommend a fairway wood rather than a longer iron. Irons are difficult to hit from the rough because the grass tends to snarl around the hosel, producing low hooks. The added sole weight of a wood helps the clubhead glide through the grass.*

FIG. 75

FIG. 76

FIG. 77

FIG. 78

PLAYING FROM FAIRWAY BUNKERS

This isn't as tough a shot as most people make it. The first consideration is your lie. If the ball is plugged or in a poor lie, all you can do is take your medicine and pitch the ball back into play.

The second factor is the lip of the bunker. You must use a club with enough loft to get the ball up and over the lip. There's nothing more frustrating than driving the ball up under the lip and having to take a drop.

You want to ensure that you catch the ball cleanly with this shot. Work your feet slightly into the sand to give yourself a good base to play from. Choke down on the club slightly to compensate for digging into the sand. Play the ball back in your stance because this will help you strike the ball before you hit the sand. (See Figs. 79–86.)

If the lip on the bunker is not too high, this is an excellent place to play the knock-down shot I described earlier. Because this is a more compact swing, it helps ensure that you'll make solid contact—which is the key to success from fairway bunkers.

Figs. 79–86 *The long bunker shot from a fairway trap isn't nearly as scary as most people think. Work your feet into the sand for balance, choke down slightly on the club for control, play the ball slightly back in your stance, and concentrate on hitting the ball with a crisp, descending blow. Remember two things: first, you cannot ground the club in the hazard, and second, make sure you take enough loft to clear any lip on the trap.*

FIG. 79

FIG. 80

FIG. 81

FIG. 82

FIG. 83

FIG. 84

FIG. 85

FIG. 86

Amy's

Playing Lesson

PLAY YOUR OWN GAME: THE 1981 BENT TREE LADIES CLASSIC

I've always enjoyed testing myself against the best players. That's one reason I joined the LPGA tour right out of high school; it's one reason I've always liked coming down the stretch against JoAnne Carner. I know that if I beat her, I've beaten the best.

That's just what happened in the 1981 Bent Tree Ladies Classic in Sarasota. We were paired in the final round, and I took a one-stroke lead on 17 when she missed a short putt. The 18th is a reachable par 5 guarded by two ponds, one to the right in the landing area, and another guarding the front left of the green. I hit a good drive down the middle of the fairway, but JoAnne killed her drive. I didn't have any real choice but to lay up. I didn't really need a 4, but I needed to avoid a 6. Laying up was the smart play.

JoAnne, on the other hand, had to make something happen. She figured she needed a 4 to tie and went for the green in two. Her shot barely carried the pond. She had a poor lie, making for an awkward stance, and a huge tree stood between her and the green. She had two chances: slim and none.

But Carner is Carner. After I hit a mediocre approach 40 feet from the hole, she played her shot—and what a shot it was! With one foot in the water, she opened the blade of her wedge and gave the ball a great slash. Grass and mud flew everywhere, and the ball shot up over the tree and landed five feet from the hole. The crowd went wild. I couldn't believe she had managed to hit that shot, especially under so much pressure.

All of a sudden, my 40-footer looked like a 400-footer. If she makes her putt for a 4, and I two-putt, we have a playoff. I was tempted to take a real run at my putt, but then I figured that she still has a putt she has to make, and if I stick with my strategy and play for no worse than five, I can still win. What I needed to avoid is being too bold, three-putting, and beating myself. Besides, I'm pretty comfortable in playoffs.

My approach putt stopped 3½ feet from the hole. JoAnne then lipped out her five-footer and I made my putt for the win. I had stuck with my game plan and trusted my instincts. I'd also beaten one of the best players in the history of the game—but I had to play one of my greatest rounds to do it.

Amy's Favorites

FAVORITE VICTORY

The 1975 Orange Blossom Classic in St. Petersburg, Fla. It was the third tournament I played in as a pro. I was only 18, and I had a lot of big dreams. To have them fulfilled so early in my career gave me a big boost in confidence. My second favorite was winning the 1980 U.S. Open, because any time you win the National Open it's a special accomplishment.

5

Practice: An Investment in Improvement

Golf is a game that demands practice. The amount you improve is proportional to the amount you practice, period. There are no shortcuts.

People talk about "natural" golfers as though they were people who fell out of bed one morning, stumbled across a club and a ball, and magically became the second coming of Mickey Wright. Nothing could be further from the truth.

I fell in love with golf at an early age. After the Saturday morning cartoons, the great golf shows such as *Shell's Wonderful World of Golf* and the *CBS Golf Classic* would come on and I'd be glued to the TV. I realized that if I ever wanted to play at that level I'd have to practice whether I wanted to or not. There were days when I had to force myself to make the sacrifice, but I'm glad I did.

Ben Hogan once said that for every day he didn't practice he fell two days behind as a player. Sam Snead, who everyone feels is the most natural golfer of all time, once sat down with his accountant and tried to figure out how many balls he had hit in his career. The figure was in the millions, and he had a vision in mind for every one of them.

I can't tell you how many balls I've hit, or how many hours I've devoted to practicing. I've always enjoyed it, and I think that's the key to practicing for all golfers—making it as interesting and fun as possible.

If your idea of practicing is just standing on a range mindlessly pounding one ball after another, you're not really practicing. All you're doing is getting exercise. I like to say that there are five types of practice: pre-round, post-round, isolated practice, on-course practice, and practicing at home. Let's run through each one.

Pre-Round Practice: Getting Ready to Go

When I see golfers race to the tee without warming up, I know they don't have a chance of playing their best. It's going to take them two or three holes to find a swing that works, and in that time they're bound to make at least one double-bogey, possibly two. That's when the temper and frustration set in, and before you know it, their round is ruined.

I like to get to the course about forty-five minutes before my round, and I try not to hurry getting there. When I get to the range, I begin by doing a little stretching to loosen my muscles and joints. After I've stretched I begin working my way through my bag, hitting a few soft wedge shots to get a feel for my swing, develop a smooth tempo, and make solid contact, which is crucial.

As I practice, I try to have an idea in mind for each shot. I find that by visualizing each shot, and by picking a different target for each shot, I concentrate more easily and avoid falling into a rut.

I usually skip every other club, and I don't move on to a different club until I've hit several balls solidly. Once I get to my driver, I like to rehearse my opening drive. I visualize the hole and the type of shot I need to hit, and then I go ahead and hit several of those shots.

I wind up this session by hitting a few more soft wedge shots. This helps both my tempo and my feel for the touch shots I'll face early in the round.

It's very important that before I leave the practice tee I have one, at most two, swing keys I can take to the course. As I said in the section on fundamentals, your keys vary from round to round, and the practice tee is where you discover which keys you need to concentrate on that day.

Finally, before I tee off I always go to the practice green to hit a few chips and putts. You don't want to reach the first green without any sense of touch; that's just asking for trouble. If you don't have much time, it's better to concentrate on getting a feel for distance rather than worrying a lot about direction, in that most three-putts are caused by approach putts that are either too short or too long.

Last, but not least, a word of caution. You want to warm up before your round, but you don't want to hit so many balls that your strength is sapped by the end of nine. *That's why it's called warming up and not burning out.*

Post-Round Practice: Fixing Problems

Immediately after your round is often the best time to practice because your mistakes are fresh in your mind. The key is to focus on just one problem, and work only as long as it takes to work out the kinks.

Too often I see players on tour finish their round and head for the tee for a long, hard work session. You have to admire their willingness to put in the time, but I think that very often it's counterproductive. Golf requires strength and concentration, and it's tough to accomplish much if you're tired. You tend to get sloppy and unfocused, and instead of improving you take two steps backward and only become more confused.

One way to avoid this is to keep a notebook of the basic, recurring problems you have in your swing, and which keys helped solved them. By keeping this notebook, you save a lot of time experimenting. Simply go back to what worked before and give it a try. I think you'll find that the solutions from the past often work pretty well in the present.

Making Practice Sessions Pay Off

When you head for the practice tee, think of finding ways to make the time as enjoyable and productive as possible. I have some thoughts that might help, but my first suggestion is to make practice challenging so that you can improve your shotmaking ability and confidence.

SEE–AND PLAY–SHOTS ON THE RANGE

I think this is a really good exercise because it not only helps you concentrate but helps you to cope with the pressure of playing a round—especially if it's in a tournament when you really need to be able to make solid contact every time. Here's what you do: Simply go to the range and warm up. Then pretend you are playing the first hole. If it's a par 4, you hit your driver, then pull whatever club you'd ordinarily hit for your second shot. Do this for every hole on the course. Don't cheat by pretending you hit every green. Leave yourself a few chips and pitches.

This drill will really help if you try very hard and concentrate as fully and completely as you would during a round. You should actually feel a little mentally drained when you're through if you've done this correctly.

One last thing: give yourself a break and make every putt you look at. God knows it never happens on the course, so you might as well make it happen in your imagination.

PLAY "CALL SHOTS"

This is one key to learning depth perception. When I was learning the game, Walter Keller and I would play "call shots." Whoever went first would pick a shot to a certain target, let's say a fade to a bush 150 yards away. Whoever pulled the shot off correctly and landed the ball nearest the target would get a point. The winner would also get to call the next shot. We'd do this with every club in the bag, and I think it really helped make me the shotmaker I am.

I'm not advocating gambling, but I do know that when Walter and I would play for 25 cents a point, it sure helped focus my concentration and made me try harder. We'd also pick four targets—20, 40, 60, and 80 yards away—and hit wedge shots to them, changing targets with each shot. This drill really teaches depth perception and hand-eye coordination, as well as helping you learn to make solid contact. You can't practice this drill too much.

On-Course Practice

I'm all in favor of practicing on the range or the practice green, but the truth is you have to be able to take your game to the course if you're going to make that practice pay off. There's a world of difference between a wide-open practice field and a fairway guarded by rough, bunkers, trees, and water.

Too often when people go out on a course for a little practice they just play a couple of balls and have a little fun. I've got two suggestions that will allow you to have fun while improving your game.

PLAY YOUR WORST BALL

Go ahead and play two balls, but always play the next shot from where the worst ball of the two wound up. It doesn't really help your game to play every shot from the middle of the fairway because that's probably not very realistic. But if you play the worst ball, you learn to scramble and hit various trouble shots—and that will help you save strokes when you tee up for real.

PLAY FROM THE BACK TEES

This is really a drill for better players who have enough distance to play comfortably from their regular tees. By moving back to a longer set of tees, you'll hit more fairway woods and long iron approaches—which can't hurt—and you'll miss more greens, which will really improve your short game in short order and will make your life a whole lot easier when you move back to your regular set of markers. I would do this as a teenager at Riviera. I'd join five guys at 6:30 each morning. I could never hit the longer par 4s, so I had to be better with both my long irons and fairway woods, and especially good from 100 yards in—and pretty soon I was.

Practicing at Home

Just because you're not at the course doesn't mean you can't work on your game, and there's just no excuse for not practicing in poor weather. When I was first learning to play, my family didn't belong to a club so I had to improvise. Some of the things I did can work for you, too.

GET A MIRROR

Not to date myself, but when I was coming up nobody had videocassette recorders—at least nobody I knew. As a result, I had to get a full-length mirror so that I could see what my address position and swing looked like. I still have that mirror and I still use it.

My suggestion is that you spend some time checking your positions against the photos in this book, and other photos of good players. It's particularly helpful if you compare yourself with good players who are built like you.

PRACTICE INTO A NET

I did a lot of my practicing at Walter Keller's golf studio in Los Angeles, hitting thousands of balls into a net at this indoor facility. I still have a net at my house and use it all the time.

Because the ball only travels a short distance, some people argue that hitting into a net never really gives you enough feedback on how the ball flies. I guess that's true to a degree, but you can tell if you've made solid contact and a good swing, and I think that's reason enough to invest in a good net.

Amy's Favorites

FAVORITE SHOT

I had a two-shot lead coming into the last hole of the 1983 Dinah Shore. I hit a poor drive and had to lay up with my second shot on the par 5 hole. I faced a 180-yard third shot dead into the wind. My caddie wanted me to lay up again, play for a good pitch, and either a par or a bogey. I couldn't bring myself to win that way, so I pulled out a 3-iron and went right for the flag. I two-putted for my par and the win.

Amy's *Playing Lesson*

PATIENCE PAYS OFF: THE 1977 HOUSTON EXCHANGE CLUBS CLASSIC

By the time 1977 rolled around I felt very comfortable on tour. I had won three times and felt that my third year on tour was going to be a year that I would really get on a roll.

I played well almost from the beginning of the year, and yet it was a frustrating season. I had a lot of Top 10 finishes, but I had managed to lose a few tournaments I thought I should have won. After a while, playing well but not winning began to bother me. It wasn't the money, because I was doing very well as far as my bankbook was concerned. It was just the fact that I knew I had the game necessary to win out there, and I wasn't getting the job done.

Pretty soon I was putting so much pressure on myself that it was hurting my performance. I was consumed with the idea of winning and I was trying everything I could think of to force a win. I was practicing more than I really needed to, which was making my game stale. I was taking gambles on the course that weren't necessary. I was grinding over every shot. And the more I did all this, the more frustrated I became.

Finally, when we got to Houston's Newport Yacht and Country Club I just decided to forget about winning altogether. I figured, the heck with it. If I'm destined to win, I'll win. If not, I gave it my best try and somebody else got lucky this week.

It might be hard to believe, but I never once thought about actually winning that entire week. On the course, I played one shot at a time, one hole at a time, one round at a time. I was so intent on the job at hand that to this day I cannot remember a single hole on that course.

In the end, I wound up winning by four shots. Sometimes desire isn't enough. You need patience, too.

6

Course Strategy: Putting Your Mind to Work

Once you learn to hit the ball with some confidence and consistency, you're ready to move on and learn to play golf. Believe me, there's a huge difference between playing golf and playing at golf—and the difference is in managing your game around a course.

You can have all the talent in the world, but you won't get the most from that talent without knowing how to manage your game. I would have to say that Jack Nicklaus is the best example of this. Certainly, there have been players with more pure ability than Jack, but nobody ever thought their way around a course better than he does. He might have lost tournaments, but he never beat himself by making the wrong decision.

The first thing you must understand is that golf is a game of mistakes. You never hit every shot perfectly, and you'll never get all good bounces and breaks. That being the case, the most successful players are those who manage to minimize their chances of making a mistake—or at least not making a mistake that will hurt them badly.

When I'm going over a shot, I always run through the percentages in my mind. What are the chances of getting this shot close to the target? If I miss my target, which is the safest place to miss? Do I really need to attack this hole or can I settle for par and attack an easier hole? These are all things that you have to take into consideration before you pull a club from the bag and play the shot.

Rule One: Plan Your Route

When I stand at a tee, the first thing I do is visualize where I want to hit the ball and then "see" it happen. I want to know exactly what's out there and what I need to do to avoid it.

I know there are dangers out there—out-of-bounds, trees, water, bunkers and so on—but once I figure out where they are, I put them out of my mind. I want to be as positive as possible. If you worry about the trouble, that's where you'll wind up. I'm always thinking "straight down the middle." You can't let your fears control your game.

Having said that, you must also be realistic about your strengths and weaknesses, and be able to assess whether or not you can pull off the shot you're planning. It's also important to play one shot at a time. Don't dwell on the past or start thinking about the future. I try and feel as though the shot I'm facing is the last shot I'm ever going to hit. It helps organize my thought process by eliminating a lot of clutter.

There are two other considerations from the tee: doglegs and cross-bunkering. A lot of times people see a dogleg and automatically try to cut the corner. Very often, architects will design a dogleg to lull you into just such a shot. First, you've got to study the trouble just beyond the corner. It doesn't do much good to try to cut the corner if you find yourself in the rough because it had a narrow landing area.

The same holds true for bunkers in the fairway. It doesn't do any good to take the risk of carrying a bunker if you wind up in the rough facing a flier lie to a small green. When that happens, score one for the architect.

When I'm planning my approach shot to the green, I go through pretty much the same process as I do on a tee shot. I want to again rank the trouble. If there's water in front of the green, I want to make absolutely sure I don't have to hit my career shot to carry the hazard. If I do, then I'll probably lay up with a club that will leave me 90 or so yards to the green. I want to be back far enough so that I can hit a good, full sand wedge and put some spin on the ball. Too often when people lay up they make the mistake of trying to get as close to the green (and the hazard!) as they can. Not only does that run the risk of dumping the ball in the water, it leaves them with a delicate little wedge shot that takes a lot of nerve.

Again, you need to be positive but realistic. Some

days you're stronger and playing better than others. On those days you can afford to be aggressive. On the other days, you need to be a little more patient.

You also want to check for out-of-bounds stakes. Very often people worry about the trouble in front of a green but forget to check for white stakes behind it.

Obviously, you need to be aware of the bunkers, but the key is not to leave yourself a shot from a bunker that is close to the pin. A good rule of thumb is that you always want any miss to leave you with some green to work with, because you can't always count on having a lie that will let you spin the ball.

When I'm trying to decide whether or not to attack a pin, I always figure I need at least a 70-percent chance of success before I'll even try it, unless I'm at the point in a match or tournament when I absolutely have to get the ball close enough for a birdie. I figure that in order to win, you don't need to make birdies as much as you need to avoid bogies, double bogies, and the hated "others." I love to knock the ball in there close as much as the next player, but I also know there are times when it's no sin to play for the fat part of the green, take your par, and walk off quietly.

It's also important that you study the contour of the green. Some greens are concave and will actually kick the ball back toward the middle of the green. Others, like those designed by Donald Ross, are crowned, which means that unless a shot is struck perfectly, it will carry off the green. That means you better have a pretty good idea where your ball might wind up if you mishit the shot even slightly. By watching how your playing companions' shots

Amy's Favorites

FAVORITE FOREIGN COURSE
Hirao C.C., because it seems different than any other course I've ever played.

react when they hit the green, you can get a pretty good idea of the contours.

Getting out of Jail

I've talked a lot in this section about trouble and how to avoid it, but the truth is that nobody ever completely avoids trouble, especially if you play aggressively—as I think you should.

My first rule about getting out of trouble is to keep your head on your shoulders. How many times have you seen somebody (maybe even yourself) hit a terrible shot and absolutely vaporize. It's as though they should be penalized for temporary insanity. The steam starts to come out of their ears and one bad shot begins to follow the last. It's a shame.

When you get in trouble, you have to take your medicine and concentrate on getting out as painlessly as possible. Keep the odds in your favor and don't allow yourself to turn a one-shot mistake into something much worse. The key is patience. Everybody makes mistakes, hits bad shots or chokes. The good players minimize the damage. The poor players act like idiots.

When you hit the ball into trouble, you absolutely have to concentrate as hard as possible. Look for openings, but be realistic about your chances of escaping. Your first consideration is your lie. If the ball is sitting down in the grass, you won't be able to do much with it because the grass will take off with either a fade or draw spin. It will also make it very tough to hit a high shot effectively, in that you run the risk of hitting the ball fat.

If you do have a decent lie and a good opening to play through, you must be very precise about aiming your shot. Make sure you use an intermediate target, because under pressure it's a heck of a lot easier to aim at a spot just ahead of the ball than it is to try to aim at an opening in the trees dozens of yards in front of you.

You must also try very hard to make solid contact, which is why I like to hit a punch shot when I'm in trouble. All things being equal, it's simply a safer shot under pressure. Also, don't make the mistake of hitting a great shot from jail, only to watch the ball run through the fairway and into trouble on the other side of the hole.

Finally, the most important thing when you're in trouble is to get out of trouble. Don't be afraid to gamble, but do it intelligently. Be aware of how you feel. Just because you hit this shot yesterday doesn't mean you'll be able to play it today. Will your nerves allow you to play the shot you want to try? If not, don't bother. Will the conditions let you pull off the shot? The same rule applies. Remember, one good putt can make up for a bogie. A double bogie can last all day.

Amy's

Playing Lesson

TRUST YOUR INSTINCTS: THE 1983 NABISCO-DINAH SHORE

For as long as I can remember, this tournament has been something very special to me. It's not just that it's one of our majors, although that certainly gives it an edge over most events. And it's not because it's played in the Palm Springs area, which is sort of my backyard. It's really a combination of factors, beginning with Dinah herself and ending with the prestige that goes with winning her tournament.

In 1983, the wind was the story of the tournament. Sunday, it came crashing out of the mountains, blowing at speeds up to 45 mph. I've always been a good wind player, but like everyone else I struggled under these conditions. I wound up winning, and there were two shots in the final round that were the key.

The first came on the 15th hole at Mission Hills, which is my least favorite hole in golf. It's a fairly short par 4, with an out of bounds down the left side and a grove of trees in the landing area. It's a funny thing, but sometimes a hole just never fits your eye, and as a result, you never seem to play it very well. I figure this hole alone has cost me three or four wins at Mission Hills.

As usual, I hit a poor drive here, dumping it into the trees. I needed to hook a 6-iron for my approach, but if I hooked it too much—or the wind caught it more than I planned—I stood a good chance of hitting the ball out of bounds. I had a one-shot lead, which wasn't enough to let me play safe and lay up. Fortunately, the shot came off exactly as I'd planned, and I managed to get away from the hated 15th with a par and my lead intact.

The 18th is a good par five guarded by water down the left side. Your approach is to an island green. It's one of the best finishing holes we play all year.

Still leading by a shot, I took the water out of play by hitting my drive into the right rough. The hole was playing dead into the wind, and after hacking my 7-wood out of the rough, I was left with 172 yards to carry the water and 190 yards to the pin. Again, the shot would be directly against the wind, with the green surrounded by water.

Both my caddie and this little voice in my head was telling me to lay up short of the water and play for five. Call it ego or guts or just sheer craziness, but I never really doubted for a second that I would go for it. I knew I wouldn't be able to sleep at night if layed up. I'd rather go down with both barrels blazing, playing aggressively, than to win by playing safe.

I took a 3-iron and hit a pure and perfect draw that held its line in the wind, landing 40 feet to the right of the hole. Two putts later I had won my seventeenth tour event. And just as important to me, I had trusted my instincts and won the tournament like a champion.

Amy's Favorites

FAVORITE LPGA PLAYER

No question, it's JoAnne Carner. She was great for the game and for our tour. People just loved to see her come out and play. She has a real swashbuckling style. I don't think that she ever got the credit she deserved as a great player. Look at the players today and it's like watching computer golf. You could never say that about JoAnne.

7

Health and Fitness: The Key to Better Golf

I know food. Trust me on this. As much as I love golf, I adore food. In my next life I'm coming back as Julia Child. When I'm home in Los Angeles, I like to go down to the Butterfly Bakery and help out as a short-order cook. When I'm in New York I'm the deli maven. You tell me the tour schedule, I'll tell you the best places to eat.

As much as I love food, though, I have to watch what I eat. So do all competitive athletes. The old saying "you are what you eat" definitely applies to golfers, and unless I want to become Amy Also-ran I have to be pretty selective about what I eat and drink.

Fortunately, people are a lot more health conscious these days, so the sacrifices I'm going to suggest you make for your golf game won't seem nearly as severe as they might have a few years ago. For starters, you should avoid alcohol like the plague. Anyone who believes that they can have a few pops and play a sport as demanding as golf is kidding himself. Alcohol throws off your timing, ruins your nerves, and it can't do much for your ability to read subtle breaks in the greens. Not only that, it impairs your judgment and your ability to concentrate. I don't want to sound like another Carrie Nation on all this, but if you want to get the most out of your game you've got to avoid playing under the influence.

To a lesser degree, the same holds true for coffee, tea, and other beverages with caffeine. Believe me, I like a cup of coffee as much as the next person, but the caffeine will make you jittery under pressure.

I think by now most of us are aware of what makes up a good, healthy diet, but there are some specific things to eat and drink on the course to help improve your play. First, you must drink plenty of fluids during your round, especially when it's hot. Try to drink water in small, steady amounts—the ideal would be a little on each hole—rather than gulping huge amounts when you feel thirsty. Remember, thirst isn't really a true indicator of how much fluid your body needs. By the time you feel thirsty, your body has needed fluid for quite a while. Water, fruit and vegetable juices, nectars, and drinks such as Gatorade are all good, but colas and other sodas with either caffeine or sugar should be avoided.

You should also avoid candy bars and other snacks high in sugar because the resulting insulin rush can leave you feeling sluggish. A better suggestion is to eat fruit, dried nuts or seeds, plain crackers, or even plain cereal. It's also good to snack on small, regular amounts rather than wait until you reach the halfway house and wolf down a couple of hotdogs.

Staying Fit

Vastly improved fitness is one of the reasons scores are better on the professional tour. And that attention to health and fitness also pays off for amateur golfers. For a long time people never took golf seriously as a way of keeping fit, but recently experts have changed their tune. If you can avoid riding in a cart and walk the entire round, what you've basically done is taken a four- or five-mile walk, and that's very good for your health, especially if you play on a hilly course.

The downside to golf is that the swing itself can be very stressful, particularly to the back and shoulders. Even some of the simple parts of the game that we never think about can do damage. I know that when I practice putting or chipping for any period of time my back begins to stiffen up and become incredibly sore. I learned the hard way that when I'm practicing I have to remember to take a break and stretch out those muscles in my lower back.

I've seen a lot of people run the very real risk of doing serious damage to their backs by lifting up their bag without bending their knees. Anytime you have to lift an object, whether it's particularly heavy or not, you should bend your knees and lift with your legs, not your back. The same holds true for teeing the ball. I've heard horror stories about people who reached over to tee their ball, only to have their back go out. I always remind people what Lee Trevino says, "I never lift anything heavier than a can of beer."

As for specific exercises to help you improve your game, I'm not really an expert, but I do know that you want to strive for flexibility, not brute strength. That's why you should concentrate on stretching exercises rather than going crazy with a lot of weight lifting. People have said that swimming hurts your golf, but I think that's a lot of hogwash. It's the best exercise there is for building stamina and for stretching out your muscles.

I think that any exercises you can do to help increase the strength in your hands will be helpful. Squeezing tennis balls or lifting five-pound weights will help. The same holds true for your legs, because, as I say, the legs are the motor of the golf swing. Very often, when I see a player's swing fall apart late in a round, the reason is that their legs get tired and stop working as well as they did early in the round. If you like jogging, fine. Go to it. But if you hate it, or your knees or hips won't allow you to jog, try to make a point of doing some serious walking every day. I think you'll really notice the difference.

It's particularly important that you warm up completely before your round. The practice routine we discussed in an earlier chapter will help, but it's also important to stretch out your muscles before you hit the first ball (see Figs. 1–3).

One good drill is to slip a club behind your back and through your arms, and then slowly—and I can't stress slowly enough—begin turning back and forth, rotating your upper body. Don't stand flat-footed when you're doing this; let your left heel come off the ground as

FIG. 1

FIG. 2

FIG. 3

Figs. 1–3 *It's very important to warm up and loosen your muscles before a round. One good exercise is to place a club behind your back and slowly turn just as you would in the golf swing. I can't stress too much how important it is to do this slowly.*

you turn to the right, and vice versa with the right heel.

Another good drill is to extend one arm out in front of you, and then take that elbow with your other hand and gently pull without turning your upper body. Pull as far as you can and hold for ten seconds. Do this a half-dozen times and then switch arms. This helps stretch out the shoulder muscles and joints. (See Fig. 4.)

Fig. 4 *Another good exercise is to extend one arm in front of you and gently pull on it with your other arm. Alternate arms. This will help stretch your back and shoulder muscles.*

The Sun and Your Skin

I grew up in the suntan capital of America. People worship the sun in Southern California, or at least we used to. Now we know better. The damage the sun can do to your skin, beginning with premature wrinkling and aging and ending with skin cancer, is becoming better known.

It's true that a nice tan looks great, but that's only a short-term gain. The tan you get today will make you look like an iguana when you get older. Here are a few tips that can help save your skin.

For starters, whenever you're going to be outside for any period of time, use a sunscreen and lip protection that has a high sun protection factor—at least 15—and keep using it. Too often people put it on before a round and think that'll do the trick. Forget it, especially if it's hot enough to cause you to sweat, in that the sweat will negate the protection. Keep renewing the protective coating. Also, drink plenty of water and use a moisturizer to keep your skin from drying out.

Second, always wear a hat or visor to keep the sun's rays off your face. I've worn a visor for most of my career, but when it's really hot I wear a hat to protect not only my face but the top of my head. In extreme heat, the sun beating down on your head can lead to sunstroke.

Finally, try to avoid playing in the heat of the day. Basically, that means avoiding play between 10:00 or 11:00 in the morning and 2:00 P.M. In any case, when it's hot try to stay in the shade as much as possible. Look for shady areas around tees and greens, and when you're walking down the fairway try to stay in the shade as well. And drink plenty of liquids! Golf's a great game, but it's not worth passing out over.

Amy's Favorites

FAVORITE HOLE

The 6th at Riviera is a 174-yard par 3 that is as good a hole as any you'll ever play. It's fair and challenging, which is the definition of a great test of golf.

Amy's *Playing Lesson*

DON'T BE AFRAID TO WIN: THE 1975 ORANGE BLOSSOM CLASSIC

February 22, 1975, will always hold a special meaning for me. For one thing, it was my nineteenth birthday. For another, it was the day I won my first tournament on the LPGA tour.

I had joined the tour just three weeks earlier and just a few months after finishing high school. I could have gone to college, but I had done just about everything I wanted to do as an amateur and was ready to take a shot at the big time. Some people said I was cocky, but as JoAnne Carner said about me, "If you can play and you know you can play, that's confidence. If you're trying to convince yourself you're good, that's cocky. Amy could play when she got out here."

The truth is, I was more adult than child, even at that age. I knew I could win because I honestly didn't think there were many players out there I couldn't beat.

I also have to admit that there were more than a few veteran players who couldn't wait to put me in my place. As a good, young player, I was a threat to them, and they could be pretty cold. Actually, some of them were downright mean.

Their attitude just made me try that much harder. If they wanted to be that way, it was fine with me, but it wasn't going to stop me from winning. It just made me want to win that much sooner.

I opened with two rounds of 68, and came to the last hole needing to make a 25-footer to beat Sandra Post by a shot. Sandra was one of the top players at that time, and was popular among the veterans. It was no secret who they were pulling for.

I made the putt to win by a shot, and the following week wound up in a playoff with two other veterans, Judy Rankin and Sandra Haynie. Judy went out on the first hole and Sandra wound up beating me on the fourth.

I might not have made a lot of friends among the older players in that two-week stretch, but I earned their respect. Eventually I did become friends with most of them. But the point is, I knew I had the game necessary to win, and had as much right to win as anyone else. I just had to trust myself to be aggressive, play my game, and not be afraid to win.

8

Competition: Learning to Win (And Liking It)

I love to win, period. But as much as I love to win, I dislike losing even more. I know that if I give a hundred percent I've done the best I can, and I try to take losing gracefully. Even when I was a little kid I wanted to win all of the time, whether it was at marbles or golf. I used to hear "let the boys win," but I never gave into it. I liked to beat the boys every bit as much as the girls—and maybe a little more. When I was just starting out in golf, my mother took me to Walter Keller and asked what he thought about my ability.

"Mrs. Alcott," he said. "This little girl is a thoroughbred. She was born to compete. Don't try to change a thing. Just let her go, and trust her instincts. She'll do just fine."

I think that many people actually have a fear of winning because they believe that people won't like them if they beat them. I'll confess that that particular thought never really entered my mind, but I've seen people who are actually apologetic when they win.

Look, be honest with yourself. If you're one of those people, take it from me: there's nothing wrong with winning fair and square, but sometimes winning requires an attitude that's fine on the course but not always so admirable off it. Let me explain.

When I'm playing I try to concentrate totally on the job at hand, playing one shot at a time. I've walked past some of my best friends in the world and honestly never saw them. Believe me, that's led to some hurt feelings until I could explain what was going on.

At the same time, I often go head-to-head with players I like very much, but once the game is on, I want to beat them. It's nothing personal. I don't hate them or anything like that. It's just that I have a job to do and for four hours or so, that's what I'm going to concentrate on. When it's over, if they've outplayed me, then they win. But I won't be very happy about it if I handed the win to them. I don't like beating myself.

There are players who want to win at all costs, and usually they are players who don't have very much talent. Gamesmanship exists at all levels of the game, and whenever it happens it hurts the game.

If you find yourself playing someone who tries to throw your game off by moving or making noise when you're getting ready to play, or tries to rattle you by giving you the needle, all you can do is to back away from the ball, ignore the distraction, and then resume play. Playing against one of these jerks can make for a very long day, but it forces you to concentrate that much harder on your own game.

The same is true when you're paired with a player who is struggling. You want to be as encouraging as possible, but the truth is that it's very easy to get so caught up in the other person's problems that you lose your grip on your own game. Obviously, you can't let that happen, so you have to be a little hard about the entire thing and focus on your game. Besides, when your game starts to slide, there's not much anyone else can do about it at the time. Very often, the best advice is no advice at all.

Match Play Advice

We don't play any match play events on the LPGA tour, which I think is a mistake. For starters, it would provide a little variety and a change of pace from our 72-hole, medal play events. More importantly, though, it would give us a chance to play the same game that most amateurs play on the weekend.

I adore match play. I love being able to watch what my competition is up to. The beauty of match play is that there's so much strategy involved. When do you gamble and when can you play safe? Is your opponent feeling the pressure or cruising along nicely? And what about you?

I have ten rules for match play. This isn't gamesmanship, it's just fair competition.

1. **Always play first.** If you have the option, hit your shot first because it can really put the pressure on your opponent.

2. **Play one shot at a time.** When you get a lead it's very easy to let your mind wander. That's the fastest way to lose a lead.
3. **Assume the worst.** You want to be positive, of course, but it helps to always figure that your opponent is going to make every putt, or pull off the impossible shot. There's no worse feeling than figuring you have the hole won, only to watch helplessly as your opponent produces a miracle. It knocks the wind out of your sails.
4. **Know your "par."** When I was playing in the big amateur events at match play, I always studied how my opponent was playing. Most times I figured that I didn't really need birdies to win, but very often bogies would lose a hole. Double bogies certainly would. My advice is for you to realistically figure out what you need to shoot to win most holes. It might be bogies, or even double bogies. Whatever it is, play for them.
5. **Get in the hole first.** Whenever possible, you want to hole out first because this will help turn up the heat on your opponent. Just as important, it will save you from worrying about the putt you have left. Don't hurry, but do get it over with.
6. **Never give up.** Golf is the strangest game of them all. You can feel that you're toally out of a hole, only to have your opponent stub a chip or three-putt, and let you back into the match.
7. **Know the rules.** Golf's rules are complicated,

Amy's Favorites

FAVORITE TOURNAMENT

I'd have to say the Dinah, because of what Dinah and the tournament have meant to our tour. I just love playing there. I also love the Women's Open, because I think it identifies the best players, not just the best putters.

but they are also somewhat different for match play. Learn the differences, and they might help you out down the road.

8. **Study your opponent.** This is really helpful if you're playing a person who you've played a fair amount of golf with. People get into a routine, but when the pressure builds they tend to get out of it. They walk faster. They take extra waggles. They seem unsure. When you sense that this is happening, it's time to really bear down and try to force the issue.
9. **Concentrate on your game.** Obviously, you want to be aware of what your opponent is doing, but it's important to concentrate on your game. In the final analysis, you can't really do too much to influence your opponent's game, so you're better off focusing on your own.
10. **Play one match at a time.** I used to dread my early matches in match play events because the draw usually paired me with a player that wasn't as good as I was. That did two things: First, it took a lot of the pressure off her, because she wasn't expected to win anyway and she could go out and freewheel it. Second, like other good players, I had a tendency to relax just a little bit in the early rounds. When that happens, you can get some very nasty surprises—and an early ride home. My advice is to go into every match as though you were in the finals. That way, you just might get there.

Amy's Favorites

FAVORITE COURSE

Cypress Point. A great golf course is like a great person. It has a unique personality. Cypress is so incredibly beautiful and dramatic. It's also a great shot-maker's course. It's especially nice now that DDT and other chemicals have been cut back in California. This allows the seals and birds and other animals to thrive near the course.

Amy's Playing Lesson

DON'T LET UP: THE 1974 CALIFORNIA STATE WOMEN'S AMATEUR

One of the good things about living in California is that so many state events are played at Pebble Beach Golf Links. It's one of the best courses in the world, and easily one of the prettiest places you'll ever want to see.

The qualifying round for the 1974 California State Women's Amateur was played in tremendous wind and rain. We played from the regular men's tees, and I was two under par coming into the par-3 17th. I missed the green to the right on my drive, but chipped to within four feet of the hole. At that point, in that weather, I knew I was cinch to qualify. All I wanted to do was get to the clubhouse, dry off, and warm up. I didn't spend any time at all over my par putt. In fact, I held the putter with my rain jacket wrapped around the handle and missed the putt.

I wound up shooting a 70, and the officials congratulated me for breaking the women's record held by Babe Zaharias. I had done it in horrible weather on a course that played 200 yards longer than when Babe played. In spite of all that, I was still ticked at myself for letting up and missing that short putt on 17. I would have loved to set the record with a 69.

One other thing about that round: It was the first time I had seen the pins in competition. My eyes were so bad that I could see the greens but not the pins. In spite of that, I had won the 1973 U.S. Girl's Junior and had been a semifinalist in the U.S. Women's Amateur. You can imagine how much easier the game got when I could really see what I was shooting for.

9

Equipment: Finding the Right Tools for You

Finding the right equipment to suit you and your game can be hard work. The golf industry is incredibly advanced. There's so much to choose from in clubs, balls, and all the rest that it can be very confusing. In this section, I'll give you my basic guidelines, but I'd like to stress that the best approach to buying equipment is to work with a professional who will help you find what's right for you.

Equipment is expensive, but if you take care of your clubs they will last indefinitely. I have a set of irons that I was using before I joined the tour, and I couldn't imagine parting with them. They're my babies. Because a good set of clubs will last so long, I think you should take your time and really try to find the right sticks—and don't be afraid to spend a little extra money. Like anything else, you get what you pay for in this game.

My first rule is that you should never buy a club until you've tried it. A club can look great but might not be quite right when it comes time to hit with it. A reputable professional will always let you try a club. The only exception is a sand wedge. One sand shot and that club becomes used merchandise.

While I don't believe you should put a strangle hold on your purse strings when it comes time to buy clubs, I also realize that a new set of clubs might be a pretty tough investment for some. If that's the case, you might visit a few pro shops that take clubs in trade. You can often find a very good used set that is perfectly playable and much less expensive than new clubs.

I also think women should avoid old-fashioned "women's clubs" because by and large they really aren't very good. It's more of a marketing ploy than anything else. There are some major manufacturers who make clubs for women that are worth trying, but for most women a variation of the standard clubs are a better bet.

I think your first consideration should be how a club looks to you. If you're not comfortable with a club's appearance it's almost impossible to have any confidence in it—and confidence is half the battle in golf.

A lot of the players on tour are using Ping clubs or other modern-style designs. They're good clubs, but I can't use them because they look so radically different from what I grew up with. That's a perfect example of what I'm talking about. A club can be technically the best designed club in the world, but if it doesn't look right to you, forget it.

Golf Club Features

Before we get into what specific clubs you ought to be considering, this is probably a pretty good time to actually talk about the specific parts that go into making up a club, and what you should look for in each area.

GRIPS

The right grip is crucial because it's the only place you come in contact with the club. A grip that is worn, or is the wrong size for your hands, can cause nothing but trouble.

There are three basic grip materials: leather, rubber, and rubber with cord. All three have their advantages and disadvantages. Leather grips, when they are properly cared for, are nicely tacky to the touch and give you a good feel. The problem with them is that they require constant cleaning and softening, otherwise they become very slick.

Rubber grips are easy to maintain. All you need to do is wash them occasionally with a wet towel. I use these grips and recommend them for the majority of players. They come in a wide variety of textures, so don't be afraid to experiment.

Rubber grips with cords are also very popular. Their drawback is that the cord can be abrasive, particularly if you have sensitive hands. Still, if you play a lot, particularly in hot, humid conditions, you might try these grips. They come in various styles that have varying amounts of cord.

The size of the grip is the next concern. If a grip is too large, it makes it very difficult to release your hands through the hitting area. On the other hand, if a grip is too thin, you can easily become wristy, which is no bargain either.

Here's how to test to see if your grips are the right size. Simply grip the club in your left hand. If the tips of your fingers just barely touch the palm of your hand, then the grip is the right size. If you find that your grips are the wrong size, or if they become worn and slick, take them to a pro shop or club repair shop and have them replaced. It's not very expensive, doesn't take very long, and it can make a world of difference to your game.

Grip size is a very personal preference. Some people like them a little larger than standard, but I like grips that are slightly thinner because I think they give me a little better feel.

SHAFTS

A lot of people believe that if you can find the right shafts for your clubs, you've solved 90 percent of the mystery surrounding equipment. I'm not sure I'd go that far, but if you're playing with the wrong shafts, you're making this game a lot harder than it already is.

Shafts come in a variety of stiffnesses and materials. The trick is to find which combination is right for you. I play with men's regular steel shafts, but that's not to say that my shafts would be right for you. The stronger you are, and the more clubhead speed you can generate, the more you need stiffer shafts. In making your decision it helps to remember that shafts that are too whippy will cost you in accuracy, while shafts that are too stiff will rob you of distance. This is one area in which you really do need to experiment to find the right combination for you, and my advice is to consult a professional you have confidence in.

Amy's Favorites

FAVORITE RESTAURANT
There's a place called the Montgomery Inn in Cincinnati that has the best ribs in the world. I used to look forward to the LPGA Championship because I knew I'd eat at the Inn every night. I'm also crazy for just about any deli or diner.

As I mentioned before, I use steel shafts because I like the way they feel and perform. They're what I'm used to, but an awful lot of good players are switching to shafts made from materials such as graphite, titanium, and combinations of such materials. Again, I think these are worth trying, but don't kid yourself—there are no miracle cures out there. You can't buy a better game.

Now that I've covered shafts and grips, let's work our way through the bag. The rules of golf allow you to carry fourteen clubs, but after that decisions as to which clubs are pretty much up to you. In earlier chapters we touched on some equipment questions. Let me just repeat a couple of suggestions.

First, unless you are already a pretty accomplished player, I think most people would be better off leaving the long irons out of their bag. Replace them with a third wedge with extra loft; this club will help save you many more strokes than a long iron ever will. I've used three wedges for seven years. Because most sets don't come with a 1-iron in the first place, my suggestion is that you leave out the 1-, 2-, and 3-irons and replace them with an extra wedge, a 4-wood, 5-wood, or—my secret weapon—a 7-wood, which is great from rough or hardpan. The fairway woods are easier to hit than the long irons and they are designed to help get the ball up in the air.

I'll go one step further and say that most women and a lot of seniors and juniors would be better off adding a 7-wood and dropping their 4-iron. My 7-wood is a fifteen-year-old H&B I found stuck in a barrel of old clubs, and I wouldn't trade it for the world. Now let's run through some specific clubs.

The Clubs

THE DRIVER

In order to become a good player you must be able to get the ball into play from the tee. If you are constantly playing from the rough, or worse, you are never going to be able to score, no matter how good you are at scrambling.

The driver can be an intimidating club to handle. It's the longest club in the bag, has the least amount of loft, and is the heaviest club you have to swing. For all of these reasons, many people—especially those who don't generate a lot of clubhead speed—would be better off forgetting about the driver and using a 3-wood instead. The combination of increased loft and a lighter clubhead means that you can not only increase your clubhead speed, but can hit the ball higher as well. In addition to all that, a 3-wood is simply a more forgiving club than a driver in terms of accuracy and margin for error. When I make this suggestion to my pro-am partners, they sometimes look at me like I'm crazy, but the truth is that sometimes you have to swallow your pride and go with what works—and for most people, a 3-wood will work better than a driver.

If you find you can handle a driver, you might want

to go with a metal "wood." I switched to one a couple of years ago and it's made all the difference in the world. There might be a lot of Scots rolling around in their graves because of metal woods, but I find them lighter and more forgiving than my old wooden driver. This is because the clubhead is basically hollow, and the remaining weight is distributed around the perimeter of the club. I don't think you carry the ball any farther with a metal wood, but I do think the ball rolls longer.

IRONS

As I said before, if I were an amateur golfer I'd think long and hard about carrying long irons at all. You should at least give a variety of types of irons a try. I like traditional forged irons, but they aren't as forgiving as cast irons because of the way the weight is distributed. Cast irons tend to have a bigger sweet spot.

Whatever type of irons you choose, I do think most people would be better off with irons that have a slightly wide, slightly rounded sole, in that this type of iron is easier to hit—and hit high—than clubs with narrow flanges and sharp leading edges.

One other consideration to keep in mind, particularly for better players. Most clubs are made to a standard lie, but many tall players find that clubs that are a little more upright are easier to handle. By the same token, some short players, or players who carry their hands low at address, prefer flatter lies. Finding the correct lie for your clubs is something a pro can help you with. If your lies aren't quite right, it's an easy change to make.

WEDGES

We covered the subject of wedges extensively on pages 94–96, but it might be worth going back and rereading those pages because the right wedges are so very important. They are the key to saving strokes from 100 yards in, and a good wedge, like a good friend, is hard to find.

PUTTERS

There's no one right putter for everyone. For that matter, you might have a putter that works like a charm for months, and then suddenly it will go cold on you. Sometimes you just need to make a change. But like the driver, it's a club you absolutely must have confidence in. If you begin to let doubts creep in on the green, you're a dead duck.

I've won with a variety of putters, but now I'm using a Bulls-eye putter, which is a center-shafted model. I think its design makes it easier for me to line up the ball and make solid contact, which are the two main things you need from a putter.

Over the past few years players have been switching to bigger, longer putters such as Pings. I think they can really help the weekend player in two ways. First, the added length makes them somewhat easier to aim, which is good for your confidence. More importantly, though, they help put a truer roll on the ball on off-center hits because of the blade's weighting.

Whatever type of putter you choose, you should make sure it has a little loft. Too often, people try putting with blades that can't get the ball rolling smoothly, which tends to make the ball bounce off line at impact.

One final piece of advice on buying clubs: The driver, wedges, and putter are the most personal clubs in the bag. No club will work all of the time, but if you like the looks of a club once, you'll probably like it sometime down the road. That's why you should never get rid of one of these clubs. It might not work for you now, but there's a good chance that if you loved it once, you'll love it again. Keep your old friends around.

Golf Balls

The guys who sell golf balls might not like this, but I really think that if you're just learning to play, it really doesn't matter much what type of ball you use. If it's round and not too dinged up, go ahead and use it.

As you improve, though, the type of ball you play can make a difference. There are two types of balls, wound Balata (or Balata blends) balls and solid balls, which are sometimes called two- or three-piece balls.

Wound balls are easier to spin, which means that better players can control these balls better on full shots and especially on shots around the greens. They come in a variety of compressions, the most common being 90 and 100. The higher the compression, the harder the ball. I use a 90 compression ball because it has a better feel and I think I can spin it a little easier than I can spin the 100s. Wound balls are great, but they are very easy to cut or knock out of round. That's why, for most players, wound balls are an expensive luxury.

Solid balls, on the other hand, are hard to hurt. You can top the ball, bash it into a tree, or give it the old cartpath shot and the ball will survive. They'll be a little worse for wear, but you can still play them.

While we're on the subject of balls, I'd like to tell you a story I heard from former Speaker of the U.S. House of Representatives, Thomas "Tip" O'Neill. Like so many players, The Speaker would take out an old ball when he had to carry a shot over water. One day he did this when he was playing with Lee Trevino.

"What are you doing, Mr. Speaker?" Trevino asked, and the Speaker told him he always pulled out a water ball for these shots.

"Forget it, Mr. Speaker," said Trevino. "Put down a new ball and let's see you make a practice swing."

After three practice swings Trevino had seen enough.

"Mr. Speaker," he said, knocking away the new ball. "Go ahead and hit the old ball."

Amy's *Playing Lesson*

KNOW WHEN TO GAMBLE: THE 1988 MAYFLOWER CLASSIC

Knowing and playing the percentages is a big part of being a successful golfer. There are times when you need to gamble and times when you need to play safe, and being able to tell the difference is something that separates golfers from people who play at golf. Here's a good example of what I'm talking about.

I came to the final hole of the 1988 Mayflower Classic with a good chance of winning. It is a 360-yard par 4 with trees guarding the right-hand side of the fairway and an out-of-bounds down the left side.

After a 45-minute rain delay, it was time to finish the 18th. I had already hit a poor drive into the trees. The good news was that I had a decent lie; the bad news was that the pin was placed on the right side of the green. In order to get on the green, I had to hit a big slice some 120 yards. To get to the pin meant hitting an even bigger slice. On top of all that, I had to keep the ball low under the tree limbs while making sure it sliced. A straight ball would certainly go out of bounds.

Had this been an earlier round, or if I had a safe lead, I would have pitched the ball back safely into the fairway and taken my 5. But under the circumstances, I didn't have any choice. I took a 3-iron and hit a low, knock-down slice. The ball carried over an asphalt cart path 100 yards from the green, turned sharply to the right, and began bouncing toward the green, finally coming to rest 45 feet to the left of the hole.

After running my approach putt two feet from the hole, I must have fallen asleep. I missed my short par putt, tying Ayoko Okamoto for second as Terry Jo Meyers got her first tour win.

Golf's a funny game. I pulled off the tough shot under pressure, but my concentration lapsed over a short putt. Name one other sport so frustrating.

10

The Spirit of the Game

Golf is unique. It is a game for gentlemen and gentlewomen. It always has been and always will be because the people who play it love it and want to keep it that way for generations to come.

Think about it. Golf is the only game in which a player is solely responsible for calling the rules on himself or herself. In most sports, players are taught how to get away with bending or breaking the rules. In golf, the first thing a youngster learns is that the rules are sacrosanct.

Bobby Jones, the great amateur, once called a one-stroke penalty on himself because his ball had moved ever so slightly. Nobody else had seen the ball move, but it never occurred to Jones—as fierce a competitor as ever lived—not to call the violation on himself. Later, when someone praised him for his sportsmanship, he summed up the spirit of the game.

"Why, you might as well praise a man for not robbing a bank as praise him for playing by the rules," he said.

Golf is a game of great traditions and etiquette. It is a test of a person's character. As Francis Ouimet, the young Bostonian who won the 1913 U.S. Open, once observed, "Golf is an easy game, really . . . until you put a scorecard in your pocket."

Amy's Favorites

WORST BREAK

I won the 1985 World Championship of Women's Golf and went to Denver the following week playing very well and on a real high. I wound up in a playoff with Pat Bradley. On the first hole, my drive hit a sprinkler head in the fairway and the ball bounced dead right, coming to rest against some rocks and costing me a win.

Postscript: Making Golf a Better Game

In this book I've tried to share with you what I know about playing this game. I hope I've been successful, and that you learn to enjoy and love golf as much as I do. But there is a difference between playing golf and being a golfer. A golfer is a person who knows the special traditions and etiquette of the game. Moreover, a golfer is a person who gives more back to the game than he or she takes out of it.

Here are a few of my thoughts on the things all golfers can and should do to help make golf a better game for everyone. By knowing these things, you'll not only become a better golfer, but will be a lot more comfortable on the course. Good luck. Play hard. Have fun.

1. Respect your fellow players. Treat them the way you'd like to be treated.

2. Respect the course. Always leave it in better shape than you found it.
3. Always fix your divots . . . and a few others as well.
4. Fix pitch marks on greens.
5. Repair spike marks on greens. It's against the rules to fix spike marks on your line, but it's a courtesy to other players to tamp down any you see before you leave the green.
6. Rake your footprints and divots in the bunkers. Give other players a break.
7. Don't step on a fellow player's putting line.
8. When a player is reading a putt, walk around her, not through her line.
9. Don't move when a person is preparing to play.
10. Don't make noise when a person is preparing to play.
11. Compliment good shots.
12. Don't give advice unless you're asked.
13. Use a caddie if you can. It's a good job for a kid and a great way to get juniors interested in a game they can play for a lifetime.
14. If you use a caddie, don't take a bad round out on him or her.
15. Don't dawdle. The best way to avoid that is to be prepared to play when it's your turn.
16. Let faster groups play through. If there's a hole open in front of you, and the players behind

you are waiting, let them through. They'll have more fun and so will you.

17. Enter bunkers from the low side.
18. Don't criticize your partner.
19. Support local junior golf programs. Kids are the key to golf's future.
20. Last, but not least: keep your sense of humor. There's enough stress in the rest of your life to let bad shots ruin a game you're supposed to enjoy.

Amy's Favorites

FAVORITE PLACE IN GOLF

Just sitting on the 15th tee at Cypress Point. The Pacific churns through an inlet to the right, the trees give you privacy and tranquility, and the hole is simply beautiful. It's a magical place, and would be even if there wasn't a golf course there.

Amy's Playing Record

Year	Number of Events	Best Finish	Money	Rank	Scoring Average
1975	21	1	$ 26,798	15	73.52
1976	28	1	71,122	7	73.54
1977	28	1	47,637	14	73.57
1978	29	1	75,516	9	73.06
1979	26	1	144,838	3	72.43
1980	28	1	219,887	3	71.51
1981	26	1	149,089	7	72.33
1982	26	1	169,581	6	72.27
1983	25	1	153,721	8	73.05
1984	24	1	220,412	5	72.34
1985	22	1	283,111	4	71.78
1986	23	1	244,410	4	71.99
1987	26	2	125,831	17	72.57
1988	26	1	292,349	7	71.71
1989	25	1	168,089	18	72.16
1990	22	2	99,208	42	73.12

Amy's Victories

1975 Orange Blossom Classic

1976 LPGA Classic, Colgate Far East Open

1977 Houston Exchange Clubs Classic.

1978 American Defender Classic.

1979 Elizabeth Arden Classic, **Peter Jackson Classic,** United Virginia Bank Classic, Mizuno Japan Classic.

1980 American Defender/WRAL Classic, Mayflower Classic, **U.S. Women's Open,** Inamori Classic.

1981 Bent Tree Ladies Classic, Lady Michelob.

1982 Women's Kemper Open.

1983 Nabisco Dinah Shore Invitational.

1984 United Virginia Bank Classic, Lady Keystone Open, Portland Ping Championship, San Jose Classic.

1985 Circle K Tucson Open, Moss Creek Women's Invitational, Nestle World Championship of Women's Golf.

1986 Mazda Hall of Fame Championship, LPGA National Pro-Am.

1988 Nabisco Dinah Shore.

1989 Boston Five Classic.

INDEX

NOTE: *Page numbers in italics refer to illustrations*